GHETTO

## Du même auteur

*L'Effet placebo,* Éditions Goélette, 2016.
*Quand j'étais Théodore Seaborn,* Éditions Goélette, 2015.
*Une longue vie tranquille,* dans *Crimes à la librairie,* Éditions Druide, 2014.
*Un pépin dans ta pomme,* dans *Des nouvelles du père,* Éditions Québec Amérique, 2014.
*S.A.S.H.A.,* VLB éditeur, 2014.
*Violence à l'origine,* Éditions Goélette, 2014.
*Sous la surface,* Éditions Goélette, 2013.
*Je me souviens,* Éditions Goélette, 2012.
*La Chorale du diable,* Éditions Goélette, 2011.
*Il ne faut pas parler dans l'ascenseur,* Éditions Goélette, 2010.

# MARTIN MICHAUD

GHETTO X

**UNE ENQUÊTE DE VICTOR LESSARD**

Libre Expression

**Catalogage avant publication de Bibliothèque et Archives nationales du Québec et Bibliothèque et Archives Canada**

Titre : Ghetto X : une enquête de Victor Lessard / Martin Michaud.
Noms : Michaud, Martin, 1970- auteur.
Identifiants : Canadiana 20190022574 | ISBN 9782764813300
Classification : LCC PS8626.I21173 G84 2019 | CDD C843/.6—dc23

Édition : Marie-Eve Gélinas
Révision et correction : Patricia Juste, Julie Lalancette
Couverture et mise en pages : Clémence Beaudoin
Photo de l'auteur : Julien Faugère

Cet ouvrage est une œuvre de fiction ; toute ressemblance avec des personnes ou des faits réels n'est que pure coïncidence.

**Remerciements**
Nous remercions le Conseil des Arts du Canada et la Société de développement des entreprises culturelles du Québec (SODEC) du soutien accordé à notre programme de publication. Gouvernement du Québec – Programme de crédit d'impôt pour l'édition de livres – gestion SODEC.

Les Éditions Libre Expression
Groupe Librex inc.
Une société de Québecor Média
4545, rue Frontenac
3ᵉ étage
Montréal (Québec) H2H 2R7
Tél. : 514 849-5259
www.edlibreexpression.com

Dépôt légal – Bibliothèque et Archives nationales du Québec et Bibliothèque et Archives Canada, 2019

ISBN : 978-2-7648-1330-0

**Distribution au Canada**
Messageries ADP inc.
2315, rue de la Province
Longueuil (Québec) J4G 1G4
Tél. : 450 640-1234
Sans frais : 1 800 771-3022
www.messageries-adp.com

*À la mémoire de mon père.*

*À Patrice et Julie.*

## TRAME SONORE

Les trente pièces suivantes comptent parmi celles que j'ai écoutées le plus souvent pendant le processus de création de *Ghetto X*. Vous les trouverez ici : libreexpression.com/ghettox/

| | |
|---|---|
| *Before the Beginning* | John Frusciante |
| *The Search* | NF |
| *Arch* | My Education |
| *City Luv* | Foreign Diplomats |
| *Infinity* | The Suuns |
| *Mange un char* | Maybe Watson |
| *Colourway* | Novo Amor |
| *What I Saw* | John Frusciante |
| *The Day I Die* | ISLAND |
| *Lost in Hollywood* | System of a Down |
| *16 Lines* | Lil Peep |
| *Le sang mêlé à l'eau salée* | Laura Babin |
| *I Found* | Amber Run |
| *L.E.S. Artistes* | Santigold |
| *Clothes of Sand* | Nick Drake |
| *Passe ton chemin* | Jean Leloup |
| *King of Everything* | Dominic Fike |
| *Real Thing* | Middle Kids |
| *Cop Killer* | John Maus |
| *A Time to Be So Small* | Interpol |
| *La route que nous suivons* | Louis-Jean Cormier |
| *Lost in the Plot* | The Dears |
| *I'm Jim Morrisson, I'm Dead* | Mogwai |
| *The Axe* | Yorke Thomas Edward |
| *Arrows* | Foo Fighters |
| *Bones of Birds* | Soundgarden |
| *I Bet on Losing Dogs* | Mitski |
| *Blanket Me* | Hundred Waters |
| *Where's my love* | SYLM |
| *Radiant* | Halftribe |

*Trente-cinq minutes après l'assaut des Forces spéciales contre Ghetto X*

Une pièce rectangulaire sans fenêtre, aux murs lambrissés de bois, avec une table, une chaise droite et un fauteuil sur roulettes. La porte s'ouvre, livrant le passage à une femme dans la quarantaine. Grande, mince, peau foncée, elle est vêtue d'un tailleur marine ajusté, et ses cheveux noirs sont remontés en chignon. L'homme qui la suit s'arrête dans l'encadrement, où des mains retirent, dans son dos, les menottes qui l'entravent.

L'interrogatrice lui désigne la chaise.

— Je vous demanderais de vous asseoir.

L'homme s'exécute et, tandis qu'elle prend place dans le fauteuil, il masse ses poignets endoloris et passe ses paumes sur son visage.

La femme attend un instant avant de reprendre.

— Quelque chose à boire, à manger?

Elle pose ses mains devant elle. Il détaille ses longs doigts entrelacés, ses ongles vernis avec soin. Il examine ensuite ses mains à lui, couvertes de coupures et d'ecchymoses, et note que de la crasse s'est incrustée sous ses ongles.

L'homme relève la tête.

— Je prendrais un café. Et mes cigarettes.

Elle esquisse un sourire crispé.

— On va aussi vous apporter de quoi vous débarbouiller et vous changer.

Il acquiesce. La femme désigne une caméra sur trépied dans un coin, braquée sur eux. Il remarque un point lumineux vert sur l'appareil, comme un cyclope qui l'observe.

— J'attire votre attention sur le fait que notre conversation est enregistrée et filmée.

L'homme hoche la tête et pousse un soupir. La femme le dévisage.

— Pour les fins de l'enregistrement, je suis Claire Sondos, agente du Service canadien du renseignement de sécurité. Maintenant, je vais vous demander de vous identifier.

Il se carre dans sa chaise et la fixe droit dans les yeux.

— Je m'appelle Victor Lessard.

# 1

## Maudites promesses

Victor ouvrit la porte vitrée et sortit dans la froideur du jour. Son cœur cognant dans ses tempes, il remonta la succession de gouttelettes de sang jusqu'au bout de la longue saillie, où le vent faisait tourbillonner de la poussière.

Adossé à la rambarde, poignets tailladés, l'homme lui faisait face. En surplomb, le ciel cuivré léchait sa silhouette frêle. La lame qu'il brandissait dans sa main tremblante brilla dans le soleil tandis qu'il regardait par-dessus son épaule. Six étages plus bas, dans le stationnement bondé du Casino de Montréal, une foule de curieux commençait à s'agglutiner. Inspirant par brèves saccades, l'homme interpella Victor. Sa voix blanche, angoissée, ricocha contre le béton.

— Je saute si t'avances encore.

Victor s'arrêta et leva les mains. Il retira son oreillette, la laissant pendre au bout du fil. Puis il desserra sa cravate et la glissa par-dessus sa tête sans défaire le nœud. Quatre mètres et un mur de silence séparaient les deux hommes.

Victor considéra celui qui, en s'essuyant le front avec l'avant-bras, se barbouilla le visage de sang : plus ou moins cinquante-cinq ans, cheveux argentés, corps décharné flottant dans un pantalon de jogging élimé. L'homme le jaugea à son tour.

Victor connaissait ce regard. Ce n'était pas seulement celui des joueurs ayant passé de trop longues heures autour des tables du Casino. C'était le regard éteint de ceux pour qui gagner ou perdre n'a plus la moindre importance.

Il toucha une poche de son veston.

— Je vais juste prendre mes cigarettes.

L'autre acquiesça. Victor en alluma une, puis lui tendit le paquet. L'homme refusa d'un hochement de tête sec, une expression de dégoût sur le visage.

Recrachant longuement la fumée, Victor passa le plat de sa main dans ses cheveux coupés en brosse. L'amorce d'un sourire fripa le coin de ses yeux.

— Vous avez raison, ça va finir par me tuer.

L'humour noir de Victor ne l'amusa pas, mais l'homme se détendit un peu.

— C'est ma dernière. Promis.

L'air affligé, le joueur garda le regard fixé sur le stationnement en contrebas.

— Maudites promesses. C'est ça, le problème.

Il se tourna vers Victor et scruta le porte-nom épinglé au revers de son veston.

— Victor Lessard. C'est la première fois que je te vois ici…

— Ça fait pas longtemps que je travaille au Casino.

— Tu faisais quoi, avant?

Victor toucha sa barbe drue, puis planta ses iris verts dans ceux de l'homme. Son oreillette grésillait, mais il l'ignora.

— Police. Crimes majeurs. Et vous? C'est quoi votre nom?

Englué dans sa mélancolie, l'autre omit de répondre à la question pour suivre le fil de ses pensées.

— J'avais dit que c'était fini. Ça faisait six mois.

Considérant son visage d'une pâleur extrême, puis la flaque de sang qui grossissait à ses pieds, Victor estima qu'il restait à l'homme une heure à vivre s'il n'était pas conduit à l'hôpital d'urgence, peut-être moins.

— Maudites promesses ?

L'homme regarda par terre. Un long silence passa, comme un aveu de faiblesse.

— Mon fils m'avait prêté de l'argent. J'avais payé mes dettes. Mais non ! Y a fallu que je revienne. Pourquoi ?

Victor haussa les épaules et observa sa cigarette un instant.

— C'est une addiction.

Il prit une bouffée, puis écrasa le mégot sous son pied. L'homme reprit.

— Mon fils me le pardonnera jamais. Pas cette fois-là. J'suis pus capable de mentir.

Dix mètres derrière Victor, la porte vitrée s'ouvrit brutalement, cédant le passage à un individu athlétique au crâne rasé, vêtu d'un complet-cravate bourgogne.

En le voyant, le désespéré enjamba la rambarde.

— T'es qui, toi ? Décâlisse !

Victor le rassura d'une voix calme.

— Je règle ça. Donnez-moi une seconde.

— Je saute en bas s'il sacre pas son camp !

Un avion de ligne fendait le ciel avec fracas. Sans se retourner, Victor fit signe à son patron – le chef de la sécurité – de s'immobiliser.

— Tout est beau, Dionne. On jase. Assure-toi qu'on se fasse plus déranger.

Ayant pris la mesure de la situation, Dionne s'inclina lentement. Après une hésitation, il tourna les talons et repartit. Victor attendit que la porte vitrée se soit refermée pour revenir à la conversation avec beaucoup de délicatesse.

— Votre fils… peu importe ce que vous avez fait, il va vous pardonner.

L'homme secoua la tête.

— Non ! Y a des affaires qui sont juste pas pardonnables.

Victor triturait sa cravate entre ses mains.

— Vous pouvez changer. On peut toujours changer.

Le joueur fit signe que non, puis une moue de dépit se dessina sur ses lèvres.

— Quand tu t'es déshabillé jusqu'au cœur, tu sais qui t'es vraiment.

Il adressa un sourire contrit à Victor, dont le cellulaire se mit à vibrer dans sa poche.

— Mais merci d'avoir pris la peine de m'écouter.

Le temps s'accéléra. Victor déploya son mètre quatre-vingt-dix et bondit vers l'avant alors que l'homme fermait les yeux et se laissait basculer dans le vide.

Le soleil de fin d'après-midi nimbait de lumière dorée sa silhouette imposante et, tandis qu'elle se balançait d'une jambe à l'autre en tambourinant contre la baie vitrée, sa main gauche restait plaquée sur son oreille.

Son regard balaya le centre-ville, qui grouillait en bas comme un ventre dévoré par des asticots, remonta la rue University, serpenta dans les méandres du ghetto McGill, puis se perdit dans la montagne. Le mont Royal avait déjà revêtu sa cape d'automne. Par le trou que le projectile avait laissé dans la vitre, elle entendait le bruit de la circulation et le klaxon des taxis.

Soupirant d'impatience, Jacinthe Taillon attendit que Victor se taise, puis elle commença à parler dans son cellulaire après le « bip ».

— Salut, mon homme. Ben oui, encore moi. Euh… scuse, je l'sais que je devrais pas te déranger pendant ton shift…

Elle ne put réprimer un sourire moqueur.

— Eille, tantôt j'imaginais au Casino, assis ben relax avec ton p'tit thermos de café, en train de checker tes caméras de surveillance…

Elle redevint grave. La vue de ses traits lourds et affaissés dans le reflet de la vitre l'agaça. Elle gomma l'image en la recouvrant de ses doigts boudinés, faisant claquer la bague en argent qu'elle portait au majeur.

— Anyway, j'aimerais ça te parler de quèqu'chose. De quèqu'chose *d'autre*...

Celle que ses collègues surnommaient « la grosse Taillon » se retourna vers la pièce où des techniciens de l'identification judiciaire s'affairaient autour d'un cadavre.

— Pis en passant, je m'ennuie pas pantoute. C'est sûr, tu vas me dire que c'est parce que ma nouvelle partner est pas mal plus hot que toi...

Jacinthe observa du coin de l'œil la jeune enquêtrice d'origine sud-américaine qui discutait avec Jacob Berger, le médecin légiste. Ses cheveux noirs accentuaient la pureté des traits de Nadja Fernandez, magnifiaient ses lèvres.

— Mais en tout cas, rappelle-moi.

Elle raccrocha. Malgré la raillerie dans sa voix, un air d'infinie tristesse flottait sur son visage. Nadja la rejoignit en quelques enjambées. Elle avait son calepin à la main.

— Tu parlais à qui ?

— Euh... la morgue. Y s'en viennent.

Perplexe, la jeune femme la toisa, mi-figue, mi-raisin.

— Ça, c'est sûr. Je les ai appelés...

Jacinthe ne releva pas la remarque et reporta plutôt son attention sur Jacob Berger, qui s'avançait vers elles. Un petit sourire malicieux se dessina à la commissure de ses lèvres.

— Yo, Burgers !

Le médecin légiste roula des yeux. Il savait qu'elle massacrait son nom de famille à dessein, mais ça l'exaspérait chaque fois comme si c'était la première.

Sans retirer ses gants, Jacinthe plongea la main dans une poche de son pantalon cargo, prit une poignée de graines

de tournesol et l'enfourna sous les murmures réproba-
teurs de Berger. Léchant le sel agglutiné sur le bout de
son majeur, elle se fendit d'une moue narquoise.

— Delaney vient juste de revenir de voyage, Burgers…

Le commandant de la Section des crimes majeurs rentrait effectivement d'un périple de plusieurs semaines en
compagnie de sa conjointe, atteinte d'un cancer incurable.

Berger lui déversa son mépris.

— Je vois vraiment pas le rapport, Taillon…

— Ah non? Tu l'appelleras pour te plaindre si jamais tu
trouves des écales à terre.

Dans le stationnement du Casino, les regards étaient figés
sur les deux silhouettes qui s'échinaient à tromper la mort,
six étages plus haut. Au bout de la saillie, l'effroi se lisait sur
les traits décomposés de celui qui avait tenté de se suicider.

— Je veux pas mourir!

L'homme ballottait dans le vide, ses doigts exsangues
crispés sur la cravate de Victor, qui, contre la rambarde, la
retenait à deux mains.

Visage cramoisi, veines du cou dilatées, Victor vit que
les doigts de l'homme glissaient le long de l'étoffe. Dans
un ultime effort, il banda ses muscles et tira de toutes ses
forces pour le hisser jusqu'à lui.

Une sirène se mit à hurler au loin, mais elle semblait
appartenir à un autre monde. Et même si on ne peut
jamais rien contre la solitude et la peur, les regards des
deux hommes étaient maintenant soudés en un seul.

# 2

## À la poursuite du temps perdu

Deux heures plus tard, Victor gara dans l'avenue des Canadiens-de-Montréal la Saab 900 Turbo grise qu'il avait achetée d'occasion. Son amoureuse, Nadja Fernandez, s'y connaissait en la matière. Ainsi, elle l'avait mis en garde à propos de la mécanique douteuse de ce vieux modèle, qui datait de 1993, l'année de la dernière Coupe Stanley, mais Victor avait été séduit par les banquettes de cuir marron patiné par le temps.

Il descendit de la voiture et jeta un coup d'œil sur sa tenue. Dans un monde idéal, il serait passé chez lui en vitesse pour se changer. Mais voilà, le monde idéal, ce serait pour un autre jour. Une main en visière, il leva la tête vers la cime du gratte-ciel. Les lueurs aveuglantes du soleil couchant s'entortillaient sur le verre de la tour, comme les tentacules d'une pieuvre sur sa proie.

Il eut envie d'une cigarette, mais il y renonça. Puis il se dirigea vers l'entrée, où un patrouilleur l'attendait pour lui donner accès à l'ascenseur. Seul dans la cage d'acier, il appuya sur le bouton du quarante-quatrième étage. Pendant que la cabine s'envolait vers le ciel, il prit sa main droite dans la gauche pour faire cesser les tremblements qui l'agitaient.

Un policier en uniforme montait la garde dans le couloir. Se connaissant de vue, ils se saluèrent d'un signe. Puis le représentant de l'ordre souleva le ruban de plastique jaune. Victor se pencha et passa en dessous. Il eut un mouvement de recul devant la porte ; il redoutait de plonger dans l'horreur qu'il ne manquerait pas de trouver derrière. Mais il prit une grande inspiration pour chasser ses pensées négatives et poussa le battant, qui pivota sur ses gonds.

Ébloui par les projecteurs, il plissa les yeux un moment pour mieux observer le ballet familier qui se déroulait à l'intérieur de l'appartement. Des techniciens vêtus de combinaisons blanches se mouvaient dans l'espace comme s'ils suivaient un pointillé imaginaire sur le sol.

Victor jeta un coup d'œil à la ronde : il se trouvait dans l'une de ces luxueuses tours de condos ayant poussé comme des champignons dans les alentours du Centre Bell, grand temple de la bière Molson et du hockey des Canadiens. Rectangulaire, la pièce à aire ouverte comportait, à gauche de l'entrée, un comptoir de granit noir en forme de L inversé, qui enchâssait une cuisine ultramoderne. Au-delà, Victor nota un corridor qui devait mener aux chambres et aux toilettes.

Le salon et la salle à manger s'étendaient sur sa droite, minimalistes et délimités par une cheminée à gaz suspendue, terminée par un foyer en acier noir. En face, un mur de verre s'ouvrait sur une forêt de gratte-ciels.

Victor remarqua le béton brut laissé à nu sur certains murs, les lignes épurées, la décoration d'une sobriété clinique, mais son cerveau traita en priorité le sang sur le plancher, près du foyer, une flaque épaisse, sombre et visqueuse, dont l'odeur ferreuse lui chavirait l'estomac.

Le sang. Avant même le corps, c'était ce qu'il observait. D'abord pour ce que ce sang représentait, la vie fauchée qu'il symbolisait. Ensuite pour ce qu'il annonçait, la séquence d'événements qui en découlait. C'était tragique quand une personne perdait la vie, plus tragique encore quand elle la perdait à la suite d'un meurtre.

Il y avait dans un premier temps les membres de la famille à rencontrer et la violence de leurs émotions à absorber : silences, questions, cris, pleurs et incompréhension. Et toujours ce désespoir d'emmuré qui vous transperçait le cœur. Plus tard, les nuits blanches et les pistes à remonter, par dizaines, fil à fil. Le casse-tête à résoudre, parfois au péril de sa propre vie. L'adrénaline, la peur, le danger. Et, dans le meilleur des cas, un seul tueur à traquer.

Victor s'approcha du cadavre. Il s'agissait d'un homme aux cheveux blonds et aux mèches rebelles, qui gisait face contre terre, dans une méduse de sang. Pour autant que Victor pût en juger en observant le côté visible du visage exsangue, il devait avoir entre trente et quarante-cinq ans.

Son regard se posa sur la blessure d'entrée, qui était apparente à l'endroit où le projectile avait déchiqueté, au niveau de l'omoplate gauche, le t-shirt que portait la victime. Gris à l'origine, le vêtement maculé avait pris une teinte mordorée.

Victor inspira profondément pour lutter contre la nausée qui le gagnait. Il crut devoir sortir, mais son malaise passa. Il alla vers le mur de verre, où un technicien effectuait des prélèvements. Là, il examina le trou étoilé, ses rebords semblables à de la glace pilée, constellé de fines stries, qui s'ouvrait à la hauteur de son visage.

Le cône laissé par le projectile dans la vitre s'élargissait vers l'intérieur. À n'en pas douter, quelqu'un avait tiré de l'extérieur.

Victor se retourna et observa le bas du mur parallèle où on avait encerclé d'un trait de crayon rouge un trou dans le béton. C'était l'endroit où la balle avait terminé sa course, après être passée à travers la victime. Perplexe, il estima que le projectile avait frappé plus d'un mètre en dessous du trou d'entrée dans la vitre. Un seul impact.

Un poids sur le cœur, il toucha ses cigarettes dans la poche de son veston. Même s'il avait depuis longtemps juré de se débarrasser de sa dépendance, le tabac demeurait un vieil allié face aux ténèbres.

Victor comprenait pourquoi Jacinthe l'avait appelé, mais il n'avait pas envie d'être là. Il en avait fini avec ce métier qui l'avait rongé jusqu'à l'os. Terminé la paperasse, les mandats arrachés de force et les pressions de la hiérarchie avide de réponses tranchées dans les certitudes du noir et du blanc.

Fini aussi de négliger ses proches.

Son fils, Martin, avec qui il avait eu sa part de problèmes, n'était jamais rentré du ranch de son oncle où il travaillait, en Saskatchewan. Et sa fille, Charlotte, devenue une magnifique jeune femme, brillante, volontaire et cultivée, poursuivait avec panache sa formation en journalisme. Elle était présentement à Paris, où elle achevait sa dernière session.

S'il se blâmait pour les difficultés qu'avait rencontrées Martin, il refusait en revanche de s'accorder le moindre crédit pour les succès de sa fille. Il allait prendre le temps nécessaire pour mieux connaître les adultes que ses enfants étaient devenus, pour ne pas devenir un étranger dans les vies qu'ils se construisaient.

*C'était tout.*

Victor reporta son attention sur le mur de verre. Dans le reflet de la vitre, son regard croisa celui d'un technicien, qui le salua. Compagnons d'infortune, ils s'étaient vus cent fois sans même échanger dix mots. Il lui fit un signe de tête et, tenant compte des traces d'impact, tenta de déterminer l'endroit où le tireur avait pu se poster.

Il réfléchit un instant, puis revint vers le cadavre. Alors qu'il se tenait penché au-dessus du corps, la mare de sang lui renvoya le reflet de son visage, semblable à celui d'un vieux lion ruminant les malheurs du monde.

Victor ferma les yeux. Des souvenirs surannés se mirent à tourner dans sa tête. Les victimes. Les visages de la mort. Les fantômes qui le hantaient. Il avait vu tant de cadavres, tant de vies brisées, tant de violence larvée. S'il ressentait de la compassion pour ces existences stoppées net, il éprouvait la même empathie pour les vivants, pour ceux qui souffraient en silence. Ceux dont on ne retenait jamais le nom.

Et, au fil de chaque enquête, leur douleur devenait sienne. Souvent au détriment de sa santé physique et mentale. Peut-être en était-il un peu ainsi à cause de la faille qui traversait son enfance. Il ne le saurait jamais avec certitude.

Pour chasser son trouble, Victor gonfla ses poumons, puis les vida en exhalant l'air lentement, par la bouche. Peu à peu, les images s'estompèrent. Mais ce lourd fardeau qui le gangrenait, il le traînait chaque jour plus difficilement, comme une carcasse pourrissante. Et, quoi qu'il pût encore lui arriver, peu importe ce que la vie lui réserverait, il n'en guérirait jamais, comme il ne pourrait jamais s'empêcher d'avoir envie de boire. Tout au plus réussissait-il, d'heure en heure, de jour en jour, à gagner du temps, à retarder l'échéance. Mais, tout ça, c'était fini.

Il rouvrait les yeux lorsqu'une voix dans son dos le fit se retourner.

— Ha ben ! Gadon qui c'est qui vient nous voir !

Remontant le corridor, Jacinthe s'arrêta devant son ancien coéquipier. Deux mètres les séparaient. L'air goguenard, elle l'examina avec soin de la tête aux pieds, avant de siffler.

— Ouin, pas pire, le *suit*… L'as-tu loué ?

Victor esquissa un sourire narquois.

— Disons que j'ai mis une option d'achat dessus.

— Cool. Pis les taches rouges venaient-tu avec ?

Il n'eut pas besoin de vérifier : sa veste et sa chemise étaient maculées du sang de l'homme qu'il avait secouru. Il haussa les épaules avec désinvolture.

— C'est du ketchup. Va falloir que je fasse plus attention avec *mon p'tit thermos.*

Le sarcasme dans sa voix n'avait pas échappé à Jacinthe, qui sourit. Les yeux humides, ils s'observèrent encore un instant, leur silence disant à quel point ils s'étaient manqués. Puis ils tombèrent dans les bras l'un de l'autre.

— Maudit que t'es cave, Lessard !

Après une accolade bien sentie, Jacinthe fit un pas en arrière et ils rirent tous les deux pour chasser la nervosité et le malaise qui les tenaillaient. Car même si elle lui avait fait parvenir moult textos restés lettre morte et si elle lui avait proposé à plusieurs reprises d'« aller bouffer » ensemble, c'était la première fois qu'ils se revoyaient depuis qu'il avait remis sa démission à Marc Piché, le directeur du SPVM, après l'enquête sur le Graffiteur[1].

— À part te pogner le cul, t'as fait quoi avant de commencer ta nouvelle job ?

En prenant la paire de gants de latex que lui tendait Jacinthe, Victor se mit à réfléchir. Outre ses trop nombreuses visites aux soins palliatifs pour veiller Ted Rutherford, tout s'embrouillait dans sa mémoire.

Il avait bien réécouté pour la énième fois les combats de Mohamed Ali sur son lecteur Blu-ray, regardé des documentaires sur la faune, fleuri la tombe de sa famille au cimetière Notre-Dame-des-Neiges, mais, le reste du temps, il l'avait passé recroquevillé dans son fauteuil, naviguant des suées aux frissons dans un demi-sommeil peuplé d'images cauchemardesques, d'où il émergeait

---

1. Voir *Violence à l'origine.*

paniqué et à court d'air, pour mieux y replonger après s'être calmé.

La vérité, c'est qu'il avait eu besoin de ce temps pour lui, histoire de se sevrer. Parce que, pour Victor Lessard, traquer des tueurs était une dépendance, une drogue dure. Et parce que, en la matière, il était un junkie de la pire espèce.

Le voyant englué dans ses souvenirs, Jacinthe revint à la charge.

— Tour de contrôle à Major Tom. Yo, Lessard?

Reprenant soudain contact avec la réalité, Victor bredouilla.

— Euh… pas grand-chose. Tranquille.

Il aurait aimé dire qu'il avait pris l'habitude de faire la cuisine en attendant le retour de Nadja, mais il n'en avait pas eu la force. Ainsi, outre de trop rares incursions au marché Akhavan pour se ravitailler en pitas, en houmous et en poulet mariné, il avait fait livrer de la nourriture, prétextant vouloir découvrir les restos du coin. Si elle avait respecté son besoin de faire le vide, Nadja n'avait pas été dupe pour autant.

Jacinthe le jaugea d'un œil pénétrant.

— Quoi? T'as pas le goût d'en parler?

— Ç'a pas rapport avec toi.

Elle marcha vers le mur de verre, puis se retourna et lui fit face. Les mains sur les hanches, elle gronda.

— Je t'ai appelé, je t'ai texté, je t'ai laissé des messages. T'as disparu, Lessard!

Victor baissa la tête.

— J'avais besoin de temps. Fallait que je fasse une coupure.

À son air, il comprit qu'elle en était blessée.

— Ben moi, fallait que je te parle. On n'efface pas quinze ans de même! On était des partners, mon homme!

Il releva la tête, soutint son regard.

— T'as raison, je le sais.

— Aujourd'hui, c'est la première fois que je t'appelle pour de quoi qui a rapport avec la job. Pis là, t'arrives à toute vitesse. Explique-moi ça !

Victor accusa le coup en silence. Lui-même ne comprenait pas. Il enfilait les gants de latex quand Nadja les rejoignit. Malgré l'air affairé qu'elle affichait, le coin de ses yeux trahissait sa joie de le voir.

— Je voulais juste te dire : j'étais pas au courant.

Il sourit, puis, paume ouverte, toucha la joue de celle que Paul Delaney avait décidé de garder aux crimes majeurs le temps de recruter les ressources requises pour combler le cratère qu'avait causé son départ.

— T'inquiète, j'avais compris.

Nadja fronça les sourcils en posant les yeux sur ses vêtements.

— C'est du sang, ça ? Es-tu correct ?

Il balaya l'air du revers de la main.

— Tout est beau. Je t'expliquerai.

Elle hésita, scruta son visage, puis hocha la tête.

Jacinthe glissa ses pouces sous sa ceinture et remonta son pantalon.

— Bon, bon, bon, les lovers, vous irez dans chambre plus tard.

Parce qu'elle comprenait que ces retrouvailles s'apparentaient pour eux à une forme de rituel tribal, Nadja se composa un sourire figé et s'éclipsa sans rien ajouter.

Jacinthe la considéra tandis qu'elle empruntait le corridor menant aux chambres.

— Avec un peu d'expérience, elle va devenir presque aussi bonne que toi.

L'air grave, Victor jaugea son ancienne coéquipière.

— Si le chef sait que je suis venu sur une scène de crime, on va être dans marde…

Il ne craignait pas Marc Piché, mais il préférait se tenir à distance. S'il avait démissionné, c'était aussi qu'il n'était plus en mesure de travailler sous ses ordres. Il avait en effet acquis la certitude que le directeur du SPVM avait fermé les yeux sur les actes homicides d'un haut gradé[2].

Jacinthe se renfrogna et croisa ses bras contre sa poitrine.

— Fuck Piché! Ça sortira pas d'ici!

— Ah oui? Pis les patrouilleurs? Pis les techs? Tout le monde m'a vu. Quelqu'un va finir par s'ouvrir la trappe.

Une étincelle de folie dansa au fond des pupilles de Jacinthe, et elle eut le sourire machiavélique de celle qui ne souhaiterait rien d'autre que de voir cette situation se produire. D'une voix forte, elle lança une menace à la ronde.

— Le premier qui parle va avoir mon poing sa'gueule.

Victor soupira d'un air découragé. Quoi qu'on fasse, certaines choses ne changeaient pas. La subtilité des manières de son ancienne partenaire faisait partie du lot.

— Au cas où t'aurais pas encore enregistré, j'ai démissionné, Jacinthe.

Agacée, elle le fit taire d'un geste de la main.

— T'as ben raison, c'est ça, le problème: j'ai pas enregistré! J'étais sûre qu'après dix jours à te pogner le beigne à maison tu reviendrais! Mais non, fallait que monsieur se trouve une autre job. Crisse, Lessard! La sécurité du Casino… Really?!

Ils s'affrontèrent du regard un moment. Mais il n'y avait aucun reproche dans celui de Jacinthe. Uniquement la déception et l'impuissance de celle qui, ayant l'intime conviction que son ami était en train de

---

2. Voir *Violence à l'origine*.

pulvériser sa vie en fines particules, se sentait coupable de l'avoir laissé faire. Elle, elle savait! Elle avait besoin de lui. Et lui d'elle, elle en était persuadée. Lessard avait *besoin* de continuer à faire ce travail. Ça ne disparaîtrait pas. Ça ne disparaîtrait jamais.

Ce fut Victor qui baissa les yeux et brisa le silence.

— Je te donne cinq minutes. C'est qui, ta victime?

# 3

## *Time to rock and roll*

*Une heure avant le meurtre*

Portant des combinaisons noires ainsi que des protecteurs aux genoux et aux coudes, les deux hommes sont embusqués depuis l'aube sur un promontoire, camouflés par la végétation compacte. Le tireur est allongé, des lunettes fumées sur le nez, son fusil de précision en appui contre une saillie. Il fait glisser la visée de sa lunette d'étage en étage. Agenouillé en retrait sur sa droite, l'observateur prépare ses instruments de lecture.

— Objectif à midi, Messiah. Vu?

Le tireur acquiesce sans relever le regard. L'observateur consulte un ordinateur militaire posé sur ses cuisses. Puis il ajuste l'objectif de son télescope.

— OK. On est en position?

Le tireur tourne légèrement une roulette pour mettre sa lunette de tir au foyer.

— On est en position, Black Dog.

L'observateur reprend sur un ton mécanique, presque machinal.

— En cas de problème, on se rejoint au point d'extraction. Option de retraite par le sommet ou par le sentier. Confirmé?

— *Roger that. Time to rock and roll.*

Dans la tour en verre, quelques tableaux du quotidien défilent sous les yeux du tireur. Au sixième, un jeune couple se prépare à partir, sans doute pour se rendre au travail. Au quatorzième, des ados étirent leur nuit en se passant une bouteille d'alcool. Au vingtième, la paroi de verre sert d'appui aux ébats de deux corps flasques aux cheveux gris.

Messiah inspire longuement. Il s'arrête au trente et unième sur un homme qui fait la lecture à une petite fille.

La voix de Black Dog crépite dans son oreillette.

— Toujours pas de mouvement dans le secteur Bravo.

Mais Messiah ne l'entend qu'à travers un brouillard blanc. À la vue de l'enfant, son cœur s'est mis à cogner dans sa poitrine. Essayant de calmer sa respiration et son angoisse, il abaisse son arme et prend un moment pour se rasséréner. Et là, en proie à une vive émotion, il se souvient.

*Afghanistan, 2011. Il est en position de tir, couché sur le toit d'un immeuble. Brûlant, le soleil l'aveugle. Il doit abattre une cible dans une rue bondée. Son observatrice, une jeune femme du nom d'Iba Khelifi, est allongée à ses côtés. Sans retirer l'œil de la visée de sa lunette de repérage, elle le taraude.*

*— Les gars avec qui tu te tiens doivent rire de toi en voyant que tu fais équipe avec une femme arabe... Pourquoi t'endures ça ? Pourquoi t'as demandé à travailler avec moi ?*

*Messiah lui répond du même ton sarcastique.*

*— Parce que t'es la meilleure pour faire la différence entre un taliban barbu pis un autre taliban barbu.*

*Iba esquisse un sourire moqueur.*

*— C'est vrai... L'autre fois, avec Marchessault, t'as raté ta cible.*

*Mais Messiah continue de regarder dans son viseur.*

*— Je rate jamais ma cible. Mais je veux plus jamais tirer sur la mauvaise parce que mon spotter a pas fait ses devoirs.*

— Bon. Je t'apprécie pour tes compétences. Tu m'apprécies pour les mêmes raisons. Je te traite avec respect… Je te laisse compléter l'équation.

Messiah ne trouve rien à répondre. Visiblement satisfaite de sa répartie, Iba touche soudain son oreillette, qui grésille.

— Ça va être dans le secteur A. Les quatre fenêtres en haut à droite. Points de référence 1, 2, 3 et 4. Dans le sens des aiguilles. Confirmé ?

Messiah confirme et modifie son angle de tir. Iba règle ses instruments. L'attente se poursuit, inexorable. La chaleur suffocante les accable.

Ils sont immobiles depuis des heures. Messiah est en nage, déshydraté. Son esprit est sur le point de craquer et de se replier sur lui-même. Deux avions de chasse, des F-15 de l'armée américaine, fendent le ciel à haute vitesse, le vacarme de leurs réacteurs cognant dans sa cage thoracique, faisant trembler les murs. Puis la voix d'Iba retentit dans son oreillette. L'ordre arrive enfin.

— L'homme à la tunique bleue. Il vient de sortir…

Iba Khelifi fait une prise de mesure avec un de ses appareils.

— Ajuste l'optique à 1,3. Maintiens l'élévation. Spindrift à 3,4 centimètres.

Messiah effectue les ajustements de façon méthodique.

— Confirmé. Ajusté.

— Quand tu veux.

Le tireur essuie la sueur qui glisse sur son front. La cible marche dans une foule compacte. Il prend une grande inspiration, puis il aligne la cible en mouvement dans sa visée.

La voix d'Iba se fait insistante.

— L'homme à la tunique bleue. Qu'est-ce que t'attends, Messiah ?

Quand son index touche la détente, le temps se suspend, la détonation déchire le silence, et la balle entame son vol en sifflant vers sa cible. Soudainement, l'homme à la tunique bleue est animé d'un *soubresaut, ses bras sont projetés violemment vers l'arrière, puis son corps sans vie s'affaisse sur les genoux.*

*— Cible au sol. Good kill, Messiah !*

*Il ferme les yeux et recommence à respirer. Mais la voix d'Iba le ramène à son viseur.*

*— Oh non ! Fuck !*

*La jeune femme se reprend d'un ton qu'elle veut neutre.*

*— Victime collatérale…*

*Impuissant, Messiah assiste à travers sa propre lunette à une scène d'horreur pure : le projectile a transpercé la cible pour atteindre une petite fille assise contre un mur, derrière. Elle gît là, le visage contre le sol, la tête dans la poussière.*

*Iba se tourne vers lui.*

*— On pouvait pas savoir.*

*Messiah est déjà debout.*

*— On descend. On va voir.*

*Elle soutient son regard et fait signe que non.*

*— C'est pas une bonne idée. Le secteur est plein de talibans.*

*Mais Messiah ne veut rien entendre.*

*— J'ai dit on y va, Khelifi ! C'est un ordre.*

Messiah revient doucement à la réalité et sort de sa poche de poitrine une pierre bleue aux reflets mauves, qu'il contemple puis pose devant lui. Et ce geste simple l'aide à s'apaiser. De retour au calme, maître de ses émotions, il reprend sa position et se remet à scruter les étages de la tour, à la recherche de sa cible.

La voix de Black Dog retentit bientôt, comme un claquement dans l'air.

— Secteur Bravo. Les deux fenêtres de gauche. La lumière vient de s'allumer. Vu ?

— Les deux fenêtres de gauche. Secteur Bravo. Vu.

Au quarante-quatrième étage, un homme aux cheveux blonds portant des lunettes à monture d'acier apparaît dans sa visée. L'homme à abattre.

— Contact. Cible à la première fenêtre. Immobile. Vu ?

Messiah fait jouer les doigts de sa main gauche sur sa crosse, pour les délier.

— Vu.

Un temps, ils observent l'homme en silence, puis Black Dog reprend la parole.

— J'envoie le dernier message.

Il tape quelques mots sur son clavier tandis que Messiah continue de surveiller la cible. Tous ses sens en éveil, il n'entend plus que les battements réguliers de son propre cœur. Sa respiration est lente et profonde.

Black Dog consulte son écran, où il a fait apparaître des graphiques.

— On a un vent négatif de l'est. Corrige à 2.1.

Messiah tourne une roulette sur la crosse de son fusil. On entend deux clics.

— OK. Corrigé.

L'œil à son télescope, l'observateur murmure.

— On dirait qu'il parle à quelqu'un…

— Je vois pas le fond de la pièce.

Concentré, Black Dog scrute ce qui entoure l'homme encore un moment.

— Moi non plus. Angle mort. OK. On reste sur la cible. Tu l'as toujours ?

— Je l'ai toujours.

Sans le regarder, Black Dog prononce alors les mots fatidiques.

— Quand tu veux.

L'index crispé sur la détente, Messiah prend une longue inspiration, puis la bloque.

# 4

## Retrouver ses marques

Jacinthe avait touché le cœur de la cible. Pourquoi avait-il ignoré ses messages mais rappliqué dès lors qu'un meurtre était survenu? Pourquoi ce soudain besoin de souffler sur les braises de l'horreur? Voulait-il une confirmation que les flammes s'étaient définitivement éteintes et qu'il était désormais en mesure de résister à la tentation?

La bête humaine étant une créature d'habitudes et de paradoxes, était-il au contraire tellement en manque qu'il était venu chercher sa dose?

Ces questions lancinantes s'entortillaient dans l'esprit de Victor tandis que ses yeux étaient rivés sur l'écran du cellulaire qu'il tenait dans sa paume, lequel était ouvert sur le profil Facebook d'un homme aux yeux sombres, au sourire timide, aux lunettes à monture d'acier et aux cheveux blonds affectés d'une calvitie naissante.

Depuis plusieurs semaines, il avait envie de croire qu'il progressait, besoin de penser qu'il avait emprunté la bonne voie et pouvait tourner la page. Il s'en voulait d'avoir rappliqué sur un claquement de doigts, sans réfléchir.

Et à présent que tout l'air de la pièce venait de se comprimer dans le creux de son estomac, la voix de Jacinthe lui parvint en sourdine.

— La victime s'appelle Guillaume Lefebvre, trente-sept ans. Il était journaliste d'enquête.

Essayant de réprimer la fébrilité qui le gagnait, il observa la photo de l'homme encore un instant. Celui-ci dégageait quelque chose de touchant, une sorte de mélancolie, le spleen de ceux qui ont vécu de graves épreuves.

Victor rendit son appareil à Jacinthe, qui l'empocha sans lever les yeux des notes jetées à la va-vite dans son calepin.

— C'était pas un deux de pique. Bac en philo à l'Université de Montréal, DESS en journalisme international, bureau chef de l'AFP au Soudan de 2008 à 2010, correspondant au Pakistan en 2011 et 2012. Pis, début 2013, y se fait engager par le journal pour travailler au bureau d'enquête, où il gagne le prix Judith-Jasmin pour un reportage sur la crise migratoire.

Victor absorba l'information sans sourciller et s'approcha du corps. Lefebvre était un journaliste d'exception, reconnu autant par ses pairs que par son lectorat. Un professionnel dont la réputation dépassait les frontières du Québec.

Il marmonna à voix basse, comme pour lui-même.

— Un tireur embusqué qui tue un journaliste. Ça va faire du bruit.

N'ayant pas perdu une syllabe, Jacinthe fit signe que oui.

— Comprends-tu pourquoi je t'ai demandé de venir?

Le regard de Victor passa du trou dans le mur de verre à celui marqué au crayon rouge sur le mur de béton.

— Parce que tu veux te faire une idée avant que Piché te demande des comptes…

— … pis que t'étais responsable de l'enquête quand le parrain s'est fait *sniper*.

Le patriarche de la mafia italienne avait été abattu en 2010 dans la cuisine de sa luxueuse résidence par un tireur embusqué à l'extérieur.

— Tu sais quoi checker… Moi, j'étais chez nous avec une patte en l'air.

À l'époque, conséquence d'un accident de moto, une fracture du tibia avait éloigné Jacinthe des crimes majeurs pendant plusieurs semaines.

— Pis on n'a pas toutes déjà été dans le Groupe tactique d'intervention, monsieur.

Il sourit. La remarque le replongeait loin en arrière.

— Ça fait un méchant bail.

Balayant l'air de la main, elle poursuivit.

— L'expert en balistique était en visite chez sa sœur, à Rimouski. Y est en route, mais y sera pas ici avant une couple d'heures.

Soudain, ce fut comme si les dernières semaines n'avaient jamais existé, comme s'ils reprenaient un dialogue ininterrompu et retrouvaient leurs marques.

Victor se pinça l'arête du nez entre le pouce et l'index.

— OK. Ton journaliste, Guillaume Lefebvre, y avait-tu une conjointe?

Jacinthe approuva d'un signe de tête.

— Sa femme est morte en…

Elle plongea les yeux dans son carnet, tourna impatiemment les pages.

— … en 2016. Embolie pulmonaire. Elle s'appelait Constance Awa… Awashish.

Le deuil d'une amoureuse. Victor se dit qu'à elle seule cette mort prématurée suffisait à expliquer l'impression de tristesse qui émanait de la photo de Lefebvre.

— Awashish, c'est un nom autochtone, ça. Des enfants?

Jacinthe acquiesça et retourna à son calepin.

— Une fille, Emma. Douze ans. Secondaire un en septembre. Collège de Montréal.

Il accusa le coup en silence. Jacinthe continuait, mais il n'entendait plus. Douze ans. Exactement l'âge qu'il avait lorsque son propre père avait frappé dans un accès de folie meurtrière.

— Yo, mon homme! T'es où, là?

Victor émergea. À dix centimètres du sien, le visage de Jacinthe s'encadrait en avant-plan de son champ de vision.

Il se raidit et recula d'un pas.

— Juste un peu trop proche… Tu disais quoi?

— La petite est dans un camp de vélo-camping de trois semaines au Vermont. On est en contact avec la famille.

Il serra les mâchoires. Il songeait à cette enfant à qui on allait bientôt annoncer qu'elle ne reverrait plus jamais son père. Une orpheline dont on pulvériserait la vie, comme son père avait atomisé la sienne.

— T'as envoyé qui rencontrer la famille? Le Gnome?

Un mètre soixante-cinq avec des chaussures à semelles compensées, Gilles Lemaire avait fait équipe avec Jacinthe avant que Victor revienne aux crimes majeurs.

— Non, Loïc. Gilles a été transféré aux crimes informatiques.

— Sa décision?

Jacinthe eut une moue désabusée.

— Plutôt la décision d'un gars qui essaye de sauver les meubles avec sa femme qui veut divorcer, pis sept kids en bas de seize ans.

S'approchant de la table de la salle à manger, Victor secoua la tête. Il se sentait désolé pour son ancien collègue, qu'il admirait tant pour sa ténacité que pour son souci du détail.

— Gilles… Faudrait bien que je l'appelle.

Il désigna le câble d'alimentation d'un ordinateur portable branché au mur. Jacinthe anticipa sa question.

— On n'a pas encore l'ordi. Nadja a appelé au journal. Y sont en train de chercher.

— Pis son cell?

— Burgers l'a trouvé dans une de ses poches. Lefebvre utilisait un code pour l'ouvrir, pas l'empreinte du pouce ni de bébelle de reconnaissance de la face. Y a un tech qui checke ça, mais ça risque d'être compliqué.

Jacinthe prit un air malicieux.

— Pis t'sais, pour le Gnome, si c'est pour y donner des conseils de garde partagée, tu peux peut-être avoir perdu son numéro.

Elle avait une drôle de façon de dire qu'elle s'était ennuyée, mais, connaissant le spécimen par cœur, Victor ne se laissa pas berner.

— Surtout, arrête pas ta thérapie. C'est super important d'apprendre à socialiser. Tu vas y arriver, Jacinthe. Tu vas y arriver. À date, ç'a donné quoi, l'enquête de voisinage?

Elle réprima un éclat de rire.

— Zéro comme dans Ouellette.

Redevenue grave, elle lui posa une main sur l'épaule.

— Nadja m'a mis au courant pour Ted. Apparemment qu'il lui en reste pas long…

Victor se raidit. Il était loin d'être prêt à admettre que Ted puisse être en bout de course.

— C'est elle qui t'a dit ça?

Jacinthe se rendit compte de sa maladresse et se reprit.

— C'est peut-être moi qui a mal compris. En tout cas, si jamais je peux faire de quoi…

Touché par l'attention, Victor sourit tristement.

— Merci, Jacinthe.

Émus, leurs yeux rasant le plancher, ils restèrent cois un instant. Le technicien avait disparu dans une autre pièce. Victor se tourna, observa tour à tour le corps baignant dans la mare de sang et le trou dans le mur de verre.

— Qui l'a trouvé?

Jacinthe désigna des vêtements recouverts d'une enveloppe de plastique sur un crochet, à l'entrée.

— Le building a un service de conciergerie. Quand Lefebvre répondait pas, le commis entrait, pis y accrochait le linge propre. Un p'tit jeune. J'y ai parlé. Comme qui dirait, y était blanc comme un drap…

Elle avait débité sa dernière phrase avec emphase, mais, trop préoccupé, Victor ne goûta pas son trait d'humour.

— J'ai pas remarqué de caméra de surveillance sur l'étage. Je me trompe?

— Y a un vieux concept qui s'appelle la vie privée, mon homme. T'as deux portes avec carte d'accès et caméras en bas, à la réception. Nadja a demandé le feed.

Victor hocha la tête, absorbé par le flot de ses pensées. Jacinthe enfonça ses mains dans ses poches.

— De toute façon, on s'entend qu'y s'est faite tirer de dehors, le journaliste.

Il murmura que c'était une certitude.

— La balle est ressortie pas loin du sternum, non?

— Juste à côté du cœur. Dommages internes massifs. Burgers m'a réexpliqué sa shit de cavité temporaire. Estie qu'y m'énarve quand y me prend pour sa stagiaire.

À chaque cas de blessure par balle, le médecin légiste se faisait un devoir de leur répéter que le transfert de l'énergie du projectile aux tissus créait une dilatation suffisante pour entraîner une désintégration des os et des organes adjacents, et ce, même s'ils ne se trouvaient pas sur le trajet du projectile.

Victor s'approcha de nouveau du cadavre.

— Tu dirais qu'il mesurait combien, Lefebvre? Un mètre quatre-vingt-cinq?

— Ouin. À peu près.

Il se dirigea vers le mur de verre et s'arrêta près du trou laissé par le projectile, qu'il examina.

Jacinthe le rejoignit.

— D'après toi, y a-tu tiré de l'immeuble en face?

Elle pointait à l'ouest une tour d'habitation en cours de construction, de taille similaire à celle où ils se trouvaient.

Sans hésiter, Victor fit signe que non.

— À cette distance-là, l'écart entre la hauteur du trou d'entrée pis celui d'arrivée serait pas aussi grand.

Jacinthe enfourna une poignée de graines de tournesol.

— Peut-être que la balle a dévié dans le corps en frappant des os ou des organes?

Il tendit sa main gantée de latex vers elle.

— Je t'en prendrais une couple…

— Ah ben, je l'savais qu'tu mangeais des graines!

Ne faisant ni une ni deux, elle lui remplit la paume à ras bord tandis qu'il secouait la tête, paupières closes, l'air découragé.

— Ah oui, scuse, faut encore que je travaille mes habiletés sociales, c'est ça?

Ravalant un sourire, il mit quelques graines dans sa bouche et le reste dans la poche de son veston.

— La balle a pas dévié. Regarde le trou dans la vitre. Y m'arrive environ aux épaules. À l'œil, mettons à un mètre soixante-dix du plancher…

Avec sa langue, Jacinthe écartait les écales dans un coin de sa joue.

— Ouin, mettons…

Victor la mena jusqu'au mur de béton, où le projectile avait fini sa course en s'y enfonçant de plusieurs centimètres. Posant un genou au sol, il passa l'index sur la cavité aux bords réguliers.

— Ici, le trou est à quoi? Trente centimètres du sol, gros max?

Les yeux de Jacinthe semblaient briller davantage.

— OK. C'est quoi l'affaire, si la balle a pas dévié?

Victor plissa le front tandis qu'il se relevait.

— On connaît-tu le calibre?

La policière recracha une boule d'écales dans sa paume, puis la fit disparaître dans une poche de son pantalon cargo.

— J'attends le rapport balistique, mais le tech parlait d'une cartouche de .50.

Victor sut que son intuition ne le trompait pas.

— Un calibre .50, c'est juste un peu plus petit que ma main. Environ quinze centimètres. La balle elle-même en mesure quatre. C'est le genre de cochonnerie qui perce le métal de bord en bord. Du calibre militaire.

La dernière phrase ayant produit son effet, Jacinthe le regarda droit dans les yeux, tous ses sens en éveil.

— Qu'est-ce que tu vois que je vois pas?

— Le projectile a pas été tiré en ligne droite. Il avait plutôt une trajectoire en courbe descendante. Le tireur était perché beaucoup plus haut que sa cible.

Sa surprise passée, Jacinthe revint se poster devant le mur de verre, où elle se mit à scruter la mer d'immeubles qui s'étendait devant eux.

— Le problème, mon coco, c'est qu'à part la tour d'en face y a pas tant de buildings où le tireur avait une vue assez dégagée pour réussir son coup.

— T'as raison.

Elle montra une tour située dans une pente près de la rue Peel et d'un pavillon circulaire de l'Université McGill.

— C'est pas mal loin, mais peut-être l'édifice blanc, là-bas?

— C'est pas assez haut.

Mécontente qu'il la fasse jouer aux devinettes, Jacinthe maugréa en mâchonnant ses graines de tournesol.

— Pas assez haut, pas assez haut… T'es drôle, toi chose.

Du doigt, Victor la renvoya à l'immeuble qu'elle venait de désigner.

— En arrière du building rond, qu'est-ce que tu vois?

Elle plissa les paupières, concentrée.

— Ben, des arbres, c't'affaire…

Soudain, une idée aussi folle que difficile à admettre lui traversa l'esprit.

— Attends, attends… Tu penses quand même pas que…

Elle avait arrêté sa phrase en croisant son regard affirmatif.

— Le dude a pas tiré du fucking mont Royal ?!

# 5

# L'art de la guerre

*Six minutes après le meurtre*

Les deux hommes se préparent à quitter le couvert de la végétation qui les enveloppe. D'une main experte, Messiah démonte la lunette, puis son fusil de précision, et il en répartit les pièces dans les compartiments de son sac à dos. Ses gestes sont calculés : il ne veut pas perdre une seconde.

À ses côtés, Black Dog enlève sa combinaison noire, se retrouvant en short et en t-shirt, et la range avec le reste de son équipement. Après avoir à son tour ôté la sienne, Messiah se fige un instant et fixe le vague.

— « En tuer un pour en terrifier un millier… »

Black Dog apprécie la citation en fin connaisseur.

— *L'Art de la guerre*, Sun Tzu.

Messiah approuve de la tête.

— Tu reformates l'ordinateur de la cible ?

— C'est comme si c'était fait.

Black Dog s'affaire depuis quelques minutes sur son clavier lorsque, du coin de l'œil, il voit Messiah qui, un genou sur le sol, contemple entre ses doigts la douille éjectée par son fusil de précision. Celle qui contenait le projectile ayant fauché la vie de Lefebvre.

Comprenant son état d'esprit, il tente de l'apaiser.

— Y a couru après. T'avais pas le choix…

L'air affligé, Messiah finit par se relever et enfiler son sac à dos. Black Dog est toujours sur son portable.

— Encore deux minutes. Ça achève.

Mais Messiah est ailleurs. Il sort d'autres pierres bleues de sa poche et les pose sur la terre, devant lui. Des images et des voix dansent dans sa mémoire.

*Afghanistan, 2011. Leurs armes en position de tir, les nerfs à vif, Messiah et Iba s'avancent prudemment dans la rue. En arabe, la jeune femme interpelle les badauds agglutinés, qui leur jettent des regards de haine et vocifèrent des insultes à leur intention.*

*— On dégage ! Allez !*

*La vue de leurs armes et l'air déterminé de Messiah finissent par convaincre les plus récalcitrants : la foule s'ouvre devant eux. Bientôt, les derniers passants disparaissent dans le labyrinthe de ruelles étroites. Ils arrivent enfin à l'endroit où la petite est morte.*

*Dévasté, Messiah marche vers le corps qui gît par terre, dans la poussière. La fillette devait avoir cinq ou six ans. Si on fait abstraction de la tache de sang qui souille son vêtement à la hauteur du cœur, on dirait qu'elle dort paisiblement.*

*Iba pose une main compatissante sur l'épaule de son coéquipier.*

*— Y a plus rien qu'on peut faire. Faut pas traîner ici.*

*Les yeux mouillés, Messiah ravale la boule d'émotion qui l'étrangle. Il est sur le point de tourner les talons quand son attention est attirée par une pierre bleue qui brille dans la paume droite de l'enfant. Il se penche et, posant un genou à terre, avance sa main pour la prendre. Il l'ignore à ce moment, mais la pierre est reliée à un fil dissimulé dans la manche du chandail de la petite fille.*

*Ce n'est que lorsqu'il attrape la pierre du bout des doigts qu'Iba flaire le danger.*

*— Nooooooon !!!*

*Son avertissement arrive trop tard. Entendant un déclic, Messiah réalise son erreur. Iba plonge vers lui pour l'éloigner du corps de l'enfant à l'instant même où une violente déflagration les souffle comme des pantins. Ils retombent lourdement en arrière dans un nuage de débris humains, de sang, de sable et de poussière.*

La voix grave de Black Dog tire brusquement Messiah de ses souvenirs et le ramène à la réalité.

— Reformatage… complété.

Il ferme son ordinateur, le glisse dans son sac. Messiah le dévisage, la mine assombrie.

— On peut plus reculer, maintenant.

Black Dog fait signe que non et lui touche l'épaule.

— On se rejoint à la camionnette.

Il décolle sans ajouter une parole et s'éloigne au pas de course. Messiah jette un dernier regard sur leur poste afin de s'assurer qu'ils n'ont rien laissé de compromettant derrière eux.

Grave et recueilli, il observe un moment les pierres bleues aux reflets mauves qu'il a érigées en inukshuk à la mémoire de l'homme qu'il vient de tuer.

Il ferme les yeux. Une voix tourbillonne dans sa tête et se mélange aux images et au son d'un bâton qui fouette l'air et s'abat sur lui. Comme chaque fois qu'il repense aux leçons de kendo, le goût de sa douleur et de sa colère lui revient en bouche. « *Toujours avoir du respect pour ton adversaire. Bouge !* »

Son père. L'homme qu'il aime et qu'il déteste plus que quiconque. Il retire ses lunettes fumées et expose ainsi ses yeux à la lumière.

Vestige de l'explosion de la bombe artisanale qui a failli leur coûter la vie, à Iba Khelifi et à lui, en Afghanistan, l'iris de son œil gauche a subi une forte dépigmentation, lui donnant un aspect décoloré, délavé presque. « *Toujours être en mouvement. Bouge !* »

Il rechausse ses lunettes de soleil et commence à descendre vers la rue. La pente est abrupte à cet endroit, hachurée de taillis et difficile d'accès. Mais sa foulée est souple et puissante. À ce moment, Messiah ne ressemble pas à une machine de guerre entraînée à tuer, mais à un coureur comme il en passe des dizaines, chaque jour, sur le mont Royal.

# 6

## Courbure terrestre et autres paramètres

À l'origine, le concept lui paraissait douteux. Aussi, ayant toujours eu une propension à considérer les événements comme résultant d'une forme de logique pratico-pratique, Jacinthe continuait à se triturer les méninges pour essayer d'extraire quelques atomes de vraisemblance de la possibilité que Victor avait évoquée.

— Scuse, mais un kilomètre et demi, ça commence à être loin en chien.

Il se tenait immobile devant le cadavre de Lefebvre. Même si la vision le rebutait et qu'il avait envie de se précipiter dans le corridor et de retourner à l'air libre, il s'efforçait de ne pas en détacher les yeux, pour bien prendre la mesure de l'absurdité de cette vie gâchée.

— Le record du tir le plus long appartient à un soldat canadien : trois mille quatre cent cinquante mètres contre un combattant de Daech. La balle a mis dix secondes pour atteindre sa cible.

Jacinthe émit un grognement.

— OK, mais passé une certaine distance, ça réduit quand même les possibilités. Y doit pas y avoir tant de monde que ça capable de toucher une cible en mouvement à plus d'un kilomètre. Avec le vent pis toute…

— C'est vraiment une science. Il faut tenir compte de plusieurs autres paramètres : la température, la pression de l'air, la gravité, la courbure terrestre, la position de ta cible, les caractéristiques de ton arme et de tes munitions...

Une grimace de mauvaise foi se dessina sur le visage de Jacinthe.

— C'est exactement de ça que je parlais quand je disais « pis toute ».

Il esquissa un sourire sarcastique.

— Je comprends ! C'est comme si t'avais dit « *et cetera* »...

Elle oscillait entre l'amusement et l'agacement.

— Anyway, je m'en crisse, des paramètres pis du record. Moi, ce qui m'intéresse, c'est *notre* tireur.

Victor s'appuya à la paroi de verre et plongea le regard sur la masse des arbres qui recouvraient le mont Royal.

— On parle pas juste d'un tireur, mais d'une équipe de tir. Parce que, pour abattre une cible en mouvement à travers une vitre à cette distance-là, t'as besoin d'un observateur. C'est lui qui dicte les paramètres.

Jacinthe vint le rejoindre et le considéra, interloquée.

— Attends, Lessard. T'es conscient que s'il y avait un spotter, c'est pas juste un meurtre, c'est un complot pour meurtre.

Victor passa sa main ouverte dans ses cheveux drus.

— Attention, juste qu'on se comprenne bien : je suis pas sûr à cent pour cent que le nid du tireur est sur le mont Royal. Je dis juste qu'il y a pas trente-six autres options.

— Ce que tu dis aussi, c'est qu'à cette distance-là c'est pas mononcle Gérard pis son beau-frère qui chassent le chevreuil le dimanche matin qu'on cherche.

Il n'eut pas besoin de répondre. Ils méditèrent là-dessus un moment.

— *One shot, one kill.* Du travail de pro... C'tu des anciens militaires, d'après toi ?

Victor haussa les épaules, l'air embêté.

— Pas nécessairement. La première chose à faire, c'est de retrouver l'endroit où ils étaient embusqués. Si c'était à plus d'un kilomètre, ça va te donner une idée de qui tu cherches pis de l'équipement utilisé.

Jacinthe laissa décanter cette information, puis elle se mit à pianoter sur son cellulaire.

— Va quand même falloir fouiller dans nos fichiers pis sortir la liste des militaires pis des vétérans qui ont des casiers judiciaires. Avec un flag sur les tireurs d'élite.

Pesant ses mots, Victor y alla d'une autre suggestion.

— Tu devrais faire la même chose pour les tireurs d'élite de la GRC et de la police.

Jacinthe releva la tête. Cette possibilité ne l'enchantait guère, mais elle approuva.

— Mais pourquoi tuer Lefebvre de même? D'habitude, tu t'approches le plus possible de ta cible, non?

Elle n'attendit pas qu'il réagisse avant de poursuivre.

— Y était journaliste, pas un caïd protégé par des gardes du corps. Pourquoi pas une balle dans tête dans un stationnement à Laval?

Victor répondit d'une voix douce, comme on souffle sur des braises.

— Parce qu'ils pouvaient le faire…

Mesurant la portée de ce qu'il avançait, Jacinthe le dévisagea.

— Tu veux dire que…

— C'est pas juste un meurtre. C'est une démonstration de force. Va falloir que vous vous intéressiez au travail de Lefebvre. Sur quel article y planchait dernièrement.

Il avait raison, elle le savait, mais une partie d'elle refusait d'y croire. Elle rentra les épaules et attendit la suite.

Victor continua.

— Pis si vous retrouvez pas son ordi, ça veut peut-être dire que quelqu'un l'a pris.

— Avant le meurtre?

Jacinthe marqua une pause, puis alluma.

— Ou quelqu'un qui a tout vu…

Ils échangèrent un long regard, conscients des implications d'une telle hypothèse. Si quelqu'un avait assisté à la mort de Lefebvre en direct, cette personne était en danger.

# 7

## J'ai juste le cœur trop triste

*Huit minutes avant le meurtre*

Vêtue d'un long manteau de laine vert, un sac à dos sur ses épaules, un capuchon dissimulant ses cheveux et le haut de son visage, la jeune femme à la peau noire entre en silence dans l'appartement de Guillaume Lefebvre.

Rempochant sa carte d'accès, elle comprend tout de suite que quelque chose cloche. Un veston, des chaussures, un sac de cuir et des clés sont éparpillés sur le plancher. Sachant qu'elle a transgressé la règle et qu'elle arrive à un mauvais moment, elle est sur le point de rebrousser chemin lorsqu'il apparaît dans le corridor, son ordinateur portable à la main. Pieds nus, il porte un pantalon de jogging noir et un t-shirt gris.

La visiteuse enlève ses lunettes de soleil et ils se défient du regard. Le visage du journaliste est cramoisi ; les veines de ses tempes, dilatées.

— Qu'est-ce que tu fais ici ?

Pourtant habituée à traiter avec la faune des rues malfamées d'Abidjan, elle baisse légèrement la tête pour éviter l'affrontement, mais répond d'une voix assurée.

— T'étais pas au rendez-vous. Je me suis inquiétée.

Il marche vers la paroi de verre et observe la ville qui pulse en contrebas. Sans même qu'il se tourne vers elle, sa réplique fuse, mordante.

— Je pensais qu'on avait mis les choses au clair. Tu devais utiliser la carte seulement en cas d'urgence. T'aurais dû m'avertir !

— Pas de cell, pas de téléphone, pas d'Internet. On était d'accord !

— Il faut que tu partes ! Tout de suite !

Lefebvre s'en veut aussitôt d'être sorti de ses gonds. Il s'apprête à s'excuser lorsque son attention est captée par la messagerie de son ordinateur, qui a émis un son.

Contrariée, la femme serre les mâchoires.

— Tu veux qu'on arrête ? C'est ça ?

Les poings crispés, elle tente de se contenir.

— Tu veux qu'on arrête, mais t'as juste pas eu le courage de me le dire en face ?

Les yeux rivés à l'écran, Lefebvre lui fait toujours dos. Quand il se retourne, on dirait que quelqu'un d'autre s'est glissé sous ses traits.

— Qu'est-ce qui se passe, Guillaume ?!

Elle le questionne, mais elle connaît les raisons pour lesquelles les choses ont commencé à déraper, pourquoi le journaliste s'est replié sur lui-même et s'est retiré du monde. À contre-jour dans le halo de lumière blanchâtre que déverse la paroi de verre, il la dévisage. Elle ne l'a jamais vu dans un pareil état.

— Je t'ai dit de t'en aller ! T'as pas d'affaire ici !

— Ça peut pas continuer comme ça, Guillaume. Il faut que t'arrêtes, parce que…

Le journaliste l'interrompt.

— Tu penses que j'ai peur ? Tu penses que je vais me laisser intimider ?

Elle comprend alors que quelque chose de plus grave que ce qu'elle soupçonnait est en train de se produire.

— Quoi ? T'as reçu des menaces ? C'est eux ?

Le son de la messagerie se fait entendre de nouveau. Lefebvre consulte son écran. Et quand il relève la tête vers elle, ses traits sont décomposés par la peur.

— Va-t'en ! Tout de…

Il ne finit pas sa phrase : un bruit de verre brisé et un sifflement retentissent, suivis immédiatement du son mat du projectile qui transperce son omoplate gauche.

Les yeux élargis par l'effroi, la jeune femme voit le corps de Lefebvre se cambrer au moment où sa cage thoracique explose. Des lambeaux de chair et des débris humains virevoltent dans l'air. Le journaliste se plie en deux, expulse un grand souffle et s'affaisse face contre terre. Comme à retardement, le sang se met à gicler en trombes épaisses.

Sous le choc, la femme tombe sur son séant. La peur la cloue sur place. Puis elle trouve la force de ramper jusqu'à lui. Lefebvre a la tête tournée dans sa direction. Elle plante son regard dans le sien.

— C'est où, Guillaume ? Dans ton ordi ? Guillaume ?!

Elle lui parle, mais le journaliste ne l'entend pas.

*C'est con, je sais que je suis en train de mourir, mais tout ce que je me rappelle, Emma, c'est le poème sur les oiseaux de proie que t'as écrit quand Constance est morte.*

*Ça parlait d'un faucon qui a la capacité de voler si haut qu'il peut atteindre les étoiles et parler aux morts. Je m'en souviens. Ça s'appelait « J'ai juste le cœur trop triste ».*

La jeune femme prend soudain conscience qu'elle a du sang sur les mains. Elle a envie de hurler, mais réussit à garder son sang-froid et à reporter son attention sur le mourant.

— Reste avec moi, Guillaume ! Dis-moi où chercher !

Cependant, Lefebvre s'enfonce déjà dans des eaux couleur d'encre, où il se sent disparaître tel un oiseau mazouté. Sur le plancher, sa main immobile gît dans son champ de vision. Il regarde avec une acuité exacerbée les veines qui courent sous sa peau, la texture de son épiderme, prend conscience de chaque sillon qui traverse sa paume.

L'espace d'une seconde sans fin, il s'émerveille de ce labyrinthe illimité, de ce réseau d'entrelacs qui pulse, et son esprit se gonfle d'une révélation qui le rassure : on a l'infini tous les jours sous les yeux, il faut juste s'en approcher et observer.

Et c'est ce qu'il s'évertue à faire : il admire tout ce sang dans lequel baigne sa paume, comme balayée par une marée montante.

*— Qui va s'occuper de moi si jamais tu meurs ?*

*C'est ça que t'arrêtais pas de me demander quand t'avais tes crises d'anxiété, Emma. Plutôt que de faire ce que font tous les parents pour essayer de rassurer leur enfant, plutôt que de te dire par exemple que tu serais déjà vieille quand ça arriverait, moi, je te prenais dans mes bras et je t'expliquais que la vie allait si vite que rien ne pouvait s'y fixer. Tu t'en souviens ?*

*— T'es la plus belle chose qui me soit arrivée, Emma. Je suis là. Tu peux dormir en paix.*

*C'est ça que je te disais, ma fille. Ensemble, on avait discuté d'une façon d'aborder la réalité qui te rassurait et qui t'aidait à continuer à vivre malgré la mort de ta maman : l'impermanence.*

*Tout est toujours en mouvement. C'est vrai, je le vois maintenant que ma conscience s'éclaire. Tout ce temps que j'ai perdu, Emma. Et toi que je perds, à présent.*

Guillaume Lefebvre se sent lentement glisser et c'est un sentiment agréable, proche de l'euphorie. Son esprit reprend contact une dernière fois avec cette réalité qu'il est en train de quitter définitivement.

Il ne ressent aucune douleur, mais des mains le secouent. Une femme noire est penchée sur lui, le visage baigné de larmes. Il lui sourit, rempli d'empathie pour elle, qui devra continuer sa route.

Il remarque que ses lèvres remuent. Elle lui parle.

— Oh, mon Dieu! Guillaume! Reste avec moi! Dis-moi où chercher!

Alors, au prix d'un effort surhumain, il balbutie un dernier mot que la jeune femme lit sur ses lèvres davantage qu'elle ne l'entend.

— Ma... man.

Quand les yeux du journaliste se révulsent et qu'il exhale un ultime râle, un cri s'étrangle dans la gorge de la femme et son cœur se serre comme un poing. Guillaume Lefebvre est mort. Il est mort en invoquant sa mère.

Dans l'urgence, elle se relève, sèche ses larmes avec sa manche et va à l'évier pour nettoyer le sang sur ses mains. Elle passe ensuite un chiffon sur le robinet et le comptoir.

Elle n'est pas fichée, mais elle a déjà derrière elle une vie passée à effacer les traces de sa présence. Elle se recompose, attrape l'ordinateur puis risque un coup d'œil dans le corridor. Personne en vue.

Alors, seulement, elle réalise son imprudence et comprend qu'un second projectile aurait pu l'atteindre et prendre sa vie. Elle songe aussi que le fait d'être restée dans l'entrée et de s'être approchée de Lefebvre en rampant lui a peut-être sauvé la vie.

Mais, pour l'instant, elle essuie la poignée et presse le pas dans le corridor. Elle a furieusement envie de vivre. Et, par-dessus tout, elle veut que tout le monde sache.

# 8

## La fin d'une histoire, le début d'une autre

Une fois exprimée, l'hypothèse de Victor s'était insinuée dans les méandres de son cerveau de telle sorte qu'il lui était impossible de la mettre de côté. Il n'était sûr de rien, mais sa fébrilité grandissait de seconde en seconde, comme un signal d'alarme que son esprit imprimait dans sa chair.

Jacinthe et lui avaient rejoint Nadja, qui finissait de passer la chambre de Lefebvre au peigne fin. Là aussi, une paroi de verre offrait une vue à couper le souffle sur la ville et le mont Royal. Jacinthe referma le tiroir d'une commode, puis se tourna vers son ancien partenaire.

— Yo, Lessard, garde-toi un peu de sang pour ailleurs que dans face.

Incapable de tenir en place, il faisait les cent pas dans la pièce. Nadja prit la parole.

— J'ai fait le tour avec les techs. On n'a aucun élément qui nous permet de penser qu'il y avait quelqu'un dans l'appartement quand la victime a été abattue.

Victor s'arrêta et planta son regard dans le sien.

— Aucun élément à part que son ordinateur a disparu…

Elle hocha la tête tandis que Jacinthe rectifiait.

— À part que son ordinateur a *peut-être* disparu.

Il débita des directives d'un trait.

— Faut checker les enregistrements de la caméra de surveillance, en bas. On cherche quelqu'un avec un ordi. Pis
faut savoir si Lefebvre avait des rendez-vous. On n'a pas de
traces d'effraction. À qui Lefebvre aurait pu donner une
carte d'accès ? Qui était au courant de son emploi du temps ?

Prenant soudain conscience qu'il agissait comme s'il
n'avait jamais quitté les crimes majeurs, il s'arrêta net. La
chose n'avait pas échappé à Jacinthe.

— Je te fais une lettre de recommandation drette là si
tu veux revenir.

Un mince sourire naquit sur ses lèvres. Elle s'amusait
déjà de ce qu'il allait répondre.

— Aucune chance.

Le feu brûlait encore, il brûlerait toujours, mais Victor
refusait de l'admettre. Nadja s'éclaircit la gorge pour se
rappeler à leur mémoire.

— Je vais descendre pour voir les enregistrements.

Victor acquiesça de la tête. La jeune femme partit sans
rien ajouter. Demeurant sceptique face à ce qu'il avait
avancé, Jacinthe lui fit part de sa propre théorie.

— Si le tireur était sur le mont Royal, ça marche pas
qu'il soit venu ici après. Il devait avoir un complice dans
le building. Pis quand Lefebvre se fait tirer, le dude rentre,
y pogne son ordi, pis y sacre son camp.

— S'il y avait quelqu'un ici au moment du meurtre, ça
veut pas nécessairement dire que c'était un complice des
tireurs.

Jacinthe tiqua, puis émit un grognement de mauvaise foi.

— OK, ben d'abord pourquoi ils l'ont pas tiré lui aussi ?

— À cette distance-là, ils voyaient peut-être pas toute la
pièce dans leur viseur.

— Ce que tu dis, c'est que le dude aurait été dans leur
angle mort.

Victor fit signe que oui. Jacinthe pianota sur son cellulaire, puis le porta à son oreille.

— Estie, le Kid ! Veux-tu ben me dire comment ça se fait que tu réponds pas ? Je t'ai quand même pas demandé d'aller chercher les codes nucléaires à Maison-Blanche !

Victor ne put réprimer un sourire tandis qu'elle vomissait un message à Loïc où il était question de «coups de pied au cul qui se perdent» et de «sandwich de jointures» s'il ne rappelait pas dans les prochaines minutes. Elle raccrocha. Écarlate, son visage semblait sur le point de s'embraser.

— Garde-toi un peu de sang pour ailleurs que dans face, Jacinthe.

La boutade ne fit que l'enrager davantage.

— Y me fait toujours le coup ! Y ferme son cellulaire quand il est avec des «clients». Allo ?! C'est parce que t'es pas en train de vendre de l'assurance, le cave !

Elle se calma puis poursuivit le raisonnement que son ancien partenaire avait entamé.

— OK. Pis pourquoi celui qui était ici a sacré son camp sans appeler le 911 ?

Victor réfléchit quelques secondes.

— Je dirais qu'il a eu peur.

Jacinthe se planta l'auriculaire dans l'oreille et entreprit de la ramoner.

— Donc, il se serait enfui pour échapper aux tireurs.

Victor approuva et marcha vers la paroi de verre.

— Mettons que partir avec l'ordi de Lefebvre, c'est le résultat, pas la cause. Qui était avec lui ? Qu'est-ce qui les relie à la base ? C'est ça, l'enjeu.

Jacinthe le sonda.

— Le seul lien que je vois, c'est sa job. Guillaume Lefebvre avait découvert de quoi de gros ou de croche, y s'apprêtait à publier un article, pis là... boum !

Sans se retourner, Victor approuva d'un mouvement de tête tandis que son regard songeur se posait sur la masse rougeoyante du mont Royal. Au loin, les cloches d'une église se mirent à sonner.

— Exactement. On voulait le faire taire…

Cette fois, Jacinthe ne protesta pas. Elle faisait confiance à l'instinct de celui qu'elle considérait, sans jamais le lui avoir dit, comme le meilleur enquêteur qu'elle ait côtoyé. Celui qu'elle considérait, et ça elle ne le lui dirait jamais, comme son meilleur ami.

# 9

## Les chats et la souris

*Treize minutes après le meurtre*

Messiah rejoint la camionnette blanche au pas de course. Arrivé quelques instants plus tôt, encore en sueur, Black Dog l'attend accoté au véhicule, une gourde à la main. Sans perdre une seconde, le tireur jette son sac à l'intérieur. Puis, reprenant son souffle, il boit une gorgée à la gourde que lui tend Black Dog, qui esquisse un sourire.

— C'était vraiment une belle shot. De la job de pro.

— *Team work, buddy.* J'y serais pas arrivé sans toi.

Les deux hommes cognent leurs poings. Le visage de Black Dog redevient grave.

— J'essaye juste d'être à la hauteur. Je sais que pour toi, Khelifi, c'était la meilleure…

Messiah se renfrogne. Il est de ces souvenirs qui vous renvoient à la racine de votre douleur. Il se refuse le droit de s'épancher à propos de ce qui s'est passé en Afghanistan.

Dans la poche de son short, son cellulaire émet un son caractéristique. Il l'attrape et consulte l'écran, sur lequel une borne GPS avance.

— T'as reformaté l'ordi de la cible, oui ou non ?

— Affirmatif. Montre…

À l'écran, la borne continue de se mouvoir. Messiah ôte ses lunettes fumées, dévoilant son œil bicolore et délavé.

— On a-tu un problème?

Son regard inquiétant glace le sang dans les veines de Black Dog.

— C'est quand même bizarre que quelqu'un se déplace avec l'ordi... Mais je l'ai reformaté, ça, c'est sûr et certain. Attends...

Black Dog attrape son portable et lance rapidement un diagnostic.

— Je comprends pas... On dirait que quelqu'un a bloqué ma procédure.

Messiah réplique d'une voix calme.

— Essaye encore. J'appelle Viper pour lui donner l'adresse IP.

— *Roger that.*

Messiah grimpe derrière le volant. Sur le siège passager, Black Dog pianote avec frénésie sur son clavier. L'air impassible, cellulaire à l'oreille, l'homme à l'œil délavé fait démarrer le moteur. La camionnette rugit et décolle dans un crissement de pneus.

La jeune femme noire peinait à réfléchir en quittant la tour de verre. Aussi a-t-elle erré quelques minutes au hasard, un sifflement aigu vrillant ses tympans. Puis son cerveau s'est remis à tourner à toute vitesse. Son cœur cognant dans sa poitrine, elle s'est dirigée vers la place du Canada.

Là, sous le couvert des arbres, elle s'est assurée que l'empreinte de son index déverrouillait toujours le portable de Guillaume. Elle a été émue aux larmes de constater qu'il ne lui avait pas retiré cette marque de confiance. Le temps d'une seconde, elle a revu le visage du journaliste.

L'ordinateur sur les genoux, elle s'est mise à consulter son contenu, dont le reflet défilait dans ses verres fumés. Sa frustration a grandi au fur et à mesure qu'elle se révélait incapable de trouver les fichiers qu'elle cherchait.

En désespoir de cause, elle a sorti un disque externe de son sac et l'a branché à l'ordinateur dans le but de copier le disque dur. Un message est apparu sur l'écran : « Temps de téléchargement : 54 minutes. » Elle a serré les dents. Au péril de sa vie, elle allait devoir gagner du temps avant de se débarrasser de l'ordinateur du journaliste.

Et là, c'est arrivé une première fois : l'alarme d'un logiciel qu'elle avait codé elle-même et installé plusieurs semaines auparavant s'est déclenchée. Quelqu'un tentait de reformater le disque dur à distance, confirmant ses craintes. Ses doigts se sont activés sur le clavier. Parer des attaques informatiques n'a plus aucun secret pour elle.

Le capuchon de son *hoodie* sur la tête, la jeune femme quitte la rue et dévale la volée de marches menant au Montréal souterrain en jetant des coups d'œil inquiets derrière elle.

Les précautions qu'elle a prises depuis qu'elle a fui l'appartement de Lefebvre n'ont pas été vaines : pour autant qu'elle puisse en juger, elle n'a pas été suivie.

Elle n'en prendra conscience que plus tard, mais ce n'est plus une jeune fille terrorisée luttant pour sa survie dans les rues d'Abidjan qui avance. C'est une femme ayant le courage de porter la charge dont elle a hérité.

Le vacarme de la circulation et la rumeur de la ville s'estompent progressivement lorsqu'elle franchit une des portes conduisant au réseau piétonnier souterrain.

Elle s'engouffre dans un couloir jalonné de boutiques lorsque l'ordinateur, sous son bras, émet une autre alerte. À la hâte, elle trouve un coin discret et consulte l'écran. Une fenêtre surgit. Une nouvelle tentative de reformatage est en cours. Comme la première fois, la femme réussit, après quelques manipulations, à la contrer. Elle repart en pressant le pas.

La camionnette blanche descend lentement la rue de la Cathédrale. Avec le regard aiguisé de chasseurs pistant leur gibier, Black Dog et Messiah scrutent les promeneurs qui déambulent dans le parc de la place du Canada.

Black Dog baisse les yeux vers l'écran de son ordinateur. La borne GPS se déplace.

— Fuck, pourquoi le gars arrête pis y repart? On dirait qu'y sait qu'on a un tracker dans l'ordi de Lefebvre.

Messiah écrase la pédale de gaz.

— C'est exactement ça! Y cherche du béton pour brouiller le signal! Le métro!

À haute vitesse, le véhicule traverse la rue De La Gauchetière au feu jaune; l'arrière dérape avec fracas sur l'asphalte dans une gerbe d'étincelles.

Messiah appuie sur les freins et s'arrête après le carrefour, du côté du Château Champlain. Là, il enfile une veste de sport, met une oreillette et prend son pistolet sous le siège. Avant de sortir, il se tourne vers Black Dog.

— Roule jusqu'à la prochaine station, pis checke de ton bord. On peut pas se permettre de l'échapper…

Le temps que son coéquipier acquiesce et prenne le volant, Messiah a déjà traversé la rue. Il entre d'un pas décidé dans le hall du 1000 De La Gauchetière, qui mène au métro. Patient, méticuleux, un prédateur est en chasse.

## 10

## *Hashtag* je te sauve encore le cul

Tandis qu'il revenait des chambres vers la scène de crime, Victor ne put s'empêcher de songer avec quelle facilité il avait retrouvé ses repères. Et cette idée, en soi, l'effrayait. Pendant qu'il se sevrait des crimes majeurs, il n'avait pas cessé de dire à Nadja qu'être enquêteur ne le définissait en rien. Qu'il pouvait s'en sortir comme on arrête de fumer. Ce à quoi elle avait suavement répliqué que, justement, il n'avait pas encore écrasé.

En vieillissant, il devient difficile de déterminer quelle part de soi on peut considérer comme irréversible. Victor essaya de se remémorer l'état d'esprit qui l'animait le premier matin après sa démission, les espoirs de changer de vie et de se réinventer qu'il avait entretenus, mais, à ce moment précis, il ne savait plus s'il s'était menti à lui-même de manière éhontée en nourrissant des fantasmes ou s'il avait tenté de se convaincre en s'aveuglant. Chose certaine, le travail qu'il avait décroché au Casino n'était pas ce qu'il souhaitait faire du reste de sa vie.

Une idée avait germé, celle de donner des conférences auprès de jeunes appartenant à des gangs de rue pour les sensibiliser aux pièges de la violence endémique et leur offrir des outils pour en sortir. Nadja l'avait trouvée géniale, mais il l'avait rapidement mise de côté en prétextant ne pas avoir les compétences nécessaires. Ce qui était faux : peu de personnes étaient aussi qualifiées et crédibles que lui pour mettre sur pied un tel projet.

Jacinthe marchait devant de son pas chaloupé. Entendant son téléphone sonner, elle se mit à le chercher dans les nombreuses poches de son pantalon cargo.

Un sourire narquois naquit sur les lèvres de Victor.

— Dans ton string, peut-être ?

Sans se retourner, elle lui donna du majeur. Elle trouva enfin l'appareil dans la poche de poitrine de sa chemise et le mit sur mains libres.

— Attaboy, mon Loïc ! Dis-moi pas que tu vas mériter ta paye, pour une fois.

La voix de Blouin-Dubois filtra timidement du haut-parleur. Il chuchotait. Victor imagina les parents du journaliste en état de choc, effondrés sur le canapé derrière l'enquêteur.

— J'ai pris tes messages. Si tu me touches, je fais une plainte aux affaires internes.

— Si je te touche, mon grand, tu vas marcher en cow-boy un méchant boutte.

Elle fit un clin d'œil à Victor et lui déboîta l'épaule d'une claque, fière de sa réplique. Ils entendirent Loïc rire discrètement à l'autre bout du fil.

— Je viens de parler aux parents de Lefebvre. Ils sont inconsolables. Son père part rejoindre la petite Emma à son camp pour lui annoncer la nouvelle.

Victor baissa les yeux tandis que Jacinthe grimaçait.

— Écoute, le Kid… leur as-tu demandé ce que je t'ai demandé de leur demander ?

— Oui, oui. La dernière fois qu'ils ont vu leur fils, c'était en fin de semaine passée. Il est venu faire un tour pour remettre un livre qu'il avait emprunté à son père. Sa mère a insisté pour qu'il reste à souper. Ils l'ont pas trouvé plus préoccupé que d'habitude.

Victor murmura à l'oreille de Jacinthe pour éviter que Loïc l'entende.

— Qu'il leur demande si Lefebvre donnait parfois des cartes d'accès à des amis.

L'enquêtrice reformula la requête pour Loïc.

— OK. Je vais leur demander tantôt. C'était qui, la voix en arrière de toi? Paul?

Victor foudroya Jacinthe du regard. Elle se mit à patiner.

— Non, c'était juste un tech… Essaye aussi de faire une liste des amis proches de Lefebvre avec eux, OK? Je te laisse, j'ai un autre appel. Donne-moi des news.

Victor attendit qu'elle raccroche pour exploser.

— Fuck! Je te l'avais dit, on va se faire pogner.

— Ben oui, mais t'avais juste à fermer ta yeule, aussi!

Elle allait poursuivre quand le cellulaire de Victor se mit à sonner. Il prit l'appel de Nadja sur mains libres.

— Je viens de voir les enregistrements. J'ai une femme avec un manteau vert et un sac à dos qui est entrée cinquante-trois minutes avant la découverte du corps et qui est ressortie en coup de vent vingt minutes plus tard. Au cas où vous vous poseriez la question, son visage était caché par un capuchon.

Jacinthe passa ses doigts dans ses cheveux courts.

— Pis au cas où on se poserait la question, elle avait-tu un ordinateur portable?

Nadja laissa s'écouler une seconde, ménageant son effet.

— Mets-en.

La remerciant, ils lui demandèrent de rapporter une copie des enregistrements.

— Tu vois, t'as un témoin, Jacinthe. C'est pas rien…

Elle toisa Victor de son air le plus méprisant.

— Coudonc, voudrais-tu que je saute de joie? J't'appelle pour closer un p'tit meurtre, pis là j'me ramasse avec des tireurs d'élite sur le mont Royal, un journaliste d'enquête qu'on a voulu faire taire, pis un témoin en fuite.

Elle se toucha le cœur, feignant la reconnaissance.

— Merci, mon homme. Merci du fond du cul. T'sais quoi ? Je t'aimais mieux au Casino.

Il ne put réprimer un sourire. Elle reprit en bougonnant.

— Ça te tente-tu d'aller manger un burger après ?

Et tandis que Victor répondait par un « peut-être » qui signifiait « oui », le patrouilleur de faction entrouvrit la porte et fit un signe à Jacinthe. Elle le rejoignit et ils disparurent dans le corridor.

Un air niais déformait ses traits quand elle revint peu après. Victor l'interrogea du regard.

— T'as un problème, mon homme.

Il fronça les sourcils, perplexe.

— Moi ? Quel genre de problème ?

— Le genre de méchante babe avec la bouche d'Angelina Jolie qui capote parce que son ami est mort. Elle veut te parler…

Victor mit un moment à comprendre et ne put dissimuler sa surprise.

— Virginie Tousignant ?

— Ouaip. Ta petite journaliste. T'essayeras d'en savoir plus, parce que quand elle a réalisé que t'étais là mademoiselle a arrêté de me parler.

— Mais comment elle a su que…

D'une main, elle lui ordonna de dégager, puis elle porta son cellulaire à son oreille.

— Je m'arrange pour que ta blonde remonte pas tout d'suite, loverboy. Hashtag je te sauve encore le cul.

Incrédule, les yeux écarquillés, il fit quelques pas vers la porte, puis se retourna.

— Va falloir que tu m'expliques comment elle…

Jacinthe mima un baiser, qu'elle lui envoya accompagné d'un « smack » sonore.

— Moi aussi, je t'aime.

Il soupira. Rien dans cette journée ne se passait comme il l'avait prévu.

# 11

## Ligne orange

*Cinquante-deux minutes après le meurtre*

Messiah marche rapidement dans l'enfilade de corridors du Montréal souterrain. Sans ralentir le pas, il garde à l'œil l'écran de son cellulaire, où la borne GPS apparaît par intermittence, et ratisse du regard l'intérieur des boutiques, examine à la volée les visages, guette les comportements suspects, les signes de nervosité inhabituels, les gestes trop empressés ou trop appuyés qui lui donneraient la possibilité d'identifier sa proie.

Il n'a sous la main ni image ni description de la personne qu'il piste, mais cela n'a qu'une importance relative. Son sens de l'observation lui permet de débusquer les détails les plus ténus, et son instinct le trompe rarement. S'il aperçoit sa cible, il *saura*.

Son oreillette crépite au moment où il franchit les portes menant au métro.

— Toujours pas de signal ?

Au volant de la camionnette, Black Dog s'approche lentement d'une intersection et scrute les rues à la recherche, lui aussi, d'une trace, d'un indice ou d'un signe. Messiah répond sèchement par la négative quand, soudain, un son retentit. Il consulte l'écran de son cellulaire et constate que la borne GPS s'est rallumée.

— Il est pas loin !

Déterminé, Messiah presse le pas en prenant soin de ne pas courir, pour ne pas attirer l'attention.

Sur le quai d'embarquement du métro, la jeune femme noire s'assoit sur le banc le plus éloigné des escaliers dans le but de se fondre dans la foule. Debout à côté d'elle, un trio de mamies papotent en serrant leurs chariots à provisions.

Nerveuse, elle pose l'ordinateur de Lefebvre sur ses genoux et vérifie l'état du téléchargement : plus que douze minutes. Une voix synthétique surgie des haut-parleurs annonce une suspension du service sur la ligne orange à cause d'un incident.

La femme jette un regard sur le tableau électronique. L'heure d'arrivée du prochain train a disparu. La peur la tenaille, ses pensées s'entrechoquent. Montréal et ses anonymes s'agitent autour d'elle, mais elle a le sentiment de se retrouver dans un univers en marge de la réalité, comme si elle valsait au milieu des derniers spectres d'une ville fantôme. Elle a l'impression que tous l'épient, que tous savent et que, dans une poignée de secondes, le tireur va surgir pour l'abattre.

Pour se convaincre de continuer malgré les risques, elle relit une nouvelle fois les messages que Lefebvre et ses assassins ont échangés par messagerie juste avant le meurtre.

NEWWORLD : TU PARLES, ON TUE TA FILLE. APRÈS, TA MÈRE.

GLEF : COMPRIS. QU'EST-CE QUE VOUS VOULEZ D'AUTRE ?

NEWWORLD : LA PREUVE QUE T'AS DÉTRUIT TOUTES LES COPIES.

GLEF : VOUS AVEZ VÉRIFIÉ ! J'AI TOUT EFFACÉ !

NEWWORLD : IL RESTE UNE COPIE QU'ON PEUT PAS EFFACER...

Guillaume Lefebvre venait tout juste de lire ces mots quand sa poitrine a explosé, emportant ainsi la dernière copie. Celle emmagasinée dans sa mémoire.

La jeune femme serre les poings, livide d'indignation et de colère contenues. Puis, les mâchoires crispées, elle commence à taper un message sur le clavier de l'ordinateur. Et tandis que la voix dans le haut-parleur annonce le rétablissement du service, un vrombissement se fait entendre, au loin, puis monte en intensité. Elle pousse un soupir de soulagement à l'idée que, bientôt, le wagon de tête du métro et ses yeux lumineux surgiront dans le tunnel.

Messiah descend les marches et fait quelques pas sur le quai. Il approche, il le sent à l'intérieur de son corps, dans ses tripes. Ses yeux toujours cachés par ses lunettes fumées, il scrute les voyageurs entassés, faisant le tri, repérant les candidats potentiels, éliminant les autres. Puis il fronce les sourcils : à l'extrémité du quai opposé, une jeune femme à la peau noire vient d'apparaître dans son champ de vision. À l'écart, elle pianote sur un ordinateur posé sur ses genoux. Messiah se met à marcher rapidement vers l'escalier pour rejoindre la passerelle qui lui permettra de gagner l'autre quai.

Avec un air de défi, la femme envoie le message qu'elle a tapé. Au même moment, le téléchargement prend fin. Elle débranche le disque externe et le jette dans son sac. Puis, d'un geste discret, elle glisse l'ordinateur sous le banc.

L'instant qu'elle redoutait arrive soudain. Comme si le poids du regard posé sur elle lui faisait prendre conscience de sa présence, elle aperçoit du coin de l'œil un homme vêtu d'un short et d'une veste de sport qui la fixe tout en dévalant les marches à l'autre bout du quai.

Elle rentre la tête dans les épaules et remet son capuchon. Elle sait qu'il sait. Elle se lève, attrape son sac à dos puis se faufile entre les autres passagers pour se dissimuler à sa vue. Compacte, la foule devenue encore plus dense en raison de l'interruption de service se presse près du pointillé orange. Les plaquettes grincent sur les rails. Les premiers wagons arrivent à sa hauteur.

Le convoi freine dans un vacarme assourdissant, ralentit et s'immobilise. Les portes des wagons s'ouvrent. Des gens descendent par vagues successives. À l'intérieur, elle risque un coup d'œil vers l'homme qui, toujours dans l'escalier, tente de fendre la foule des voyageurs qui remontent vers l'air libre.

Les nerfs à cran, elle redoute jusqu'au dernier moment qu'il parvienne à atteindre un wagon. Après ce qui lui semble une éternité, les portes se referment et le métro s'ébranle.

Sachant qu'il n'a plus aucune chance de se frayer un chemin dans la marée de passagers qui se ruent vers la sortie, Messiah s'immobilise au milieu du flot.

Alors que le train prend de la vitesse, le wagon où s'est réfugiée la femme à la peau noire passe devant lui. Elle veut détourner la tête, mais son regard est attiré par le sien. Avant que le wagon le dépasse, il la prend en photo avec son cellulaire. Quand le train disparaît dans le tunnel, Messiah marche jusqu'au banc où la femme était assise, se penche et récupère l'ordinateur.

Dans le wagon filant à toute allure dans le ventre de la terre, elle aspire goulûment une gorgée d'air, comme si elle revenait en catastrophe à la surface de l'eau. Il lui faudra cependant plusieurs stations pour que la violence de la peur qui lui ronge les entrailles s'estompe peu à peu.

Le portable sous le bras, Messiah regagne l'escalier à la hâte et gravit la volée de marches. Alors qu'il débouche dans la rue, en pleine lumière, son oreillette grésille.

La voix de Black Dog se fait entendre.

— On a reçu un message de l'ordinateur de Lefebvre. Ça dit : *Y a une autre copie et je vais la trouver avant toi, tête de gland.*

Messiah fait apparaître sur son téléphone la photo de la femme noire et la fixe longuement d'un air indéchiffrable. Puis, l'accompagnant de quelques mots, il la fait parvenir à une liste de destinataires réunis au sein d'un groupe nommé *Kill List.*

# 12

## Un malaise nommé désir

Victor sortit dans le corridor. Il aperçut Virginie Tousignant devant les ascenseurs, qui lui tournait le dos. Il demanda au patrouilleur posté devant le ruban jaune de les laisser seuls. Celui-ci entra dans le condo et referma la porte derrière lui. La jeune journaliste pivota. Une mèche de cheveux tombait sur ses yeux verts. Ils échangèrent un long regard chargé tandis qu'elle marchait vers lui.

Semblant menue dans l'immensité du couloir, elle affichait la vulnérabilité de celle pour qui le souvenir de la mort venait de se raviver.

— Je suis venue dès que j'ai appris c'était qui la victime.

Virginie travaillait comme reporter au même journal que Lefebvre. Victor et elle avaient fait connaissance dans des circonstances tragiques, lors d'une enquête qui avait impliqué le père de la jeune femme[3].

Malgré le traumatisme qui en avait résulté pour elle, une tension qui prenait sa source dans une attirance mutuelle, non consommée, subsistait entre eux.

— Comment t'as su que j'étais ici?

---

3. Voir *Je me souviens*.

— J'étais pas au courant. C'est ta partner qui s'est échappée.

Ainsi, Jacinthe l'avait sciemment envoyé dans la fosse aux lions. Victor bloqua la colère qui montait en lui pour se concentrer sur l'accablement de Virginie, qu'il considéra avec empathie.

— Comment tu vas?

Elle se mordit la lèvre, retenant ses larmes.

— Guillaume était un très bon ami. C'est lui qui m'a convaincue de faire la transition au journalisme d'enquête quand mon père…

Elle n'eut pas besoin de terminer sa phrase. Il comprenait qu'elle cherchait là un mélange de catharsis et de rédemption, comme lui dans le métier qu'il avait choisi.

— Il était tellement brillant. Tellement intègre, tellement courageux…

Soudain, Victor eut envie de fuir vers les confins de la Terre pour ne plus avoir à affronter la peine et la désolation des autres, qu'il buvait chaque fois jusqu'à la lie.

— Je suis désolé. Vraiment.

La jeune femme se prit la tête entre les mains.

— C'est sûrement une erreur. Je peux pas croire que quelqu'un lui voudrait du mal.

Elle inspira longuement et ferma les paupières pour se rasséréner. Quand elle les rouvrit, Victor sut qu'elle avait récupéré un semblant de contrôle sur ses émotions. Et ce qu'elle allait lui demander.

— Qu'est-ce que tu peux me dire?

— C'est la journaliste ou l'amie de la victime qui pose la question?

— Est-ce que ça fait une différence?

C'était une réplique adroite et Victor comprit qu'il n'aurait pas la force de résister.

— Je suis même pas censé être ici. Je vais d'ailleurs te demander ta discrétion.

Elle acquiesça. Il savait qu'il pouvait lui faire confiance.

— Est-ce qu'il a souffert ?

Victor lui assura que non. En silence, Virginie paraissait formuler des questions pour aussitôt se rendre compte de leur vacuité. Il lui tendit une perche.

— C'est quand la dernière fois que tu l'as vu ?

Elle releva la tête. Une lueur amusée passa subrepticement dans ses yeux.

— C'est l'ancien enquêteur ou le simple citoyen qui pose la question ?

— Est-ce que ça fait une différence ?

Virginie sourit, puis le silence s'installa et changea de texture, devint très sombre.

— J'ai croisé Guillaume cette semaine, mais on n'a pas eu le temps de se parler : trop pris par nos échéances. La dernière fois qu'on a soupé ensemble, ça fait deux ou trois semaines.

— Il t'avait paru changé ?

— Oui, je le trouvais distant depuis un mois. Il avait espacé ses visites au journal.

— Tu lui en avais parlé ?

La journaliste ne prit pas la peine de réfléchir.

— Il disait que c'était une mauvaise passe.

— Vous couchiez ensemble ?

Au moment où il l'avait prononcée, Victor aurait voulu reprendre sa question et la verbaliser autrement.

— Tiens… Ma vie sexuelle t'intéresse, maintenant ?

L'instinct de séductrice de la jeune femme avait pris le dessus. Mais la honte d'avoir eu cette pensée dans un tel contexte l'envahit et elle se rembrunit.

— C'est arrivé à l'occasion. Mais mon cœur était pas libre. Celui de Guillaume non plus…

Acquiesçant de la tête, Victor laissa passer un moment.

— Il voyait quelqu'un d'autre récemment ?

— Je crois pas.

— Tu sais sur quoi il travaillait ces jours-ci ?

— Guillaume était très secret. Il parlait rarement d'un reportage en cours. Mais je peux vérifier si tu veux. Je te rejoins où si je trouve quelque chose ?

— C'est Jacinthe pis sa nouvelle partner qui *runnent* le show.

— C'est vrai. Sa nouvelle partner… c'est ta blonde ?

Les non-dits se dilatant dans leurs pupilles, Victor rompit le charme.

— As-tu une idée où on pourrait trouver son ordinateur portable ?

L'incongruité de la question n'échappa pas à Virginie.

— À part chez lui ou au journal, non. Pourquoi ? Il a disparu ?

Par habitude, Victor esquiva.

— Connaissais-tu sa fille ?

Les dernières lignes de défense de Virginie se brisèrent.

— Pauvre Emma. Pourquoi ?

Il lui offrit l'unique réponse possible dans les circonstances, une réponse qu'il savait dénuée du sens qu'elle cherchait.

— Je sais pas, Virginie.

Elle planta ses yeux rougis dans les siens.

— Je me doutais qu'il allait pas bien. J'aurais dû essayer de faire quelque chose…

La porte de l'appartement de Lefebvre s'ouvrit, livrant le passage à deux hommes qui faisaient rouler une civière. Sur celle-ci, un sac noir de la morgue épousait les contours du cadavre du journaliste.

Virginie tenta de maîtriser ses émotions, puis elle se fissura. Victor la prit dans ses bras et lui murmura des paroles de réconfort tandis qu'elle pleurait la mort de son ami.

Dissimulée à l'angle du mur, Nadja n'avait rien manqué de l'échange. Par pudeur, elle appela l'ascenseur et redescendit.

Jacinthe était venue retrouver Victor et Virginie, et avait également interrogé cette dernière, comblant ainsi les derniers blancs. Quand tout fut dit, la journaliste partit. Touchés par sa détresse, les deux anciens coéquipiers la regardèrent disparaître au bout du corridor.

— Bon ben, c'est ça qui est ça…

Jacinthe avait prononcé ces paroles sans sarcasme, l'air désolée.

— Faut que je parte…

Elle se braqua.

— Minute, mon homme ! On n'a pas fini. On a deux tireurs d'élite à arrêter…

— Je suis plus sur le *payroll*, Jacinthe. T'as une autre partner. T'as pas besoin de moi.

Elle fit de vains efforts pour cacher sa colère.

— C'est sûr que j'ai pas besoin de toi. Retourne donc avec ta gang de losers qui blanchissent du cash au blackjack ! Pendant ce temps-là, Bibi va s'occuper des tueurs.

Elle tourna les talons et encastra violemment la porte du condo dans son cadre. Victor baissa la tête. Il hésitait à partir lorsque son cellulaire se manifesta dans sa poche. Il sut en consultant l'afficheur que, à partir de ce point, sa vie ne serait plus jamais la même.

## 13

## Franchir la dernière porte

Victor restait figé sur le seuil, incapable d'ouvrir la porte. Il redoutait d'entrer et de se heurter au temps qui fuit, au temps qu'on tente de retenir. Au-delà de tout, il refusait d'accepter le sort qui attendait celui qu'il avait tant aimé et qu'il considérait comme sa véritable figure paternelle.

Son père avait tué sa mère et ses deux frères avant de s'enlever la vie. Étant retourné chez lui plus tard que d'habitude, ce jour-là, Victor avait échappé de justesse au carnage. Premier policier sur les lieux du drame familial, Ted l'avait pris en charge après qu'il eut fait la macabre découverte. Dès lors, un lien infrangible s'était établi entre eux.

Ted était devenu son mentor alors qu'il faisait ses premiers pas à l'école de police. Et quand Victor avait été promu enquêteur, ils avaient été coéquipiers aux crimes majeurs, avant que Ted ne prenne sa retraite.

Le cœur cognant dans sa poitrine, Victor avança sa main tremblante vers la poignée. L'état de santé de Ted s'était subitement détérioré. Albert, son conjoint des trente dernières années, l'avait appelé après le départ de Virginie.

Victor avait d'abord refusé que Nadja l'accompagne, mais Jacinthe avait tranché avec une douceur qui ne lui était pas coutumière.

— Allez-y ensemble avec notre char, mon homme. Pis mettez les cerises.

Assise derrière le volant de la voiture banalisée, son amoureuse n'avait prononcé aucune parole, mais sa main posée sur la sienne l'avait réconforté tandis que la sirène hurlait et qu'ils brûlaient les feux rouges.

En arrivant au CHSLD, Nadja était restée en retrait auprès d'Albert, dans l'un des petits boudoirs mis à la disposition des familles. Celui-ci avait déjà fait ses adieux à Ted, qui lui avait fait promettre de ne pas assister à ses derniers instants, voulant qu'il préserve son souvenir.

Ils se relayaient à son chevet depuis déjà des semaines. Et même si Victor se refusait à l'admettre, Ted s'était trop approché de la ligne pour que, cette fois, la fin ne fût pas inéluctable.

Il prit une grande inspiration, tourna la poignée et s'efforça d'imprimer un semblant de sourire sur son visage. Mais il ne parvint qu'à esquisser une grimace qui mourut sur ses lèvres sitôt entré.

Trop frêle, trop chétif, le corps décharné de Ted reposait dans le lit trop blanc. Filtrant à travers les rideaux, les lumières de la ville traçaient des ombres désarticulées sur les murs de la chambre. La rumeur de la circulation du boulevard René-Lévesque et les sirènes des ambulances se frayant un passage dans la marée stagnante d'automobiles montaient en sourdine.

Montréal mourait aussi chaque jour davantage, s'enfonçant de plus en plus sous le poids suffocant des travaux censés la faire renaître.

Victor s'approcha de Ted et se laissa choir sur la chaise fatiguée installée à côté du lit. Sous la couverture, il chercha sa main.

Le vieux entrouvrit les paupières au moment où Victor serrait ses doigts frigorifiés dans sa paume. Il se racla la gorge.

— Il faut que… il faut que… que… que je te parle…

Au son de sa voix éraillée, on aurait dit qu'il y avait des siècles que Ted n'avait pas prononcé une parole.

Victor le rassura d'un sourire.

— Repose-toi. On parlera plus tard.

Le vieil homme secoua la tête et planta ses yeux fiévreux dans les siens.

— Non, il faut que… que je te parle *maintenant*… J'aurais dû le faire… bien avant…

Il reprenait son souffle entre chaque syllabe. Victor fit un geste apaisant, mais Ted commença à s'agiter.

— Ça… ça concerne ton père. Henri…

Victor secoua la tête. Ils n'en avaient jamais parlé, ou presque. Pourquoi raviver ces souvenirs enlaidis par le temps ? Et pourquoi maintenant ? Il insista de nouveau pour que Ted économise ses forces, mais celui-ci lui lança un tel regard qu'il se tut.

Alors, la voix tremblante, Ted lui raconta ce qui le tourmentait, butant sur chaque mot, qu'il semblait s'arracher au prix de souffrances inouïes. Sans l'interrompre, Victor tamponnait son front couvert de sueur avec une serviette.

Quand le vieux eut fini, il resta un moment silencieux, la respiration haletante.

— J'espère que tu m'en veux pas, mon gars. Fais atten…

Ted se redressa dans le lit et exhala un long soupir. Et dans la seconde que prit sa tête pour retomber sur l'oreiller, Victor eut le sentiment de voir la vie se hisser lentement hors de ses yeux agrandis par la surprise.

Assis à côté du corps, il demeura la tête basse à essayer d'encaisser la douleur sourde qui lui broyait les entrailles.

*C'était tout.* Ted était parti. Et même si le vieux savait sa mort imminente, elle l'avait cueilli au moins un instant plus tôt que ce qu'il avait prévu.

Du bout des doigts, Victor ferma les paupières du mort.

— Je t'aime, p'pa.

Il avait murmuré ces paroles comme un hommage. C'était la première fois qu'il l'appelait ainsi, et ce serait la dernière. Les mots avaient toujours été superflus entre eux. De toute manière, Ted savait ce qu'il représentait pour Victor.

Ce dernier se leva, marcha jusqu'à la fenêtre et entrouvrit les rideaux. Dans la rue, des piétons déambulaient, téléphone à la main, comme si le sort du monde en dépendait. Sa gorge se noua, ses yeux se voilèrent et, pendant une seconde, il crut que les larmes viendraient.

Nadja s'avança vers la silhouette de Victor, qui était apparue dans le couloir. Il lui fit un signe. Elle le serra contre elle. Les yeux grands ouverts, il était ailleurs. Loin dans ses pensées, il réentendait la confession de Ted, livrée quelques minutes plus tôt.

*— Je t'en ai jamais parlé parce que j'avais pas le droit d'être celui qui rouvre la blessure. Il fallait que ça vienne de toi... Mais quand t'as mentionné ton père, l'autre soir, j'ai réalisé que j'avais plus le droit de me taire. J'ai pas le choix : il faut que je sois honnête avec toi, il faut que je te dise la vérité.*

*Chaque mot de Ted, articulé au prix d'efforts surhumains, avait transpercé Victor.*

*— Il y a longtemps, j'ai rouvert le dossier du drame familial. Je sais, j'aurais dû t'en parler. Mais tu voulais que je te le dise quand ? À quinze ans ? À dix-huit ans ? C'était jamais le bon moment. T'étais en train de te reconstruire. Pis après, quand t'as commencé à t'en sortir, j'ai pensé que c'était mieux pour toi d'avoir tourné la page.*

*Ted avait repris son souffle avant de prononcer des paroles lourdes de sens.*

*— Il y a quelques années, j'ai retrouvé quelqu'un qui a connu ton père, Victor. Mais il a jamais accepté de me parler. J'avais plus de statut officiel dans la police...*

*Il avait esquissé une moue sarcastique en baissant le regard sur son corps agonisant.*

*— Mais peut-être que toi, si t'essayais...*

*L'ayant aidé à se redresser, Victor lui avait tenu la main.*

*— J'espère que tu m'en veux pas, mon gars. Fais atten...*

Avant de rendre son ultime souffle, Ted lui avait fait une dernière mise en garde. Et il ne saurait jamais pourquoi. « *Fais attention...* »

Victor passa son bras autour des épaules de Nadja. Ils marchèrent en silence vers le boudoir où se trouvait Albert. Quand Victor le vit, recroquevillé sur lui-même, le visage baigné de larmes, la douleur devint intolérable et ses yeux, enfin, se remplirent d'eau.

*Cinquante minutes après l'assaut contre Ghetto X*

Deux gobelets de café vides, un sandwich entamé et une liasse de papiers encombrent la table. Victor s'est débarbouillé sommairement et a enfilé un t-shirt propre.

Claire Sondos passe une main sur son front moite. Son veston repose sur le dossier de sa chaise. L'air de la pièce se réchauffe et se raréfie à mesure que la conversation s'étire et que la frustration grandit de part et d'autre.

— Attends, Victor. On va revenir en arrière. Tu disais que tout a commencé au moment où t'as appelé l'homme qui connaissait ton père.

Le ton est incisif. Les civilités sont tombées et ils se tutoient désormais.

— Je t'ai déjà tout expliqué ça : c'est là que je suis entré dans l'histoire. La dernière chose que je voulais, c'était ouvrir une boîte de Pandore. Mais à partir du moment où le couvercle était enlevé, je pouvais plus reculer.

Sondos se lève et fait quelques pas avant de revenir se poster devant lui.

— T'étais pas obligé d'aller aussi loin. T'avais juste à venir nous voir…

Victor commence à en avoir assez. Il soupire et dévisage Sondos.

— Pour ça, y aurait fallu que je puisse vous faire confiance. Pis à voir les choses aller, j'avais peut-être raison d'avoir mes réserves.

Du regard, il désigne la pièce où il est confiné. Elle secoue la tête de dépit.

— La confiance, ça joue des deux bords, c'est quelque chose qui se gagne.

— On perd du temps qu'on n'a pas, Sondos. Libérez-moi !

— On est loin d'être rendus là. Pour ça, il va falloir que tu parles.

Un silence chargé d'animosité passe. Sondos reprend.

— Ce que tu me dis, c'est que c'est ton histoire familiale qui t'a lancé sur leur piste.

— Ce que je dis, c'est que, pour moi, tout a commencé avec la mort de Ted.

— Ton ancien mentor.

— Il était beaucoup plus que ça.

# 14

## Un parfum de non-dit

*Huit jours après la mort de Ted*

Assis sur le bord du lit, torse nu, Victor contemplait par la fenêtre le ciel constellé de nuages d'ardoise. La chambre était vide, mais, le corridor faisant office de caisse de résonance, les moindres bruits de la cuisine se propageaient dans tout l'appartement. Nadja se préparait à affronter sa journée.

Debout, il tira les couvertures et replaça les oreillers. Puis il attrapa un pantalon de jogging sur un crochet derrière la porte et l'enfila. Il jeta enfin un coup d'œil à sa montre, une vieille Hamilton 505, celle que Ted portait le jour de sa mort. Les aiguilles marquaient 7 h 32.

Ses muscles et ses veines saillant sous sa peau, Victor marcha jusqu'à la cuisine. Son amoureuse s'affairait au comptoir. Devinant sa présence, elle se retourna. Son sourire illumina la pièce.

— Salut, Victor Lessard.

Une telle tendresse émanait de sa voix. Ils s'enlacèrent, puis elle lui donna un baiser avant de lui tendre une tasse de café fumante. D'un geste de la main, il désigna la pile de documents sur la table de la salle à manger.

— Toujours rien sur la femme au manteau vert?

Elle répondit par la négative. L'examen de plusieurs vidéos de surveillance leur avait permis de suivre son parcours à partir de la tour à condos de Lefebvre jusqu'au métro Lucien-L'Allier. Ils avaient perdu sa trace quand elle s'était engouffrée dans un wagon, parmi la marée de passagers. Le capuchon enfoncé sur sa tête les avait empêchés de distinguer ses traits.

Victor souffla sur son café et but une gorgée.

— Et le joggeur, lui?

Les enquêteurs avaient aussi remarqué un homme sur les enregistrements des caméras de surveillance du métro. Il était entré dans la station quelques minutes après la femme au manteau vert. Incapable de rejoindre le wagon où celle-ci venait de se faufiler, il l'avait, selon toute vraisemblance, prise en photo. On le voyait ensuite récupérer sous un banc l'ordinateur portable dont elle s'était servie. L'homme semblait savoir ce qu'il faisait: il avait réussi à ne jamais dévoiler son visage aux caméras dans un angle qui permette de l'identifier.

— Toujours rien… On continue de penser que c'était un des tireurs. Sur la vidéo du quai, la femme et lui avaient l'air de tout sauf de complices…

Les enregistrements avaient été rendus publics par les crimes majeurs, qui sollicitaient l'aide de la population pour retrouver ces «personnes d'intérêt». Bien que les informations reçues leur aient permis de vérifier certaines pistes, la femme au manteau vert et le joggeur demeuraient introuvables.

Victor ouvrit une armoire, attrapa un contenant de plastique et le tendit à son amoureuse, qui finissait de se confectionner une salade. Nadja mit son repas dedans, puis le regarda d'un air moqueur.

— Sinon, ça va comme tu veux, sergent-détective?

Ses paroles trouvèrent en lui un écho plus grand que ce qu'il se permit d'admettre.

— T'as raison, je ne me mêlerai plus de ça. Je vous ai donné un coup de main pour cette fois, mais fais comprendre à Jacinthe que j'essaye de me sevrer.

Nadja redevint grave.

— Elle est en sevrage, elle aussi…

L'allusion était claire. Il hocha la tête.

— Qu'est-ce que t'as au programme aujourd'hui?

Nadja avait posé la question en jetant ses déchets de légumes au compost. La réponse de Victor vint trop vite.

— Rien de spécial…

La jeune femme insista du regard. Victor se résigna à donner des détails.

— Je vais aller voir Albert. Faut que je passe chez le notaire aussi. C'est pour ça que j'ai pris congé.

Les funérailles avaient eu lieu quatre jours plus tôt. Ses anciens collègues étaient tous venus lui témoigner leur solidarité: Jacinthe Taillon, Paul Delaney, Loïc Blouin-Dubois et Gilles Lemaire.

À l'écart, Victor avait essuyé quelques larmes avant que commence la liturgie de la parole – Ted vénérait la prière et les églises, et exécrait les curés –, mais il s'était ressaisi et avait livré son hommage avec aplomb.

— Ça va te prendre beaucoup de temps, être exécuteur testamentaire?

Victor se posta devant la fenêtre. Balayant la rue des yeux, il but un peu de café.

— Aucune idée. Je l'ai jamais fait avant.

Sa fille, Charlotte, qui avait effectué l'aller-retour Paris-Montréal pour la circonstance, et son ex, Marie, avaient également été d'un soutien inestimable. Se remettant d'une mauvaise chute de cheval, Martin n'avait pas fait le voyage, mais ils s'étaient parlé sur FaceTime.

En fait, depuis la mort de Ted, Martin avait appelé son père régulièrement pour «prendre des news». Ces appels lui avaient confirmé à quel point son fils lui manquait.

Nadja vint le rejoindre à la fenêtre. Ses doigts effilés remontèrent la colonne de Victor jusqu'à sa nuque.

— Pis après ?

— Je vais commencer à faire un peu de ménage dans les affaires de Ted.

Nadja eut envie de lui demander s'il faisait référence à la boîte de carton que lui avait montrée Albert chez lui, où des proches s'étaient réunis après l'enterrement, mais elle s'abstint de céder de nouveau à la curiosité. Elle lui avait en effet déjà tendu des perches pour savoir s'il l'avait rapportée à la maison, mais il ne les avait pas saisies.

Trois jours avant la mort de Ted, alors que Victor et elle étaient allés le visiter au CHSLD, Nadja s'était retrouvée seule à son chevet pendant quelques minutes. Entre deux respirations hachurées, le vieux l'avait mise au parfum de ce qu'il s'apprêtait à révéler à Victor. « *Tu garderas un œil sur lui. J'ai peur qu'il fasse des conneries.* »

Nadja hésitait à le dire à Victor et à préciser qu'elle avait promis de prendre soin de lui. Elle encadra son visage entre ses paumes.

— Si jamais t'as besoin d'aide…

Il posa sa tasse sur le rebord de la fenêtre et la serra dans ses bras.

— Je le sais. Merci…

Elle murmura à son oreille d'un ton dénué de reproche :

— Le sang sur ta chemise, c'était pas celui d'une cliente qui s'était coupée avec un verre brisé. Pourquoi tu m'as pas dit la vérité ? Pourquoi tu m'as pas parlé du gars qui a voulu se suicider au Casino ?

Victor brisa l'étreinte et se dirigea vers le frigo, qu'il ouvrit.

— Après le meurtre de Lefebvre et la mort de Ted, ça m'a pas semblé important.

Il attrapa un carton de jus de pamplemousse. Nadja s'approcha doucement.

— T'as sauvé la vie d'un homme, Victor. De façon héroïque en plus. Pourquoi j'apprends ça par ton boss aux funérailles ? Tu trouvais pas ça assez important pour que je le sache ?

L'air contrit, il porta le contenant à ses lèvres et en prit une gorgée. Nadja le regarda tendrement, avec compassion.

— Je comprends qu'on a tous un jardin secret, mais ce que Ted et toi vous êtes dit avant qu'il parte…

Victor fixa le plancher. Il aurait aimé se livrer mais en était incapable.

— Je sais que sa mort t'affecte beaucoup. Je sais que c'était le dernier lien avec ton passé. Je suis là si t'as besoin.

— Le passé, c'est le passé, Nadja. J'ai pas envie d'en parler.

Il regretta ses paroles aussitôt qu'il les eut prononcées. Nadja ne se laissa pas démonter pour autant.

— Oui mais, des fois, c'est mieux de parler, Victor. Ça libère, ça fait du bien.

Des mots que Ted avait articulés avant d'évoquer l'homme qu'il avait retrouvé lui revinrent en mémoire.

— *Tu ressens de la culpabilité pour tout, Victor… Tu sais pourquoi, mais tu l'as jamais réglé. Un jour, il va falloir que tu te pardonnes la mort de ta mère et de tes frères. Que tu te pardonnes de pas avoir été là. Que tu t'ouvres… et que t'acceptes d'en parler.*

*Le cœur de Victor se serre.*

— *Des fois, j'ai peur de la violence que j'ai héritée de mon père.*

— *Tu t'en es toujours sorti, Victor… T'as toujours combattu tes démons. Et malgré ce qui s'est passé, t'es devenu un homme exceptionnel.*

*Une quinte de toux le terrasse, mais Ted s'acharne.*

— *T'as pas le droit de penser que les moments que vous avez vécus ensemble avant le drame comptent pas. T'as été un enfant aimé. Ça fait partie de toi. T'as le droit de bâtir là-dessus et d'être heureux.*

*Les yeux de Victor se mettent à miroiter.*

*— Pourquoi il m'a pas tué, moi aussi ? Parce que j'étais pas à la maison ? Je suis en vie juste à cause d'un hasard ?*

*La voix de Ted se fait presque inaudible.*

*— Avec le temps, j'ai fini par penser qu'il y en a pas eu, de hasard.*

Les paroles de réconfort de son amoureuse ramenèrent Victor à la réalité. Il se reversa un café et s'assit sur un tabouret.

— Tu pourras pas toujours te détourner. Un jour, il va falloir que tu plonges au fond de toi. Dans tes plus vieux souvenirs. Je le sais qu'il y a des choses que tu veux pas revoir. Mais c'est là que tu vas trouver la clé.

Perplexe, Victor murmura :

— La clé de quoi ?

Nadja passa ses doigts dans sa barbe de quelques jours.

— La clé qui va te permettre de faire la paix avec ce qui t'est arrivé, de laisser ça derrière.

— Tu penses vraiment qu'elle existe, cette clé-là ?

— Il faut qu'elle existe, Victor. Sinon tu vas passer ta vie à te sentir coupable pour quelque chose dont t'es pas responsable.

Elle hésita, puis risqua une proposition.

— J'ai pensé qu'on pourrait aller faire un tour à la maison de ton enfance. Ça te rappellerait peut-être des choses qui t'aideraient à la trouver, la fameuse clé.

Victor secoua la tête. Il était hors de question pour lui de revisiter les lieux du drame. Nadja posa sa main sur la sienne.

— Il faut que je me sauve. On se donne des nouvelles plus tard.

Victor se leva, plongea le visage dans le cou de son amoureuse et y déposa un baiser. Il huma son parfum, cette odeur qui allumait son désir et apaisait ses angoisses.

S'il n'était pas en mesure de s'ouvrir à propos de la mort de ses parents, il avait toutefois une certitude : il aimait cette femme plus que sa propre vie et ne pouvait s'imaginer sans elle à ses côtés. Son visage était la première chose qu'il désirait continuer à voir le matin.

Comme si elle lisait ses pensées, Nadja se retourna et lui sourit dans la lumière du jour, de ce sourire qui faisait tout chavirer et donnait un sens à la violence de la réalité.

## 15

## Un vieux gant de baseball

Son blouson de cuir sur le dossier de la chaise, ses coudes sur le bureau, sa tête entre les mains, Victor était en état de choc. Il ne pouvait détacher son regard des feuillets étalés devant lui, tirés du dossier d'enquête qu'il venait de parcourir, celui qui concernait le drame ayant décimé sa famille. Avant cet instant, il n'y avait jamais eu accès et n'avait même pas envisagé de le demander.

Des photos de ses frères, ensanglantés et sans vie, allongés près de sa mère, avaient ravivé la douleur qu'il avait mis des années à dompter. C'est d'ailleurs parce qu'il savait que le contenu de la boîte de carton le bouleverserait qu'il l'avait laissée chez Albert après l'enterrement, pour éviter de contaminer leur bulle, à Nadja et lui.

Il reporta son attention sur les sacs de plastique renfermant les différentes pièces à conviction et en fit l'inventaire. Plusieurs d'entre eux contenaient les habits maculés de sang que revêtaient ses proches au moment de la tragédie. Le revolver de calibre .38 avec lequel son père les avait abattus se trouvait là aussi. L'engin de mort paraissait bien dérisoire ainsi emballé.

Victor continua de passer les sacs en revue et tomba sur un objet qui ne semblait pas à sa place : son vieux gant de baseball, qu'il avait à la main quand il avait découvert la scène au salon. Sans doute l'avait-il posé près des corps et on l'avait pris pour celui de Raymond. Il frissonna. Tout ce sang. Toutes ces vies anéanties.

La photo de son père gisant sur son lit après qu'il eut retourné son fusil de chasse contre lui le troubla encore davantage. Il l'avait trouvé mortellement blessé, et il l'avait achevé de ses propres mains en l'étranglant.

Victor n'avait pas agi par compassion. Sa réaction face à l'horreur avait été la fureur. Et s'il avait réussi à enfouir la honte au fond de lui, il savait qu'il serait à jamais incapable de l'oublier. Même si son père avait commis l'irréparable, il n'avait tiré aucune satisfaction du fait de sentir sa vie cesser de pulser sous ses mains. Ce jour-là, il n'avait pas la maturité nécessaire pour prendre conscience de ce qui s'était joué. Ce n'est que beaucoup plus tard qu'il avait compris qu'en le tuant il était lui-même devenu un meurtrier.

Il leva les yeux vers les tablettes couvrant les murs du sol au plafond. Elles débordaient de livres et d'objets surannés accumulés sur le parcours d'une existence. Dans l'appartement du square Sir-George-Étienne-Cartier, cette pièce avait été l'antre de Ted, l'endroit où il avait passé le plus clair de ses dernières années.

Son absence laissait une empreinte aussi tangible dans le réel que sa présence. Victor avait le sentiment de voir son fantôme rôder partout.

Ici, son fauteuil roulant qu'on avait tassé dans un coin, là, une marchette aux pieds chaussés de balles de tennis. Et derrière la porte, son vieil imperméable gris, qu'il portait toujours quand ils enquêtaient ensemble. Pour un peu, il se serait levé afin d'y humer l'odeur du disparu.

Victor inspira profondément, réunit les photos en un paquet et les remit dans leur pochette. Puis il rangea les feuillets du rapport d'enquête à l'intérieur de la chemise cartonnée.

Il ouvrit un cahier de dessin ayant appartenu à son frère Raymond, dont la couverture était tachée de sang séché. Il examinait le croquis d'un homme avec une dent noircie tenant un avion jouet dans sa main lorsqu'une voix retentit dans son dos.

— Un des plus grands regrets de Ted, c'est qu'on n'ait pas pu te garder avec nous.

Victor ferma le cahier et se retourna. Albert était debout dans l'embrasure. Il portait une veste de laine écrue et semblait avoir pris dix ans en dix jours.

— Oui, je sais…

À la suite du drame, Victor s'était retrouvé en centre d'accueil, d'où il fuguait plus souvent qu'à son tour. Après plusieurs jours dans la rue, il atterrissait d'ordinaire chez Albert et Ted, qui l'hébergeaient aussi longtemps qu'ils étaient en mesure de le faire sans attirer l'attention des autorités. Malheureusement pour lui, un couple gai ne pouvait envisager d'adopter un enfant ou de constituer une famille d'accueil dans les années 1970.

— Il avait tellement d'admiration pour toi. Il disait que t'étais le meilleur. Bien meilleur que lui.

Victor fit un geste de protestation.

— C'est lui qui m'a tout appris.

Albert le connaissait et savait que cette humilité était sincère, qu'il était de cette trempe d'hommes qui ont toujours le sentiment de ne pas en avoir fait assez.

Le vieil homme désigna le dossier d'enquête.

— Il disait aussi que tu verrais ce qui cloche, ce que les enquêteurs ont oublié.

— Mon père avait perdu sa job quelques semaines avant le drame. Le rapport conclut que ça l'a plongé dans la dépression. Et qu'il aurait tué sa famille parce qu'il se sentait incapable de subvenir à ses besoins.

Albert triturait le sac que Victor avait utilisé pour lui apporter des victuailles.

— Tu n'y crois pas…

— Les enquêteurs ont jamais parlé à son patron ni à ses anciens collègues. Même si ce qu'ils avaient sous les yeux semblait clair, ç'aurait été la base, la routine.

Albert attrapa une chaise libre et s'assit.

— Ted a jamais été capable de retracer les anciens collègues de ton père à son travail, chez General Electric. Ça l'obsédait. Il disait que le nom d'Henri était dans les registres de la compagnie, mais que personne se souvenait de lui.

— Ça peut pas être un oubli. Soit les enquêteurs ont été négligents, soit on leur a ordonné de regarder ailleurs. D'une manière ou d'une autre, on pourra pas leur demander.

— Pourquoi ? Ils sont morts ?

Victor fit signe que oui. Il avait tout de suite reconnu le nom des deux hommes en parcourant le dossier.

— Quelques mois après le drame, pendant une filature à haute vitesse, ils sont rentrés dans le char d'un curé qui se stationnait. C'est devenu un mantra qu'on utilise encore aujourd'hui aux crimes majeurs quand on briefe les nouveaux : «Attache-toi si tu veux pas finir comme Trudel pis Phaneuf… »

Les deux hommes échangèrent un sourire ténu, puis Victor poursuivit.

— Ted t'a déjà dit comment il avait obtenu le dossier des archives ?

Albert fouilla dans sa mémoire, puis secoua la tête.

— Si tu veux mon avis, il l'a apporté ici sans autorisation.

Victor approuva. Il pensait la même chose.

— Est-ce qu'il t'en parlait, des fois ?

— Très peu… Mais chaque année, il ressortait la boîte et s'enfermait ici des heures, parfois même des jours.

Le vieil homme marqua une pause, comme pour mieux rassembler ses souvenirs.

— Une fois, ça doit faire dix ans, je l'ai senti excité. Il avait retrouvé quelqu'un.

— L'homme dont tu m'as donné les coordonnées le jour des funérailles.

Il acquiesça. Il avait tendu le papier à Victor en même temps que la boîte contenant le dossier d'enquête, mais il était bien trop discret pour lui demander s'il l'avait contacté.

— Après, avec sa maladie, la boîte est restée dans le placard. Il m'avait fait promettre de ne pas t'en parler. Il disait que si tu posais pas de questions, c'était parce que t'étais pas prêt à entendre les réponses.

Un silence passa. Ils se levèrent et Victor serra Albert dans ses bras.

— Je pourrai jamais te remettre le centième de ce que vous avez fait pour moi. Je vais revenir te voir mardi prochain, mais tu m'appelles pour n'importe quoi n'importe quand.

Victor ouvrit le coffre de la Saab et y posa la boîte. Les rayons du soleil louvoyaient entre les branches dégarnies des arbres ; le vent faisait rouler les feuilles. Il fit quelques pas sur le trottoir et jeta un coup d'œil vers la fontaine et sa rotonde, qui trônaient au centre du square. De jeunes enfants criaient et sautaient dans un tas de feuilles tandis que leurs parents discutaient en surveillant leur progéniture d'un regard bienveillant.

Ayant du mal à dompter le flot de ses pensées, Victor s'alluma une cigarette.

Plus loin, vers l'extrémité nord du parc, un père et son fils se lançaient la balle devant la piscine municipale, maintenant fermée.

De vieux souvenirs refirent surface et, tout à coup, ce fut comme s'il se revoyait accomplir les mêmes gestes en compagnie de son père. Il songea que ces balles lancées avaient été jadis un lien les unissant, mais il se ressaisit aussitôt.

À ses yeux, montrer quelque forme de nostalgie ou d'empathie que ce soit pour le bourreau équivalait à trahir sa mère et ses frères. Il était incapable de réagir autrement. Dès qu'il baissait sa garde, quelque chose en lui se mettait en branle pour lui rappeler que ce que son père avait fait était impardonnable.

Victor tira une dernière bouffée de sa cigarette puis l'écrasa sous son talon. Revenant vers la voiture, il rouvrit le coffre et souleva le couvercle de la boîte.

Après une hésitation, il attrapa le sac de plastique qui contenait son vieux gant de baseball et le déballa. Puis il le tourna et le retourna avant de l'enfiler. Comme pour exorciser l'objet, il forma un poing de sa main droite et l'abattit dans le panier avec force.

Il le rangeait dans la boîte lorsque son cellulaire se mit à vibrer dans sa poche.

— As-tu ce que je t'avais demandé? (…) OK, parfait. Je vais être là dans vingt minutes. (…) Non, c'est mieux pas. On se verra après.

Il raccrocha et prit place derrière le volant. Alors qu'il engageait la Saab dans la rue Notre-Dame Ouest en direction du centre-ville et s'arrêtait au feu de circulation devant l'église Saint-Zotique, Victor ne remarqua pas la voiture noire qui s'était glissée dans son sillage.

# 16

## *Tovarichtch*

La vieille Saab était garée dix mètres en amont de la terrasse de la Datcha Zakouski, l'un des plus anciens restaurants russes de Montréal. Toujours derrière le volant, Victor regarda sur son cellulaire le profil qu'il avait obtenu plus tôt. Même s'il en connaissait le contenu, il le parcourut de nouveau. Son attention se reporta sur une série de photos qu'il fit défiler. Celles d'un homme à différents moments de sa vie.

Victor consulta sa Hamilton. L'attente commençait à lui peser. Il allait s'allumer une autre cigarette lorsque l'homme des photos apparut dans son rétroviseur. Vêtu d'un complet-cravate impeccable mais appartenant à une autre époque, il s'approchait de la terrasse d'un pas souple. Victor le détailla : petit, trapu, cheveux gris lissés sur le crâne, moustache finement taillée, yeux foncés.

Le profil constitué à sa demande ne contenait que peu de choses. Âgé de soixante-six ans, Nikolaï Komarov était originaire de Saint-Pétersbourg, en Russie. Il s'était installé au Québec en 1973 et avait obtenu sa citoyenneté canadienne quelques années plus tard.

L'homme avait été membre d'un quartet de jazz ayant connu un certain succès en son temps, ce qui lui avait valu, à l'apogée du groupe, de voyager aux quatre coins de la planète. Depuis vingt ans, le Russe donnait des leçons de piano particulières dans son appartement de la rue Notre-Dame Est. Aucun casier judiciaire. Rien de notable non plus dans son bilan financier. Célibataire et sans enfant, il semblait mener une vie tranquille.

Komarov gravit les marches menant à la terrasse, qui se trouvait deux mètres en surplomb de la rue. Protégée par un auvent, elle était ceinte d'un épais muret de cèdre sur lequel étaient posées des boîtes ornées de fougères.

Le serveur accueillit Komarov, et tous deux échangèrent une accolade comme s'ils se connaissaient depuis longtemps. Ils tinrent un bref conciliabule, puis l'employé fit un signe vers la porte d'entrée en verre. C'était une journée assez froide pour un début d'automne, mais le Russe indiqua qu'il allait s'installer à la terrasse déserte. Le serveur opina et Komarov alla s'asseoir à une table en retrait, dans une portion de la terrasse donnant sur le passage qui séparait le restaurant de l'immeuble voisin.

Victor attendit encore un instant, scrutant les alentours. Puis, quand il fut convaincu que tout était en ordre, il sortit de la voiture, se dirigea à son tour vers le restaurant et monta sur la terrasse. Avenant, le serveur s'avança vers lui, mais Victor désigna de la main la seule table occupée. L'homme s'inclina et repartit vers l'intérieur.

— Monsieur Lessard ?

Nikolaï Komarov s'était levé. Un mince sourire anima sa moustache. Il se tenait droit et digne, tendant à Victor une main robuste que celui-ci serra.

— Merci d'avoir accepté de me rencontrer si vite.

Victor avait longuement soupesé le pour et le contre après qu'Albert lui eut remis les coordonnées du Russe. Et même si son instinct lui disait de ne pas remuer le passé, la curiosité l'avait gagné peu à peu, jusqu'à le dévorer.

— C'est la moindre des choses, je vous en prie…

Les deux hommes ressemblaient à des boxeurs qui s'étudient, chacun mesurant sa distance.

Victor l'avait appelé quarante-huit heures plus tôt. À sa grande surprise, il n'avait eu à parler ni de Ted ni de sa propre histoire pour que Komarov accepte de le voir, comme si la seule mention de son nom avait suffi.

Tout au plus l'homme s'était-il borné à formuler une requête, qu'il lui réitéra.

— Au téléphone, tu as promis de m'indiquer comment tu m'as retrouvé.

Le regard méfiant, Victor accéda à sa demande.

— Ted Rutherford, ça vous dit quelque chose ?

Komarov fronça les sourcils et haussa les épaules, l'air incertain de ses souvenirs.

— Il vous a contacté il y a quelques années à propos d'un drame familial. Vous avez refusé de lui parler.

— Rutherford… c'est le policier à la retraite qui enquêtait à titre privé, non ?

Le Russe le fixa avec intensité. Victor approuva.

— Je voulais éviter les problèmes. Je n'avais aucun moyen de savoir s'il était celui qu'il prétendait être, et s'il était bien intentionné ou non.

— C'est le meilleur homme que j'aie connu.

Komarov le jaugea comme pour le percer à jour.

— Je n'en doute pas. Mais laisse-moi te poser une autre question. Pourquoi tu veux me voir après tout ce temps ? Pourquoi maintenant ?

— On vient d'enterrer Ted. Il m'a donné votre nom avant de mourir. On n'avait jamais reparlé de mon père depuis que…

Victor laissa la phrase en suspens.

— *Soudba. Nikouda nie denechsia*[4]…

---

4. Le destin. On n'y échappe pas…

Notant sa perplexité, Komarov l'entraîna sur un autre terrain.

— C'est fou comme tu me rappelles ton père, *tovarichtch*.

Victor se leva abruptement, cramoisi. Hormis le sang qui coulait dans ses veines, celui qui avait assassiné sa famille n'avait rien en commun avec lui.

— J'ai bien peur que cette conversation soit déjà terminée.

Le Russe agita les deux mains dans un geste d'apaisement.

— *Tovarichtch*, en russe, ça signifie « camarade »…

Victor s'apprêtait à tourner les talons et à disparaître.

— Attends. J'ai une histoire à te raconter. Je pense que tu as besoin de l'entendre.

Victor suspendit son mouvement. Une impression étrange l'étreignit. Le Russe s'adressait à lui comme à un vieil ami, comme s'ils se connaissaient.

Il allait répliquer que ça ne l'intéressait pas, mais Komarov le prit de vitesse.

— Avant, j'aimerais savoir de quoi tu te souviens. Qu'est-ce que tu te rappelles à propos d'Henri ?

De la haine apparut dans les yeux de Victor.

— Pas grand-chose. Ma mémoire a presque tout effacé. À part qu'il nous battait…

— Il vous battait ? À la fin seulement, non ? Le dernier mois avant le drame peut-être ?

Trop à cran pour réfléchir, Victor balaya la question du revers de la main.

— Je sais plus exactement… Qu'est-ce que ça change ?

Komarov posait chaque question comme s'il menait un interrogatoire.

— Et si je te disais qu'Henri n'avait jamais été violent avant… ?

Pourtant rompu à l'exercice, Victor était déstabilisé par la tournure que prenait la conversation.

— Avant quoi ? Qu'est-ce que vous voulez dire ?

— Il est arrivé un événement qui a fait tout basculer quelques semaines avant le drame. Un événement traumatique qui explique son geste.

Pressentant que Komarov allait faire référence à ce qui avait tant obsédé Ted, Victor le devança.

— La seule explication qu'ont donnée les enquêteurs est la perte de son emploi. Et ils ont jamais poussé plus loin dans cette direction.

Le Russe s'avança sur sa chaise et joignit les mains sous son menton.

— Peut-être parce qu'ils avaient reçu l'ordre d'arrêter de poser des questions.

Victor commençait à s'impatienter.

— L'ordre de qui?

Pour la première fois, la voix de Komarov retentit avec plus de force.

— Pour qui travaillait Henri?

— General Electric.

— C'est ce qu'il a fait croire à ta mère et à son entourage.

Victor secoua la tête, désenchanté.

— N'importe quoi...

— Ah oui? Te souviens-tu de ce qu'il faisait chez General Electric? Le nom d'un seul de ses collègues? Es-tu déjà allé à son bureau? Et ta mère, elle?

Il fouilla sa mémoire, hésita.

— Non... Je...

Komarov le pressait à présent. Ses questions fusaient, plus sèches, plus incisives.

— Laisse-moi deviner : il n'aimait pas parler de son travail. Il vous disait qu'il préférait laisser ses soucis au bureau et ne pas vous embêter avec ça. Je me trompe, *tovarichtch*?

Victor se tint coi. Le Russe avait frappé dans le mille.

— Et si je te disais qu'Henri faisait partie d'un programme ultrasecret du gouvernement fédéral créé pendant la guerre froide ? Et si je te disais aussi qu'il n'a pas été congédié, mais plutôt suspendu ?

Il avait débité tout ça d'un trait. Mais sa déclaration semblait si farfelue que Victor n'en releva que le dernier élément.

— Suspendu ? Ah oui ? Pour quelle raison ?

— Parce qu'il était sous enquête.

Les pensées de Victor s'emballaient et flirtaient avec l'irrationnel.

— Sous enquête pour quoi ?

Komarov le regarda comme s'il s'apprêtait à lui porter un coup fatal.

— Espionnage et haute trahison…

Victor fixa le Russe en s'attendant à le voir craquer. Mais l'autre ne broncha pas.

À dix mètres de là, de l'autre côté de la rue, les visages de Victor et de son interlocuteur s'encadrèrent en gros plan dans le viseur d'un appareil photo muni d'un puissant télé-objectif. L'index d'un homme appuya sur le bouton du déclencheur et le garda enfoncé. Les cliquetis en rafale déchirèrent le silence de l'habitacle de la Saab.

# 17

## Programme Marée Rouge

Après avoir avalé sa surprise, Victor s'était rassis. Komarov avait commandé un grog, et lui, un café. S'il demeurait résolument sceptique face aux révélations du Russe et à leurs implications, il ne trouvait pas la force de s'en aller, comme s'il était cloué sur place.

Les proches d'une personne ayant commis un homicide espèrent toujours, même devant les preuves les plus irréfutables, qu'un retournement de situation vienne jeter un autre éclairage sur les faits.

Et cet élément nouveau, s'il ne disculpe pas l'être aimé, devrait à tout le moins expliquer de manière rationnelle son geste. Car pour ceux qui restent derrière, dans le sillage du tueur, c'est tout ce qui subsiste pour faire reculer les ténèbres : comprendre.

— Ta réaction est normale. C'est difficile d'envisager Henri autrement quand, pendant plus de trente ans, tu l'as toujours vu comme un assassin.

Les traits de Victor se durcirent.

— C'en était un.

Le Russe leva les mains pour l'apaiser.

— Rassure-toi, je ne cherche à excuser aucun de ses gestes.

Victor le sonda du regard.

— Non ? Alors vous cherchez quoi exactement ?

— Tu te méfies parce que j'ai répondu à ton appel avec empressement ? Je l'admets, je ne suis pas ici par altruisme. Ça me tient à cœur que tu connaisses la vérité sur Henri, mais moi aussi j'ai des questions à te poser.

Il allait rétorquer lorsqu'ils furent interrompus par le serveur. Victor regarda le Russe d'un air encore plus suspicieux, mais ils se turent le temps que l'homme dépose les boissons devant eux et reparte.

Komarov avait d'abord commencé par lui brosser un portrait des racines de la guerre froide, lui rappelant les grandes lignes du conflit qui avait opposé les États-Unis et l'URSS et, de manière plus large, les démocraties occidentales et les régimes communistes, à partir de la fin de la Seconde Guerre mondiale jusqu'à la chute du mur de Berlin en 1989 et l'éclatement de l'URSS en 1991. Victor avait tenté de l'amener à aller plus rapidement au but, mais le Russe tenait à avancer ses pions méthodiquement.

À présent, cependant, Komarov semblait enfin vouloir entrer dans le vif du sujet.

— Durant la guerre froide, la GRC avait pour mission d'espionner la gauche et de monter une liste des personnes capables d'organiser des mouvements de masse. C'est dans ce contexte-là que le fédéral a lancé un programme ultrasecret, le programme Marée Rouge[5].

Victor recula sur sa chaise, mais resta de marbre.

— Est-ce que ça devrait me dire quelque chose ?

— Tu aurais pu en entendre parler. C'est dans le domaine public maintenant. Il y a eu des reportages dans les années 1990 que tu pourrais retrouver sur Internet.

---

5. Le véritable nom du programme créé par le gouvernement fédéral était PROFUNC.

— OK, mais c'était quoi, le but du programme ? Et pourquoi vous me parlez de ça ?

— Patience, *tovarichtch*. Patience, on y arrive…

Komarov saisit sa tasse fumante pour la porter à ses lèvres, mais suspendit son geste.

— Marée Rouge servait à identifier et à surveiller les sympathisants communistes et, en cas de conflit avec l'URSS, à les interner dans des camps avec leurs familles.

Victor plissa les yeux et observa son interlocuteur avec un intérêt grandissant.

— Mais on parle de quoi au juste ? D'un genre de ghetto qui servait à mettre à l'ombre les gens dont les opinions politiques dérangeaient ?

Le Russe prit une gorgée et grimaça. Son grog était brûlant.

— Un seul ? À la base, l'idée, c'était de créer huit camps disséminés partout au Canada, dont un à Saint-Gabriel-de-Brandon. Pas de procès préalable, internement de durée illimitée et perte de tous les droits protégés par les chartes. Quand les deux parents étaient sur la liste, les autorités avaient l'ordre d'emmener les enfants aussi. Les gardiens avaient même l'autorisation de tirer en cas de tentative d'évasion.

Ayant du mal à assimiler toutes les informations que lui balançait son interlocuteur, Victor agita les mains pour le forcer à s'interrompre.

— Attendez un peu. Je veux être certain de comprendre. Ce que vous décrivez, ça s'appelle des camps de concentration. Il y en aurait eu ici, au Canada ?!

Komarov acquiesça avec gravité.

Victor continua.

— Mais vos camps, ils ont jamais été mis en place…

Le Russe reposa son breuvage.

— Non. Heureusement. Mais tout était prêt…

— Donc Marée Rouge aurait servi à rien ?

— Dans les faits, le programme a servi une seule fois, en 1970, durant la crise d'Octobre. Le fédéral avait besoin de ratisser plus large que les felquistes pour justifier l'intervention de l'armée. Alors, pour mettre de la poudre aux yeux, ils ont utilisé la liste et mis le grappin sur trois cents sympathisants communistes. Mais ça, c'est une autre histoire…

— Et ce programme, il existe toujours?

Victor se figea quand Komarov plongea la main à l'intérieur de sa veste, puis se détendit lorsqu'il en sortit un mouchoir qui semblait dater de l'ère précambrienne.

— Il a été démantelé en 1984, quand le Service canadien du renseignement de sécurité a remplacé le département de sécurité de la GRC.

La main droite de Victor fut prise d'un tremblement.

— Pis votre fameuse liste, c'est à cause de ça que mon père a…

La violence de ses émotions l'empêcha de terminer sa phrase.

— Henri a commencé à travailler pour Marée Rouge en 1975. À l'époque, je faisais partie de cette gauche dont je parlais tantôt. Je gravitais autour du Parti communiste.

Et tandis que le cœur de Victor se mettait à battre à tout rompre, que sa respiration s'accélérait, le Russe marqua une pause avant de faire voler en éclats ses dernières certitudes.

— Le jour du drame, Henri était supposé me remettre la liste.

## 18

## Une histoire de branchements

Jacinthe entra dans le bureau entièrement vitré de Paul Delaney pour coller un Post-it marqué « me voir » sur l'écran de son ordinateur. Faiblement éclairée par la morne grisaille du jour, la pièce était déserte. Du moins, c'est ce qu'avait supposé celle qui crut défaillir lorsque le commandant de la Section des crimes majeurs, à genoux sur le plancher, surgit de dessous sa table de travail.

— Crisse, Paul ! Je savais pas que t'étais dans ton aquarium. Fais-moi pas des peurs de même. Des plans pour que je te tire !

L'air affairé, fixant au sol quelque chose que Jacinthe ne voyait pas, il tendit la main vers elle sans se retourner. Son visage raviné par d'anciennes cicatrices d'acné ruisselait de sueur.

— Allo, Jacinthe. Passe-moi donc le tournevis. Il est juste là, à côté de ma souris.

Elle le prit et le posa dans sa paume ouverte.

— Veux-tu ben me dire ce que tu fais à quatre pattes ?

Delaney replongea sous le bureau.

— Je refais le branchement des prises. Tout est sur le même circuit. Le maudit breaker saute chaque fois que je pars mon ventilateur.

Jacinthe le fixa comme on regarderait un fumeur s'allumer une cigarette dans une pouponnière.

— Voyons donc, lâche ça tout de suite. T'es pas électricien !

— Je te garantis que celui qui a installé ça non plus. Tu voulais me parler ?

— J'ai reçu les résultats des analyses…

Les hypothèses de Victor s'étaient avérées. En calculant la trajectoire du projectile par triangulation à partir des impacts de balle dans l'appartement de Lefebvre, l'expert en balistique avait été en mesure de cibler le point d'origine du tir sur la montagne.

Menés par Jacinthe, Loïc et Nadja, les techniciens de l'identification judiciaire avaient ratissé le nid du tireur, situé sur une pente escarpée du mont Royal, dans une section boisée et difficile d'accès, en retrait des sentiers. Une battue des alentours avait été conduite par des patrouilleurs assistés de maîtres-chiens.

La voix de Delaney lui parvint de nouveau de sous le bureau, étouffée.

— Pis l'inukshuk ?

À l'exception des empreintes de bottes, qu'ils avaient moulées et dont ils essayaient de trouver le manufacturier, l'endroit avait été nettoyé avant leur arrivée : pas de douille sur le sol, pas de crachat, de gomme à mâcher ni de mégot de cigarette qui auraient pu receler des traces d'ADN, pas de restes de nourriture ni de boisson.

Rien, à part un élément que les tireurs semblaient avoir laissé derrière eux afin que les enquêteurs le découvrent : une pile de pierres de couleur bleue aux reflets mauves.

Jacinthe sortit un carnet d'une poche de son pantalon cargo et tourna quelques pages.

— Les roches, ça s'appelle du lapis-lazuli. Un genre de minerai utilisé pour faire des bijoux. Les principales mines sont en Afghanistan. Au Moyen Âge, on en buvait broyé pis mélangé dans du lait. Apparemment, c'était bon pour la robustesse des membres, pis pour protéger l'esprit de la peur et de l'envie.

Une moue sceptique imprimée sur son visage, elle leva les yeux de ses notes.

— Ben oui, chose... Pas surprenant qu'ils vivaient pas vieux dans le temps.

Le patron des crimes majeurs reparut, pensif.

— Mais la construction, l'inukshuk lui-même, c'est sûrement symbolique...

— Plus que s'ils avaient laissé des blocs Lego, ça, c'est sûr. Tu penses que le tueur est amérindien, ou inuit ?

— Fouille-moi ! Ça doit signifier quelque chose à ses yeux, mais quoi ? Il me semble qu'avant que ça devienne leur symbole officiel les Inuits se servaient des inukshuks pour attirer le caribou.

Jacinthe remit le nez dans ses notes.

— Pis pour identifier la position d'un village ou marquer leur territoire.

Delaney observa une pause pour réfléchir.

— Mais pourquoi utiliser précisément des pierres qui viennent d'ailleurs ? C'est quoi le rapport entre les Inuits pis l'Afghanistan ?

— Peut-être que c'est juste un genre de totem... Comme un monument aux morts.

— Que les assassins auraient laissé là en hommage à Lefebvre ?

Delaney lança à Jacinthe un regard dubitatif. Elle haussa les épaules.

— Je sais ce que tu vas me dire : je sonne comme Victor Lessard, hein ?

— Lui as-tu reparlé depuis les funérailles ?

— À Lessard ? Pour quoi faire ?

Pas dupe, il hocha la tête et se remit à bidouiller les fils.

— Parce que c'est ton ami et que tu t'inquiètes pour lui, Jacinthe.

— Lessard, mon ami? T'es dans le champ.

Entendant des pas, elle se tourna vers la salle des enquêteurs.

— Yo, kessé qui se passe, le Kid?

Ses manches de tatouages mises en évidence par un t-shirt noir imprimé d'un portrait d'Humphrey Bogart, Loïc Blouin-Dubois attachait ses longs cheveux blonds en queue de cheval lorsqu'il entra dans la pièce à son tour, un papier coincé entre les lèvres.

Jacinthe le lui subtilisa, ce qui lui permit de recommencer à mâcher sa gomme.

— C'est quoi, ça?

— Le labo confirme ce qu'on savait déjà: la balle qu'on a trouvée chez Lefebvre, c'est du calibre .50.

Elle soupira en plaçant sa main ouverte sur ses cheveux poivre et sel.

— Pis on a toujours pas de match au RCIIB[6]?

Loïc répondit par la négative. La voix de Delaney monta de la base du bureau.

— On retiendra pas notre souffle. C'est des pros, ces gars-là…

Même s'ils arrivaient à établir une concordance, il était peu probable, compte tenu du degré de maîtrise des tireurs, que cela leur permette de les retracer.

Quoi qu'il en soit, si Jacinthe avait retenu une seule leçon au cours de ces années passées à enquêter en compagnie de Victor, c'est qu'il ne faut jamais négliger une piste, si ténue soit-elle.

Glissant les pouces sous sa ceinture, elle remonta son pantalon cargo.

— Pis pour faire débloquer son cell, ça avance-tu?

Loïc secoua la tête. Sa gomme faisait une bosse dans sa joue.

---

6. Le Réseau canadien intégré d'identification balistique met en corrélation les balles tirées et les cartouches vides dans une base de données centrale.

— On piétine… En passant, y a une journaliste qui t'attendait dans le lobby.

— Cheveux noirs, yeux verts pis une bouche de feu?

Le jeune enquêteur paraissait perplexe.

— Je sais c'est qui, Virginie Tousignant…

— Demande à Fernandez de commencer avec elle, je finis avec Paul pis j'arrive.

— Je l'ai installée dans la salle de conférences. Nadja est pas encore arrivée.

Jacinthe consulta son énorme montre de plongée.

— Ouin, un gros mois et demi d'expérience aux crimes majeurs pis ça rentre en retard… pff…

Elle avait prononcé sa diatribe en souriant. Elle décocha un clin d'œil à Loïc.

— Méchante p'tite *babe* quand même, la Virginie, hein?

Déconcerté, le jeune homme en convint d'un hochement de tête.

— On dirait qu'elle m'a même pas remarqué.

Jacinthe abattit avec vigueur sa grosse paluche sur l'épaule de Loïc, qui crut s'enfoncer dans le sol.

— C'est pas de ta faute, le Kid. C'est juste que t'es pas Victor Lessard!

La voix de Delaney fusa encore des profondeurs du bureau.

— En tout cas, pour quelqu'un qui est pas ton ami, Lessard occupe pas mal tes pensées.

Il émergea et essuya la sueur sur son front avec son avant-bras.

— En passant, si je m'aperçois que t'as impliqué dans une nouvelle affaire un enquêteur qui a quitté ses fonctions, ça va chauffer. On se comprend?

Jacinthe leva les yeux au plafond.

— Oui, boss.

Delaney redescendit sous le meuble. Jacinthe fit un sourire narquois à Loïc.

— Eille, en passant… on voit ta craque de compétence, mon Paul !

Du bout des doigts, Delaney toucha le haut de ses fesses pour constater que, au contraire, son pantalon les recouvrait parfaitement.

— Pis comment tu fais pour travailler icitte ? On voit rien !

— Ouvre pas la lumière ! J'ai pas fermé le breaker !

La supplique de Delaney arriva trop tard. Jacinthe avait actionné l'interrupteur. On entendit un grésillement, puis le plafonnier crépita dans une gerbe d'étincelles et s'éteignit illico.

Un hurlement monta du bureau de son supérieur hiérarchique tandis qu'elle quittait les lieux du crime.

— Jacinthe Taillon !

Traversant la salle des enquêteurs sans se hâter, elle émit un petit rire sadique.

— Oups… désolée, boss.

Et tandis qu'elle marchait vers la salle de conférences, Jacinthe devina plus qu'elle n'entendit le chapelet d'injures que Delaney vociféra à son intention.

Sans ralentir l'allure, elle passa devant le tableau de plexiglas où les enquêteurs avaient l'habitude de colliger les principaux éléments de l'affaire en cours. Y figuraient les photos de la scène de crime, celles du nid du tireur et de l'inukshuk découvert dans la montagne.

Jacinthe y avait aussi épinglé la photo d'Emma, la fille de Guillaume Lefebvre. Afin de leur rappeler à tous que c'était pour elle qu'ils travaillaient. Pour qu'elle obtienne justice.

Elle ne l'aurait pas avoué, même sous la contrainte, mais un dialogue muet s'était établi entre Emma et elle. Ainsi, chaque matin, avant l'arrivée de ses collègues, elle se postait devant l'image de la jeune fille et lui assurait qu'ils ne l'oubliaient pas. Elle lui disait qu'elles appartenaient toutes deux au même camp et que ce camp était celui des gens qui ne baissent jamais les bras, pas même devant les manigances d'un cerveau dérangé.

Lorsque Jacinthe se pointa dans la salle de conférences, Virginie était debout. Cheveux remontés en chignon, portant une tenue à la fois chic et savamment négligée, elle semblait fébrile. L'enquêtrice n'eut pas à lui demander de préciser l'objet de sa visite.

— J'ai peut-être trouvé quelque chose.

— Lâche-toi lousse, ma belle, je t'écoute.

— Si je bois pas un café avant, je vais te mordre.

Jacinthe souleva un sourcil et répliqua d'un ton concupiscent.

— T'es pas game…

# 19

## Parti communiste

— Si vous êtes en train d'essayer de me convaincre que mon père était un agent double qui travaillait pour le KGB, vous perdez votre temps.

Komarov eut un geste rassurant de la main.

— Henri n'était pas un espion, *tovarichtch*. Mais le connaissais-tu vraiment ?

— Et vous ? Jusqu'à quel point vous le connaissiez ?

Le regard de Komarov se voila, comme s'il se rappelait.

— Parfois, c'est aussi difficile de connaître l'autre que de se connaître soi-même. Mais je l'ai connu. Ou j'ai cru le connaître. Enfin... Et il y avait ta mère, Jeanne. Une femme fragile, mais d'une beauté à couper le souffle.

La colère brouilla la vision de Victor, mais il se contrôla.

— Laissez ma mère en paix.

Le Russe ne s'en formalisa pas et poursuivit sur le ton de la confidence.

— J'ai connu un côté de lui que tu n'as probablement jamais vu. Malgré les apparences, Henri n'était pas un homme ordinaire. C'était un intellectuel. Un marxiste convaincu et un véritable idéaliste qui croyait à la redistribution des richesses.

Victor tenta de faire apparaître dans sa mémoire une image de son père à la maison, avant le carnage, mais il ne voyait rien d'autre que le néant, comme si son instinct de survie avait gommé ses souvenirs pour l'empêcher de sombrer dans la folie.

— Je suis pas certain de vous suivre...

— Henri appartenait secrètement au Parti communiste, *tovarichtch.*

Incrédule, Victor fixa Komarov, qui hocha la tête.

— C'est là que vous l'avez rencontré ?

— Oui. Au début des années 1970, avec quelques camarades, Henri et moi on avait formé un petit cercle. On se rencontrait en secret dans la cave d'un salon de thé dont le proprio était un sympathisant du parti. On lisait les classiques, on s'échangeait des livres, on écrivait en se prenant autant pour de grands auteurs que pour de vrais prolétaires, on s'entêtait à fumer des cigarettes et on buvait de la vodka sec. On partageait les mêmes idéaux, Victor. On rêvait de changer le monde comme tout homme qui se respecte le fait à vingt ans.

— Vous avez dit qu'il appartenait au parti secrètement. Pourquoi il se cachait ?

— Henri a toujours été un homme prudent et réservé. Après la chasse aux sorcières des années 1960 et la rafle de la crise d'Octobre, il avait compris qu'il valait mieux éviter de s'afficher ouvertement. Et contrairement à la plupart d'entre nous, il avait des enfants...

— Vous dites que mon père était pas un espion. Comment il pouvait travailler pour un programme qui traquait les communistes s'il en était un lui-même ?

Komarov s'appuya au dossier de sa chaise et prit une grande inspiration avant de continuer.

— Un jour, un ami d'enfance de tes parents a refait surface dans leur vie. Il travaillait pour le gouvernement fédéral et avait pour tâche de recruter des cerveaux pour un projet spécial : il avait aussitôt pensé à Henri. Ce n'est qu'après avoir passé avec succès plusieurs entrevues, subi une enquête de sécurité et signé des ententes de confidentialité – en d'autres termes après son embauche – qu'Henri a appris qu'il allait participer à Marée Rouge. Quand il a compris de quoi il retournait, il était trop tard pour reculer sans éveiller les soupçons. Il était catastrophé. En plus d'avoir peur de voir son propre nom apparaître à tout moment sur la liste…

— Alors vous l'avez convaincu de travailler de l'intérieur pour la voler pis faire tomber le programme ?

— C'est lui-même qui l'a proposé. Placée dans les mains de certains journalistes triés sur le volet, la liste aurait fait un scandale énorme : non seulement le Canada espionnait ses propres citoyens, mais il avait mis au point un plan pour suspendre leurs droits fondamentaux et les emprisonner. Le gouvernement aurait eu à rendre des comptes.

— Mon père… vous l'avez payé ?

— Avec les camarades, on a offert de le dédommager financièrement, bien sûr. Mais il a refusé. Tu comprends, Henri ne voulait pas trahir son pays. Mais il avait tellement peur que le monde retombe dans le fascisme…

Une vibration monta du veston de Komarov, qui l'ignora. Loin d'être convaincu, Victor reprit.

— S'il a été suspendu, j'imagine que c'est parce que quelqu'un a eu des doutes…

— Il n'était pas le seul. Les responsables du programme ont compris que quelqu'un avait copié la liste et ont suspendu ceux qui y avaient accès le temps d'y voir plus clair.

— Dans ce cas-là, pourquoi mon père vous a pas remis la liste ? Il courait un risque énorme en la gardant.

— Il faut que tu comprennes une chose, Victor. Henri était aux prises avec un dilemme impossible : trahir un ami d'enfance, une personne qui avait placé toute sa confiance en lui, ou trahir ses idéaux en continuant de collaborer au programme.

Les phalanges de Victor blanchissaient sur le bord de la table.

— Et ma mère, elle était au courant?

— Non. Jeanne aurait essayé de le convaincre de rester dans le droit chemin du capitalisme. Et elle ne l'aurait pas laissé trahir leur ami.

Perplexe, Victor étudia de nouveau le visage du Russe.

— Mais il y a rien dans ce que vous me dites qui explique les crimes de mon père.

Un son annonçant la réception d'un message retentit. Komarov toucha la poche de son veston.

— C'est plus complexe que ça en a l'air. Et aussi beaucoup plus simple.

L'homme avait réussi à instiller chez Victor deux choses qui coexistaient comme le feu et l'eau, et l'embrouillaient: la curiosité et le doute.

— Je vous écoute. Et je veux savoir qui était l'ami qui a facilité son embauche.

Le Russe joignit ses mains et sembla prendre une décision.

— J'ai beaucoup parlé, tu ne trouves pas? Le temps est venu que toi aussi tu me dises des choses. Mais, d'abord, je dois aller aux toilettes. Le grog, ça ne pardonne pas le matin.

« *Fais attention…* »

L'écho de l'avertissement de Ted raviva la vigilance de Victor, qui s'était relâchée à mesure qu'il s'était retrouvé captif du récit de Komarov. Il regretta tout à coup de ne pas s'être muni d'une arme.

Déjà debout, l'autre remarqua son inquiétude et lui fit un sourire rassurant.

— Sois sans crainte, je vais répondre à toutes tes questions, *tovarichtch*.

Le Russe gagna la porte d'entrée et disparut à l'intérieur du restaurant. Victor jeta un coup d'œil à la ronde, étreint par une angoisse sourde, que sa raison n'arrivait pas à calmer. Pourquoi une boule se formait-elle dans le creux de son ventre ? D'où venait cette impression qu'il ne décodait pas la situation correctement ? Incapable de rester en place, il se leva et entra à son tour.

## 20

## Le poids de chaque seconde

Le restaurant était désert. Victor avait beau savoir qu'il s'agissait d'une heure creuse, juste avant le service du midi, l'absence du serveur ne l'en étonna pas moins. Il remonta l'allée bordée de tables dressées de nappes à carreaux rouges et blancs. Puis il passa devant un chic zinc au-dessus duquel, sur une tablette de verre, des bouteilles d'alcool se reflétaient dans un mur de miroirs.

Le fond de la salle se séparait en deux, le côté gauche s'ouvrant sur un large corridor qui conduisait aux cuisines, le droit menant aux toilettes, comme l'indiquait le panneau fixé à la cloison : *tualet*.

Victor se laissa guider par la voix de Kamarov qu'il entendait en sourdine. Celui-ci parlait dans une langue qu'il devina être le russe. S'approchant de la porte, il tendit l'oreille. Même s'il ne saisissait pas le sens des mots, il comprit à son ton que Komarov était en colère contre son interlocuteur. Il songea au message que le Russe avait reçu alors qu'ils étaient attablés.

Komarov se tut et, durant un bref moment, Victor se demanda si son imagination ne lui avait pas joué un mauvais tour. Puis un coup sourd ébranla la cloison. À l'évidence, l'appel du Russe ne se déroulait pas sur une note qui l'enchantait et il avait senti le besoin de passer sa frustration sur le mur le plus proche.

Le vieil ami de son père hurlait à présent. Victor l'entendait clairement.

— *Nie mojet byt'! Eto ty iemou skazal! (...) Nie bylo vybora ou tebia, skotina? On nitchevo nie znaiet! (...) Chto?! Skolko ou menia vremeni[7]?!*

Voulant éviter d'être surpris en train d'écouter aux portes, Victor rebroussa chemin et revint vers la sortie. Dehors, la lumière l'aveugla. Posant sa main en visière contre son front, il regagna sa place et attendit en gardant l'œil sur la porte.

Komarov continuait de briller par son absence. De plus en plus inquiet, Victor allait se lever de nouveau pour voir ce que le Russe tramait lorsque la porte du restaurant s'ouvrit brutalement, livrant le passage à Komarov qui, sans un regard pour lui, avec une agilité et une vitesse déconcertantes pour son âge, se rua vers l'escalier.

Victor n'eut besoin que d'une seconde pour reconnaître ce qu'il lut sur le visage du Russe. Pas de la peur. De la panique pure. Puis la lueur du jour sembla vaciller, se replier sur elle-même.

Arrivant de nulle part à toute allure, une fourgonnette noire freina devant l'établissement dans un grand crissement de pneus et se plaça en diagonale de la rue de manière à bloquer la circulation.

Avant même que le véhicule ne s'immobilise, la portière latérale côté terrasse s'ouvrit: trois hommes en tenue de combat, casqués, cagoulés, armés de fusils-mitrailleurs et vêtus de gilets pare-balles mirent pied à terre. Dans un fracas d'apocalypse, les assaillants, calmes, entraînés et méthodiques, se mirent à arroser tout ce qui se trouvait devant eux à hauteur d'homme.

---

7. C'est impossible! C'est toi qui lui as dit! (...) T'avais pas le choix, enfoiré?! Il sait rien! (...) Quoi?! J'ai combien de temps?!

La pluie de projectiles cueillit Komarov en plein élan, alors qu'il dévalait les marches, le visage marqué par une stupeur muette. Son corps criblé de balles tressauta un moment sur place comme un danseur ivre, puis retomba sur le trottoir, désarticulé et sans vie.

Et tandis que le sang du Russe giclait à grands flots hors de son cadavre, la ligne de tir de l'escadron remonta vers la façade du restaurant, jusqu'à la terrasse, faisant tout éclater sur son passage, fracassant les pots de fleurs, pulvérisant les vitres, projetant des débris de verre, de bois et de pavé dans tous les sens.

Dans nos vies d'aujourd'hui, le temps fuit, le temps déborde, et il transforme les humains en automates décérébrés courant à l'aveugle et s'agitant sans savoir où ils vont, moins désireux de connaître la direction à emprunter que de continuer à courir.

Mais parfois survient un événement – en règle générale un drame ou une tragédie – qui vous force à prendre conscience du poids de chaque seconde, qui crée un infra-monde où l'espace-temps se dilate, là où, brusquement, le temps s'écoule au ralenti, là où chaque milliseconde s'étire comme une goutte d'eau qui se détache de la gueule d'un robinet.

Et pendant cet infini battement de cils où votre existence se trouve en suspension dans une antichambre noire et marécageuse dont vous voulez à tout prix vous échapper, vous rêvez de rejoindre le troupeau et de reprendre la course vers nulle part.

Durant cette milliseconde où le temps s'était arrêté, une femme s'était mise à hurler et à gesticuler pour avertir un adolescent qui, casque d'écoute aux oreilles, absorbé par sa musique, se dirigeait vers la fusillade.

Un homme s'était figé sur place, laissant tomber sur l'asphalte les sacs d'épicerie qu'il portait. Puis le temps avait repris ses prérogatives et le manège s'était remis à tourner : partout, les gens commencèrent à courir pour trouver un refuge.

Son corps ayant réagi d'instinct avant que son esprit comprenne la situation, Victor avait plongé sur sa gauche. Recroquevillé derrière une table qu'il avait renversée pour se protéger, il essayait de surmonter le tremblement incontrôlable qui l'avait saisi.

Il devait à tout prix se mettre à l'abri. S'il restait sur place, il allait mourir dans les secondes qui suivraient. Mais il lui était impossible de traverser la terrasse pour gagner l'intérieur du restaurant sans être atteint. Il voyait les balles pleuvoir devant l'entrée.

Sa prochaine action serait peut-être sa dernière, mais il n'allait pas partir sans tenter le tout pour le tout. Même s'il savait que sa jambe allait le ralentir – il avait été blessé quelques années plus tôt dans le cadre d'une enquête[8] –, il se prépara à bondir par-dessus le muret de bois de la terrasse, espérant réussir à s'engager dans le passage séparant le restaurant de l'immeuble voisin sans être abattu.

Il ne lui restait qu'une option : la fuite.

8. Voir *La Chorale du diable*.

## 21

## Potentiel de danger

Jacinthe entra dans la salle de conférences et posa un gobelet de café fumant devant Virginie, à côté de la chemise de carton que cette dernière tapotait des doigts, puis elle s'assit en face d'elle et but une gorgée de Coke Zéro.

— Bon. Tu disais que t'as peut-être du nouveau, ma belle ?

Les deux femmes s'étaient rencontrées le lendemain du meurtre de Lefebvre, à la demande de la policière, et avaient convenu que Virginie agirait comme point de contact au journal pour les aider à fouiller le passé professionnel de son ancien collègue. Car même si les enquêteurs ne possédaient pas de piste leur permettant de confirmer que l'assassinat du journaliste était lié à son travail, la manière dont il avait été exécuté et son comportement rendaient l'exercice incontournable.

Avait-il déjà écrit un article ayant irrité une personne ou une organisation au point que celle-ci ait décidé de l'éliminer ? Travaillait-il, dans les jours qui avaient précédé sa mort, à un reportage sur un sujet si explosif qu'on avait voulu le faire taire ? Avait-il mis le doigt, dans le cadre des recherches et des entrevues qu'il avait réalisées au fil des dernières semaines, sur un élément dont il n'avait pas saisi le potentiel de danger ?

Virginie repoussa ses lunettes surdimensionnées sur l'arête de son nez.

Aidée par un spécialiste de la Section des crimes technologiques, elle avait épluché en vain le contenu de l'ordinateur de Lefebvre, incluant les documents consultés sur Internet. Elle avait en outre parlé au rédacteur en chef de Lefebvre, son propre patron, ainsi qu'à son chef de pupitre et à ses collègues, en plus de vérifier les mandats qu'il avait confiés aux recherchistes du journal dans les deux années précédentes.

Ces derniers temps, Guillaume Lefebvre terminait une série d'articles portant sur les dimensions humaines des flux migratoires, inspirés des témoignages d'hommes et de femmes de partout dans le monde.

— On est d'accord que, si Guillaume travaillait sur un article en secret, il prenait des précautions hors de l'ordinaire pour passer en dessous du radar...

— C'est sûr, parce que, avec des belles lunettes de même, tu l'aurais pas manqué.

Jacinthe flirtait autant qu'elle faisait de l'ironie. Virginie s'humecta les lèvres.

— En passant, c'est-tu vrai que le tireur était posté sur le mont Royal ?

L'enquêtrice parut soudain goûter quelque chose d'amer.

— Je peux rien dire là-dessus...

La journaliste esquissa un sourire désarmant.

— Une fille s'essaye...

Jacinthe lui décocha un clin d'œil.

— À qui le dis-tu ?

Elle pensa pousser le jeu de la séduction à un autre niveau, mais elle se retint parce qu'il fallait que ça ne reste que ça : un jeu où chacune connaissait son rôle, un face-à-face où chacune respectait la hauteur des obstacles qui se dressaient entre elles.

Virginie attrapa le dossier avant de poursuivre.

— C'est quoi la meilleure façon de communiquer avec quelqu'un sans laisser de traces?

— La bonne vieille méthode : se parler en personne. Les courriels, les appels, les textos, ça laisse des traces...

La journaliste opina de la tête : c'était la réponse qu'elle attendait.

— Je suis passée à travers son rapport de dépenses...

Elle sortit quelques feuilles qu'elle fit glisser sur la table jusqu'à l'enquêtrice : des copies de quatre factures du même restaurant, un bouge de Chinatown.

— D'habitude, quand Guillaume payait un resto à un contact, il mettait le nom complet de la personne. Pour ces quatre factures là, y a juste un mot à l'endos.

Jacinthe examina les dates avec attention : 22 novembre, 26 novembre, 29 novembre et 2 décembre de l'année précédente. Au dos, il y avait toujours la même inscription à la main : *Yako*.

— C'est l'écriture de Guillaume, si jamais tu te poses la question.

Jacinthe scruta son visage.

— Ça fait un boutte...

— Je sais. Mais c'est les seuls lunchs pour lesquels il a demandé un remboursement que personne au journal est capable d'expliquer ou de relier à une assignation.

Loin d'être enthousiasmée, Jacinthe haussa les épaules en examinant une facture.

— C'est quoi ça, «Yako»? Le nom de code de l'article sur lequel y travaillait?

— Je suis pas sûre, mais je penche plus pour le nom de code d'un informateur.

— Genre, la femme qu'on a vue s'enfuir de chez lui avec son ordinateur?

Pour Virginie, c'était l'évidence même.

Jacinthe continua.

— Ça pourrait aussi être son comptable.

— T'invites-tu souvent ton comptable à luncher quatre fois en deux semaines, toi ?

Jacinthe fit la moue et marqua une courte pause.

— Juste quand j'ai envie de déprimer. Ou qu'elle est vraiment cute.

Recroquevillée dans son lit, sous une épaisse couverture de laine, la jeune femme à la peau noire se trouvait à l'intérieur d'une roulotte qui avait connu des jours meilleurs.

Sa tête relevée par un oreiller, elle observait une colonne de fourmis qui, contournant le lit et se glissant à l'extérieur par une fente, transportait les restes d'une souris morte. La nature poursuivait son œuvre d'art, son entreprise de destruction massive.

Dans un monde à la périphérie des rêves et de la réalité, Yako revivait en boucle les événements des dernières heures sans savoir ce qu'elle devait en penser. Mais de ceci elle était certaine : ces moments venaient d'infléchir à jamais le parcours de sa vie. Des images défilaient dans sa mémoire.

Après la mort de Lefebvre et sa fuite en métro, elle était descendue à la station Montmorency, avait récupéré son vieux pick-up garé dans une rue avoisinante et avait roulé sous une pluie diluvienne jusqu'à L'Ascension. Enfin, elle avait dégagé les branches dissimulant une barrière de métal qui permettait d'accéder à un chemin forestier cahoteux.

Tout le temps qu'elle avait conduit, comme une seconde nature, Yako avait jeté de fréquents regards inquiets dans le rétroviseur. Lorsqu'elle avait enfin éteint le moteur au bout du chemin et traversé la clairière où se dressait la vieille roulotte parsemée de verrues de rouille, plusieurs heures s'étaient écoulées depuis son départ. Plus tard ce soir-là, elle était sortie faire un feu. Au cœur de la nuit, des étoiles papillotaient dans le ciel. Ses fantômes.

Incapable de dormir, Yako s'assit sur le lit et ouvrit une boîte de carton remplie des papiers et des notes accumulés pendant le temps passé à collaborer avec Lefebvre. Elle sortit tout son contenu, feuilles, carnets, cartes géographiques, et le posa devant elle.

Au fond de la boîte, elle retrouva la photocopie d'un article publié quelques mois plus tôt. Un gros titre le surmontait : « Crise des migrants – De réfugiés à indésirables ». Juste en dessous, on pouvait lire : « Une enquête de Guillaume Lefebvre ». Les yeux remplis de larmes, le cœur imprégné autant de peine que de rage, elle revit l'assassinat.

La jeune femme revint doucement à la réalité, prit sa tête entre ses mains et appuya ses coudes sur ses genoux. Un désespoir immense l'envahit. Puis elle se mit à parler à voix haute, comme si Lefebvre se tenait devant elle.

— J'te l'avais dit que ça finirait mal, Guillaume. Tu pouvais pas faire ça tout seul ! Je serais allée jusqu'au bout avec toi. Tu le savais !

Dans un accès de colère, elle jeta l'article. Les feuillets se déployèrent et valsèrent dans l'air avant de se poser sur le plancher.

— Si tu m'avais écoutée, tu m'aurais donné les moyens de continuer, les moyens de finir ce qu'on a commencé.

Yako demeura un long moment prostrée, à broyer du noir. Mélancolique, elle rangeait les papiers dans la boîte lorsqu'un flash l'assaillit.

Se pourrait-il que… ?

*Yako est penchée sur Lefebvre. Leurs regards se soudent.*

*— Oh, mon Dieu ! Guillaume ! Reste avec moi ! Dis-moi où chercher !*

*Alors, au prix d'un effort surhumain, Lefebvre balbutie. Elle lit sur ses lèvres davantage qu'elle n'entend.*

*— Ma… man.*

Un sourire germa sur les lèvres de Yako, une pointe d'espoir perça à travers sa douleur. Décidée à agir, elle se leva, prit son manteau à la hâte et sortit de la roulotte.

Dans la salle de conférences, la conversation battait son plein. Les yeux de Virginie brillaient.

— Je suis pas certaine que ça tient la route, mais j'ai une théorie. Mettons que c'est juste *après* la quatrième rencontre avec « Yako » que Guillaume réalise qu'il tient une histoire potentiellement explosive. Voire dangereuse…

Il fallut à Jacinthe quelques secondes pour relier les points.

— Attends… Ce que t'es en train de me dire, c'est que les premières fois que Lefebvre rencontre « Yako », y fait des demandes de remboursement parce qu'y pense pas que ça va déboucher. Pis qu'après, y s'arrange pour plus laisser de traces…

— D'habitude, avec une source, les premières rencontres sont exploratoires. On s'étudie de part et d'autre un bout avant de décider ou non de se faire confiance…

Jacinthe approuva en songeant que le portrait brossé par la journaliste n'était somme toute pas différent de sa propre expérience dans la police. Il importait de cultiver la relation avec tout informateur. Ou encore de posséder ce qu'elle appelait le « *Matante Jacinthe Special* » : les poings pour être en mesure de « soutirer » l'information.

— OK, mettons que je te suis jusque-là. Ce qui avait pas l'air important sur le coup l'est devenu après. Fait que ça veut dire qu'entre le 22 novembre et le 2 décembre – un peu avant, un peu après – Lefebvre aurait dû faire des vérifications sur « Yako ».

Virginie eut le sourire satisfait de celle qui attend le moment d'abattre son jeu avec fracas et de remporter la main dans un tonnerre d'applaudissements.

— Dans un monde idéal, ça serait ça, mais j'ai rien trouvé sur « Yako ». Par contre…

Elle sortit un autre feuillet de la chemise cartonnée et le posa devant Jacinthe, qui, le regardant, s'exclama avec le même dédain que si elle avait vu un étron flotter à la surface de son Coke Zéro :

— Ark ! Ça ressemble à une revue de presse…

— Exactement. Le 1er décembre, Guillaume a demandé à une des recherchistes du journal de lui faire une revue de presse sur les cyberattaques.

Jacinthe plissa les paupières, perplexe.

— Ça aurait été ça, son sujet explosif ? Les cyberattaques ?

— C'était probablement là-dessus qu'il travaillait. Mais ça nous dit pas qui l'a tué.

— Peut-être quelqu'un qui en a fait une, cyberattaque.

La journaliste approuva du chef.

— Ou qui s'apprêtait à en faire une ?

Jacinthe réfléchit un instant avant de poursuivre.

— C'est pas con… Pis les cyberattaques, on s'entend que c'est pas la shit habituelle de Lefebvre, right ?

— Des fois, comme journaliste, on passe des jours à fouiller des trucs qui sont pas pertinents au final, mais on s'entend, c'était pas son domaine d'expertise.

— Pis j'imagine que personne au journal a parlé de ça avec lui ?

Virginie fit signe que non de la tête.

— Même la recherchiste avait oublié.

Les deux femmes cogitèrent en silence. Puis Virginie reprit.

— En passant, j'ai fait des vérifications. Yako est une ville du Burkina Faso. Et en nouchi, c'est une expression utilisée pour exprimer sa compassion.

— Scuse, mais mon nouchi est pas à jour.

— C'est un mélange de français et de plusieurs langues de la Côte d'Ivoire.

Dans un grincement strident, Jacinthe recula sa chaise et se leva.

— L'Afghanistan, les Inuits, un inukshuk, des cyber-attaques, pis là la Côte d'Ivoire, le Burkina Faso, pis Yako. Comprends-tu de quoi là-dedans, toi?

Elle se mit à faire les cent pas dans la pièce. La journaliste baissa la tête et inspira longuement avant de lui répondre par la négative. Un temps passa, sans qu'aucune n'arrive à relancer la conversation.

Alors, d'un air conspirateur, Jacinthe referma la porte et sortit une clé USB de sa poche, qu'elle tendit à Virginie.

Celle-ci l'interrogea, surprise.

— C'est quoi, ça?

— Le dossier sur Piché que tu m'as demandé. Avec ce que je t'ai déjà donné pis ça, jamais je croirai que t'as pas tout ce qu'y faut pour convaincre ton rédacteur en chef...

La journaliste empocha la clé USB. L'enquêtrice et elle avaient été en contact à maintes reprises depuis la démission surprise de Victor.

— Ça serait beaucoup plus simple si on avait une preuve directe que Piché était au courant pour les actes de Tanguay, pis qu'il a mis le couvercle là-dessus.

— C'est sûr qu'il était au courant! Pis de toute façon, quand quelqu'un dans une organisation dérape, c'est le chef qui est ultimement responsable.

Virginie approuva d'un hochement de tête et se leva.

— Je vais voir ce que ça donne. Je te tiens au courant. Pour ça, pis pour Guillaume.

Jacinthe demeura longtemps dans la salle de conférences après son départ. Assise à la table, songeuse, elle fixait un mot qu'elle avait noté dans son calepin: *Yako.*

Puis elle regarda l'heure à sa montre, prenant soudain conscience que l'absence de Nadja se prolongeait. Elle attrapa son cellulaire et, avec un soupir excédé, elle lui envoya un texto: «Ton beau petit cul est où, chiquita?»

## 22

## Déluge de projectiles

Lorsque, le matin, Victor lui avait annoncé son plan pour la journée, Nadja ne l'avait pas cru. Depuis quelque temps, elle s'inquiétait pour son amoureux, craignant de le voir sombrer dans la dépression, ou pire encore. Et le fait que, huit jours après le décès de Ted, il ne lui ait toujours pas parlé de ses révélations à propos de son père n'avait fait qu'exacerber ce sentiment.

Elle ne savait pas quoi, mais il tramait quelque chose. Après avoir quitté l'appartement, elle avait garé sa voiture plus haut dans la rue et attendu patiemment qu'il parte à son tour. Quand la Saab grise était passée à sa hauteur, elle avait détourné la tête et s'était collée sur son siège. Puis elle lui avait filé le train, gardant une bonne distance entre eux pour ne pas éveiller ses soupçons.

Nadja l'avait d'abord suivi jusqu'à l'épicerie. Puis elle s'était stationnée de l'autre côté du square quand il était allé rendre visite à Albert. Là, elle avait eu toute la liberté de le regarder entrer et repartir une heure plus tard après avoir déposé la boîte dans le coffre, fumé une cigarette et joué avec un gant de baseball.

Quand elle l'avait vu attendre près de la Datcha Zakouski et surveiller les alentours, puis s'attabler avec l'homme en complet-cravate, elle avait compris que celui-ci était, d'une manière ou d'une autre, lié aux révélations de Ted.

La jeune enquêtrice s'était figée lorsque la fourgonnette avait surgi et que les trois hommes avaient entrepris leur carnage. Puis, sans réfléchir, mais réalisant que Victor était en danger de mort, elle avait dégainé son arme de service.

Abritée derrière la portière de sa voiture, Nadja braqua son pistolet sur les assaillants, qui lui tournaient le dos. Elle commença à faire feu au moment où leurs tirs venaient de faucher Komarov. Sans arrêter de tirer, elle cria aussi fort qu'elle le put :

— Cours, Victor !

Sa voix se perdit dans le vacarme des détonations tandis que ses balles frappaient l'un des tireurs à l'omoplate. Protégé par sa veste pare-balles, celui-ci se retourna et, pointant son fusil-mitrailleur sur elle, tira en sa direction.

Il fut bientôt imité par l'homme qui se trouvait à sa droite. Nadja se fit aussi compacte que possible derrière la portière tandis que les balles faisaient exploser la vitre et tinter la tôle, mais ce ne fut pas suffisant.

Quand l'assaillant vit qu'il l'avait touchée et mise hors d'état de nuire, son canon pivota et se remit en symbiose avec celui de ses équipiers, qui visaient la table derrière laquelle se terrait la deuxième cible. Un déluge de projectiles jaillissait des fusils-mitrailleurs.

L'intervention de Nadja n'avait créé qu'un instant de flottement chez les assaillants, mais celui-ci fut vital pour Victor. Il ne pouvait plus voir ce qui se passait dans la rue ; pourtant, il avait eu le sentiment que quelque chose, ou *quelqu'un*, les avait perturbés.

Peut-être ne s'agissait-il que de son imagination, mais il lui avait semblé distinguer, au milieu du staccato incessant des armes automatiques, des détonations identiques à celles des pistolets utilisés par le SPVM. Un patrouilleur avait-il déjà ouvert le feu sur les assaillants?

Quoi qu'il en soit, les tirs s'étaient faits moins précis durant quelques secondes. Victor en avait profité pour sauter par-dessus le muret de bois ceinturant la terrasse et il avait atterri dans le passage qui séparait la Datcha Zakouski de l'immeuble voisin.

Systématiques et en parfaite maîtrise, la crosse de leurs armes fermement calée contre l'épaule, les assaillants réagirent au quart de tour. Tandis que deux d'entre eux se dirigeaient vers les marches, l'autre continua à tirer en direction de l'endroit où Victor avait disparu, pour le clouer au sol. Une gerbe de balles s'abattit d'ailleurs un mètre devant lui, lui barrant le passage vers l'immeuble voisin.

Accroupi contre le muret de la terrasse, Victor n'avait plus qu'une solution. Demeurant dans la même position pour éviter les balles, il s'avança, puis, quand il fut engagé entre les murs, il se redressa et se mit à courir droit devant le plus vite possible.

Le passage entre les deux immeubles mesurait moins de quatre mètres de largeur. Sans ralentir sa course, il nota que, sur sa droite, du côté du restaurant, le mur était aveugle alors que, sur sa gauche, les fenêtres des deux premiers étages étaient recouvertes de grillages. Il vit aussi des marches qui descendaient jusqu'à une porte en métal en contrebas, mais elle n'était munie ni de poignée ni de serrure.

Victor se trouvant momentanément hors de portée, les armes se turent pour la première fois depuis le début de la fusillade, quarante-cinq secondes plus tôt. À présent, des sirènes hurlaient, tout près, comblant le vide.

Dix mètres devant lui, le passage se terminait sur un mur de briques et bifurquait à quatre-vingt-dix degrés vers la droite. Victor ignorait ce qu'il y avait au-delà du coude, mais il devait l'atteindre avant que les assaillants lancés à sa poursuite arrivent à l'entrée du passage, sans quoi ce serait la fin : complètement à découvert, il ferait une cible facile.

Pendant que les tireurs rejoignaient l'endroit où Victor avait disparu de leur vue, le chauffeur de la fourgonnette avait agrippé le corps sans vie de Komarov et l'avait balancé à l'intérieur par la portière latérale. Puis il avait repris le volant et lancé le véhicule à toute vitesse en marche arrière.

Les assaillants débouchèrent à l'entrée du passage au moment où Victor n'était plus qu'à quelques mètres du coude. Ils ouvrirent le feu.

Au terme d'une manœuvre aussi maîtrisée que spectaculaire, le chauffeur immobilisa le derrière de la fourgonnette de manière à fermer le passage.

Une balle cueillit Victor au moment où il allait tourner le coin et commençait à croire qu'il allait s'échapper. Il ressentit une vive brûlure alors même qu'il s'écroulait, comme plaqué par une main invisible. Et tandis que son corps percutait le sol avec violence, ses idées se mirent à tourbillonner : quelqu'un avait donné la riposte aux assaillants, il en était presque convaincu.

Dans un ultime effort, il essaya de se relever, puis retomba. Une idée que son cerveau n'avait pas eu le temps de traiter surgit tandis qu'à travers le souffle glacé qui l'envahissait et l'entraînait vers les ténèbres il trouva la force de murmurer un mot, un nom, avant de sombrer.

— Nadja…

Avait-il entendu sa voix ou était-ce une hallucination fantasmée aux portes de la mort ? Ses jambes furent agitées de spasmes, puis tout devint noir et cessa. Au bout du passage, Victor restait face contre terre, sans bouger.

## 23

## Chaos post-apocalyptique

La voiture banalisée fendait la marée de véhicules qui s'écartaient pour lui céder le passage. Doigts exsangues, mâchoires crispées, yeux animés d'une rage sourde, Jacinthe klaxonna pour faire bouger deux camions de livraison qui la bloquaient.

Au lieu de freiner pour éviter la collision imminente, elle accéléra et emprunta l'autre voie en sens inverse de la circulation, dépassa le bouchon, puis revint dans l'axe normal, où elle continua à slalomer entre les voitures. Malgré l'adresse de l'enquêtrice, le véhicule avançait par à-coups, piégé par le trafic de midi.

Assis du côté passager, cramponné à la poignée de plafond, Paul Delaney rugit entre ses dents sans quitter la route des yeux.

— Plus vite ! Plus vite !

La conductrice donna un coup de volant et appuya sur les freins. La voiture banalisée tangua de gauche à droite, puis rebondit lorsqu'elle sauta le trottoir. Jacinthe remit les gaz à fond. Tandis que, sur la banquette arrière, Loïc Blouin-Dubois semblait sur le point de vomir, ils remontaient la piste cyclable à grande allure, deux roues sur le trottoir.

Le poing de Jacinthe s'abattit avec violence sur le tableau de bord.

— J'ai mes cerises, le cave! Décâlisse de ma face avec ton bicycle à pédales!

À part les invectives lancées de-ci de-là, les policiers ne s'étaient pas adressé la parole depuis leur départ des crimes majeurs.

Jacinthe avait reçu l'appel sur son cellulaire alors qu'ils se préparaient à manger des mets chinois qu'avait apportés Loïc dans la salle de conférences. Elle s'était levée d'un bond, renversant son carton de chow mein.

— Y a une fusillade en cours. C'est Fernandez. Let's go!

Ils étaient partis sur les chapeaux de roues dans la voiture banalisée de Delaney, qui avait aussitôt allumé le scanner. Sur les ondes, les appels de patrouilleurs demandant des renforts à la Datcha Zakouski pullulaient. La panique était palpable dans leurs voix.

Sans desserrer les dents, le patron des crimes majeurs avait passé quelques coups de téléphone. Ce n'est qu'au bout de longues minutes d'angoisse qu'il avait réussi à obtenir ce qu'il cherchait. Il avait activé le haut-parleur afin que Jacinthe et Loïc puissent entendre la communication à l'origine de ce branle-bas de combat: avant d'ouvrir le feu sur les assaillants, Nadja avait appelé le 911.

On perdait la voix terrifiée de la jeune femme dans le crépitement des fusils-mitrailleurs.

«Nadja Fernandez, crimes majeurs. Je suis devant la Datcha Zakouski. Alerte à toutes les patrouilles: ça tire ici! Trois assaillants dans une van noire. Je vais riposter. Appelez ma partner, Jacinthe Taillon. Dépêchez-vous, ils vont abattre Victor!»

Alors qu'ils roulaient à tombeau ouvert, les informations se précisaient de minute en minute. C'est ainsi qu'ils apprirent que Nadja avait été conduite à l'hôpital le plus proche. Son état de santé était pour l'heure inconnu.

Tremblant, Delaney prit son pistolet dans la boîte à gants et vérifia le chargeur.

La rue ressemblait à un champ de bataille. Portières ouvertes, gyrophares toujours allumés, une douzaine de voitures de patrouille vides étaient éparpillées aux abords de la Datcha Zakouski, où stationnaient aussi des voitures banalisées, un poste de commandement mobile, une ambulance et un camion de pompiers ayant fait office de premier répondant.

Aux extrémités du périmètre de sécurité délimité par des bandes de plastique jaunes, des rues avaient été bloquées à la circulation, créant des embouteillages qui paralysaient le secteur. Postés le long du quadrilatère, des patrouilleurs forçaient les curieux à reculer, tandis que des collègues allaient et venaient en hurlant des directives dans l'émetteur fixé à leur épaule.

Devant le restaurant, des maîtres-chiens se laissaient guider par leurs bergers allemands, qui reniflaient les alentours. Cagoulés, ayant enfilé gilet pare-balles, casque d'assaut et jambières de protection, des membres du Groupe tactique d'intervention – l'un d'eux portant un bouclier antiballes – patrouillaient dans les alentours, fusils-mitrailleurs à la main, parés à toute éventualité.

Sous la lumière de projecteurs, plusieurs techniciens de l'identification judiciaire écumaient l'escalier avec soin et déposaient dans des sacs à prélèvements des fragments de calotte crânienne et des doigts sectionnés nets par les balles, vestiges du cadavre de Komarov, dont les chaussures gluantes de sang gisaient au milieu des marches.

Certains de leurs collègues plaçaient de petits cônes numérotés jaunes devant les cartouches vides et les autres pièces à conviction qui jonchaient la rue.

D'autres enfin, le flash de leurs appareils photo crépitant en continu, capturaient des images des moindres détails de la scène de crime, qui seraient plus tard répertoriés, indexés puis analysés.

Au pied de la terrasse de la Datcha Zakouski, ganté de latex, Loïc parlait avec deux enquêteurs de la Section antiterroriste. De temps à autre, les trois policiers consultaient l'écran d'un ordinateur portable posé sur le capot d'une voiture banalisée.

Un peu en retrait, sur leur droite, Jacinthe demeurait immobile et songeuse, au milieu de cette faune qui grouillait autour d'elle. Observant silencieusement la scène, son attention se fixait en alternance sur la terrasse et sur le passage où Victor avait disparu pour échapper aux tueurs. Cinq mètres derrière le PCM[9], Paul Delaney discutait avec Marc Piché, le chef de la police de Montréal.

Livide, dépassé par les événements, Loïc rejoignit Jacinthe, qu'il tira de ses réflexions.

— J'ai checké les vidéos de surveillance du restaurant avec l'antiterroriste. Le chauffeur embarque une première victime dans la fourgonnette. Le gars qui parlait avec Lessard sur la terrasse. Après, on voit Victor courir entre les deux édifices, là…

Il pointa de l'index le passage qui séparait les immeubles.

— On voit les assaillants courir derrière lui pis commencer à tirer. Après, la van vient se parquer devant l'allée, pis on voit plus rien jusqu'à temps qu'ils repartent. Mais les gars de l'identification judiciaire ont retrouvé du sang au bout du passage. Pas mal de sang. J'sais pas s'ils ont eu le temps d'embarquer Lessard dans leur van, mais j'pense que…

Le jeune enquêteur s'interrompit en croisant le regard bouillant de sa collègue. Puis, si vite et de manière si imprévue qu'il n'eut pas le loisir d'esquiver la manœuvre, Jacinthe

---

9. Poste de commandement mobile.

l'attrapa par le col et le ramena à quelques centimètres de son visage.

— Écoute-moi ben, le Kid. Je m'en crisse pas mal, de ce que tu penses, OK? Nadja est entre la vie pis la mort à l'hôpital. Pis mon ancien partner, mon ami…

L'espace d'une seconde, sa voix avait fléchi, mais pas sa poigne.

— À moins que tu l'aies vu de tes yeux, on sait pas si c'est Lessard qui a été touché. Si ça se trouve, y a peut-être réussi à se sauver… C'tu clair, ça?

Elle relâcha Loïc, qui recula d'un pas.

— Écoute, parce que je te le répéterai pas deux fois: je veux savoir qui Lessard a vu avant de venir ici. Comment y s'est déplacé? Nadja m'a dit qu'y s'était acheté une minoune y a pas longtemps. Une vieille Saab. Trouve-la!

Remettant ses vêtements en place, Loïc acquiesça. Puis il sortit un calepin et écrivit furieusement tandis que Jacinthe poursuivait.

— Autre chose: je veux savoir c'est qui le dude que Lessard a rencontré. Tu demandes un screenshot des vidéos de surveillance pis tu l'envoies au plus sacrant au module d'identification. Qu'y passent sa face dans toutes les esties de banques de données qu'on a. Pis quand on l'aura identifié, je veux que t'ailles chez lui avec l'identification judiciaire comme si t'avais le feu au cul. Faut qu'on soit plus vite que l'antiterroriste, sinon on saura rien, comprends-tu, le Kid? Ils vont nous tasser.

Le ton de Jacinthe n'admettait aucune hésitation. Le jeune homme n'en eut pas.

— À part de ça, je veux que tu follow-up avec les techs pour savoir si le sang dans l'allée entre les deux immeubles est du même type que celui de Lessard.

— C'est fait. J'attends un retour d'appel. J'ai aussi lancé une alerte dans les hôpitaux pour qu'ils nous flaguent s'ils reçoivent quelqu'un qui correspond à son signalement.

Un sourire apparut sur les lèvres de Jacinthe, puis mourut aussitôt.

— Dis-moi pas qu'on va finir par faire une bonne police avec toi.

Elle marqua une pause avant de reprendre.

— L'autre affaire, c'est que le passage où les techs ont trouvé du sang donne sur une ruelle. Y a un salon de coiffure juste en face. Tu y vas, pis tu me trouves des témoins.

Loïc hocha la tête.

— Tu peux compter sur moi.

Jacinthe sembla tout à coup sur le point de se fissurer.

— Je le sais, le Kid. Je le sais... Victor est peut-être blessé quelque part, pis y attend notre aide. Fait que tant qu'on l'aura pas trouvé, mort ou en vie, on va le chercher. Lui, y m'aurait jamais laissée tomber.

Elle se rasséréna et adopta de nouveau un ton autoritaire.

— Fait que grouille-toi. Pis si quelqu'un te met des bâtons dans les roues, tu parles à Paul. Il est en meeting là-bas avec Piché.

Elle montra le PCM, où les deux hommes étaient toujours en conversation. Loïc opina et rempocha son calepin. La tête dans les épaules, prêt à essuyer une rebuffade, il risqua néanmoins une question.

— Mais toi, tu t'en vas où ?

Jacinthe s'avança vers lui.

— Yo, le Kid, dégage avant que je te mette mon pied au cul.

Le jeune homme tourna les talons et, cellulaire à l'oreille, se mit à marcher rapidement vers le salon de coiffure. Une voix de femme retentit au même moment.

— Jacinthe !

L'enquêtrice se retourna et aperçut Virginie qui, les traits décomposés par l'inquiétude, se tenait derrière le ruban délimitant le périmètre de sécurité en compagnie de son photographe. La journaliste lui fit un signe de la main. Une patrouilleuse l'empêchait de passer.

Attrapant son cellulaire, Jacinthe chercha dans ses contacts et appuya sur une touche. Le téléphone de Virginie se mit aussitôt à sonner. Celle-ci répondit tandis que Jacinthe s'éloignait.

— Regarde pas vers moi. Fais semblant que tu parles à un de tes collègues.

— C'est-tu vrai que Victor était là ?

— Oui, c'est vrai. Mais je sais rien de plus.

La voix de Jacinthe se fit encore plus basse, encore plus discrète.

— Écoute, je le sais que tu t'inquiètes toi aussi…

La voix de Virginie se cassa.

— Donne-moi des news quand t'en as… *Off the record.*

L'enquêtrice crispa les doigts sur son téléphone.

— Promis.

Jacinthe raccrocha, changea de direction et passa sous le ruban jaune. Envoyant un texto à Loïc, elle marchait vers la voiture banalisée lorsque Delaney l'interpella.

Sans même un regard pour son patron ni pour Marc Piché, qui parlait au téléphone devant le PCM, Jacinthe poursuivit son chemin. Elle n'avait rien à faire de la hiérarchie. Ni de Piché et de ses magouilles, qu'elle tenait pour responsables du départ de Lessard.

D'ailleurs, tout ce qui venait de se produire ne serait jamais arrivé si son ami avait gardé son insigne des crimes majeurs et son pistolet. Elle l'aurait empêché de faire des conneries. Et dans le pire des cas, elle aurait été à ses côtés pour le protéger.

Delaney insista.

— Jacinthe ?

Elle était à deux doigts d'éclater, à deux doigts de se diriger vers Piché pour lui flanquer son poing en pleine gueule, mais, par respect pour Delaney, elle se contenta, les dents serrées, de répondre par une pointe d'humour.

— Tequila, Heineken, pas le temps de niaiser, mon Paul. En passant, Loïc va avoir besoin de ton aide au salon de coiffure en face de la ruelle.

Elle se laissa choir sur le siège du conducteur, claqua la portière et démarra en trombe en faisant crisser les pneus. Médusé, Paul Delaney resta une longue minute immobile dans le nuage de poussière soulevé par le départ précipité de la voiture banalisée.

Aux soins intensifs, la chambre baignait dans le clair-obscur des voyants allumés sur les appareils médicaux appuyés contre le mur. Jacinthe salua le policier en faction. Figée sur le seuil, elle hésita un instant, puis finit par entrer. Même ainsi, gisant dans un lit, pâle et reliée par un lacis de tubes à des solutés, Nadja demeurait magnifique. Pour peu, on l'aurait simplement crue endormie.

Encore en tenue de bloc, la chirurgienne qui avait pratiqué l'intervention sur la policière la rejoignit.

— Elle a reçu trois projectiles. Un premier, qui a traversé sa cuisse de part en part. Un centimètre à gauche et l'artère fémorale était touchée. Et là…

Elle n'eut pas besoin de terminer sa phrase. Jacinthe attendit la suite.

— Un deuxième qui est rentré par l'épaule. Là encore, elle a été très chanceuse dans sa malchance : la balle s'est arrêtée juste avant le poumon.

Un air catastrophé se peignit sur le visage de Jacinthe.

— Pis le troisième ?

— Un ricochet sur l'avant-bras. On a enlevé les débris de balles, tout nettoyé et stoppé les hémorragies.

Jacinthe désigna le bandage imbibé de sang coagulé sur le côté de la tête de Nadja.

— Pis ça ?

— Traumatisme crânien. Pour l'instant, c'est sa blessure la plus sérieuse. Elle s'est cogné la tête en tombant. On a installé une mèche pour drainer le sang et on l'a plongée dans un coma artificiel, le temps que l'œdème se résorbe.

— Est-ce qu'elle va...

— Garder des séquelles ? Ce sont des blessures de guerre. Mais je suis optimiste.

Elle posa une main sur l'épaule de la policière.

— Je vais vous laisser.

— Merci pour tout, docteure.

Jacinthe resta un moment à contempler Nadja, puis sortit de la poche de son manteau un cierge acheté à la boutique souvenir de l'hôpital, qu'elle posa sur la table de chevet. Émue, elle prit la main de Nadja dans la sienne.

— Como esta, chiquita ?

Elle se racla la gorge.

— Tu l'sais que moi pis les grands speechs... Écoute, c'est peut-être un préjugé, mais me semble que vous autres, les Mexicains, vous tripez sur le p'tit Jésus, la Sainte Vierge, pis toute. Moi, j'ai jamais ben ben cru à ces affaires-là. Mais si c'est ça que ça prend...

Elle alluma le cierge, puis revint près du lit.

— Je vais te faire trois promesses. Si tu te réveilles bientôt, je vais aller monter les marches de l'oratoire. Pas à genoux, quand même, tu me connais. Pis la deuxième...

Elle marqua une pause, ravalant sa colère.

— Je vais les retrouver, les sales qui vous ont fait ça.

Un voile de tristesse passa dans ses yeux gris.

— Pis je vais retrouver ton chum, lui avec. Je sais pas où, je sais pas quand, mais y peut pas être mort. Ça se peut juste pas.

Jacinthe secoua la tête pour chasser son spleen.

— Chus sûre que Victor est en vie, Nadja. Fait que réveille-toi, OK ?

Elle écrasait une larme du pouce lorsque son cellulaire se mit à vibrer.

— Sinon ça serait… ça serait vraiment trop poche.

Elle décrocha. La voix tendue de Loïc résonna dans son oreille.

— J'ai un témoin, Jacinthe. Je sais ce qui est arrivé. Lessard a été enlevé.

— Y ont pris son corps comme l'autre dude ou y était en vie ?

— Je pense qu'il était vivant, mais…

Déjà, elle ne l'entendait plus qu'en sourdine.

— Pas au téléphone, le Kid. J'arrive dans pas long.

Elle raccrocha, ferma les paupières et poussa un soupir de soulagement. Quand elle rouvrit les yeux, une lueur nouvelle animait son regard. Peu importe les moyens qu'elle devrait prendre, elle allait retrouver son meilleur ami.

## 24

## Revenir chez les vivants

Un magma de sons bourdonnants l'envahit et l'avale, un ruissellement de voix ondoie et se cristallise au creux de sa poitrine, là où palpite son cœur, et brusquement vient la sensation d'être recraché vers des plaques de lumière feutrée. La mort ne voulait pas encore de lui.

Victor ouvrit lentement les paupières. D'abord floues et décalées, les images retrouvèrent peu à peu leur précision. Il voulut se redresser et se défaire de ses entraves, sa bouche s'ouvrit, ses bronches se dilatèrent et il tenta d'aspirer une goulée d'air.

Il aperçut trois visages asiatiques, deux jeunes hommes et une femme qui devait avoir la quarantaine, penchés au-dessus de lui. Les hommes paraissaient surexcités tandis que la femme demeurait calme et autoritaire.

Elle aboya des directives aux deux autres dans une langue étrangère :

— Tenez-le bien !

On planta une aiguille dans son avant-bras ; une vive sensation de brûlure s'y répandit et l'engourdit. Victor vit une main de femme tenant un objet acéré, puis il sentit le contact froid d'une lame fouillant les chairs de son épaule. Il se débattit furieusement tandis qu'on le maintenait cloué sur le dos d'une poigne de fer. Mais plus il luttait et plus il s'enfonçait dans un brouillard opaque où il finit par sombrer.

La lumière, blanche. L'illusion d'émerger et de rouler doucement sur la paroi d'une sphère sans pouvoir échapper à son mouvement. Le calme. La sensation d'essayer de saisir des mains tendues.

Le rouge de l'intérieur de ses paupières closes, un chien qui aboie à perdre haleine dans le lointain. Une odeur rance d'humidité. Un picotement dans son épaule qui descend le long de sa colonne vertébrale, une voix de femme que, d'instinct, il prend pour celle de sa mère même si le temps en a effacé les contours dans sa mémoire, la voix de sa mère, donc, qui l'appelle à revenir chez les vivants.

Victor ouvrit un œil, puis l'autre, avec l'impression qu'on avait badigeonné ses globes oculaires de vaseline. La brume se dissipa peu à peu, et il distingua, à travers une succession d'images hachurées, le visage d'un homme penché sur lui.

Couronne de cheveux roux et cigarette vissée au coin des lèvres, celui-ci souriait. Victor tenta de se souvenir de son nom, mais l'image de son visage s'embrouillait et se mélangeait à celle de Nikolaï Komarov criblé de balles.

Il sentait confusément qu'il devait se réveiller, mais il ne sut résister aux caresses vénéneuses de Morphée qui lui léchait les paupières. Il s'y abandonna.

Se réveillant en panique, Victor fit le tour de la pièce du regard. Des coulures de liquide brunâtre suintaient des murs, qui semblaient avoir été taillés dans le roc d'une caverne. Il vit la poche de soluté reliée à son avant-bras et un bandage sur son épaule gauche. La douleur arriva à retardement, une douleur sourde qui irradiait jusqu'à sa nuque. Il bougea les membres. Les draps moites du lit collaient à son corps.

Un homme entra dans la pièce et déposa des sacs de plastique sur une table. Il portait un jeans, un t-shirt vert et un chandail en coton ouaté marine.

— Pis, Lessard, bien dormi?

Constellé de taches de rousseur, son visage au teint blafard apparut au-dessus du lit de Victor. Des yeux d'un bleu scintillant fouillèrent son regard.

— Gagné…?

— Comme un seul homme.

Alors qu'il était enquêteur à la Division du crime organisé du SPVM, Yves Gagné avait soutiré des renseignements du CRPQ[10] pour le compte d'un haut gradé de la police qui exerçait des pressions sur lui. Incarcéré, il avait tout perdu: femme, enfants, boulot.

Du menton, Victor désigna le soluté.

— C'est quoi, ça?

— D'la morphine, maudit chanceux!

Le blessé tenta de grimacer un sourire mais n'y parvint pas.

— C'est toi qui m'as ramassé dans la ruelle?

Gagné opina, puis inspira une bouffée de cigarette.

— Tu me connais, chus fin…

L'ancien policier lui avait fourni des informations indispensables au dénouement d'une enquête qui avait permis d'écarter la responsabilité de Victor dans la mort en devoir de deux collègues placés sous ses ordres.

— Je te payais pour monter un profil sur Komarov, pas pour me sauver la vie.

Gagné inclina la tête en haussant les épaules.

— Ouais. Mais comme j'ai pas pu le suivre après le meeting, comme prévu, je me suis dit que ça compenserait. Pis

---

10. Centre de renseignements policiers du Québec.

quand je t'ai vu nager sur le ventre dans ruelle, j'ai réalisé que tu pourrais pas payer ma facture si t'étais plus en vie…

Versé dans l'art de faire parler les bases de données, Gagné s'était recyclé en détective privé. Victor n'avait par conséquent pas hésité à faire appel à ses services pour en apprendre davantage à propos du Russe.

— Je le sais, je le sais, j'étais pas obligé. Mais vu que j'étais déjà dans ta Saab pour prendre les photos… Considère ça comme un p'tit extra.

Victor tendit la main vers lui, attrapa son bras.

— Yves… je… Tu sais pas… Merci…

Gagné sourit avec humilité. Après avoir aidé à blanchir Victor, il lui avait demandé d'intercéder en sa faveur auprès d'une travailleuse sociale afin de récupérer un droit de visite pour ses enfants. Victor avait posé une seule condition : qu'il s'engage à régler son problème de consommation. Aussi, lorsque l'ancien policier avait souhaité qu'il devienne son parrain dans les AA, il avait accepté.

— Bon, bon, bon… On va dire qu'on est quittes, Lessard.

Il crânait, mais ce qu'il venait de faire démontrait l'étendue de sa reconnaissance.

— Astheure, j'imagine que tu veux savoir ce que j'ai vu ? Au début, c'était tranquille…

Fugaces, des images se ravivèrent dans la mémoire de Victor, qui revenait par fragments au fil des explications de Gagné. Les coups de feu, le passage, le projectile. Des mains qui l'attrapaient sous les aisselles et le traînaient. La banquette arrière de la Saab. La douleur lancinante. Et…

Il essaya soudain de se relever, puis retomba en grimaçant.

— Komarov !

— Mollo, Lessard. T'as perdu pas mal de sang.

Mais Victor s'entêta, repoussa les mains de Gagné.

— Faut aller chez Komarov avant la police !

— Relaxe. C'est déjà fait.

De la surprise et du soulagement se peignirent sur le visage de Victor.

— As-tu trouvé quelque chose ?

— L'appartement était sens dessus dessous. Quelqu'un était passé avant moi…

— Ceux qui ont descendu Komarov.

Gagné eut le sourire énigmatique de celui qui n'était pas encore prêt à tout révéler.

— Probable. Mais j'ai quand même trouvé une place où personne avait mis le nez. Quand tu fouilles chez un musicien, l'important, c'est de jouer les bonnes notes.

L'esprit toujours englué, Victor prenait la mesure de ce qui s'était passé.

— Pourquoi tu m'as pas emmené à l'hôpital ?

— T'aurais aimé mieux attendre à l'urgence pis tomber sur une infirmière qui vient de se taper un quarante-huit heures ? Tu vas me remercier plus tard, Lessard.

La femme asiatique que Victor avait entraperçue plus tôt fit irruption dans la pièce et enguirlanda Gagné dans une langue inconnue. L'ancien policier répliqua dans la même langue avec une fluidité déconcertante, puis éteignit sa cigarette sous son talon.

— Regarde, je l'ai écrasée, là. T'es contente ?

Amusé, il dit à Victor, sur le ton de la confidence :

— Scuse, c'est mon ex…

L'Asiatique s'approcha du lit et vérifia le soluté. Puis elle sortit une seringue de sa poche et injecta un liquide dans l'un des tubes.

Victor secoua la tête, de plus en plus perplexe.

— Quand j'ai parlé à la travailleuse sociale, je pensais qu'elle s'appelait Suzie, ton ex…

Après avoir acquis la conviction que Gagné demeurait abstinent et assidu dans sa démarche aux AA, Victor avait accédé à sa demande.

Gagné affichait un petit sourire en coin.

— C'est ça. Prénom : S-h-u. Nom de famille : S-z-e. Suzie, je te présente Victor Lessard.

Celui-ci regarda la femme.

— Enchanté, Shu. Et merci de m'avoir soigné…

Elle prit la parole en français, avec un fort accent.

— C'est moi qui vous remercie, Victor.

Tout en terminant son injection dans le cathéter, elle désigna son ancien conjoint.

— Pour lui… et pour nos enfants. Ils ont enfin retrouvé un père qui se tient debout.

Gagné baissa la tête, à la fois touché et mal à l'aise d'être le centre de l'attention. Shu posa sa main sur le front de Victor et lui parla en chinois. Gagné s'improvisa traducteur.

— Ce qu'elle vient de te donner, c'est contre l'infection. La balle a traversé ton épaule. Une blessure nette, ç'a pas touché à l'os, mais y restait un éclat de balle.

Shu se remit à parler. Le blessé eut l'impression qu'elle le réprimandait.

— Elle dit aussi que si tu continues à t'énerver, tes points vont sauter…

Victor brandit le pouce pour montrer à sa bienfaitrice qu'il avait compris. Il se tourna ensuite vers Gagné tandis qu'elle prenait sa pression à l'aide d'un brassard.

— Tu parles mandarin, toi ?

— Un peu, mais ça, c'est du wu. Le dialecte de Shanghai…

L'ancien policier hasarda un clin d'œil à la mère de ses enfants.

— Elle a pas ses licences pour travailler au Québec, mais c'est la meilleure vétérinaire en ville, hein, Suzie ?

Il avait dit ça sérieusement. Victor le sonda, incrédule. Gagné pouffa de rire tandis que Shu le foudroyait du regard.

— J'te niaise ! C'est juste qu'ici, on est trop caves pour reconnaître ses équivalences. Fait qu'elle opère sa petite clinique en dessous de la table.

— Remercie-la en chinois de ma part.

— Fais-le toi-même : *Xièxiè.*

Victor s'exécuta. D'un geste sec, la femme inclina la tête et plissa les lèvres. Ou peut-être était-ce un sourire. Le sourire des dignes, des humbles. Victor n'aurait su le dire avec certitude. Quoi qu'il en soit, elle lui donna de nouvelles directives dans cette langue qu'il ne comprenait pas, puis elle disparut de son champ de vision.

Gagné la regarda s'éloigner.

— En gros, elle dit de te reposer. Pis que si j'allume une autre cigarette…

Victor grimaça de douleur, mais il se sentait moins vaseux.

— Merci, Yves. Vraiment. Tu m'as sauvé la vie.

Gagné haussa les épaules avec modestie. Victor reprit.

— Ça fait combien de temps que je suis ici ?

Dès que Shu disparut de sa vue, Gagné s'empressa de ressortir son paquet de cigarettes.

— Trois heures, je dirais…

— As-tu prévenu quelqu'un ?

L'ancien policier lui confirma que non.

— Au début, je voulais juste te sortir de là. J'ai foncé, je t'ai ramassé, pis je t'ai embarqué dans le char. C'est en roulant que j'ai commencé à réfléchir, à me demander ça serait quoi mon prochain *move* si j'étais dans tes souliers. Comme ta blessure avait pas l'air si grave, je me suis dit que… que, peut-être, t'aimerais mieux que ceux qui veulent ta peau sachent pas ce qui se passe. J'ai pensé que disparaître, ça pourrait te redonner un coup d'avance. Entre toi et moi, c'est pas très compliqué pour du monde avec ce genre de moyens là de retrouver un gars blessé à l'hôpital.

Gagné avait eu une bonne intuition. Victor aurait les coudées plus franches pour remonter la piste de ceux qui avaient tenté de l'éliminer si ceux-ci ignoraient tout de son état de santé ou si, mieux encore, ils le croyaient mort.

L'ancien policier planta son regard intense dans le sien.

— Parce que s'il y a une affaire qui est claire, c'est que l'escadron de la mort qui a débarqué tantôt était pas là juste pour tuer Komarov. T'as mis le doigt dans quelque chose de gros. Pis si je te connais comme je pense que je te connais, tu lâcheras pas le morceau avant d'avoir trouvé qui est derrière ça.

L'écho des mots de Gagné tournoya dans sa tête. Victor se dit que, puisqu'on l'avait pris pour cible, se terrer était peut-être la seule façon de protéger ses proches des risques liés à une récidive. En effet, il ne se pardonnerait jamais si l'un d'eux devenait une victime collatérale des tireurs. Se terrer. Attendre. Réfléchir.

Puis il songea à Nadja, à ses enfants, à Jacinthe et à tous ceux qui ne manqueraient pas de s'inquiéter pour lui. Il n'avait pas le droit de leur imposer cette angoisse. Il devait donner signe de vie.

Le grésillement de la cigarette de Gagné le ramena à lui.

— Va falloir que tu m'en dises plus si tu veux que je continue de t'aider, Lessard.

Accablé et hésitant, Victor finit cependant par acquiescer.

— On est où, là?

— En dessous d'un restaurant de Chinatown.

Victor s'étira le cou pour tenter de voir au-delà du lit, mais il n'y arriva pas.

— As-tu mes affaires?

— Ta veste de cuir est sur la chaise, là-bas. Très chic, le trou d'aération. Ton linge était trop taché de sang. J'ai tout jeté, mais je t'ai acheté des trucs.

— Pis mon cell?

— Je l'ai comme qui dirait « échappé » en bas du char pendant qu'on roulait.

Victor approuva de la tête. Gagné avait fait ce qu'il aurait fait lui-même. Ne pas laisser la possibilité à ceux qui avaient voulu le tuer de le retracer.

— As-tu réussi à prendre des photos de Komarov et des tireurs ?

Gagné ne put s'empêcher de sourire. Compte tenu des circonstances, il était fier d'avoir conservé son sang-froid. Il attrapa un sac de toile et y récupéra un appareil photo numérique alourdi par un puissant téléobjectif.

Il alluma l'appareil, s'approcha de Victor et fit pivoter l'écran au plasma vers lui.

— Des bonnes, à part de ça... Mais les tireurs étaient cagoulés.

Il fit défiler les photos. Tout était là. Komarov et Victor à leur table, les deux hommes debout tandis qu'ils entraient, puis ressortaient du restaurant. Enfin, l'arrivée de la fourgonnette, la sortie du commando et le carnage subséquent.

— As-tu des gros plans ?

Quelques clics plus tard, Gagné fit apparaître ce que Victor avait demandé. Sur l'un des clichés, on voyait l'homme qui semblait être le meneur du groupe. Il portait des lunettes fumées. Gagné lui montra d'autres photos des tireurs.

— Ça, c'est juste avant que la fille commence à riposter.

— De quoi tu parles ?

— La fille qui s'est fait tirer... Si elle était pas intervenue, je sais pas ce qui te serait arrivé. C'est elle qui t'a sauvé la vie.

L'expression de Victor passa de la surprise à la terreur. Un froid mordant se mit à grouiller dans son ventre tandis que des frissons lui parcouraient l'échine.

— C'est qui, cette fille-là ?

Son cœur se brisa quand il vit apparaître Nadja sur l'écran de l'appareil. La rafale de photos la montrait en train de tirer et d'être touchée par des projectiles, puis gisant ensanglantée et inanimée sur le bitume. Victor se redressa d'un bond, faisant valser son soluté sur son socle. Une douleur lancinante lui vrilla l'épaule.

— Aaaargh! Nadja!

Gagné l'attrapa et le força à se recoucher.

— Nadja? C'est pas ta blonde, ça?

Les yeux exorbités, Victor saisit son ange gardien par la manche.

— Trouve-la, Yves! Je veux savoir où elle est, pis comment elle va!

## 25

## Salon de coiffure et métaphysique

Jacinthe marchait au milieu des vestiges de la fusillade avec l'impression de traverser un champ rempli de zombies. Patrouilleurs, ambulanciers et techniciens en scène de crime s'activaient, toute une batterie d'artifices lancée comme un contrepoids à l'horreur.

Mais il n'y avait qu'à lire la tension sur les visages, l'incapacité à saisir l'insensé qui valsait dans leurs yeux et se noyait dans les quelques mots échangés entre les silences pour comprendre que la vie faisait encore partie du sacré.

Le cri et le bras levé de Loïc servirent de repère à Jacinthe dans le maelström. Elle réorienta aussitôt sa marche en sa direction. Derrière le jeune enquêteur, Paul Delaney était en conversation avec une femme dans la quarantaine, dont les doigts tremblaient quand elle les portait à ses lèvres.

Le chef des crimes majeurs tendait son cellulaire à la dame. Il avait fait apparaître une photo de Victor à l'écran.

— Vous êtes sûre que c'est lui?

Visiblement secouée par ce qu'elle avait vu, la dame hocha la tête.

— Certaine…

— Il était comment ? Vivant, blessé ?

— Inconscient. Il saignait beaucoup. Mais… mais je pense qu'il était encore en vie.

Loïc s'avança à la rencontre de Jacinthe tandis que Delaney continuait l'entretien.

— Et l'autre ? Le gars qui l'a ramassé ?

L'ayant rejointe, le jeune enquêteur désigna la femme qui parlait avec Delaney.

— T'avais raison. Elle était au salon de coiffure quand Victor a été touché.

Dans leur dos, l'interrogatoire se poursuivait.

— Celui qui a ramassé le blessé, êtes-vous capable de me le décrire ?

La témoin tentait de raviver sa mémoire ; chaque mot tordait sa bouche.

— Je suis désolée. Je ne l'ai pas bien vu. Je regardais surtout celui qui saignait.

Delaney lui mit une main sur l'épaule. Les souvenirs d'un événement traumatique refont souvent surface des heures, voire des jours plus tard.

Loïc avait déjà questionné la femme avant son supérieur. Il débriefa Jacinthe.

— Un gars est arrivé dans une voiture grise. Elle est pas certaine de la marque, mais on trouve la Saab de Lessard nulle part dans le coin. Anyway, le gars l'a ramassé, pis il est reparti. Il était pas cagoulé.

Perplexe, elle réfléchit à voix haute.

— Donc logiquement, y était pas avec les tireurs. Me semble qu'un gars embarque pas un autre gars en sang dans son char de même parce qu'il passait par là…

Le jeune enquêteur approuva et renchérit.

— D'après moi, il était déjà sur place…

Jacinthe laissa l'idée faire son chemin dans son esprit avant de reprendre.

— Pis si on veut comprendre pourquoi, faut identifier le bonhomme qui s'est fait péter dans les marches. Et qu'est-ce que Nadja faisait là…

Loïc esquissa une moue perplexe.

— D'après les images que j'ai vues, Victor avait pas l'air de savoir qu'elle était là.

— OK. Fait que notre hypothèse, c'est qu'ils étaient deux à suivre Lessard. Nadja pis celui qui l'a embarqué dans son char. Est-ce que les deux étaient de connivence ? Je peux pas croire que Nadja m'en aurait pas parlé…

Derrière eux, Delaney venait d'interrompre sa conversation avec la témoin pour répondre à un appel. Loïc tassa sa gomme dans sa joue avant de répliquer.

— Nadja m'a rien dit, à moi non plus. Mais des fois, la situation t'échappe, pis avant que t'aies le temps de le réaliser, ça dégénère, pis tu peux plus revenir en arrière.

Jacinthe secoua la tête, intraitable.

— Pas avec moi, le Kid, pas avec moi.

Pour se donner une contenance, le jeune policier consulta son calepin de notes.

— D'après ce que j'ai vu sur les images des caméras de surveillance, les tireurs utilisaient des fusils-mitrailleurs. Probablement des modèles militaires.

Paul Delaney avait rempoché son cellulaire. Après avoir remis sa carte à la témoin et obtenu ses coordonnées complètes, il vint les rejoindre.

— On va l'envoyer voir le dessinateur pour établir un portrait-robot du bon Samaritain qui a sauvé Victor.

Ils se regardèrent un moment tous les trois.

— Es-tu correcte, Jacinthe ? Si jamais t'as besoin d'un peu de temps, je peux prendre le lead avec Loïc.

Elle se raidit et sa voix devint cassante.

— Pourquoi j'aurais besoin de prendre un break ? Explique-moi ça.

Delaney n'osa pas s'aventurer sur cette pente glissante.

— Je viens de parler à Juneau, à l'antiterroriste. Ils ont retrouvé le serveur. Il était descendu chercher des bouteilles dans la cave à vins. Quand ç'a commencé à tirer, il s'est barricadé là. Apparemment, il connaîtrait l'identité de l'homme qui parlait avec Victor sur la terrasse.

Loïc pointa le restaurant du menton.

— Qu'est-ce qu'on attend ?

Le cellulaire de Jacinthe se mit à vibrer. Le numéro sur l'afficheur lui était inconnu.

— Allez-y, je vous rejoins.

Delaney et Loïc se dirigèrent vers le restaurant tandis qu'elle prenait l'appel. Son visage se transfigura lorsqu'elle entendit la voix à l'autre bout du fil.

— Salut, Willard.

Chamboulée, elle répondit en s'éloignant.

— Salut, fucking Gwendoline… J'en reviens pas. Tu t'es rappelé de notre vieux code d'urgence.

Victor reprit après un bref moment de silence.

— Je pensais jamais en avoir autant besoin…

Elle s'attendrit un instant, mais sa colère chassa vite ses bons sentiments.

— Lessard, mon enfant de chienne, t'es où ?!

Elle n'était pas la seule à se poser cette question.

## 26

## Partir en fumée

La fourgonnette des tireurs se trouvait dans un terrain vague, sous le lacet d'un des nombreux chantiers de l'échangeur Turcot. La mine déconfite, Messiah vidait avec colère un jerrycan d'essence sur le corps ensanglanté de Komarov, qui reposait à l'arrière du véhicule. Pac Man l'observait tandis que Black Dog parlait au téléphone près d'une jeep en marche, stationnée à proximité.

D'une voix prudente, Pac Man essaya de calmer Messiah.

— On pouvait pas prévoir que quelqu'un se mettrait à nous tirer dessus.

Messiah s'arrêta de verser l'essence et le dévisagea.

— Quand on est entraînés comme on l'est, on n'a pas besoin de prévoir. On devrait être prêts pour toutes les situations. La fille était dans mon périmètre. C'était *ma* responsabilité. T'avais pas à te laisser distraire de nos deux cibles.

— Je me suis tourné vers elle dix secondes. Si tu m'avais laissé finir la job après, dans la ruelle, on serait pas...

Messiah le fusilla du regard. Pac Man baissa la tête. Il venait de franchir la ligne pour la seconde fois en quelques heures. La première incartade s'était produite dans le passage entre les deux immeubles, juste après qu'il eut touché Victor. À ce moment, Black Dog et lui s'étaient avancés pour l'achever lorsqu'une voix puissante s'était élevée dans leur dos.

— Police ! On s'en va !

Black Dog avait rebroussé chemin, mais Pac Man avait continué de marcher vers le corps inerte. Une détonation avait retenti ; une balle s'était logée dans le sol un mètre devant ses bottes de combat. Messiah, qui s'encadrait dans le hayon, avait abaissé son pistolet. Sa voix avait tonné de nouveau, autoritaire et sans appel.

— Maintenant, j'ai dit !

Pac Man avait rejoint le véhicule en courant.

L'air menaçant, Messiah s'avança jusqu'à lui et le prit par le collet. Leurs visages se trouvaient à quelques centimètres l'un de l'autre.

— La police arrivait. On pouvait pas se permettre une poursuite avec la fourgonnette. C'était *avant* qu'il fallait l'avoir.

Il relâcha sa prise. Pac Man replaça sa veste.

— J'suis loin d'être convaincu que le deuxième gars a survécu.

Messiah jeta le contenant d'essence vide dans l'habitacle et leva un bras vers Black Dog, qui avait fini son appel et s'approchait, une torche de signalisation à la main.

— T'as pas entendu ce que Black Dog a dit tantôt ?! Y est pas enregistré à la morgue.

Pac Man allait répliquer, mais, arrivant à leur hauteur, Black Dog intervint.

— Y est pas dans aucun hôpital non plus.

Furieux, Messiah saisit la torche, l'alluma et la lança dans la fourgonnette, qui s'embrasa aussitôt. Le reflet des flammes dansait dans ses lunettes de soleil tandis qu'elles dévoraient le corps de Komarov.

— Fuck !

Il marcha d'un pas rapide vers la jeep. Ses hommes le suivirent.

— C'est pas vrai qu'un ancien flic va gâcher notre opération ! Fuck !

Messiah, Pac Man et Black Dog grimpèrent dans le véhicule, où le chauffeur les attendait. Ils partirent à toute vitesse, laissant le brasier et un long panache de fumée derrière eux. Ils rejoignaient la rue lorsque l'explosion de la fourgonnette provoqua une déflagration assourdissante.

La jeep soulevait un nuage de poussière sur son passage. La forêt les enveloppait de son sombre écrin, les avalait presque, comme si elle se refermait derrière eux. Ils roulaient sur le chemin forestier depuis plus de vingt minutes lorsqu'ils arrivèrent à destination. Messiah n'avait pas desserré les lèvres de tout le trajet et fut le premier à sortir du véhicule. Il se hâta vers les bâtiments. Une lueur vacillante éclairait quelques fenêtres.

À l'intérieur, il remonta un corridor aux murs de contreplaqué peints en jaune. Des portes donnant sur des chambres s'ouvraient des deux côtés. Messiah se dirigea vers la pièce du fond, là où il avait établi son bureau. Juste avant d'y entrer, il hésita une seconde, puis il s'arrêta devant la dernière porte sur sa droite, qu'il ouvrit. Dans la pénombre de la chambre spartiate, il aperçut Iba Khelifi, qui dormait dans son lit de camp.

Animé par une émotion qu'il s'efforça de réprimer, il retira ses verres fumés et observa la poitrine de la jeune femme qui montait et descendait à un rythme régulier.

Il suffit d'un craquement ténu. Messiah reculait d'un pas quand Iba se réveilla. Alors qu'elle se redressait dans le lit, ses yeux noirs se mirent à papilloter dans l'obscurité. Un regard à la fois habité et éteint. Un regard d'aveugle.

— C'est toi ?

Messiah referma doucement la porte et laissa Iba seule dans le silence.

Quelques instants plus tard, il se trouvait dans son bureau, assis derrière l'écran de son ordinateur, où une application de vidéoconférence était ouverte. Dans une pièce dépourvue de mobilier, son interlocuteur arrosait des plantes vertes avec minutie. Mais le tonnerre de sa voix lui fit rapidement comprendre qu'il n'aurait pas la patience du jardinier, cette fois-ci.

— Le risque que t'as pris en abattant Lefebvre de cette façon-là était inconsidéré !

Excédé, Messiah frappa du poing sur la table, faisant bondir les cartes roulées qui s'y entassaient.

— On pouvait pas le laisser remonter jusqu'à nous ! Son article allait tout faire éclater !

— C'est ce qu'on voulait, non ?

— C'était trop vite. Tu le sais !

Messiah fixa les pierres de lapis-lazuli empilées devant lui. Il en saisit une et la fit tourner entre ses doigts, machinalement, puis il reprit.

— Pis aujourd'hui, t'es conscient que tu m'as pas laissé le choix d'intervenir ? J'espère juste qu'on n'est pas arrivés trop tard…

L'interlocuteur de Messiah déposa son arrosoir et ricana.

— T'es fier de ta petite opération ? Tuer un homme qui nous était toujours utile pis retourner contre nous un policier qui savait même pas qu'on existait… Félicitations !

Messiah recula dans son fauteuil.

— Y a juste toi qui avais encore besoin de Komarov.

L'autre protesta vivement.

— Qu'est-ce que tu racontes ? Komarov avait des instructions très claires.

Messiah ne semblait pas convaincu.

— Pourquoi tu l'as envoyé parler à Victor Lessard ? Ça servait quel objectif, à part ta curiosité maladive pour les vieilles histoires de guerre froide ?

— Lessard a peut-être des informations que personne d'autre peut avoir.

— Ah oui ? Tu m'as jamais parlé de ça. Des informations à quel sujet ?!

L'interlocuteur de Messiah lui répondit d'une voix énigmatique.

— Je t'en parlerai quand je serai sûr de mon affaire.

Messiah soupira bruyamment.

— Encore et toujours des secrets. Tu peux pas t'en empêcher, hein ?

— Je comprends ton impatience, mais…

Messiah le coupa avant qu'il puisse terminer sa phrase.

— Je suis pas juste le leader d'un groupe idéologique. Tu le sais que, moi aussi, j'ai des idées. Que je vois grand…

L'autre approcha son visage de l'écran.

— Je le sais. Bientôt, je vais pouvoir tout te dire. Mais toi aussi, va falloir que tu me fasses confiance, pis que tu respectes la chaîne de commandement.

Messiah resta silencieux un long moment après la fin de l'appel. Il palpa de nouveau le lapis-lazuli au creux de sa main, puis il ferma son poing dessus avec force.

## 27

## Remords et culpabilité

Grimaçant de douleur, Victor essaya d'enfiler son blouson de cuir. À contrecœur, Gagné l'aida à passer la manche du côté de son épaule blessée.

— Nadja est dans le coma, mais son état est stable. Elle a les meilleurs spécialistes pour s'occuper d'elle. On devrait laisser retomber la poussière avant d'y aller.

Mais Victor marchait déjà vers la sortie. Sur ses talons, Gagné le mit en garde.

— Y a un policier devant la porte de sa chambre.

— Tu vas l'éloigner, je te fais confiance.

— As-tu pensé que l'hôpital est peut-être aussi surveillé par les crinqués qui t'ont tiré dessus ? Qu'ils attendent peut-être juste que tu fasses un *move* pour t'achever ?

Victor peinait à contenir sa rage.

— Qu'ils s'en viennent... Je vais avoir leur peau. Toute la gang...

— Pour ça, va falloir qu'on comprenne qui ils sont, pis pourquoi ils t'en voulaient.

Victor hésita, puis dévisagea Gagné.

— « On » ? T'as vu de quoi ils sont capables, Yves. Tu pourras pas dire que t'as pas été averti.

— Je sais exactement dans quoi je m'embarque.

Victor le jaugea.

— OK. Mais sais-tu pourquoi tu le fais?

Shu apparut dans le cadre de la porte. Elle avait tout entendu et considérait son ancien conjoint d'un air chargé à la fois de compassion et de reproche.

Elle s'adressa à lui en chinois.

— Si tu le fais pour me prouver que tu es encore quelqu'un, ce n'est pas nécessaire. Tu es quelqu'un de nouveau, que j'apprends à connaître.

Touché, Gagné ravala son émotion.

— Je sais pas pourquoi je le fais, mais je vais le trouver en chemin.

Shu secoua tristement la tête et partit. Victor lança:

— Moi, ça me va. Viens-t'en.

Il entraîna Gagné vers la sortie, mais celui-ci le retint d'un geste de la main.

— Attends. Avant, tu vas m'expliquer ce qui se passe. Pis pourquoi ça se passe…

Victor fixa le vide tandis qu'il replongeait dans sa noirceur.

— Je comprends pas comment ni pourquoi ça a rapport avec la fusillade, mais quand j'avais douze ans, j'ai pensé… tout le monde a pensé… que mon père avait tué ma mère pis mes frères parce qu'il avait perdu sa job chez General Electric.

Le pouls de la personne qu'on aime, le frémissement du sang qui circule sous la peau. Combien de fois dans une vie s'arrête-t-on pour poser son oreille contre la poitrine de l'autre, l'autre qui partage notre quotidien et qui marche dans nos pas, pour sentir la vie pulser dans ses veines, pour prendre conscience que chaque battement de cœur est un miracle en soi et que tout peut cesser brusquement?

S'étant barbouillé le visage de sang, Gagné avait éloigné le policier de faction en affirmant avoir été victime d'une agression dans une autre aile, ce qui avait permis à Victor d'entrer dans la chambre de Nadja. Il avait pris la main de son amoureuse dans la sienne et couvert sa paume et son visage de baisers.

Il était à présent prostré sur le lit, le haut de son corps couvrant celui de Nadja afin qu'elle sente sa présence.

Ce que Gagné lui avait dit à propos de son état de santé l'avait rassuré. Même s'il était trop tôt pour savoir si la jeune femme garderait des séquelles, elle était hors de danger. Mais cet apaisement avait fait place aux doutes, à la culpabilité et aux questions.

Pourquoi Nadja se trouvait-elle sur les lieux de la fusillade ? Sa conduite des derniers jours avait-elle été suspecte au point de lui mettre la puce à l'oreille ? Quoi qu'il en soit, il ne se pardonnait pas d'avoir mis sa vie en péril.

Par-dessus tout, il s'en voulait de ne pas avoir été là pour veiller sur elle, pour la protéger. Les balles qu'elle avait reçues lui étaient destinées ; elles auraient dû trouer sa peau à lui, pas celle de Nadja.

Ses pensées cavalaient, mais l'heure n'était pas aux remords. D'après la description que Gagné lui avait faite de la fusillade, Nadja avait essuyé les tirs des assaillants parce qu'elle était intervenue en ouvrant le feu, et non parce qu'elle avait été ciblée au départ.

Cette prise de conscience lui donnait la force d'aller de l'avant et de mettre son plan à exécution. De nouveau, Victor s'apprêtait à la laisser seule, mais il le fallait. La main de Nadja dans la sienne, il murmura :

— Je te promets que je vais retrouver les responsables. Tous, jusqu'au dernier.

Il avait prononcé ces paroles d'un ton déterminé, tandis qu'une lueur de violence brillait dans ses yeux. Il prendrait tous les moyens nécessaires pour parvenir à ses fins.

La porte de la chambre s'ouvrit et Gagné apparut.

— Faut y aller…

Il se redressa en grimaçant. Son épaule le faisait souffrir.

— J'arrive dans deux secondes…

Ses doigts dessinèrent doucement le contour du visage de Nadja, la ligne de son menton, épousèrent les courbes de ses lèvres. Son amour dormait, et personne ne savait quand elle allait se réveiller. Il ne connaissait pas ses adversaires, mais il les haïssait de toutes les fibres de son être.

## 28

## Rencontre imprévue

La voiture banalisée s'engagea sur le boulevard René-Lévesque et, roulant vers l'est, se mit à dessiner des arabesques sur l'asphalte tandis que, filant à plus du double de la vitesse de la circulation, elle serpentait entre les autres véhicules et avalait les kilomètres.

La voix de Paul Delaney était blanche, mal assurée.

— Le serveur de la Datcha a dit que Komarov venait des fois avec un p'tit jeune.

— Son serin, je te gage. C'est tout ce que vous avez appris?

Il acquiesça et se tourna vers Jacinthe, qui, une main sur le volant, poussait sa bête à la limite, faisant rugir le moteur et grincer les freins.

— Je comprends pas pourquoi tu veux qu'on arrive chez Komarov avant tout le monde. L'identification judiciaire sera pas là avant une demi-heure, et on peut pas écarter la possibilité que son appartement soit piégé.

Sans quitter la route des yeux, Jacinthe repoussa les arguments de son supérieur du revers de la main.

— C'est quoi l'affaire, Paul? T'as besoin d'appareils auditifs ou tu veux juste pas écouter quand je te parle? L'appartement est pas piégé, le gars s'est fait péter comme une citrouille par les tireurs.

Delaney s'emporta.

— C'est toi qui écoutes pas. Le boss de l'antiterroriste m'a promis de nous laisser le champ libre.

Excédée, Jacinthe gronda :

— Ben moi, je fais confiance à personne.

La voiture fit une embardée, mais l'enquêtrice la remit dans l'axe et appuya sur l'accélérateur.

Dès qu'elle lui avait parlé au téléphone, Jacinthe avait su. Victor s'exprimait avec une froideur et une dureté qu'elle ne lui connaissait pas. Il parlait d'un ton qui lui glaçait le sang. Cette fois, il n'irait pas jusqu'au bout dans le but d'envoyer les responsables derrière les barreaux. Il allait les traquer, prendre tous les moyens à sa disposition pour les retrouver. Mais ce qu'elle redoutait par-dessus tout, c'est qu'il soit prêt à les punir. Il n'hésiterait pas à tuer, elle en avait la conviction.

Elle ne voulait en rien trahir sa confiance, mais elle ne pouvait le laisser mettre en péril tout ce qu'il avait construit depuis si longtemps et pulvériser cet idéal de justice qui le définissait et sur lequel il avait bâti sa vie. Cet idéal qu'il lui avait même transmis, envers et contre tout. Tant qu'elle serait là pour veiller au grain, Jacinthe ne le laisserait pas basculer dans les ténèbres. Victor était trop important à ses yeux. Elle allait le protéger contre lui-même.

— *On va régler ça, pis après tu vas revenir aux crimes majeurs.*

— *Je serai plus jamais policier. Pas après ce qui va arriver.*

Ces paroles, elle allait les lui faire ravaler.

L'endroit où vivait Komarov était situé dans un petit bâtiment commercial de la rue Notre-Dame Est converti en appartement, près des terrains abritant les raffineries. La façade de briques brunes arborait encore une enseigne portant en lettres rouges les mots « Sacs industriels ».

En arrière-plan, la fumée blanche montait des cheminées, répandait ses tentacules dans le ciel obscurci. Une flamme jaillissait de l'une d'elles, un geyser de feu qui ressemblait à une langue tirée aux malheurs du monde.

Devant la porte, Delaney s'escrimait depuis une bonne minute avec la serrure, sous l'œil impatient de Jacinthe.

— Ça nous prendrait un mandat en temps normal. Tu le sais ça, au moins, Jacinthe?

Elle roula des yeux.

— Eille, c'est toi qui as insisté pour faire du terrain, je te ferais remarquer.

— Si c'est de même que vous gérez ça d'habitude, vous avez peut-être besoin d'une mise à jour. On n'est plus en 1982...

— Surtout, prends ton temps, mon Paul. Fait beau, pas pressés.

Il se tourna vers elle, désespéré, mais s'efforçant de ne pas perdre la face.

— Hum... je pense que... Peux-tu essayer?

Jacinthe prit l'outil qu'il lui tendait, en inséra la pointe dans la serrure et fit un mouvement brusque. On entendit un déclic. Elle rangea l'objet et dégaina son pistolet.

— Pis ça, Paul, faut-tu aussi que je te montre comment faire ou tu t'en rappelles?

Delaney sortit son arme et retira la sûreté sous l'œil approbateur de l'enquêtrice.

— Bon, enfin! T'as l'air capable de faire autre chose que de jouer à l'électricien.

Le sarcasme mourut sur son visage, remplacé par une mine sombre.

— Prêt?

Le chef des crimes majeurs fit signe que oui. Jacinthe ouvrit brutalement. Pistolets au poing, ils firent irruption dans la pièce.

— Police!

Les deux enquêteurs avaient rangé leurs armes. Outre la facture industrielle qui avait été préservée, l'appartement de Komarov était constitué d'un bric-à-brac de meubles et d'objets chinés et restaurés par le propriétaire des lieux. Du moins, c'était ce à quoi devait ressembler l'endroit avant d'être mis sens dessus dessous.

Des papiers jonchaient le plancher, des canapés avaient été éventrés, une bibliothèque projetée sur une table basse où elle s'était fracassée, les livres éparpillés dans un rayon de quelques mètres du point d'impact.

Au centre de la pièce rectangulaire, trônant comme un sphinx imperturbable, reposait un monumental piano à queue laqué noir. Ganté de latex, Delaney appuya sur la touche produisant la note la plus grave, qui déchira le silence.

— Schiedmayer, 1905. Pièce de collection.

En train d'examiner un rayonnage resté intact, Jacinthe se tourna vers lui.

— Je pensais que c'était l'accordéon, ton instrument, mon Paul. Pas le piano.

Delaney marmonna quelque chose pour lui-même tandis qu'il lorgnait la porte qui devait donner sur la chambre. Il plissa les narines, perplexe.

— Tu trouves pas que ça sent la fumée de cigarette?

Une main sur son pistolet, le policier se dirigea vers le battant tandis que, l'air stoïque, Jacinthe secouait la tête.

— Penses-tu être capable de l'ouvrir tout seul, celle-là?

Delaney lui jeta un regard torve, puis poussa la porte d'un coup sec, la faisant cogner contre le mur. Il resta un moment immobile, comme pétrifié par une apparition.

— Victor?! Qu'est-ce que tu fais là?

Assis dans un fauteuil à gauche du lit, Victor s'encadrait dans un panache de fumée, le teint encore pâle à cause de sa blessure et des antidouleurs. Il rangea une photo décolorée par le temps dans sa veste de cuir et grimaça un sourire.

— Salut, Paul. Je vous attendais.

## 29

## Orages électriques

Paul Delaney faisait les cent pas dans la pièce principale de l'appartement de Komarov, prenant soin d'éviter de piétiner les objets qui encombraient le plancher. Le patron des crimes majeurs était catastrophé ; la situation lui glissait entre les doigts.

Il revint se planter devant Victor, qui l'avait rejoint.

— Même en temps normal, je pourrais pas te réintégrer aussi vite. Pis j'aurais besoin de l'autorisation de Piché. T'es trop impliqué, Victor. Je peux pas te confier une enquête dont t'es une victime et le principal témoin. Laisse-nous faire, laisse-nous comprendre qui était Nikolaï Komarov, et le reste. Toi, soigne-toi, pis reste en dehors de ça.

Jacinthe s'était retirée à l'écart et étudiait des papiers qu'elle avait ramassés sur le sol. En vérité, elle ne perdait pas un mot de l'affrontement.

— Ils ont essayé de me tuer, Paul ! Pis y a Nadja qui...

Sa voix s'étrangla. Il laissa passer un temps, puis se reprit.

— La femme que j'aime est entre la vie et la mort. Même si je voulais, je pourrais pas oublier ça. Tu peux pas me demander de me tasser pis d'attendre.

171

Delaney baissa le regard au sol en secouant la tête. Il prit une grande inspiration avant de reporter son attention sur Victor.

— Tu dis que ça concerne le drame que t'as vécu. Mais ça fait plus de trente ans. Pourquoi quelqu'un voudrait te tuer maintenant pour quelque chose qui remonte à si loin ?

Victor ne put que proposer une hypothèse.

— Il y a sûrement plusieurs raisons. Mais la première, c'est probablement qu'ils veulent m'empêcher de connaître la vérité.

Le chef des crimes majeurs masqua tant bien que mal son scepticisme.

— C'est qui, « ils » ? Pis quelle vérité ? Un programme secret du gouvernement fédéral pour bâtir des camps de concentration. Tu y crois, toi ?

Dehors, le tonnerre claqua, faisant vibrer les murs.

— J'ai assez fait d'interrogatoires dans ma vie pour savoir que Komarov disait la vérité. Ou ce qu'il croyait être la vérité.

— Pis pourquoi il est parti avant la fusillade ? Pourquoi il voulait se sauver ?

— Quelque chose est arrivé. Ça devait pas se passer comme ça. Je pense que Komarov a reçu un avertissement, mais il était trop tard. Il lui restait juste le temps d'essayer de sauver sa peau.

De nouveau, le tonnerre retentit. La pluie commença à tomber, drue, violente. Delaney sonda Victor tandis que les impacts des traits d'eau faisaient tinter le toit et les vitres.

— On a reçu un rapport balistique du labo. La balle trouvée chez Lefebvre pis celles tirées pendant la fusillade viendraient d'un lot de munitions volé sur la base de Greenwood, en Nouvelle-Écosse.

Victor fixa Jacinthe, qui acquiesça, l'air grave.

— Ma noune au feu que c'est des militaires.

Delaney secoua la tête avec conviction.

— Militaires ou pas, je sais pas ce que ce monde-là cherche à faire, mais ils sont prêts à tout, pis ils sont armés jusqu'aux dents.

Victor crispa les poings.

— On n'a pas toujours le luxe de choisir ses adversaires.

Son ancien patron persista.

— Je peux pas te réintégrer, et je peux pas te laisser enquêter de ton bord. De toute façon, tu ferais quoi ? Tu veux quand même pas t'attaquer à cette gang-là tout seul ? Ça serait du suicide. Faut que tu rentres, pis qu'on t'interroge. T'es notre seul témoin.

Mais Victor ne l'entendait pas ainsi.

— Ma décision est prise. Je te demande pas ta permission, Paul. Mais si tu veux, on peut travailler ensemble. Regarde de ton côté ce que tu trouves sur Marée Rouge, et si tu vois d'autres liens avec le meurtre de Lefebvre que les munitions. On se feede mutuellement.

Delaney passa la main dans ses cheveux. Il était pris au piège et le savait.

— Maudite tête de cochon ! Es-tu capable de me garantir que dès que tu vas trouver quelque chose tu vas nous appeler et rester à l'écart ?

Victor garda le silence. Il ne servait à rien de mentir. Cet homme le connaissait comme le fond de sa poche et lui-même avait trop de respect pour lui.

Delaney frappa le poing dans sa paume au moment où la foudre tombait, tout près.

— Tu vois, c'est ça le problème. Si tu mets le doigt dans l'engrenage…

Son ton se radoucit, devint paternel.

— … tu pourras plus reculer. Tu le sais, je le sais. Alors fais-nous confiance, à Jacinthe pis à moi. On est tes amis, Victor. On va retrouver ceux qui ont fait ça. On va aller au fond des choses. S'il y a un lien avec ton passé, on va le comprendre. Je te le promets…

— C'est trop tard, j'ai déjà le bras dans l'engrenage jusqu'au coude, Paul.

Delaney marqua une pause pour permettre aux mots qu'il allait prononcer de se frayer un passage parmi les émotions de Victor et d'engendrer un écho dans sa raison.

— Regarde-toi. T'es affaibli. T'as été blessé, t'es blanc comme un drap. As-tu été soigné comme il faut, par un vrai médecin?

Victor le fixa, le dominant de toute sa grandeur.

— J'ai pas le choix. Imagine si c'était Madeleine…

Il venait de toucher une corde sensible. Le chef des crimes majeurs accusa le coup puis lui balança sa vérité crûment.

— Tu m'inquiètes, Victor. Joue pas aux justiciers.

— Je joue pas. Y a rien qui m'amuse là-dedans.

— À part de ça, qu'est-ce que tu veux que je dise à Piché? Que je t'ai laissé partir?

— On s'est parlé. J'ai pas voulu te dire où je me cache. J'ai peur. C'est ça, l'histoire que tu vas raconter à Piché.

Victor affronta le regard réprobateur de Delaney.

— Donne-moi quarante-huit heures. T'as rien à perdre.

Il ne restait plus qu'une carte dans le jeu de son ancien patron, qui la joua à contrecœur.

Pour la première fois depuis qu'ils se connaissaient, il tenta de culpabiliser Victor.

— Tu me forcerais à mentir?

— C'est pas vraiment mentir. C'est juste omettre certains bouts de la vérité.

Jacinthe leur rappela alors sa présence.

— Écoute, Paul, on va faire un deal, OK? Je vais le surveiller, moi, Lessard. Laisse-moi enquêter avec.

Delaney se braqua, l'air affolé.

— Hors de question, je peux pas permettre ça non plus.

— Réfléchis deux minutes, s'il te plaît. Si Lessard part tout seul, il va disparaître des radars, pis on sera pas plus avancés. Mais si je pars avec lui, je peux l'empêcher de faire des conneries.

— Encore là, chus supposé justifier ça comment à l'état-major ?

— Je viens de perdre ma coéquipière pis mon ancien partner. T'as été obligé de me mettre en arrêt de travail. Je suis partie en moto pour faire le vide.

Delaney baissa la tête, résigné. Jacinthe enfonça le clou.

— Pis anyway, c'est toi-même qui disais que tu voulais prendre le lead avec Loïc !

Delaney ignora le sourire malicieux de Jacinthe et se tourna vers Victor.

— Ce que tu vas trouver au bout du chemin, es-tu certain d'avoir envie de le savoir ?

Victor réfléchit un instant, puis, sans un autre mot, il se mit à marcher vers la sortie. Jacinthe posa une main sur l'épaule de Delaney, reconnaissante.

— Je t'appelle, boss. Promis.

Quand Victor ouvrit la porte, des trombes d'eau se déversaient du ciel. Jacinthe lui emboîta le pas de sa démarche chaloupée. Delaney les regarda s'effacer sous la pluie. Puis il sacra à voix haute.

Le tonnerre grondait, des éclairs lézardaient le ciel tapissé de nuages noirs et opaques, inquiétants, que crevait la pluie s'abattant avec fracas. Si les dieux cherchaient une façon d'exprimer leur courroux à Victor, ils avaient trouvé une manière éloquente de le faire. Pourtant, il défiait le déluge comme si les éléments n'avaient aucune emprise sur lui. À ses côtés, Jacinthe l'observait du coin de l'œil. Une voix roulait dans sa tête, celle de Victor, qu'elle avait si souvent entendu lui répéter les mêmes paroles quand, dans le cadre d'une enquête, elle s'emmêlait les pinceaux et se laissait submerger par les émotions ou la colère, quand elle traçait des raccourcis entre la loi et la morale : « *Lorsqu'une personne se trouve dans une situation de responsabilité, elle doit se comporter avec davantage d'intelligence.* »

Et tandis qu'ils avançaient et que le vent déviait les traits de pluie à l'horizontale, Jacinthe songea qu'ils venaient de quitter le cercle de la vertu pour entrer dans celui plus malléable et obscur de la notion de justice, un espace marécageux servant parfois d'antichambre aux ténèbres.

Alors, cette fois, ce serait à elle de veiller sur lui, afin d'éviter que sa colère l'aveugle et lui fasse rompre l'équilibre des choses.

La Saab grise était garée devant les vestiges d'un garage. Près d'elle se dessinait la silhouette d'un homme. Protégé de la pluie par le toit plat qui surplombait les vieilles pompes à essence, il fumait une cigarette. Jacinthe le reconnut aussitôt. Alors qu'ils arrivaient à sa hauteur, Gagné expulsa son mégot d'une chiquenaude et se dirigea vers la voiture. Victor s'arrêta devant le coffre du véhicule. Jacinthe l'imita.

— C'est encore le temps de changer d'idée.

Elle grimaça un sourire pour masquer son émotion.

— Partners, mon homme.

Elle lui tendit le poing. Ému, il cogna le sien dessus. Il allait la remercier à nouveau, et peut-être même la serrer dans ses bras, lorsqu'elle explosa.

— Yo, Gagné, kessé tu penses que tu fais, là ?

Celui-ci venait d'ouvrir la portière avant du côté passager. En un bond, Jacinthe fut à côté de lui et la bloqua avec l'avant-bras. Elle l'enguirlanda d'une voix assez forte pour percer le torrent de décibels.

— Va falloir que tu comprennes que, dans l'ordre des espèces, la coquerelle se ramasse en dessous de la licorne. Fait que tu t'assis en arrière, big.

Pris de court, Gagné consulta Victor du regard, qui se contenta de sourire en haussant les épaules avant de s'asseoir derrière le volant. Yves Gagné grimpa sur la banquette arrière. Il n'était ni de taille ni d'humeur à contredire Jacinthe, qui, déjà, s'installait sur le siège passager. Victor démarra en trombe. Une atmosphère lourde régnait dans l'habitacle, tandis que chacun, dans son coin, mesurait avec appréhension la gravité de la situation.

La voix de Gagné brisa la parenthèse.

— Ton cell, Taillon…

Jacinthe le considéra par-dessus son épaule, puis approuva d'un signe de tête. La Saab filait à haute vitesse sur Notre-Dame, vers les lumières du centre-ville, laissant derrière elle les réservoirs circulaires de pétrole qui ressemblaient, dans le soleil couchant, à des monolithes d'une époque révolue.

La vitre du côté passager s'abaissa. Le cellulaire de Jacinthe fit un vol plané dans le vide, ponctué de quelques saltos arrière, puis alla exploser sur l'asphalte, se dispersant en fragments multiples.

Ils roulèrent un temps en silence. Soudain, le visage de l'enquêtrice s'éclaira d'un sourire.

— Pis, mon homme, je te l'avais dit que ça marcherait, ma p'tite mise en scène…

Victor répondit sans quitter la route des yeux.

— Pauvre Paul. On lui a vraiment pas laissé le choix.

*Cinquante-six minutes après l'assaut contre Ghetto X*

Le jeu d'échecs se poursuit. Sondos avance ses pions de façon systématique, posant une question, puis revenant sur la précédente pour lui faire préciser des détails, le confrontant ensuite à ses propres réponses pour le prendre en défaut. Victor connaît la technique par cœur pour avoir cuisiné des centaines de témoins, mais il est quand même à bout de patience.

— OK. Après le meurtre de Komarov, ça s'est passé comment? Toi, t'es blessé, mais tu disparais de la circulation. Qui t'a aidé?

— Je ne répondrai pas à ça, c'est pas pertinent.

— Ça serait pas un certain Yves Gagné, par hasard?

Il fronce un sourcil, fait mine de ne pas comprendre. Sondos appuie ses paumes sur la table et se penche vers lui.

— On est au courant de tout, Victor. Comme on est au courant que c'est Delaney qui vous a donné son autorisation pour travailler «en dessous de la couverte».

— Paul avait aucune idée de ce que je faisais. J'ai demandé de permission à personne.

L'agente du SCRS affecte une moue admirative.

— J'ai toujours trouvé ça beau, la solidarité en amitié. Pis Jacinthe Taillon, elle… J'imagine qu'elle non plus était au courant de rien ?

Victor essaie de camoufler son inquiétude, mais le ton de sa voix le trahit.

— Vous avez fait quoi avec elle ? Je veux la voir.

— Pour ça, va falloir que tu m'en dises plus, Victor.

Elle attrape un paquet de cigarettes dans la poche de son veston et en sort une.

— Parle pis je te laisse la fumer…

Il se met à ricaner autant pour dénoncer l'absurdité du chantage auquel elle se livre que pour faire taire son anxiété. Sondos fait rouler la cigarette entre ses doigts.

— Laisse-moi deviner : ton premier *move* après la fusillade, ç'a été d'aller fouiller l'appartement de Komarov. Je me trompe ?

Victor ne répond pas.

— Pis c'est là que vous avez trouvé la photo ?

Il ne peut réprimer un tressaillement de surprise, qui n'échappe pas à Sondos.

— Je vois pas de quelle photo tu parles. Pis si t'en sais autant que tu prétends, qu'est-ce qu'on fait à niaiser ici ? On peut encore les arrêter, mais il ne nous reste pas beaucoup de temps.

## 30

# Le domaine de la vérité et du mensonge

Atmosphère lourde, saturée d'odeurs de graisse et de cuisson, claquement des lames sur les planches à découper, grésillement des viandes dans les poêlons, vitres suintantes de condensation et cuisiniers ruisselants de sueur, un monde grouillant s'ouvrait et se refermait sur eux, les avalant, tandis qu'ils traversaient en file indienne l'étroite cuisine d'un restaurant de Chinatown.

Un sac de plastique dans chaque main, Yves Gagné ouvrait le chemin, échangeant des plaisanteries en wu avec le sous-chef qui lui avait fourni le sang de poulet dont il s'était servi pour berner le policier à l'hôpital.

— On va prendre deux poutines extra sauce pis trois clubs viande blanche.

— Chien ou poulet, la viande?

Victor le talonnait, l'air absent. Toujours affublée de ses lunettes fumées, Jacinthe fermait la marche. Le trio évita le plongeur arrivant à une vitesse folle, un bac de vaisselle sur l'épaule, puis chacun enjamba un îlot de poêlons sales empilés sur le linoléum parsemé d'épluchures de légumes.

Les cris lancés par-dessus la vaisselle qui s'entrechoque, le tintement des ustensiles, les clameurs de la salle du restaurant qui leur parvenaient par bouffées quand un serveur franchissait la porte à battants, le vacarme des casseroles encore fumantes qu'on balançait dans l'évier, tous les bruissements de ce microcosme vibrant vrillaient dans les oreilles de Victor, puis s'amplifièrent et devinrent le staccato de fusils-mitrailleurs.

L'espace de quelques secondes, les images de la fusillade à la Datcha Zakouski revinrent l'obséder ; il revit les mitraillettes tressauter entre les mains des assaillants et Komarov tomber sous les balles. Et ces images se mélangèrent à celles, enlaidies par le temps, des corps de sa mère et de ses frères baignant dans leur sang.

Victor inspira profondément. Que se rappelait-il réellement de ses parents, de son enfance et du drame qui les avait à jamais brisés et séparés ? Jusqu'à quel point ses souvenirs étaient-ils authentiques et non pas implantés au fil du temps par ses propres croyances, par sa propre imagination ?

Pour en avoir déjà longuement discuté dans le cadre d'une enquête avec un spécialiste en psychiatrie légale de l'Institut Pinel, il savait que, chaque fois qu'on raconte une histoire ou qu'on y repense, on en modifie ou on en déforme un peu le souvenir.

Parfois, en y ajoutant inconsciemment de nouveaux détails ou encore en y greffant des parcelles de souvenirs racontés par d'autres, on crée de nouvelles connexions trompeuses dans son cerveau.

Alors, puisqu'il devient difficile avec le temps de distinguer un événement imaginaire de ses véritables souvenirs, un faux souvenir peut s'implanter et faire illusion, l'imagination finissant par le confondre avec la mémoire.

Quel rôle la liste que son père devait remettre à Komarov le jour du drame avait-elle joué dans le déferlement de folie subséquent ? Henri était-il le monstre, la bête sanguinaire que Victor avait achevée de ses propres mains, ou était-ce lui qui, sur la base de tels faux souvenirs, l'avait façonné ainsi, au fil du temps ? Henri les avait-il battus fréquemment ou, comme le suggérait Komarov, cela s'était-il produit sur une très courte période ?

Le visage déformé par l'effort et l'écœurement, mince comme une liane sur le point de se rompre, un aide-serveur qui transportait une marmite remplie d'eau bouillante leur fit signe de s'écarter en vociférant.

— *Yuǎnlí tā!*

Jacinthe ne put s'empêcher de plaisanter après s'être effacée pour le laisser passer.

— Yo, Gagné… Lui, y va mourir comme M. Salada !

L'ancien policier répondit sans se retourner.

— Il est mort comment, M. Salada ?

— Y s'est ébouillanté la poche !

Gagné pouffa de rire, puis répliqua à la boutade par une autre. Victor n'écoutait pas. Toujours immergé dans ses réflexions, il se rappela que l'expert avec qui il en avait parlé affirmait que les souvenirs sont aisément manipulables et en fluctuation constante, avec des détails qui s'ajoutent et d'autres qui tombent.

Victor entendait encore l'écho de sa voix :

*« Chaque jour, on est une nouvelle personne. Avec des souvenirs modifiés par d'autres souvenirs. Et ce qu'on prend pour la vérité finit par devenir un mensonge. Tous nos souvenirs sont soit un peu faussés, soit complètement faux. Il y a des expériences entières qui ne se sont jamais produites. »*

Dans ce contexte, Victor avait-il le moindre souvenir exact du passé ? Il soupira et songea que la réalité n'est qu'une perception, une expérience totalement subjective. Et, plus que jamais, il réalisait que le monde tel qu'il le connaissait n'existait que dans son esprit, à ce moment précis.

Au fond de la pièce, ils arrivèrent devant un énorme frigo commercial. Gagné s'immobilisa, puis désigna du menton les sacs qui pendaient au bout de ses poings.

— Pourrais-tu ouvrir, Victor?

Celui-ci tira le lourd battant. Sans hésiter, Gagné s'engouffra dans le frigo.

— Allume ta flashlight. Le dernier ferme la porte.

Victor s'exécuta et se tourna vers Jacinthe, qui saisissait une boule dans un panier de *dim sum*.

— Qu'est-ce que tu fais? Let's go!

— Calmos, Lessard! C'est super important, les tests de qualité, en restauration.

Elle enfourna la bouchée puis, un air espiègle flottant sur ses traits, elle franchit la porte du frigo à son tour. Les yeux au plafond, Victor referma derrière eux.

## 31

## *Underground Chinatown*

Après avoir descendu des marches en terre battue, Gagné, Jacinthe et Victor avaient emprunté un dédale de couloirs souterrains qui dégageaient une forte odeur d'humidité et sinuaient sur plusieurs dizaines de mètres dans les entrailles de Chinatown.

Marchant à la lueur d'ampoules encagées, ils avaient traversé des salles comportant des tables de travail et de la machinerie – principalement des machines à coudre vétustes – dans lesquelles, des années plus tôt, des immigrants illégaux avaient travaillé. Du moins, c'est ce que leur avait révélé Gagné.

Sans s'arrêter, ce dernier les regarda par-dessus son épaule.

— Encore dix pieds pis on arrive. Attention, y a un peu d'eau par terre.

Le souterrain se terminait sur une enfilade de pièces, dont une sorte de salle commune où on trouvait frigo, cuisinière, machine à café ainsi que quatre vieux fauteuils défoncés aux motifs à carreaux. Un bureau de bois bancal avait été poussé au centre de l'espace, un bloc de Post-it glissé sous l'un des pieds pour le stabiliser.

Lézardée d'éraflures, une lampe de travail en acier arrimée par une pince jetait un halo de lumière dans la pièce, tandis qu'un iMac anachronique reposait sur la table de travail poussiéreuse.

Victor observa de nouveau le cloître fantôme où Gagné l'avait emmené après la fusillade – là où il avait été soigné par Shu –, un décor qu'on imaginait être le refuge des habitants d'une ville détruite par une catastrophe. Le genre d'endroit où, dans les films de fin du monde, se déterminait la capacité de l'espèce humaine à se sauver elle-même. Et c'est la raison pour laquelle il était là: déterminer sa capacité à se sauver lui-même.

Il se tourna vers Gagné et trouva son regard.

— Merci encore pour tout, Yves.

L'ancien policier fit une moue modeste alors que Jacinthe s'arrêtait devant le cadre d'une porte donnant sur une autre pièce. Des néons crépitèrent en alternance quand elle toucha l'interrupteur, éclairant des lits de camp. Des sacs de couchage neufs avaient été posés sur trois d'entre eux.

Au-delà des couchettes, elle aperçut une cuvette ainsi qu'une pièce aux carreaux de céramique maculés de moisissure, avec trois pommeaux de douche alignés.

— Yé, le gros luxe. T'as trouvé ça sur le Web, j'imagine.

Gagné répliqua du tac au tac.

— Romantique, hein? J't'enverrai le lien si jamais tu veux revenir avec ta blonde.

Il lui tendit un lourd objet enveloppé dans une guenille.

— Tiens... Tu peux pas utiliser ton arme de service.

Jacinthe découvrit un revolver argent.

— Merci, mon big. T'as eu ça comment?

Gagné prit un air mystérieux.

— Magie, magie...

L'enquêtrice se mit à écumer les sacs qu'il avait déposés sur le plancher.

— Des cellulaires prépayés. Attaboy, mon big! Pis ça, c'est quoi? Une couverte?

Elle brandissait une étoffe de soie rose ornée d'inscriptions chinoises.

— Je nous ai acheté chacun une robe de chambre. Je t'ai pris une 2 XL…

N'entendant pas à rire, Jacinthe vint se planter à quelques centimètres de Gagné.

— As-tu acheté de la vaseline aussi ?

Il semblait aussi perplexe qu'effrayé.

— Euh… non. Pourquoi ?

— Que je te la rentre où je pense !

Elle lança le vêtement au fond de la pièce.

— Voir que je vais porter ça ! Rose, crisse ! Rose !

Victor s'efforçait de reprendre un rythme de respiration régulier. Se retrouver enfermé sous terre l'oppressait, ajoutant à son inquiétude. Il éprouvait aussi un autre sentiment, qui lui était plus familier, celui-là. La peur.

Le sentier dans lequel ils s'apprêtaient à s'engager pouvait se dérober sous leurs pas à tout moment. S'il était déterminé à se battre et à y laisser sa propre vie au besoin, il ne pouvait se résoudre à accepter l'idée qu'il risquait de mener Jacinthe et Gagné à la mort.

Victor tourna la tête vers eux et les regarda. Tandis que Gagné, une cigarette sur l'oreille, branchait l'ordinateur, Jacinthe posait une clé USB sur le bureau.

— Tiens, mon big. Tu checkeras ça. C'est une copie des profils de militaires que le SPVM vérifie. Pis demande-moi pas comment j'ai eu ça. Magie, magie…

Gagné risqua une question dont il soupçonnait la réponse.

— Y a-tu des photos avec les profils ?

Jacinthe roula des yeux et secoua la tête.

— Ben oui, chose. Pis y a aussi le nom pis l'adresse des tireurs.

Assis dans un des fauteuils, Victor était revenu à ses ruminations. Depuis toujours, il essayait de lutter contre la violence, et ce combat l'avait mené dans une impasse. Car pour la première fois de sa vie, il se retrouvait de l'autre côté du miroir. Cette fois, c'est lui qu'on avait tenté de tuer. Comment répliquer à cette violence autrement que par la violence?

# 32

## Une photo décolorée par le temps

La compacité des murs taillés à même le roc, la semi-pénombre régnant à l'intérieur et la clandestinité dans laquelle il se retrouvait formèrent après quelques minutes un cocon qui commença à apaiser Victor, lui procurant une impression de relative sécurité. Et, peu à peu, la tension et la fébrilité qui giclaient dans ses veines se relâchèrent. Ils purent alors se remettre à échafauder des hypothèses.

Ils furent cependant interrompus par Shu Sze, qui réapparut sur ces entrefaites. Gagné la présenta à Jacinthe, et les deux femmes échangèrent un signe de tête. Puis, sans un mot, son ex-compagne se mit à retirer délicatement le pansement de Victor, toujours dans son fauteuil, torse nu. Du sang coagulé collait la gaze contre la peau, ce qui allait lui compliquer la tâche.

Gagné plaça une casserole sur le plancher devant eux pour recueillir les gouttes d'eau qui suintaient du plafond. Il se tourna vers Victor et reprit la discussion entamée.

— On est-tu ben certains que les gars qui t'ont tiré dessus au resto russe, c'est les mêmes qui ont descendu Lefebvre ?

Jacinthe se laissa choir dans un fauteuil.

— On a des munitions qui viennent du même lot volé dans les deux cas, big. Kessé qu'y te faut de plus ? Des aveux signés en trois exemplaires ?

L'ancien policier finit par opiner.

— T'as raison. La coïncidence serait trop forte.

Une goutte s'écrasa dans la casserole avec un « poc » sonore. L'enquêtrice exprima son dépit.

— On avait le meurtre d'un journaliste par des tireurs d'élite sur le mont Royal, pis là on est rendus avec un commando qui tire sur Lessard pis sur un Popov en pleine ville.

De l'autre côté de l'écran de l'ordinateur devant lequel il venait de s'asseoir, Gagné approuva de la tête.

— Pis un inukshuk de lapis-lazulis, pis un gars qui s'appelle Yako, pis une recherche sur des cyberattaques, pis...

Jacinthe compléta à sa place.

— ... pis je vois *fuck all* de liens, moi non plus.

Victor grimaça tandis que Shu humectait la gaze avec une solution antiseptique pour la décoller sans arracher la plaque de sang séché. Jacinthe se carra dans son fauteuil.

— En fait, pour le moment, le seul dénominateur commun entre ces affaires-là, c'est toi, mon homme. J'ai-tu ben compris ?

Victor les considéra tour à tour.

— Encore plus que tu penses, j'ai l'impression.

Elle l'interrogea du regard. Il fit un signe à Gagné en désignant sa veste de cuir trouée, posée sur le dossier d'une chaise.

— Montre-lui, Yves.

Jacinthe fronça les sourcils.

— Montre-lui quoi ?

Les yeux de Victor croisèrent ceux de Shu, qui s'apprêtait à faire une injection d'antibiotiques dans sa plaie. Il hocha la tête pour lui donner le feu vert et attendit que l'aiguille soit dans sa peau violacée pour répondre.

— Ce que Yves a trouvé juste après la fusillade...

Gagné s'était levé. Il fouilla dans la veste de Victor et en sortit une photographie. Jacinthe s'approcha du bureau et examina le portrait sous le faisceau de la lampe. Décolorée par le temps, la photo avait le coin droit arraché.

— Où ça? Chez Komarov?

L'ancien policier s'assit à côté d'elle.

— Oui. Quand je suis arrivé, l'appartement avait été fouillé. Probablement par...

Jacinthe le coupa abruptement.

— ... par les gars qui ont essayé de tuer Lessard. Ben oui, *genius*... Était où, la photo?

— Il y avait une partition de *So What*, de Miles Davis, sur le lutrin du piano.

Jacinthe le regarda sans sourciller.

— Ouin, pis?

— J'ai jamais pu résister à Miles Davis. En jouant cinq-six mesures, je me suis aperçu que deux des touches marchaient pas. Sachant que Komarov donnait des cours, ça m'a mis la puce à l'oreille. J'ai commencé à chercher, pis j'ai trouvé un compartiment secret en dessous de la table d'harmonie.

Un mince sourire fissura la cuirasse de Jacinthe.

— Faut croire que t'es moins cave que t'en as l'air.

Un nouveau « poc » retentit. Elle reporta son attention sur l'image. Deux hommes et une femme souriaient au photographe. Quoique assez différent de sa réalité actuelle, le paysage était familier. Les trois personnes se tenaient devant un immeuble surmonté d'un toit convexe qui débordait au-delà des murs de verre. À droite du bâtiment, des drapeaux rouges flottaient sur des mâts, tandis qu'à sa gauche se dressait une monumentale sculpture d'aspect métallique représentant une faucille et un marteau.

— Je reconnais pas ce building-là, mais la photo a été prise sur l'île Notre-Dame pendant l'Expo 67, non?

Gagné acquiesça d'un signe de tête.

— C'était le pavillon de l'Union soviétique. Séparé de celui des États-Unis seulement par la passerelle du Cosmos. En pleine guerre froide, peux-tu imaginer? Après l'exposition, le bâtiment a été démantelé puis renvoyé en URSS.

Jacinthe examina la photographie avec la loupe qu'il lui avait tendue. Le soleil devait être près de son zénith au moment où le cliché avait été pris, car il n'y avait aucune ombre, ou presque. Derrière le trio, on apercevait les contours de la foule qui se pressait pour entrer dans le pavillon. À en juger par l'état de la végétation, le portrait devait avoir été pris entre la fin du mois de juin et celle du mois d'août 1967.

Les deux hommes portaient des chemises au col déboutonné, aux manches relevées. Ils enlaçaient, chacun une main sur son épaule, une jeune femme filiforme vêtue d'une robe bleue à fines bretelles et à imprimé fleuri. À leurs visages, Jacinthe estima qu'ils devaient avoir entre dix-huit et vingt-cinq ans. La femme était d'une beauté à couper le souffle.

La voix de Victor retentit, hantée.

— C'était mes parents...

Un silence lourd les enveloppa, déchiré seulement par le bruit du ruban adhésif médical que Shu déroulait et coupait en bandelettes.

Jacinthe releva les yeux vers lui, compatissante.

— Elle était vraiment belle, ta mère...

Essayant de dissimuler son émotion du mieux qu'il le pouvait, Victor approuva.

— Ils avaient à peu près vingt ans là-dessus. Je devais en avoir deux ou trois à l'époque...

Après une hésitation, il ajouta, un trémolo dans la gorge :

— J'avais aucune photo d'eux. D'elle, je veux dire...

Son visage s'était durci. S'apitoyer sur le sort de son père était une impossibilité. Son cerveau effectuait aussitôt la correction.

Jacinthe retourna la photo. Rien au dos.

— C'était quoi leurs noms?

— Ma mère s'appelait Jeanne, pis lui… Henri.

Gagné désigna l'homme à la droite de la mère de Victor.

— C'est lui, le père de Victor.

Jacinthe étudia leur physionomie, l'un après l'autre. Henri Lessard avait de longs cheveux châtains, le nez aquilin et des lèvres minces. Et comme c'est souvent le cas chez les gens qui commettent des homicides, il avait une bouille sympathique et ressemblait plutôt au beau-frère modèle ou au meilleur ami qu'à un tueur ayant liquidé froidement toute sa famille.

Jeanne avait les yeux bleus, une magnifique chevelure blonde, des lèvres pleines et un sourire qui illuminait toute chose. Son regard était légèrement tourné vers l'homme qui se tenait à sa gauche.

— Pis c'est qui, l'autre dude?

Dominant ses deux compagnons par sa taille et sa carrure athlétique, le teint hâlé et des traits finement dessinés, il y avait quelque chose d'aristocratique dans sa prestance.

Victor haussa les épaules.

— Aucune idée… Mais c'est pas Komarov. Trop grand.

Gagné semblait avoir trouvé un point de prédilection sur le mur, qu'il fixait sans but.

— En tout cas, ils avaient l'air d'être de bons amis, tous les trois…

— Ça veut rien dire. Nous trois avec, on a l'air d'être des bons amis, alors que, pour de vrai, chus pas capable de te sentir.

Jacinthe avait lancé sa rebuffade d'un ton narquois. Gagné sourit et reporta son attention sur Victor.

— C'était peut-être lui, l'ami d'enfance que Komarov a évoqué…?

Elle répondit avec emphase.

— Oui ! C'est peut-être ce dude-là qui a recruté ton père dans Machin Rouge ?

Ils avaient mis le doigt sur ce que Victor avait lui-même déjà déduit, et cette pensée le contaminait. « *Un ami d'enfance de tes parents a refait surface dans leur vie.* » Tels avaient été les mots que Nikolaï Komarov avait prononcés. Quelques minutes plus tard, il n'était plus qu'un pantin désarticulé gisant dans un escalier, un homme mort criblé de balles avant d'avoir pu éclairer Victor sur l'identité de ce mystérieux ami, cet homme de l'ombre qui avait fréquenté ses parents. Victor continua.

— Ça peut être lui, ça peut être la personne qui a pris la photo, ça peut être n'importe qui… Mais une chose est sûre : cette photo-là était assez importante pour que Komarov la cache dans son piano. Pourquoi ?

Jacinthe observa un instant les doigts de Shu, qui appliquait un pansement stérile enduit d'onguent antibiotique sur la blessure de Victor et le fixait avec les bandelettes de ruban qu'elle avait préparées, puis elle revint à lui.

— Je sais pas, mais ce qui est certain, c'est que c'était pas juste un prof de piano, Komarov. Les tireurs ont emporté son corps.

Photo en main, elle vint s'échouer près de Victor et lui tapa sur la cuisse.

— C'est ce qu'y t'auraient fait à toi avec, mon homme. Une pierre, deux coups…

Victor attrapa la photo des doigts de Jacinthe et resta un instant pensif, comme s'il avait besoin d'apprivoiser la magnitude de ce qu'il allait dire.

— Le seul qui peut peut-être nous aider à comprendre, c'est lui. Monsieur X.

Gagné se leva et fit quelques pas dans la pièce.

— Faut le retrouver.

Jacinthe fixa l'homme sur la photo.

— S'il est encore en vie…

Ils se regardèrent, tous d'accord. Ils tenaient quelque chose qui ressemblait à une amorce de plan. Shu ayant terminé de panser sa blessure, Victor remit sa chemise. La femme lui tendit ensuite un sachet contenant des herbes et lui parla en chinois.

Il se tourna vers Gagné.

— Elle dit quoi ?

L'ancien policier esquissa un sourire.

— Que si ça fait trop mal, tu fumes un gramme, deux grammes, et pic et pic et colégram.

Perplexe, Victor le questionna des yeux.

— Je te niaise. Elle dit de boire ça en tisane trois fois par jour pour te remettre d'aplomb.

Shu s'adressa directement à lui, dans un français mâtiné d'un fort accent asiatique.

— C'est pour équilibrer les organes et les énergies. Hépato-tonique et antibactérien.

Jacinthe ne put résister à la tentation.

— T'sais, je comprenais mieux quand tu parlais chinois.

Shu répliqua du tac au tac.

— Moi, au moins, j'articule…

Ils s'esclaffèrent. Se tournant vers Shu, Victor baragouina les remerciements que Gagné lui avait appris.

— *Xièxiè.*

La femme inclina la tête et s'éclipsa. Victor toucha du bout des doigts le visage de Jeanne sur la photo. Un temps passa.

— Elle était comment, ta mère, mon homme ?

Victor plongea dans ses souvenirs.

— Mon frère Raymond pis moi, on couchait dans la même chambre. Comme j'étais plus vieux, j'avais le droit de lire plus tard. Quand il dormait, ma mère venait s'asseoir dans mon lit. Elle parlait pas beaucoup, elle me flattait les cheveux.

Empathique, Jacinthe hocha la tête. Il poursuivit.

— Il y avait quelque chose de plus entre elle et moi. Une connexion qu'elle n'avait ni avec mes frères, même le bébé, ni avec mon père.

Il s'interrompit et baissa la garde. Ses yeux se mouillèrent.

— Mais des fois je me demande si c'est pas moi qui a fini par inventer tout ça.

Jacinthe se leva pour déplacer la casserole sur le plancher.

— Ce que tu dis à propos de ta mère, c'est pas un faux souvenir... Tu te tromperais pas sur une affaire de même.

Il releva la tête et la dévisagea.

— Ah oui ? J'avais le souvenir que mon père nous battait souvent. Pourtant, Komarov a dit que, jusqu'à peut-être un mois avant le drame, il avait jamais été violent, et que je connaissais pas vraiment mon père...

Jacinthe le coupa et compléta.

— ... pis qu'y était communiste, pis toute la shit qu'il t'a racontée à propos de la liste.

— Exactement. Quel rôle ça a joué, cette liste-là, dans le fait que mon père a tué ma mère pis mes frères ? Moi, j'ai toujours pensé que c'était un monstre, mais Komarov avait presque l'air de l'excuser.

Jacinthe ne sut quoi répondre. Gagné se mit à parler doucement.

— Un jour que je faisais de la fièvre, ma mère m'a gardé à la maison. Quand je me suis réveillé au milieu de l'après-midi, elle rentrait ses courses. En l'aidant à défaire les sacs, j'ai trouvé un long tube de plastique pis un entonnoir. Quand je lui ai demandé c'était pour faire quoi, elle m'a dit qu'elle allait s'en servir pour arroser ses plantes. J'avais quatorze ans, j'ai pas posé plus de questions. Quelques semaines plus tard, on l'a retrouvée dans le garage. Morte dans son auto. Monoxyde de carbone.

Victor l'enveloppa d'un regard compatissant.

— Elle avait utilisé le tube pis l'entonnoir pour…

Gagné n'eut pas besoin de terminer sa phrase. Jacinthe s'approcha de lui et enserra maladroitement ses épaules.

— Tu pouvais pas savoir, big.

— Peut-être, c'est pas ça, le point. Ce que je vous raconte, le tube que j'ai tenu dans mes mains, c'est juste au milieu de la vingtaine que je m'en suis rappelé.

Gagné marqua une pause, puis reprit.

— Ce que je dis, c'est que des fois la mémoire efface des souvenirs pour se protéger.

Troublé, Victor mit plusieurs secondes avant de réagir.

— Monsieur X… Peut-être que je l'ai connu, mais que ma mémoire l'a effacé ?

Une goutte d'eau vint s'écraser dans la casserole, brisant le vacarme du silence.

## 33

# Maudit que t'es cave, Lessard

Jacinthe et Victor étaient assis à la table, sur laquelle ils avaient déposé les armes et les munitions que Gagné leur avait procurées. Debout, celui-ci coinça le canon d'un .12 contre une chaise avec son pied et commença à le couper avec une scie à métal.

— Ton fameux Yako, le gars que Virginie Tousignant a trouvé dans les dépenses de Guillaume Lefebvre, ça pourrait pas être lui, Monsieur X?

Enrubannant la crosse de son revolver avec du *duct tape*, Jacinthe parut sceptique.

— Toute se peut, big. Même que ta mère s'appelle Serge.

Victor épousseta son épaule : chaque fois qu'un véhicule lourd passait dans la rue sous laquelle se trouvait leur repaire, de la poussière de ciment tombait du plafond.

Après avoir retiré le chargeur, la glissière et le canon de son pistolet, il posa les pièces sur un chiffon devant lui. Il parla plus fort pour percer le grésillement de la scie contre le canon.

— D'après ce que Virginie t'a dit, Guillaume Lefebvre avait commandé une recherche sur des cyberattaques, c'est ça?

Jacinthe acquiesça. Victor reprit.

— Komarov, un immigrant russe, m'a parlé d'une liste de communistes, de guerre froide pis du programme Marée Rouge. Y a déjà eu plusieurs cyberattaques russes, non?

Jacinthe ferma un œil, fit tourner le barillet, vérifia que la chambre était vide.

— Écoute, mon homme, y t'ont poursuivi dans une ruelle pour te tuer, y ont tiré sur Nadja, pis pété Komarov. Il y avait rien de virtuel dans c't'attaque-là.

Gagné approuva de la tête. Jacinthe brandit son revolver et visa une cible imaginaire.

— Komarov t'a parlé de guerre froide pis d'une vieille histoire de communistes. Je comprends pas ce que le meurtre de Lefebvre vient faire là-dedans, mais la question, c'est comment relier le passé au présent...

Avec une brosse, Victor entreprit de récurer chaque composante de son pistolet.

— Ou comment, à partir de mon père, de Monsieur X pis de Komarov, on arrive à Lefebvre...

Un bruit métallique retentit. Gagné se pencha et ramassa sur le plancher le canon du fusil qu'il avait scié. Il souffla sur le bout de son nouveau *shotgun*. Un petit nuage de fragments de métal se dissipa dans l'air.

— ... pis à toi.

Victor se mit à remonter son pistolet. Ils se turent pendant le bref concert de cliquetis, chacun cherchant le poids à accorder aux hypothèses qu'ils venaient d'évoquer. Gagné et Jacinthe revinrent sur certains aspects pour tenter de les clarifier. Mais Victor n'écoutait ce qu'ils disaient que d'une oreille distraite. Il avait l'impression d'avoir manqué quelque chose qu'il aurait dû remarquer. Quelque chose qui les aiderait à progresser.

Sur la table, les armes avaient fait place à des bols de nouilles sautées que Shu leur avait apportés du restaurant.

Gagné maniait les baguettes avec adresse tandis que Victor se débrouillait. Manquant de dextérité, Jacinthe peinait à ingurgiter la moindre bouchée.

— Tu disais que ceux qui ont enquêté sur le drame de ta famille ont pas parlé aux collègues de ton père. Pis que soit y ont pas fait leur job, soit on leur a demandé de s'occuper d'autre chose.

Tandis que Victor opinait, Gagné lança à Jacinthe :

— Tu penses à qui ? C'était bien la GRC qui gérait Marée Rouge avant le SCRS ?

À son tour, elle fit signe que oui. Perplexe, Gagné renchérit.

— Mais pourquoi les enquêteurs du SPVM auraient accepté de se taire ?

L'air tracassé, Victor leur proposa quelques hypothèses.

— Peut-être qu'ils ont accepté de l'argent. Ou peut-être que la GRC leur a dit que c'était une affaire de sécurité nationale. Ou encore qu'ils ont couvert quelqu'un.

Il y eut un instant où chacun tenta de jauger les probabilités qu'une telle chose ait pu se produire.

De nouveau, Jacinthe échappa ses nouilles : sa frustration monta d'un cran.

— Pis ton père, il l'aurait cachée où, la bâtard de liste ?

Gagné se tourna vers lui.

— As-tu gardé des effets personnels ?

— Le seul objet qui me reste de mon enfance, c'est un gant de baseball.

Jacinthe laissa tomber ses baguettes et y alla carrément avec les doigts.

— T'es sûr que t'as pas de famille quèque part, mon homme ? Ça serait un bon point de départ.

Victor secoua la tête.

— Mes parents étaient enfants uniques, mes grands-parents étaient morts quand je suis né. Pourquoi tu penses que je me suis ramassé en centre d'accueil ?

— Jamais je croirai que tes parents avaient pas un oncle ou une tante. Ça en prend juste un qui a de la mémoire.

Victor prit un moment pour réfléchir et préciser l'image floue de ses souvenirs.

— C'est bizarre à dire, mais je me rappelle pas avoir vu d'autres adultes à la maison.

Avec beaucoup de délicatesse, Gagné tira de cette déclaration un constat imparable.

— Comme si tes parents avaient quelque chose à cacher...

La remarque frappa Victor tel un coup en plein estomac. Jacinthe aspira bruyamment ses nouilles.

— Il devait quand même y avoir quelqu'un de qui ton père ou ta mère était proche. Un ami, un voisin...

Un instant, elle crut que Victor allait avoir un déclic, mais il se referma, cette incursion dans son passé lui occasionnant à l'évidence trop de souffrance. Jacinthe et Gagné se regardèrent, touchés.

Pour dissiper le malaise, l'ancien policier reprit.

— On devrait essayer de dormir un peu.

Le toisant, Jacinthe se leva d'un bond.

— Je serai jamais capable de dormir dans une dompe de même.

Elle partit vers le fond de la salle commune.

Trente minutes plus tard, Jacinthe ronflait comme un diesel, la tête posée sur la robe de chambre que Gagné lui avait offerte. Ce dernier s'était également assoupi dans sa couchette. Victor dormait quant à lui d'un sommeil profond, troublé par un rêve.

*Son frère Raymond est en train de colorier, assis à la table de la salle à manger. Debout à côté de lui, un homme pose un petit avion de collection près de l'enfant et lui ébouriffe les cheveux. Puis il se tourne vers Victor et lui en tend un autre modèle.*

*Il ne distingue pas le visage de l'homme, mais il entend sa voix.*

*— Celui-là, c'est pour toi, Victor. Un Mustang. Le meilleur chasseur à hélice de tous les temps. Y faisait trembler les pilotes allemands…*

*Puis les traits se précisent peu à peu. Il les voit maintenant avec netteté.*

*C'est l'homme de la photo.*

Victor se réveilla brusquement et inspira une grande goulée d'air. Dans sa poitrine, son cœur cognait à tout rompre. Il mit quelques secondes à se calmer, puis vérifia que ses deux complices dormaient. Quand il fut convaincu que c'était le cas, il se leva, attrapa son arme et sa veste, puis se dirigea sans bruit vers la sortie. Il s'arrêta net en passant à la hauteur de Jacinthe, qui bougeait et marmonnait dans son sommeil.

Il se remit en marche quand elle recommença à ronfler. Mais alors qu'il allait quitter le dortoir, une voix dans son dos le figea sur place.

— … dit que t'es cave, … ssard.

Il pivota lentement le haut du corps vers l'arrière, certain d'avoir été pris la main dans le sac. Puis il se détendit quand il comprit qu'elle rêvait.

Victor ne le vit pas, mais un petit sourire coquin se dessina sur les lèvres de Jacinthe, encore profondément endormie, tandis qu'il traversait la salle commune.

— Mmm… lut, Virginie…

## 34

## Tu fais peur aux oiseaux

La journée était froide, le vent sifflait entre les branches et faisait tournoyer les feuilles sur les trottoirs. L'automne reprenait ses droits. Plusieurs cars de reportage se trouvaient toujours sur la scène de crime, devant la Datcha Zakouski, où de nombreux journalistes faisaient le pied de grue, tentant de glaner des autorités de nouvelles informations sur la fusillade. Micro le long de la cuisse, Virginie relut ses notes et continua à s'exercer à voix basse.

— Nous en savons encore très peu sur l'attaque, si ce n'est que la police refuse pour l'instant de révéler l'identité de l'homme abattu…

Affectée à la rédaction, elle n'avait pas l'habitude de faire du reportage audiovisuel. Les diktats du multiplateforme forçaient toutefois le journal à produire du contenu vidéo. Aussi, compte tenu des « liens » qu'elle avait entretenus avec Victor, son rédacteur en chef avait insisté pour qu'elle soit sur place.

Le caméraman lui fit un signe. Ils allaient bientôt enregistrer un topo et ça la rendait anxieuse. Ne l'eût-elle pas été, elle n'aurait pas davantage remarqué la jeune femme noire qui, aux aguets, l'observait, dissimulée derrière une voiture garée.

— Un règlement de comptes serait pour l'instant l'hypothèse privilégiée par la police. Par ailleurs, les autorités sont toujours sans nouvelles d'un ancien enquêteur principal des crimes majeurs, dont l'identité est pour l'heure également protégée...

Au moment où Yako décida de se risquer à rejoindre Virginie, le caméraman claironna qu'il était prêt. La journaliste prit une grande inspiration.

— C'est bon. On y va...

Contrariée, Yako pivota sur ses talons et retourna se cacher au même endroit. Là, elle continua de surveiller Virginie. Mais bientôt, son regard se porta sur un moineau qui s'était posé près d'elle. L'oiseau picorait tranquillement, insensible à l'agitation intérieure des humains dont il partageait l'espace. Cette vision plongea Yako dans ses souvenirs.

*— Tu fais peur aux oiseaux.*

*C'est l'une des premières choses que lui dit la mère de Guillaume Lefebvre quand Yako la rejoint dans la cour arrière de sa maison de Ville-Émard.*

*Encore assommée par la mort de son fils, la septuagénaire balance des miettes de pain devant elle, guettant le ciel à la recherche d'oiseaux qui ne viennent pas.*

*Et si « maman », l'ultime mot prononcé par Guillaume avant de rendre l'âme, n'avait pas été l'écho d'une pensée rassurante pour le mourant ? Et si le mot avait eu une réelle signification, pris au sens littéral ? Et si Guillaume avait laissé un indice pour elle derrière ?*

*Yako tente sa chance.*

*— Je me demandais s'il ne vous avait pas laissé quelque chose pour moi dernièrement ?*

*La question agace Denise Lefebvre.*

*— La seule affaire qu'il a ramenée, c'est un livre qu'il avait emprunté à son père.*

*La vieille maugrée quand Yako demande à voir l'ouvrage. Elle va le chercher à l'intérieur et le lui tend sèchement.*

*— Si tu promets que je te reverrai plus la face, pars avec.*

*Tard ce soir-là, grelottante dans sa roulotte, Yako se met à tourner nerveusement les pages du livre dont Denise Lefebvre lui a «fait cadeau». Trop émue, elle n'a en effet pas pu se résoudre à le faire avant.*

*— Pourquoi Soljenitsyne, Guillaume ? C'est le seul livre que tu m'as déjà offert… Ça peut pas être juste une coïncidence.*

*Elle croit qu'elle va défaillir quand, dans le coin d'une page, vers le milieu du livre, elle remarque que la lettre «g» est encerclée. Elle tourne rapidement quelques pages et voit une autre lettre entourée : un «i». Son visage s'illumine.*

*Elle retourne au début du livre et cherche la première lettre encerclée. Avec un crayon et un bout de papier, elle les note une à une. Bientôt, elle a formé le mot «bonjour». Une profonde déception s'empare de la jeune femme lorsqu'elle a fini de décoder le message.*

La journaliste venait de terminer l'enregistrement de son topo et rangeait ses affaires quand une voix dans son dos la fit se retourner.

— Virginie Tousignant?

Yako restait en retrait, près d'un arbre, l'air méfiante. Virginie s'approcha et lui adressa un sourire avenant.

— Bonjour. Vous êtes ?

La jeune femme noire scrutait sans cesse les alentours.

— J'étais une amie de Guillaume Lefebvre.

Surprise, la journaliste se figea. Yako poursuivit.

— On n'a pas beaucoup de temps. Faut pas qu'on nous voie ensemble.

Elle tendit le livre de Soljenitsyne à Virginie, qui l'examina machinalement.

— C'était l'auteur préféré de Guillaume. Où t'as eu ça?

— Sa mère. Tu remarques rien?

Virginie se mit à tourner les pages avec attention.

— Pourquoi les lettres encerclées?

— Ça forme un message. Un message pour toi : « Bonjour Virginie. Tu vas savoir où. »

La journaliste resta pensive, fit des liens.

— « Tu vas savoir où » quoi? Son article? C'est ça…?

Puis elle eut une illumination.

— Est-ce que c'est toi, Yako?

La jeune femme noire tressaillit, aussi étonnée que contrariée. Mais elle n'avait pas le temps d'essayer de comprendre comment Virginie avait eu son nom.

— Fais juste me dire l'endroit auquel y fait référence, et je disparais.

— Mais je le sais pas! Va falloir que je réfléchisse. Donne-moi ton numéro de cell, pis je t'appelle dès que je trouve quelque chose.

Yako la transperça du regard.

— Je sais de quoi ils sont capables. Moins tu en sauras, plus tu seras en sécurité.

— J'ai l'habitude, c'est mon tra…

Virginie réalisa ce qu'elle était en train de dire et s'arrêta net. Yako compléta.

— Guillaume aussi se pensait invincible. Tu sais où ça l'a mené.

— Dis-moi où te rejoindre…

Yako lui arracha le livre des mains.

— C'est moi qui vais reprendre contact.

Elle tourna les talons et traversa la rue à toute vitesse sous un concert de klaxons. Virginie l'observa alors qu'elle s'éloignait, puis la perdit de vue à l'angle de la rue transversale. Immobile, la journaliste mit un long moment à prendre la mesure de ce qui venait de se passer.

# 35

## Anna j'sais-pus-trop-qui

Jacinthe entra dans le dortoir en panique. Son cellulaire coincé entre sa joue et son épaule, elle enfila son manteau à toute vitesse et raccrocha après avoir égrené un chapelet de sacres dans la boîte vocale de Victor.

— L'enfant de chienne, y répond pas. Let's go, big. C'est sûr qu'y est retourné voir Nadja.

Dans l'énervement, elle fit tomber une enveloppe de son manteau. Elle la rempocha aussitôt, mais la chose n'échappa pas à Yves Gagné, qui s'étirait tranquillement dans sa couchette.

— T'aurais fait la même chose à sa place. C'est pour ça qu'on bougera pas d'ici.

Tapant un texto à Victor, Jacinthe fit signe que non avec véhémence.

— Tu le connais pas. Il va essayer de régler ça tout seul.

En t-shirt et en slip, l'ancien policier s'assit sur son matelas et se frotta les yeux.

— Je le connais assez pour savoir qu'il va revenir dans pas long.

— Ah oui? Donne-moi juste une bonne raison pour me convaincre, *genius*.

Gagné soutint son regard sans ciller.

— La meilleure raison, je l'ai devant moi.

Prise de court, touchée, Jacinthe balbutia quelques mots inintelligibles.

— Il a besoin de toi. T'es son point d'ancrage.

Jacinthe se ressaisit et consulta sa messagerie. Toujours pas de signe de vie de Victor.

— Ah ouin ? Ben je commence à avoir hâte que le bateau revienne à marina. Il y a quèque chose qui a snappé en dedans de lui. Cette fois-ci, les coupables, y veut pas juste les arrêter…

— Ça serait quand même dur de le blâmer d'y penser…

— Après ce qui est arrivé à sa famille, Lessard a placé la justice au-dessus du reste. Ben souvent, c'est lui qui m'a empêchée de déraper pis de faire des conneries. Je peux pas le laisser faire. Ça va le détruire.

— Il va le réaliser que c'est pas le bon chemin. Pis justement, t'es là.

Elle acquiesça. Les paroles de Gagné lui faisaient du bien. Il se leva et, après avoir replacé l'élastique de son slip, il se rendit dans la salle commune. Là, il s'assit à l'ordinateur, puis inséra la clé USB que Jacinthe lui avait confiée plus tôt. L'ancien policier fit apparaître la liste des militaires à l'écran : plus d'une centaine de noms, leurs coordonnées ainsi que le détail de leurs casiers judiciaires.

Découragé, il soupira.

— Il y en a un méchant tapon… En passant, c'était quoi l'enveloppe que t'as droppée tantôt ?

L'ayant suivi, elle s'avança vers lui et esquissa un sourire railleur.

— Juste quand je commence à t'aimer, faut que tu gâches toute.

En guise de réponse, il se contenta de hausser les épaules. Jacinthe poursuivit.

— Pis toi, big, pourquoi t'es là ?

— Toi avec, juste quand je commence à t'aimer, faut que tu gâches toute.

Amusée, Jacinthe secoua la tête. Gagné sauta sur ses pieds et prit un air affairé.

— Bon, je vais aller prendre une p'tite douche.

— J'osais pas t'en parler, mais ça va nous faire du bien !

Porté par la remarque de Jacinthe, il se dirigea vers la salle de bain en souriant. Celle-ci attendit d'entendre l'eau couler pour s'installer à son tour à l'ordinateur. Elle avait une idée derrière la tête.

Gagné fredonnait encore sous la douche lorsque Jacinthe, qui effectuait une recherche sur Internet, reçut un texto de Virginie, à qui elle avait écrit la veille pour lui donner le numéro de son téléphone prépayé et lui apprendre que Victor était sain et sauf.

« J'ai peut-être une piste. Je te tiens au courant. »

Intriguée, elle rappela la journaliste, à qui elle laissa un message en chuchotant. Quoique chuchoter, dans le cas de Jacinthe, signifiait plutôt crier à voix basse.

— Virginie Tousignant, c'est quoi l'idée de m'envoyer un texto de même ? Peux-tu être moins claire ?

Elle allait couper la communication lorsqu'elle se ravisa.

— Ah, pis pour Piché… ton rédacteur en chef a-tu aimé ma clé USB ? Allez-vous publier ?

Dans son dos, cheveux mouillés et une serviette autour de la taille, Gagné avait tout entendu. Mais lorsque Jacinthe raccrocha, il n'était déjà plus dans le cadre de porte.

Guettant le retour de Victor allongés sur leurs lits de camp respectifs, Jacinthe et Gagné tuaient le temps. L'ancien policier avait proposé un jeu. Jacinthe avait d'abord ronchonné, mais c'est elle qui avait ensuite montré le plus d'enthousiasme, le forçant à continuer. Car maintenant qu'elle avait trouvé une façon de passer ses nerfs et de calmer son inquiétude, elle n'allait surtout pas l'abandonner.

— Un autre, un autre !

Gagné soupira et leva les paumes.

— OK. Un dernier, dernier. Mot de sept lettres qui veut dire « dont on peut se passer ».

Jacinthe réfléchit, puis compta sur ses doigts.

— Euh… bizoune.

— Non. C'était « inutile », le mot !

Elle répliqua en gardant son sérieux.

— C'est ça que je disais !

Ils éclataient de rire quand, dans le dédale de couloirs, le claquement de la porte du frigo les fit se jeter sur leurs armes et se diriger vers la salle commune. Ils se détendirent lorsque Victor apparut dans l'entrée, une boîte de carton sous le bras.

— Pris une marche dans Chinatown, mon homme ?

Il n'avait pas envie de dire qu'il était retourné à l'hôpital et qu'il avait erré sur le trottoir d'en face, essayant en vain de situer la fenêtre de la chambre de Nadja parmi toutes les autres. Alors il donna le change.

— Parti marcher un peu, fumer une clope. Pis chercher ça dans le coffre de la Saab.

Jacinthe ne fut pas dupe, mais elle n'insista pas. Elle désigna plutôt la boîte.

— C'est le dossier d'enquête dont tu nous as parlé ?

Il fit signe que oui. Malgré sa curiosité, Jacinthe tint à remettre les pendules à l'heure.

— En passant, la prochaine fois que t'as envie de te dégourdir les jambes, fais juste pas jouer avec le p'tit cœur de matante Jacinthe, OK ?

Victor opina en souriant. Gagné s'approcha.

— Tu le savais peut-être pas encore, mais notre amie Jacinthe en a un…

Elle lui tendit le majeur sans se retourner.

— Depuis quand on est rendus des amis, Gagné?

Elle avait envoyé sa pique d'un ton badin. Victor posa la boîte sur la table et ouvrit le couvercle. Il fouilla jusqu'à ce qu'il retrouve le cahier à dessin de Raymond.

Jacinthe l'interpella.

— C'est toi qui as dessiné ça?

Il observait le croquis de l'homme avec une dent noircie tenant un petit avion.

— Non. Mon frère Raymond.

Il marqua une pause et se tourna vers Gagné.

— T'sais, ce que tu disais à propos de la mémoire…

L'ancien policier fronça d'abord les sourcils, puis il alluma.

— Que des fois, elle bloque des souvenirs pour se protéger?

Victor approuva et leur tendit le dessin.

— Ça m'est revenu tantôt. Monsieur X avait une dent en or. Pis chaque fois qu'il venait souper à la maison, il nous ramenait un avion de collection, à Raymond pis à moi.

— Yesss! C'est ça, l'avantage d'avoir une grosse tête, Lessard… Des fois, y a une île au milieu de l'eau!

Gagné intervint, souhaitant creuser davantage.

— Te rappelles-tu autre chose? Son nom?

Victor fit un ultime effort de mémoire, mais rien d'autre ne vint. Jacinthe lui donna une claque sur son épaule blessée avec toute la délicatesse qui la caractérisait.

— C'est un bon début, mon homme.

Victor grimaça et fit rouler l'articulation pour chasser la douleur. Jacinthe réalisa alors son impair.

— Scuse! J'ai pas pensé. Mais tiens, pour me faire pardonner, je te sors!

Un pli de surprise barra le front de Victor.

— Euh… On s'en va où?

— Voir un spectacle de danse contemporaine. *Batailles*, d'Anna j'sais-pus-trop-qui…

Jacinthe prit son manteau, attrapa dans sa poche l'enveloppe qu'elle avait dissimulée plus tôt et la lui tendit. Elle regarda Gagné d'un air contrit.

— Désolée, big. Fallait que je checke deux-trois affaires avant d'en parler.

Perplexe, Victor tenait deux billets de spectacle entre ses doigts. L'ancien policier fit un clin d'œil à Jacinthe.

— T'as trouvé ça où ? Magie, magie ?

— Chez Komarov, c't'affaire ! Pendant que Lessard faisait son show de boucane à Delaney.

Elle se posta derrière l'ordinateur, fit une brève recherche puis se mit à lire à voix haute.

— « Au cœur des années noires de la terreur stalinienne et des purges, Anna Abramovich est l'une des plus importantes poétesses russes du XIX$^e$ siècle. »

Victor releva les yeux vers elle.

— C'est demain, le spectacle. Pis pourquoi on irait voir ça, au juste ?

Elle lui tendit une note qui accompagnait les billets dans l'enveloppe. Victor la parcourut, mais il abandonna vite tout espoir de la déchiffrer.

— C'est en russe.

— J'ai checké la traduction sur Google. Ça veut dire…

Elle se racla la gorge et prit un timbre haut perché pour imiter la voix d'une jeune femme.

— « Oncle Nikolaï, j'espère te voir avec tu sais qui à la première. Bises, ta nièce favorite, Vera. »

Victor la dévisagea, attendant la suite.

— Allume, mon homme. La nièce de Komarov, c'est la soliste de la troupe. Vera Nesvitaylo. Belle fille en plus. Fait que envoye. Y a une répétition qui commence dans une heure. J'ai checké ça aussi pendant que Gagné se frottait le pipeau dans la douche.

Celui-ci se leva comme s'il avait l'intention de les accompagner. Jacinthe mit une main sur son épaule et le força à se rasseoir.

— Coucouche panier, ti-gars. Pendant ce temps-là, tu vas passer à travers la clé USB.

Elle marchait déjà vers la sortie lorsque Gagné se releva. L'œil mauvais, elle pointa un index menaçant en sa direction.

— Eille, tu vas quand même pas me faire une crise du bacon, bonhomme ?!

Grave, il l'ignora et s'approcha de Victor.

— Oublie pas que t'es une proie…

Victor encaissa la remarque, puis il suivit Jacinthe.

## 36

# Un monde sans lumière

Procession de personnes, une croix de ruban rouge oblitérant leur bouche, travail de contorsion des corps pour échapper à un halo de lumière se mouvant comme un projecteur qui fouille la nuit à la recherche d'une proie, musique aux notes stridentes qui rebondit dans la cage thoracique mêlée aux pics d'un vibrato plaintif.

Au cœur d'un tourbillon, les bras de Vera Nesvitaylo, recroquevillée sur elle-même, capturèrent l'absence, le creux du vide, et se mirent à définir des contours insaisissables.

Puis elle releva la poitrine et se redressa, immobile et un instant apaisée. Mais les tremblements la reprirent, devinrent inextinguibles. Et bientôt elle commença à s'agiter avec frénésie, dessinant des motifs dans l'espace avec ses mains.

Vêtue d'une robe noire parsemée de déchirures qui laissaient entrevoir des parcelles de sa peau claire, elle se cambra avec grâce et retenue vers le sol, jusqu'à saisir et essayer de traîner le corps inerte d'un homme portant un uniforme de l'Armée rouge. Mais celui-ci refusait de bouger. Il était mort.

La musique cessa, puis le rideau tomba sur la soliste et les autres danseurs. Une lumière tamisée brisa l'obscurité dans laquelle se trouvait plongée la Cinquième Salle de la Place des Arts, déserte sauf pour la chorégraphe et son équipe, installées aux premiers rangs, et l'homme qui avait discrètement pris place à l'arrière de l'enceinte.

Calé dans son siège, Victor suivait le premier acte d'un œil attentif.

*Drapée de blanc, magnifique et évanescente dans la lumière, Nadja tient à la main un pinceau barbouillé de peinture blanche. Dans une des chambres de leur appartement, elle lui sourit, enjouée.*

*— Savais-tu qu'en plaçant deux prismes l'un à côté de l'autre les couleurs de l'arc-en-ciel reforment la lumière blanche ?*

*Elle pivote sur ses talons et marche vers un mur où le plâtre a été réparé.*

*— C'est la couleur parfaite. La couleur de la pureté. Tu vas voir, c'est une nouvelle page qu'on va tourner…*

*Nadja le dévisage, soudainement grave. Mais sa voix demeure douce, affectueuse.*

*— Celle qui va effacer toutes les autres…*

*Elle pose une main sur son ventre. Elle est enceinte.*

S'étant assoupi quelques secondes, Victor sursauta quand les rideaux s'ouvrirent sur un tableau sombre où, en toile de fond, apparut une projection représentant des barreaux de prison. Devant cette cellule virtuelle, une myriade de corps rampant sur le sol comme des larves essayait d'échapper à l'enfermement et à la mort, la dégénérescence de leur chair comme l'étape ultime d'un cycle, tandis que des sentinelles marchaient autour d'eux en faisant claquer le talon de leurs bottes. L'un des militaires, mégaphone à la main, leur hurlait des ordres. Une musique hypnotique, minimaliste et lourde, répétant à l'infini les mêmes notes de piano, broyait les tympans.

Des coups de feu rappelant les exécutions sommaires du goulag russe la ponctuaient.

Debout au milieu de ce maelstrom anxiogène et quasi cauchemardesque, le visage marqué par la solitude et l'accablement de la poétesse qu'elle incarnait, Vera Nesvitaylo, épaules affaissées comme si elle portait un lourd fardeau, tentait de briser le carcan qui la clouait sur place en se mettant à tourner sur elle-même de plus en plus rapidement, de telle sorte que les pans de sa robe noire vinrent l'envelopper d'un écrin évoquant l'apparition de la Faucheuse.

Fascinée tant par la beauté que par le charisme de la soliste, l'âme de Victor s'allégea.

Inquiète, Jacinthe faisait le guet devant l'entrée de la salle de spectacle. Et tandis qu'elle battait la semelle, elle bougonna en se parlant à elle-même.

— Estie de Lessard à marde, j'aurais jamais dû t'écouter pis te laisser aller là tout seul.

Elle attrapa son cellulaire et lui envoya un texto qui reflétait son état d'esprit.

« Pis ???!!! »

Quand elle rempocha l'appareil, elle ne put s'empêcher de sourire.

— En même temps, moi pis les spectacles de danse contemporaine…

Elle sortit un sac de Cheetos d'une des poches de son manteau.

— Tiens, ça va me réenligner les chakras, ça.

Elle en enfourna une pleine paume et se remit à faire les cent pas.

De nouveau, la musique cessa. Les rideaux tombèrent, mais ils se rouvrirent aussitôt. La chorégraphe monta sur scène avec ses assistants et réunit sa troupe en demi-cercle.

Elle offrit quelques conseils à ses danseurs pour le lendemain, ceux-ci se donnèrent une salve d'applaudissements, puis ils disparurent dans les coulisses.

Victor se leva. La répétition terminée, le véritable spectacle allait commencer. Dans le couloir menant aux loges, il repéra Vera Nesvitaylo qui gagnait la sienne. Elle était accompagnée d'un jeune homme arborant des verres fumés jaunes, un dashiki multicolore et de longs cheveux en broussaille, qui entra à sa suite.

Debout près d'elle dans la loge exiguë, B-Lefski effleura l'épaule nue de la ballerine, comme une caresse furtive.

— T'es magnifique, Vera. Tellement. Ça va être un gros succès.

La jeune femme lui sourit, puis essuya son visage trempé de sueur avec une serviette.

— Il y a encore des petits détails à corriger. Mais c'est gentil de ta part.

Reprenant son souffle, elle but une gorgée d'eau.

— C'est un privilège de danser sur ta musique, Lucas. Vraiment. Tu le sais.

Mélancolique, il la regarda, éperdu d'un amour qu'il savait devoir taire. Elle dit :

— Tu avais l'air stressé dans ton message. Qu'est-ce qui était si urgent ?

Il hésita un court instant.

— As-tu des news de ton oncle ?

Vera sembla surprise.

— Nikolaï ? Non, pourquoi ?

Elle se redressa. Il déglutit, troublé par sa beauté.

— Pour rien…

Elle lui fit une moue engageante, mais B-Lefski resta incertain. L'un de ses contacts lui avait envoyé un texto pour lui faire part de la mort de Nikolaï Komarov. Sachant que Vera aurait le cœur en morceaux en apprenant la disparition de son oncle, il était venu pour la réconforter et prendre soin d'elle. Mais réalisant que la jeune danseuse n'était pas au courant, il n'eut le courage ni de briser le moment, ni de fracasser son monde.

— Faut juste que je lui parle pour la mine.

Il se tut, s'efforça de paraître enjoué.

— La vérité, c'est que je voulais te voir avant la première. Je voulais te souhaiter bonne chance. Ou plutôt te dire un gros « merde ».

Il aurait voulu les réprimer, mais les mots s'échappèrent de sa bouche.

— J'arrête pas de penser à toi, Vera. Même quand t'es là, je pense à toi...

La jeune femme le considéra avec bienveillance.

— Tu le sais que je vais toujours avoir beaucoup d'affection pour toi, Lucas.

Son ton se fit plus délicat, mais demeura ferme.

— Mais on sera plus jamais un couple.

B-Lefski baissa la tête.

— Je le sais que je te ferai pas changer d'idée. C'est juste que ça me fait encore mal.

Elle lui toucha doucement la joue.

— Fais attention à toi, Lucas, OK?

Ils s'étreignirent, puis il sortit et se hâta en direction de la salle de spectacle. Au bout du corridor, un homme attendait, adossé au mur de ciment. Un homme à l'allure inquiétante, mais de qui émanait une sorte de bonté. B-Lefski le reconnut aussitôt. Le message texte que son contact lui avait envoyé contenait aussi sa photo et son nom : Victor Lessard.

Quand il passa à la hauteur de Victor, leurs yeux se croisèrent et ce dernier l'observa de plus près : mi-vingtaine, des écouteurs aux oreilles, une barbichette, des tatouages dans le cou et sur le dos des mains. Même si son visage lui semblait vaguement familier, le regard fuyant du jeune homme n'attira pas son attention outre mesure ; pas plus qu'il ne se douta que celui-ci s'était retourné sur son passage et l'avait fixé d'un air grave.

Ce n'est qu'en arrivant devant la loge de Vera Nesvitaylo qu'il se rappela. Celui qui s'était trouvé sur son chemin quelques secondes plus tôt était le rappeur québécois le plus en vue des dernières années, et son succès ne cessait de croître. Connu sous le nom de B-Lefski, le jeune artiste comptait parmi les musiciens préférés de son fils, Martin, qui avait travaillé comme preneur de son avant son départ forcé pour la Saskatchewan.

Penser à son fils lui fit réaliser qu'il faudrait qu'il les mette au courant, Charlotte et lui, de ce qui s'était produit. Et même s'ils se trouvaient tous deux loin de Montréal, qu'il leur demande, sans pour autant les inquiéter, d'être sur leurs gardes.

Victor frappa trois coups secs contre la porte de la loge. Une voix étouffée lui parvint de l'intérieur, l'invitant à entrer. Il se glissa dans la loge de Vera Nesvitaylo au moment où cette dernière relevait la tête. Assise sur une chaise de bois, lui tournant le dos, elle appliquait un tampon d'ouate imbibé de lait démaquillant sur l'une de ses paupières.

Depuis l'entrée de la petite pièce, Victor ne put s'empêcher d'observer son visage lorsque celui-ci apparut dans le miroir illuminé : cheveux roux dont les boucles cascadaient sur ses épaules et son dos musclés, yeux verts pétillants d'intelligence, traits d'une pureté infinie, cou de cygne.

Sans se retourner, elle esquissa un demi-sourire dans la glace en le scrutant à son tour, intriguée par ce visage inconnu.

— Bonjour… Je peux vous aider ?

Aucune trace d'accent dans sa voix. Son français était impeccable.

— Je m'appelle Victor Lessard. Je viens vous parler de votre oncle.

Était-ce son ton, la gravité de son expression, qu'il essayait pourtant de neutraliser, ou encore l'incongruité de la situation, il ne le saurait jamais.

Quoi qu'il en soit, un pli d'inquiétude apparut sur le front de la danseuse étoile.

— Mon oncle Nikolaï? Il s'est passé quelque chose?

Elle guetta la réaction de Victor. Détestant jouer les oiseaux de malheur, il baissa le regard vers le plancher. Aussitôt, Vera Nesvitaylo sut et porta une main horrifiée à sa bouche.

— Est-ce que vous êtes de la police?

Bêtement, il n'avait pas encore réfléchi à la réponse à formuler en pareil cas.

— Euh… c'est un peu plus compliqué que ça.

La danseuse le fixa longuement, de la détresse dans ses yeux voilés.

— Qu'est-ce qui s'est passé?

Victor prit une profonde inspiration et commença à le lui raconter.


Il s'était assis devant la jeune femme, qui avait retourné sa chaise pour lui faire face. Il avait redouté le pire, mais Vera Nesvitaylo était demeurée maîtresse de ses émotions tandis qu'il lui relatait les circonstances de l'attaque dont Komarov et lui avaient été victimes. Comme elle atterrissait dans un territoire inconnu, un espace dont elle ignorait les codes et les repères, elle avait posé les trois questions que les proches des victimes posent d'ordinaire. Qui? Pourquoi? A-t-il souffert?

Victor lui avait offert la réponse de circonstance, la simple vérité: pour l'heure, il n'en savait rien. Il avait également joué franc jeu en précisant que l'identité des victimes n'avait pas encore été dévoilée et que la police la contacterait sans doute bientôt pour lui poser les mêmes questions que celles qu'il s'apprêtait à formuler.

À propos des motifs de sa présence, il fit aussi preuve de transparence : il avait été ciblé au même titre que Komarov, et sa conjointe avait été blessée dans la fusillade.

La ballerine contemplait la photo qu'il avait fait apparaître sur son cellulaire. On y voyait Nadja dans un lit, inconsciente et branchée à une panoplie d'appareils.

— Comme je vous le disais, vous pouvez refuser de répondre à mes questions.

Vera sembla indignée à l'idée qu'il puisse remettre en cause sa volonté de collaborer. Son regard disait aussi la rage qu'elle ressentait face aux événements.

— Je vais vous aider du mieux que je peux. Et j'espère que votre amoureuse s'en tirera. Ce qui vous est arrivé à vous deux et à mon oncle me dégoûte.

Victor la remercia d'un mouvement de tête.

— Parlez-moi de votre relation avec votre oncle. Vous aviez l'air proches.

Un sourire nostalgique apparut sur les traits de Vera.

— Mes parents vivent toujours en Russie. C'est le frère aîné de ma mère. Ils avaient peu de contacts à dire vrai – oncle Nikolaï vivait ici depuis le début de sa vingtaine –, mais quand, à dix-sept ans, je leur ai parlé de mon désir de m'installer au Canada pour poursuivre ma formation de ballet, maman a accepté de me laisser partir à une seule condition : qu'il soit ma personne-ressource. J'étais furieuse au début. J'avais envie de tout sauf d'un chaperon sexagénaire. C'était avant que je le rencontre. Le déclic a été immédiat. On a eu un coup de foudre amical. Il me faisait tellement rire.

Son visage s'assombrit et elle lutta pour refouler ses larmes. Victor laissa passer l'instant.

— Qu'est-ce que vous connaissiez de ses activités ?

— Vous voulez dire au niveau professionnel ? Nikolaï était professeur de piano. Et un très grand musicien à la retraite.

— Je comprends. Mais pensez plus globalement. De quoi parliez-vous ensemble ?

— De nos joies, de nos peines, de musique et de danse.

— Est-ce qu'il vous a jamais donné l'impression d'avoir une vie secrète ?

La jeune femme le jaugea un moment, comme si elle réévaluait sa décision de lui faire confiance. Mais ce qu'elle lut dans son regard sembla la rassurer.

— Nikolaï était bisexuel et d'une génération où ces choses-là doivent demeurer secrètes.

Victor rumina ce qu'elle venait de dire. Komarov était discret. Ce qui expliquait sans doute pourquoi Gagné avait loupé l'information. Sans réussir à mettre le doigt dessus, il cherchait ce qu'il oubliait de demander à Vera.

— Il voyait quelqu'un récemment ?

— Robert Thomson. Il a été conservateur au Musée des beaux-arts pendant longtemps.

Il sortit un calepin de la poche de sa veste et nota l'information. Il le refermait quand son cerveau recracha celle qu'il essayait de trouver.

— C'est de lui que vous parliez dans la note ?

Elle l'observa, interloquée. Il y alla de mémoire.

— Avec les billets, vous aviez écrit : *tu viendras avec tu sais qui...*

Elle hocha la tête affirmativement.

— Ils étaient ensemble depuis trois ans. Et très amoureux. Robert va être dévasté.

## 37

## Cercles concentriques

Un feu crépitait dans l'âtre d'un salon luxueux, richement orné d'œuvres d'art, comme un contrepoint à la voix de Maria Callas qui hululait *La Traviata* de Verdi. Attaché-case métallique à la main, un homme raffiné portant un élégant costume trois-pièces apparut dans le corridor et s'avança dans la pièce.

L'air satisfait, Robert Thomson s'assit sur le canapé et posa la mallette à côté de lui. Puis il attrapa le verre de vin rouge sur la table basse, en huma les arômes et en savoura une gorgée.

Chantonnant la mélodie, Thomson ramena l'attaché-case sur ses genoux. Puis il tapa une série de chiffres sur le clavier de l'écran digital qui l'équipait. Quand il entendit un « bip », il plaça ses deux pouces sur l'écran. Un déclic retentit. Thomson ouvrit la mallette et en tira une pile de documents, qu'il parcourut en diagonale. Puis il s'approcha du foyer et y jeta les papiers.

Il ne montrait aucune émotion particulière, mais un observateur aurait remarqué que, dans l'âtre, une photo se consumait. Sur celle-ci, le visage de Nikolaï Komarov était dévoré par les flammes. Thomson était occupé à brûler les derniers documents que contenait l'attaché-case lorsque son cellulaire vibra dans sa poche. Sur l'afficheur, il vit que c'était B-Lefski. Il se composa un ton affligé et prit l'appel.

— Allo…

La voix hésitante du jeune homme se fit entendre.

— Robert. Je viens juste d'apprendre pour Nikolaï. Je sais pas quoi te dire. Je suis tellement, tellement désolé…

Thomson continua de pousser la note du conjoint éploré.

— Ils l'ont tué sauvagement, ils ont emporté son corps… Je ne comprends pas, Lucas.

— Je suis sous le choc, moi aussi.

— Et Vera ? Elle est au courant ?

B-Lefski était impatient d'en venir au fait, mais il n'en laissa rien paraître.

— Je vais lui dire si tu veux.

— OK. Merci.

— Robert… as-tu besoin de quelque chose ? Je vais passer te voir…

— Je veux rester seul un peu. Il y a trop de souvenirs qui remontent… Et il va falloir que je rencontre les enquêteurs. Je te fais signe.

— Écoute, je le sais que c'est pas le bon moment, mais je vais avoir besoin de ton aide avec la mine. C'est Nikolaï qui gérait tout avec… avec Messiah.

Contrarié, B-Lefski poursuivit.

— Il va falloir prendre des décisions, Robert. Je sais des affaires que tu sais pas. La dernière chose que je veux, c'est d'avoir Messiah et ses hommes sur le dos.

Un mince sourire naquit sur les lèvres de Thomson, mais il s'efforça de camoufler l'excitation dans sa voix.

— Fais-moi confiance, Lucas. Il n'y aura aucun problème.

Quelques minutes plus tard, son téléphone cellulaire à l'oreille, fébrile et mécontente, une femme marchait de long en large dans son bureau situé au sommet d'un édifice anonyme, propriété du gouvernement fédéral. Grande, mince, peau foncée et tailleur marine, elle s'arrêta devant sa fenêtre et contempla le parc. Dégarnis de leurs feuilles, les arbres valsaient dans le vent comme des épouvantails dégingandés.

La voix de Thomson se fit entendre de nouveau tandis que la femme s'attachait les cheveux.

— On a une opportunité. Mais si je veux convaincre Messiah, il faut y aller maintenant…

Elle prit une profonde inspiration, tenta de se calmer.

— As-tu une idée des risques que tu me fais courir?

Robert Thomson marqua un court silence, puis émit un petit ricanement.

— C'est à moi que tu parles de risques? T'as une meilleure idée, Sondos?

Claire Sondos raccrocha. Elle n'en avait pas. Et c'était ce qui l'effrayait plus que tout.

## 38

## Bienvenue parmi nous, Van Gogh

La pluie frappait avec force sur les toits de tôle, les faisant geindre, tandis que, dans l'enceinte du camp, armés de leurs fusils-mitrailleurs, Pac Man et Black Dog entraînaient un homme aux mains menottées vers un des bâtiments. Ils forcèrent le prisonnier à pénétrer dans le long hangar où ils le firent avancer encore de plusieurs mètres, puis la voix de Black Dog retentit.

— Stop. Terminus.

L'homme obtempéra. Sans le savoir, il se trouvait devant Messiah, qui lui retira sa cagoule intégrale. Le prisonnier plissa les yeux pour se réhabituer à la lumière. Mais, en dépit de l'éblouissement, il jeta un coup d'œil circulaire.

Au plafond, les poutres étaient visibles, et le plancher, patiné par le temps. Des panneaux de bois placardaient les fenêtres. Il entendit le bruit de chaînes qu'on traîne sur le sol en même temps qu'il aperçut, au centre de l'espace, une cage d'acier de dix mètres carrés. Les autres prisonniers s'étaient levés. Ils avaient les poignets menottés devant eux, et une chaîne reliée à un anneau de fonte vissée par terre ceinturait leur taille et leurs chevilles.

Le nouveau venu en compta cinq et reconnut leurs visages, dont celui d'une femme. Il remarqua aussi que

les prisonniers évitaient de croiser le regard de leurs geôliers. Un dernier détail le frappa : chacun d'eux disposait
d'un matelas sans couverture et d'un seau, qui faisait office
de latrines.

Pendant ces quelques secondes où sa plus récente prise
faisait connaissance avec les lieux, Messiah l'observa. La
physionomie de l'homme d'origine arabe ne recelait rien
de notable, outre le fait qu'une partie de son oreille droite
manquait à l'appel.

Du bout des doigts, Messiah toucha l'oreille mutilée.
Une vieille blessure ; la peau avait cicatrisé à même le car-
tilage, formant une boule de chair violacée.

Il brisa le silence.

— Bienvenue parmi nous, Van Gogh…

Mâchant sa gomme, Black Dog ouvrit la porte ; Pac Man
poussa le prisonnier à l'intérieur.

Une heure plus tard, l'homme que Messiah avait surnommé Van Gogh était sanglé la tête vers le bas sur une
petite table de bois dont une extrémité était inclinée de
trente degrés. Son visage était couvert d'une serviette. Au-
dessus de lui, Black Dog tenait un bidon d'eau qu'il déversait copieusement sur sa bouche.

L'homme se tortilla, poussa des grognements qui se
mélangèrent au gargouillis de sa gorge, tandis que ses
pieds s'agitaient de spasmes.

Il était à deux doigts de la noyade quand soudain Messiah s'interposa.

— Assez…

Black Dog stoppa. Messiah retira la serviette. Van Gogh
fut pris d'une quinte de toux, cherchant son air.

— Je pense qu'il est prêt. Iba ? Par ici…

À peine entrée dans la pièce, la jeune femme se dirigea
droit vers eux, s'orientant avec sa canne.

— Je sais où vous êtes. Ça sent la peur et la pisse.

Elle parla à l'homme en arabe.

— Je vais essayer de vous sortir d'ici.

D'une voix effrayée, celui-ci lui répondit dans la même langue.

— J'ai rien fait !

Toujours en arabe, Iba reprit avec fermeté.

— Me mentir ne vous aidera pas. C'est pas moi, le danger.

Van Gogh hocha la tête. Il avait compris. Black Dog se pencha à l'oreille de Messiah.

— On n'a aucune idée de ce qu'ils se racontent. Khelifi peut nous remplir tant qu'elle veut.

Iba se tourna vers lui.

— L'ouïe, c'est mon sens le plus développé. J'entends tout ce que tu dis. Je t'entends même le soir quand tu écoutes ta porn.

Furieux, Black Dog répliqua du tac au tac.

— Ah oui ? Ben dans ce cas-là, tu vas entendre celle-là aussi : va chier, Khelifi !

Iba ne vit cependant pas son majeur tendu. Messiah s'adressa à elle.

— Je veux savoir le nom pis l'adresse de tous les membres de sa cellule.

Cherchant son épaule, la femme l'interpella d'une voix douce.

— C'est le troisième cette semaine. Tu ne trouves pas que vous allez trop loin ?

En colère de voir son autorité ainsi remise en cause devant Black Dog, Messiah allait s'emporter quand il reçut un texto. Iba s'éclipsa dans le corridor tandis qu'il lisait le message, qui venait de Robert Thomson.

« Faut qu'on se voie. Urgent. »

Contrarié, Messiah se lança derrière Iba. Marchant d'un pas rapide, il la rattrapa dans le couloir menant aux chambres, la prit par le coude et la força à se retourner.

— C'était quoi ça, au juste ?

— On n'est plus en guerre, tu sais.

— Oui, on est en guerre ! Plus que jamais ! Pendant que le reste du monde dort, nous on veille. Il faut protéger nos valeurs, pis notre identité.

— Personne ne veut vivre dans un ghetto. C'est impossible. Je le sais. Tu le sais. Et c'est quoi, notre identité ? Notre religion ? Notre sexe ? Notre origine ethnique ?

Iba se tut. Ses yeux fixaient presque ceux de Messiah.

— D'ailleurs, la dernière fois que j'ai vu mon visage, j'étais encore arabe.

Il secoua la tête, agacé.

— Toi, c'est pas pareil. Tu le sais.

— Ah oui ? Qu'est-ce que je sais ? Explique-moi ça.

Messiah hésita, déchiré entre son attirance et ses convictions. Iba poursuivit.

— Tu vois, t'es pas capable de me l'expliquer. Mais tu es tellement plus brillant que ça.

Les mots de la jeune femme le touchèrent. Il avança sa main dans le vide, vers elle.

— Qu'est-ce que tu veux de moi, Iba ?

— Que tu deviennes la meilleure version de toi-même.

La main tendue de Messiah se ferma en poing. Il s'en voulut aussitôt d'avoir été faible.

— Oublie pas une chose : t'es libre de te promener à ta guise parce que j'le veux bien.

Il resta quelques secondes silencieux avant d'ajouter :

— Mais la prochaine fois que tu me challenges devant mes gars, je t'enferme.

Il tourna les talons et partit. Iba le suivit des yeux comme si elle le voyait. Puis elle murmura pour elle-même :

— À chacun sa prison.

# 39

## Attention à la marche

Victor avait épuisé sa liste de questions. Il savait qu'il ne tirerait rien de plus de Vera Nesvitaylo pour l'instant. Mais s'il avait acquis une certitude au cours de l'exercice, c'est qu'elle lui avait parlé en toute franchise, sans tenter de lui dissimuler quoi que ce soit. Il attrapa dans sa veste de cuir le portrait retrouvé chez Komarov et le lui tendit.

— Avez-vous déjà vu cette photo-là chez votre oncle?

— Euh… non. Jamais…

De l'index, il pointa celui qu'ils désignaient entre eux comme Monsieur X.

— Et lui? Le reconnaissez-vous? Imaginez qu'il ait beaucoup vieilli.

Vera considéra longuement la physionomie de l'homme, puis elle secoua la tête.

— Non, je ne crois pas. Pourquoi?

— Je pense qu'il est peut-être impliqué dans ce qui se passe présentement.

Les yeux de Vera allaient de la photo à Victor.

— Votre oncle vous a-t-il déjà dit qu'il était membre du Parti communiste?

— On ne parlait jamais de politique.

— Et le programme Marée Rouge, ça sonne une cloche?

Quelque chose dans le regard de Vera Nesvitaylo changea. Son ouverture fit place à un soupçon de méfiance et peut-être aussi à de l'étonnement. Victor le remarqua.

— Vous avez l'air perplexe. C'est très important que je sache la vérité. Connaissez-vous oui ou non le programme Marée Rouge, Vera?

Elle hésita un instant, le jaugea de nouveau.

— Un homme est venu ici, il y a trois semaines, pour m'interviewer. Il voulait faire un portrait de ma carrière depuis mon arrivée à Montréal.

Victor plissa les paupières.

— Il vous a posé des questions sur votre oncle?

Elle hocha la tête affirmativement.

— Il m'a posé en premier des questions sur ma formation, mes grands rôles, le spectacle à venir, puis la conversation a bifurqué. Au début, je ne me suis pas méfiée. Oncle Nikolaï a été important dans mon cheminement depuis mon arrivée au Canada.

— Mais les questions sont devenues de plus en plus personnelles?

— Oui… Et avant que je me rende compte que quelque chose clochait, il s'est mis à me poser les mêmes questions que vous. Quand j'ai refusé de répondre, il a prétexté un rendez-vous et il est parti rapidement.

— Vous souvenez-vous de son nom?

— Je ne l'ai pas retenu. Après son départ, j'ai vérifié avec notre relationniste : elle n'avait pas autorisé d'entrevue cette journée-là.

Victor attrapa son cellulaire, fit une recherche et montra une photo à Vera Nesvitaylo.

— Est-ce que c'est lui?

Frappée par l'étrangeté de la situation, celle-ci le dévisagea.

— Oui… Qui est-ce?

— Guillaume Lefebvre. Un journaliste d'enquête. Tué lui aussi il y a quelques jours.

Jacinthe finissait son sac de Cheetos quand deux hommes à la mine patibulaire firent irruption dans l'entrée de la salle de spectacle. D'instinct, elle se tourna vers le mur pour ne pas attirer leur attention, mais, flairant le danger, elle les suivit. À l'intérieur, elle resta en retrait et les observa tandis qu'ils discutaient à voix basse avec un individu aux cheveux en broussaille, qui portait un casque d'écoute autour du cou.

Lorsque ce dernier pointa un doigt vers les loges et que les deux hommes partirent dans cette direction au pas de course, Jacinthe comprit qu'ils allaient s'en prendre à Victor. Elle saisit son revolver et s'élança. Quand elle atteignit la porte donnant accès aux loges, elle se rendit compte que les deux hommes l'avaient barrée. Elle donna un coup de pied dedans et porta son cellulaire à son oreille.

— Yo, mon homme. Faut que tu dégages de là. Tu vas avoir de la compagnie. Deux dudes avec des têtes à claques pis des jackets de cuir. J'arrive dans pas long !

À la hâte, Victor laissa ses coordonnées à Vera Nesvitaylo et sortit. Dans le corridor, il jeta un coup d'œil vers le côté par lequel il était arrivé.

Les deux hommes qu'avait évoqués Jacinthe lui bloquaient déjà le passage. Quand il croisa son regard, l'un d'eux, une armoire à glace, extirpa une matraque de sa veste. À l'avant-plan, un type de plus petite taille, sec, nerveux, déplia un bâton télescopique d'un geste vif. Une image vint à l'esprit de Victor : un colosse et un marathonien.

Il sut avant même qu'ils se mettent à courir vers lui qu'il avait le choix entre l'affrontement et la fuite. Sortir son pistolet et s'en servir était à ses yeux une option de dernier recours ; des danseurs allaient et venaient dans le couloir, passaient de loge en loge. Il était hors de question de risquer leur vie.

Choisissant la seconde option, il tourna sur ses talons et déguerpit en sens inverse. Le mur marquant la fin du corridor n'était toutefois qu'à quelques mètres et ne lui laissait, pour fuir, qu'une porte sur sa gauche.

Victor la poussa et fut en une enjambée au bord de marches de ciment. Sans hésiter, il se hâta vers le haut. S'il réussissait à disparaître dans le coude menant à l'étage supérieur avant que ses poursuivants débarquent dans la cage d'escalier, ceux-ci auraient peut-être le réflexe de penser que, comme le voulait la logique, il avait tenté de s'échapper en descendant vers la rue. Au pire, ils se sépareraient.

Victor montait les premières marches à toute vitesse lorsqu'il entendit la porte se rabattre brutalement contre le mur. D'un bond, le Marathonien plongea vers lui, ses mains agrippant l'un de ses mollets avec une force surprenante. Freiné dans son élan, Victor attrapa la rampe pour ne pas tomber, fit pivoter ses hanches et, sans se retourner, asséna à son agresseur un violent coup de pied avec sa jambe libre, l'atteignant en plein visage. La poigne de l'homme se relâcha une fraction de seconde, mais il tenait bon.

L'ancien enquêteur des crimes majeurs frappa encore, cette fois avec plus de force. Il entendit un bruit d'os brisé en même temps que sa jambe se libérait. Il se remit en mouvement, mais les doigts de l'autre se cramponnèrent à sa cheville, puis à son jeans, le ralentissant dans sa course. Victor fit volte-face et décocha un coup de poing à l'homme, qui le cueillit à la base du menton. Celui-ci tomba sur le dos et débaula des marches.

Moins de dix secondes s'étaient écoulées depuis son irruption dans la cage d'escalier quand la porte s'ouvrit de nouveau, livrant le passage au deuxième homme. Plus lourd, plus corpulent, le Colosse enjamba son acolyte et se lança à la poursuite de Victor, qui atteignait les dernières marches menant à l'étage supérieur.

Sonné, le Marathonien se releva et s'appuya au mur pour reprendre ses esprits. Il porta ensuite la main à son nez, qui pissait le sang. Puis, serrant les dents, il récupéra son bâton télescopique. Il allait se remettre en chasse lorsque la porte s'ouvrit brusquement.

Il n'eut pas le temps de se retourner pour voir à qui appartenait l'ombre massive qui était apparue derrière la sienne sur le mur. Il n'eut pas le loisir non plus d'apprécier la vélocité avec laquelle la crosse du revolver que tenait Jacinthe le frappa à la base du crâne. Le Marathonien se vida de son air et s'écroula comme une masse, face contre terre, sa mâchoire supérieure cognant contre l'arête d'une marche avec fracas.

À bout de souffle, la respiration sifflante, Jacinthe se pencha sur le corps inerte. Le Marathonien saignait abondamment du nez et de la bouche.

— Fais un beau dodo, matante Jacinthe est là.

Elle plaça sa tête de façon à éviter que du sang se répande dans ses voies respiratoires, puis recommença à grimper aussi rapidement que ses kilos en trop le lui permettaient. Entre deux inspirations saccadées, elle trouva la force de beugler à s'en détacher les poumons.

— Lessard !


Le Colosse ouvrit la porte donnant accès à l'étage supérieur, là où avait disparu Victor quelques secondes plus tôt, et s'arrêta net. Une douzaine de colonnes de béton se dressaient dans l'espace en construction, avec des madriers empilés dans un coin, des outils et une cloison.

Matraque brandie, prêt à frapper, il avança lentement, avec prudence. Il s'approcha d'une colonne et fit un geste soudain vers sa droite, croyant surprendre son adversaire. Mais il n'y avait personne.

Il tendit l'oreille, essayant de percevoir du mouvement, un bruit de respiration. En vain. Sur sa gauche, il observa un rideau de polythène opaque, qui coupait la pièce en deux. Un peu plus loin, il y avait un conteneur rempli de matériaux de construction.

Une ouverture dans le rideau permettait d'accéder à l'autre partie de la pièce. Le Colosse s'y dirigea. Il écartait un pan du rideau avec son bras gauche lorsque Victor surgit du conteneur, pistolet pointé vers lui.

— À genoux, fais glisser ta matraque vers moi, pis mets tes deux mains sur ta tête.

Les deux hommes s'affrontèrent du regard, mais, une balle de pistolet voyageant plus vite que le bout d'une matraque, le Colosse comprit qu'il ne servait à rien d'argumenter. Il s'agenouilla et fit glisser son arme vers Victor, qui sortit du container en le tenant en joue.

— Les mains sur ta tête, j'ai dit!

Le Colosse obéit à contrecœur.

— Dans une minute, il va y avoir cinq gars qui vont arriver. T'es fait comme un rat.

Victor épousseta de la main la poudre de gypse qui recouvrait sa veste de cuir.

— Ah oui, hein? Ça m'impressionne ben gros, ça.

Il mit le canon de son pistolet à quelques centimètres du front de son assaillant.

— Là, tu vas me dire pour qui tu travailles avant que je perde patience.

Il l'entendit souffler avant de l'apercevoir du coin de l'œil. Hors d'haleine, Jacinthe fit irruption sur le palier. Victor reporta son attention sur le Colosse.

— Qui t'envoie? Parle!

— Va chier.

Jacinthe s'approcha du Colosse et, sans un mot, lui décocha un violent coup de pied dans les parties génitales. Tandis que l'homme s'affaissait sur le plancher en gémissant de douleur, Victor la dévisagea, pétrifié.

— Pourquoi t'as fait ça?! Je l'avais en joue.

— Tu veux attendre que les autres arrivent ? Let's go, Lessard ! On décâlisse !

Elle repartit vers la porte en sifflant. Victor jeta un regard chargé de colère et de frustration au Colosse, qui cherchait toujours son air, puis il tourna les talons et emboîta le pas à Jacinthe.

## 40

## Chaque chose à sa place

Il y a des automatismes ancrés si loin au cœur d'une personne qu'ils sont inscrits dans sa chair, programmés dans ses cellules. Comme deux systèmes opérant en parfaite symbiose, Jacinthe et Victor avaient repris leurs marques. Ainsi, alors que, tous les sens aux aguets, ils remontaient le trottoir de la rue Sainte-Catherine vers l'est, elle n'eut qu'à tendre la paume pour qu'il y glisse les clés de la Saab.

Elle se laissa choir sans ménagement sur le siège du conducteur, tandis qu'il gagnait celui du passager. Elle alluma le moteur et ils décollèrent en trombe pour s'éloigner de la Place des Arts et du Complexe Desjardins.

Une pluie froide était tombée tandis qu'ils se trouvaient à l'intérieur, mais le soleil avait reparu et jetait quelques éclaboussures de lumière sur le pare-brise. Sur la chaussée mouillée, Jacinthe déboîtait comme si elle pilotait aux 24 Heures du Mans. Avec adresse, elle se glissa dans le trafic de fin d'après-midi. Au bout d'un moment, elle se tourna vers Victor, qui réfléchissait.

— Quand même pas si pire, ton char de mononcle.

Il sourit, mais il était ailleurs, enfermé dans le tunnel de ses pensées. Il s'inquiétait pour Nadja, dont il était sans nouvelles depuis sa visite à l'hôpital, et se sentait dépassé par les événements.

Jacinthe fit rugir le moteur, doubla une voiture.

— D'après toi, la danseuse a-tu quèque chose à voir là-dedans?

Victor fit une moue sceptique. Il en doutait.

— Ce qui est clair, c'est que ces deux clowns là, c'était pas des pros comme ceux qui m'ont tiré dessus. Mais c'était qui? Pis surtout, qui les a avertis?

— Je les ai vus parler à un p'tit crisse de frais chié avec trop de cheveux pis des écouteurs.

L'image du jeune homme qu'il avait croisé près des loges traversa l'esprit de Victor.

— B-Lefski, le rappeur?

Ce nom n'évoquant rien pour elle, Jacinthe haussa les épaules ; elle mit un temps avant de reprendre.

— En interrogeant le serveur de la Datcha, Loïc a appris que Komarov venait souvent avec un p'tit jeune. Ton B-Lefski, c'est peut-être avec lui qu'y fourrait?

Victor secoua la tête négativement.

— Non. L'amant de Komarov s'appelle Robert Thomson.

— C'est la danseuse qui t'a dit ça?

Il le lui confirma. Le cellulaire de Jacinthe sonna sur ces entrefaites. Mettant l'appareil sur mains libres, elle répondit à Virginie.

— Salut, ma belle. Je suis avec Lessard.

Un bref silence ému accueillit les mots de Jacinthe. C'était la première fois qu'ils se reparlaient depuis que la journaliste savait Victor sain et sauf.

— Une femme noire est venue me voir aujourd'hui pendant que je faisais mon topo. Elle s'appelle Yako…

Victor alluma avant qu'elle poursuive.

— Elle portait un manteau vert?

De la surprise affleura de la voix de Virginie.

— C'est exactement ça.

Victor et Jacinthe échangèrent un regard entendu. Cette dernière reprit.

— Veux-tu ben me dire c'est qui, c'te fille-là ?

À l'autre bout, Virginie parla à quelqu'un d'autre, puis continua.

— Une amie de Guillaume, apparemment… Il lui avait laissé un mot pour moi, pour que je retrouve quelque chose en fait.

Elle leur parla du message et des circonstances dans lesquelles Yako l'avait découvert. La solution apparut à Victor comme une évidence.

— « Tu vas savoir où. » Il parlait de son article sur les cyberattaques.

La journaliste leur confirma que c'était ce qu'elle croyait.

— Il y a trois mois, je lui ai donné un coup de main pour un papier sur la crise migratoire. On avait des fichiers partagés dans un répertoire sécurisé. Si Guillaume voulait cacher son article dans un endroit que j'étais la seule à connaître, c'était là.

Jacinthe donna un coup de klaxon et évita un véhicule dont le conducteur n'avait pas vérifié son angle mort.

— Tasse-toé, mon estie de sans-génie !

Victor se cramponna au tableau de bord tandis que sa partenaire enchaînait.

— Pis y est-tu là ou y est pas là, le maudit article ?

— Je le sais pas. J'suis pas capable d'ouvrir les fichiers. Les gars de l'informatique sont dans mon bureau en train de checker ça.

Jacinthe crispa les doigts sur le volant.

— Yako, là… Elle t'a-tu donné son nom de famille, son adresse, un numéro de cell ?

— Elle m'en a dit le moins possible. Elle a peur. C'est elle qui va reprendre contact.

Sous sa veste de cuir, Victor posa une main sur son épaule blessée.

— Merci, Virginie. Vraiment. Et sois prudente.

Jacinthe raccrocha. Elle paraissait encouragée.

— Si elle le trouve, l'article, c'est big en chien !

Refusant de s'emballer, Victor se perdit à nouveau dans ses pensées. En quoi le meurtre de Guillaume Lefebvre, la mort de Komarov, ainsi que l'assaut dont il avait lui-même été victime étaient-ils liés ? Aussi, pourquoi B-Lefski aurait-il envoyé des hommes de main pour l'intercepter à sa sortie de la loge de Vera Nesvitaylo ?

Et cette photo cachée dans le piano de Komarov où ses parents apparaissaient en compagnie d'un ami à l'Expo 67. Avait-on fouillé l'appartement du Russe dans le but de la retrouver ? Si oui, était-ce à cause de ce simple cliché qu'il était mort ?

Quant à ce qui était survenu quarante ans auparavant, pour quelle raison cela ressurgissait-il maintenant, et de manière aussi violente ?

Victor regarda sa main, qui tremblait. Les questions dansaient dans sa tête. La peur et l'incompréhension lui faisaient une boule dans l'estomac.

Il revint à Jacinthe, qui filait vers Chinatown.

— Lefebvre connaissait les risques, il avait pris ses précautions. Mais ce qui l'a perdu, c'est qu'il a parlé à quelqu'un de trop.

— Komarov avec, j'imagine. Mais qui ? La ballerine ? Le rappeur ?

Il secoua la tête ; il l'ignorait.

— C'est à l'amant de Komarov qu'y faudrait faire une visite, mon homme. Genre tout d'suite. Y a personne de mieux placé pour nous aider à comprendre son passé.

— On va demander à Gagné de nous sortir son profil avant. Pis je pense qu'il va falloir s'arrêter à la pharmacie.

Elle quitta la route des yeux et l'interrogea du regard. Pour toute réponse, il lui montra la main avec laquelle il avait touché son épaule blessée. Ses doigts étaient poisseux de sang. Elle frappa sur le volant.

— Fuck !

Après qu'elle eut raccroché avec Gagné, Jacinthe avait garé la Saab à l'abri d'un conteneur situé dans le stationnement arrière d'un Jean Coutu. Elle était ressortie de la pharmacie dix minutes plus tard avec une trousse de premiers soins et des jujubes.

— C't'idée aussi de te sauver au lieu de sortir ton gun.

Victor déboutonna sa chemise d'une main.

— Oublie ça. C'était plein de monde en coulisses.

La portière passager entrouverte, un genou sur le bitume, Jacinthe retira le pansement souillé et entreprit de désinfecter la blessure, qui s'était remise à saigner. Le visage de Victor s'empourpra.

— C'est quoi, ça ? De l'alcool à friction ?

Elle le regarda, surprise de la vigueur de sa réaction.

— Quoi ? C'est pas ça que tu prends d'habitude ?

Il la fixa d'un air éberlué. Elle était sérieuse.

— Eille, arrête de faire ta tapette, Lessard.

Langue sortie, elle appliqua avec précaution un bandage stérile sur la plaie.

— T'es chanceux, les points ont pas pété.

Il essuya la sueur qui coulait de son front.

— On devrait rappeler Gagné…

Jacinthe acquiesça et contempla le fruit de ses efforts.

— Tiens, mon homme. C'est quasiment une œuvre d'art, ce pansement-là. J'ai presque envie de le signer.

— Calme-toi. C'est pas un plâtre.

— Bienvenue chez Gagné Végé, je peux prendre votre commande ?

Victor ne put réprimer un sourire. Il aurait sûrement pouffé s'il avait pu voir que Gagné, qui grelottait dans les entrailles de Chinatown, avait enfilé la première robe de chambre qui lui était tombée sous la main, celle qu'il avait achetée pour Jacinthe.

— Salut, Yves. Qu'est-ce que t'as trouvé sur Thomson?

En arrière-plan, il entendit les doigts de l'ancien policier pianoter sur son clavier.

— Robert Thomson, 5155, rue Cedar…

Gagné lisait le profil qu'il avait fait apparaître à l'écran.

— Cinquante-sept ans. Conservateur du Musée des beaux-arts de 2001 à 2015. Siège au conseil d'administration de l'Opéra de Montréal. Longue carrière dans le milieu des arts. Ah, tiens, ça c'est vraiment intéressant. Thomson a travaillé trois ans au Musée russe de Saint-Pétersbourg dans les années 1990.

Le téléphone de Victor était sur le haut-parleur. Jacinthe et lui échangèrent un regard. Après un moment, Gagné brisa le silence.

— Voulez-vous que je l'appelle?

Victor prit la parole.

— Non. Faut pas qu'il ait le temps de se préparer. Pis de toute façon, on n'a pas de statut officiel. Il pourrait refuser de nous voir. T'oublies pas de nous revenir sur les deux autres noms qu'on t'a donnés…

— Vera Nesvitaylo et B-Lefski. Je suis là-dessus.

Gagné coupa la communication.

— Prêt, mon homme?

Il brandit son paquet de cigarettes et sortit de la Saab pour en fumer une. Elle haussa les épaules, plongea la main dans le sac de bonbons et s'en mit plein la bouche.

De style victorien et jouxtant un boisé où les feuilles jaunies roulaient dans le vent, la maison de Robert Thomson était nichée à flanc de montagne, en face de l'Hôpital général de Montréal. Victor appuya de nouveau sur la sonnette.

— C'est pas une bonne idée, Jacinthe.

Il avait chuchoté. Elle chuchota plus fort en finissant de mastiquer ses jujubes.

— Ta yeule, Lessard. Je l'ai presque.

Elle crochetait la serrure tandis qu'il essayait tant bien que mal de faire écran de son corps. Au bout d'un moment, un cliquetis se fit entendre.

Jacinthe releva les yeux vers lui en pavoisant. Il soupira de dépit et poussa le battant, qui pivota silencieusement sur ses gonds. Elle franchit d'abord le seuil, puis il lui emboîta le pas.

Ils enjambèrent les enveloppes qui, glissées dans la fente à courrier de la porte, étaient éparpillées sur le plancher de l'entrée et s'avancèrent dans la demi-pénombre.

La voix de Jacinthe tonna.

— Monsieur Thomson ? Il y a quelqu'un ?

Jacinthe fit un signe vers l'escalier de bois franc : elle allait explorer l'étage. Tandis que les marches couinaient sous son poids, Victor resta immobile dans le hall. Il s'en voulait de violer l'intimité d'un inconnu en fouillant son logis sans mandat, mais Robert Thomson était absent et ils n'avaient pas le luxe du temps. Tout élément, même le plus infime, pouvait les aider à progresser.

Victor commença par faire le tour du rez-de-chaussée, s'efforçant de se former une opinion sur le propriétaire des lieux et ses habitudes.

Cette première impression était cruciale parce qu'elle teinterait la suite. Il essaya d'être attentif à l'histoire que racontait l'endroit ainsi qu'aux détails qu'il taisait.

Il s'attarda un instant au salon. Un tapis rectangulaire couvrait le centre de la pièce, longé d'un côté par la gueule d'un foyer de briques et, de l'autre, par un canapé de cuir.

À chaque extrémité se trouvaient deux fauteuils Eames, disposés dans un parfait alignement.

Il songea que Robert Thomson était un homme de goût. Des zones étaient définies par l'orientation des meubles. En raison de son passé de conservateur de musée, on aurait pu croire que l'endroit allait pulluler d'œuvres d'art jusque dans ses moindres recoins, mais il n'en était rien. Chaque création était soigneusement mise en scène de manière à devenir un point focal.

Victor se rendit ensuite dans la salle à manger, où une armoire de teck monumentale était fixée au mur. La pièce était largement fenestrée et ses lignes dépouillées lui conféraient une ambiance apaisante.

Dans la cuisine ultramoderne, Victor remarqua que les surfaces étaient immaculées. Il s'arrêta enfin devant le bureau, où régnait un sympathique fouillis de livres, de cadres et de plantes. Sur le rebord de la fenêtre, il vit une lampe de luminothérapie et une vieille machine à écrire Remington. Fait curieux, la table de travail ne recelait ni papiers ni ordinateur.

Il réfléchit un moment, essayant de cristalliser ses idées. Seul le bureau semblait avoir une âme, être habité. Et c'est justement ce qui le chicotait : le cas échéant, comment expliquer l'absence d'ordinateur et de papiers ?

Il continua d'errer au hasard dans les pièces, laissant son esprit vagabonder. Il y avait autre chose que son cerveau avait enregistré plus tôt sans qu'il en prît conscience.

Son impression générale se précisa davantage alors qu'il regagnait la salle à manger. Tout chez Robert Thomson se trouvait *méticuleusement* à sa place. Il avait pourtant vu quelque chose qui clochait et tentait de retrouver l'image. Sans saisir pourquoi, il s'avança vers l'armoire de teck, puis il comprit.

L'une des amarres qui retenaient le meuble au mur avait été arrachée, créant une légère anfractuosité dans la cloison de gypse. Voilà ce que son regard avait capté. Victor tressaillit en ouvrant l'armoire. Un corps emballé de pellicule plastique y était recroquevillé.

## 41

# Nikolaï a toujours trop parlé

*Vingt-deux minutes avant le meurtre de Thomson*

System of a Down retentissant dans ses oreilles, il avait tourné le coin de Cedar et lancé son sprint dans l'ultime ligne droite. En feu, ses jambes avaient avalé les derniers mètres avant d'arriver devant la maison. Puis il avait progressivement ralenti l'allure, jusqu'à marcher.

Robert Thomson avait souri en reprenant son souffle. À cinquante-sept ans bien sonnés, le temps ne semblait pas avoir de prise sur lui. Et jogger lui permettait de se recentrer, de faire le vide. Il n'y avait aucun doute dans son esprit : le silence de Sondos signifiait qu'elle lui donnait le feu vert pour passer à l'action. De cette manière, si ça tournait mal, elle pourrait nier l'avoir autorisé à le faire.

Épongeant son visage trempé de sueur avec le bas de son t-shirt, Thomson s'était avancé dans le salon. Il allait se mettre un vinyle de Chopin avant de préparer son *shake* de protéines. Il avait sursauté quand un des fauteuils Eames avait pivoté lentement vers lui. L'air inquiétant sans ses verres fumés, Messiah était apparu dans son champ de vision.

— C'était plus confortable de t'attendre ici que dans ma camionnette.

Thomson avait dissimulé tant bien que mal sa surprise.

— Je… Tu as bien fait…

Messiah s'était levé et s'était approché de lui. Une tension électrique s'était glissée entre les deux hommes, qui s'étaient jaugés.

— Je suis désolé pour Nikolaï. Si je retrouve ceux qui ont fait ça…

Thomson savait très bien que Messiah et ses hommes étaient responsables de la mort de Komarov, mais il n'en avait rien laissé paraître. Il avait pris un air désemparé.

— Dis-moi que ce n'est pas à cause de la mine qu'il s'est fait tirer…

Messiah l'avait considéré comme s'il fixait une proie. Puis il avait souri.

— Bien sûr que non. Tu voulais me voir ?

Thomson avait semblé hésiter, puis il avait joué son va-tout.

— Je ne passerai pas par quatre chemins. C'est moi la bonne personne pour reprendre la mine, pas B-Lefski. Le petit m'a appelé. Il est dépassé…

Thomson avait soutenu le regard de son interlocuteur, qui le transperçait.

— J'ai déjà les connaissances, les contacts. Tu me donnes quinze pour cent pendant que tu prépares la relève. Je te garantis deux ans. Après, je prends ma retraite.

Il avait adopté une voix douce, tentant de jouer la carte de la vulnérabilité.

— Je ne le fais pas juste pour moi. C'est ce que Nikolaï aurait voulu.

— Dix pour cent… La même *cut* que lui.

Messiah s'était avancé vers Thomson et avait pris son visage entre ses mains avec fermeté.

— Pis fais-moi-le pas regretter, Robert, OK ?

Thomson avait caché son malaise et hasardé un sourire.

— Tu oublies le fusil de précision. J'ai toujours livré la marchandise, non ?

Une métamorphose s'était opérée. Messiah lui avait touché l'épaule, redevenant soudain presque amical.

— Pour les funérailles… si jamais je peux faire quelque chose.

Thomson avait cru apercevoir l'ouverture qu'il attendait ; il s'était risqué.

— Ne t'inquiète pas pour moi. Je vais passer au travers. Toi aussi tu as vécu des affaires difficiles, et tu t'en es sorti…

Il avait laissé le silence s'installer. Puis il avait lancé ce qu'il croyait être son appât, ce qui allait lui attirer la sympathie de son interlocuteur.

— Nikolaï m'a raconté ce qui t'est arrivé. Ça m'a beaucoup touché. Tu sais qu'il t'aimait comme un père…

Messiah avait paru ému, puis son émotion s'était transformée en agacement.

— Un père… c'est vraiment la dernière personne sur qui tu peux compter.

Un pli avait barré le front de Messiah. Glissant discrètement sa main sous son *bomber jacket*, il avait toisé l'autre, comme s'il cherchait à le percer à jour.

— Mais… Nikolaï t'a raconté quoi, au juste ?

— Ce que tu as retrouvé dans la main de la petite en Afghanistan… D'ailleurs, j'ai fait venir quelque chose pour toi par mes contacts en Russie.

Le temps s'était contracté, la pièce était devenue minuscule. Une goutte de sueur avait coulé sans fin le long de la joue de Thomson. Puis, d'un geste sec, Messiah avait brusquement accéléré le temps. La lame de son couteau de commando avait transpercé l'abdomen de son vis-à-vis, qui avait grogné des borborygmes, les yeux écarquillés de surprise, avant de s'effondrer dans les bras de son meurtrier.

Messiah avait murmuré à son oreille avant de le laisser glisser doucement au sol.

— Désolé, Robert, mais Nikolaï a toujours trop parlé.

# 42

## Une momie et un avis

À l'étage, Jacinthe se trouvait dans la chambre à coucher. Les draps étaient tirés sur le lit. Elle avait consulté la pile de livres sur la table de chevet : des ouvrages consacrés aux grands peintres, sauf un, qui portait sur le nudisme. Elle avait esquissé un sourire amusé et reposé le volume. Avec peine, elle s'était ensuite penchée pour jeter un coup d'œil sous le sommier. En vain.

C'est au moment de se relever qu'elle l'avait entendu hurler son prénom d'un ton qui l'avait poussée à rejoindre l'escalier à toute vitesse et à dévaler les marches.

Victor sortit sur la terrasse par la porte vitrée de la cuisine. Les premières bouffées arrachées à sa cigarette dissipèrent ses haut-le-cœur. Il s'accouda à la balustrade de marbre et laissa son regard glisser sur la piscine creusée, en contrebas, où les rayons du soleil scintillaient à la surface de l'eau parsemée de branches mortes.

Il entendit du bruit dans son dos, puis la voix de Jacinthe, qui s'installa à ses côtés.

— Ça fait pas longtemps qu'il est là. Mais attriqué de même, ça aurait pris une couple de jours avant que ça se mette à puer la charogne.

— On peut pas être certains que c'est Thomson, à moins de couper le plastique.

— C'est lui. Mais on fera pas ça.

Victor se tourna vers elle et approuva de la tête.

— On dirait que le tueur a fait le ménage. As-tu trouvé un ordi en haut? Des papiers?

— Non, rien. Mais pourquoi tuer Thomson au juste?

Ils ressassèrent leurs hypothèses en silence un instant. Puis, éteignant son mégot et le gardant dans sa paume, Victor reprit.

— Thomson a travaillé trois ans en Russie… Ça nous dit quoi?

— Marée Rouge? Y aurait-tu été impliqué dans les histoires de liste de sympathisants russes avec Komarov?

Victor contempla la cime des arbres, puis l'horizon, mais ce qu'il voyait se trouvait à l'intérieur de lui.

— C'est pas un motif suffisant pour le tuer, me semble. Pas après tout ce temps-là…

Il réfléchit un moment. Des liens commençaient à se préciser dans sa tête.

— Komarov gardait la photo de mes parents pis de Monsieur X cachée dans son piano. Peut-être même que c'est à cause de ça qu'il est mort. Tu me suis?

Elle hocha lentement la tête.

— Comme une paire de fesses dans une paire de bobettes.

Encore secoué, Victor fit quelques pas sur la terrasse.

— Au resto russe, je demande à Komarov de me dire qui aurait recruté mon père dans Marée Rouge. Juste après, le commando arrive comme par magie et le tue. Pourquoi?

Jacinthe quitta l'appui de la balustrade et se redressa à son tour. Ils se faisaient face.

— Ça ressemble à un geste de panique, tu trouves pas? Comme s'ils avaient voulu l'empêcher de t'aider à remonter jusqu'à Monsieur X.

Victor la rejoignit dans le domaine des conjectures.

— Et si c'était la même chose pour Thomson, Jacinthe ?

— Genre qu'il connaissait l'identité de Monsieur X et qu'on a voulu le faire taire ?

Interloqué, il fit signe que oui.

— Si c'est le cas, c'est peut-être pour la même raison qu'ils ont tué Lefebvre…

Elle attrapa une poignée de jujubes dans son pantalon cargo et la goba.

— C'est ben beau tout ça, mais ça nous avance *fuck all*. Pis Thomson est mort.

Troublé, Victor jeta un coup d'œil accablé à l'intérieur. De l'endroit où il se trouvait, il apercevait l'armoire et une partie du cadavre emprisonné dans son enveloppe de polyuréthane.

— Qu'est-ce qu'on voit pas entre les lignes ?

Jacinthe lui donna une claque dans le dos et se mit à marcher vers la sortie.

— Aucune idée, Messmer. Mais en attendant, on sacre notre camp d'icitte avant de se faire pogner.

Il la suivit et referma la porte vitrée derrière lui. Il la rattrapa dans l'entrée.

— Faut appeler Paul.

Lèvres plissées, elle fut catégorique.

— Nenon. Ça va virer en marde si Paul apprend qu'on était ici. On va appeler Loïc pour dire qu'on pense que Thomson est en danger. Il va envoyer des patrouilleurs. Pis nous, on va laisser la porte entrouverte. Comme ça, ils vont rentrer, pis y vont trouver le corps.

Alors qu'il s'apprêtait à l'enjamber, Victor porta son attention sur le courrier qui reposait sur le carrelage de l'entrée. Parmi les enveloppes, il attrapa un avis de livraison de colis de Postes Canada. Après avoir consulté Jacinthe du regard, il l'empocha.

— J'appelle Paul. J'ai donné ma parole.

Ils sortirent et marchèrent vers la voiture.

— Fuck, Lessard! Pourquoi faut toujours que tu fasses le contraire de ce que je dis?!

— Tu voudrais que je fasse le contraire du bon sens?

— Le bon sens, c'est ça! C'est ce que je te dis! Passe-moi donc le carton.

Il lui tendit l'avis de livraison, l'air perplexe.

— Ça va être compliqué de récupérer ça. On n'a même pas de pièce d'identité.

Elle lui adressa un sourire narquois.

— Pas de pièce d'identité? Checke-moi ben aller, mon homme.

Victor l'attrapa par le coude et la força à s'arrêter.

— Jacinthe, ta badge, c'est comme le karaté, tu peux pas t'en servir.

D'énormes lunettes de hipster sur le bout du nez, la jeune préposée au courrier du bureau de poste s'entêtait, parlant d'une voix forte et assurée.

— Ça va me prendre une pièce d'identité au nom de Robert Thomson.

Victor baissa la tête, embarrassé.

— Oui, je comprends, madame. Mais c'est juste que…

Derrière lui, la file s'étirait et les soupirs de mécontentement commençaient à se faire entendre. La bague de Jacinthe claqua avec fracas sur le comptoir, tandis qu'elle agitait son insigne du SPVM sous le nez de la préposée.

— Police! C'tu assez clair pour toi ou t'as besoin d'une photo de passeport avec ça?

Le regard de la préposée passa de Jacinthe à l'affichette sur le mur où on pouvait lire qu'aucun langage ou comportement agressif n'était toléré, puis elle pivota sur ses talons et disparut derrière une porte à battants.

Victor dévisagea sa partenaire, agacé.

— T'avais promis! Pis j'avais la situation en main.

— Ben oui, chose. Rien qu'à voir, on voit ben !

Il la reprit à voix basse, sur un ton de reproche.

— Tu peux pas te servir de ton pouvoir comme si tu représentais le SPVM. Ça va t'attirer des ennuis. Pis ça, c'est la dernière chose que je veux. Tu prends assez de risques de même.

Elle le considéra avec bonhomie.

— Yo, capote pas, mon homme. Une fois de temps en temps, c'est pas si grave.

— T'es de mauvaise foi, Jacinthe. Quand le chapeau te fait, mets-le donc.

— Moi, au moins, mon chapeau fait du chemin…

Victor écarquilla les yeux et réprima un sourire.

— Ton chapeau fait du chemin, hein ?

Elle gonfla les joues et laissa l'air emprisonné dans sa bouche sortir lentement.

— J'me comprends.

Il n'insista pas, d'autant que la préposée reparut sur ces entrefaites. Elle tenait une petite boîte de carton rectangulaire, qu'elle posa sur le comptoir. Jacinthe prit le colis, puis, en détachant chaque syllabe avec soin, fit ses adieux à l'employée des postes d'un air carnassier.

— Surtout, garde le sourire, ma grande. Ça te va tellement bien.

Embêté, Victor haussa les épaules et remercia la jeune femme, dont les yeux crachaient du feu. Jacinthe voulut ouvrir le colis dès qu'ils eurent regagné la voiture, mais il réussit à la convaincre d'attendre.

— On prend pas de risques, on sait pas ce qu'il y a là-dedans, Jacinthe.

Et tandis qu'ils roulaient vers leur repaire dans Chinatown, elle se félicita du travail accompli.

— J'y ai fermé sa gueule, hein ? Font chier, les p'tits crisses de milléniaux qui savent toute sur toute. On niaise pas avec matante Jacinthe.

Assis derrière le volant, cellulaire à l'oreille, Victor se trouvait seul dans l'habitacle de la Saab stationnée dans l'anonymat d'une rue transversale au boulevard Décarie.

— Salut, Paul. Robert Thomson, ça te dit-tu de quoi?

À l'autre bout, la voix du commandant des crimes majeurs se fit méfiante.

— On est supposés l'interroger tantôt. Pourquoi?

— Parce qu'il est mort. Faudrait envoyer l'identification judiciaire chez lui.

Delaney marqua une pause pour mieux exploser.

— Quoi?! Qu'est-ce que vous faisiez chez Thomson?

Victor secoua la tête et ferma les paupières, mais il se tint coi.

— J'espère que Jacinthe était pas avec toi! J'ai-tu besoin de te dire qu'elle va être dans le trouble si elle joue à la police pendant son «congé de maladie»?

Victor allait répondre, mais, en furie, Delaney poursuivit.

— Pis toi, on n'en parle même pas! Vous pouvez pas aller sur une scène de crime de même, sans conséquences!

Soucieux d'éviter un affrontement mais se refusant à mentir, Victor soupira.

— T'as raison, Paul, on aurait dû t'appeler avant d'aller chez Thomson. Mais les choses se sont pas passées comme prévu.

Delaney ne décolérait pas.

— Pas passées comme prévu? Allo?! On avait un deal, tous les trois! Vous étiez censés me contacter dès que vous trouviez quelque chose. Pis le show de boucane à la Place des Arts, pensiez-vous que je ferais pas le lien?

Victor serra les mâchoires. Il commençait à bouillir, mais préféra se la boucler. Un long silence douloureux passa, puis Delaney reprit.

— Là, tu vas m'écouter ben comme il faut, Victor. Je veux que Jacinthe pis toi, vous vous tassiez du chemin. Compris? Sinon je vous fais arrêter!

Victor ne perdit pas la maîtrise de ses émotions, mais il s'entendit parler à Paul Delaney sur un ton qu'il n'avait jamais encore utilisé avec lui.

— J'arrêterai pas. J'arrêterai pas tant que j'aurai pas trouvé les responsables. Fais ce que t'as à faire de ton bord, Paul. Je vais faire la même chose.

Il raccrocha et s'aperçut qu'il tremblait d'indignation. À ce moment, Jacinthe entra dans la voiture avec un sourire en coin et un sac de papier duquel émanaient des effluves de fast-food.

— Je te l'avais dit de pas l'appeler.

Victor passa une main dans ses cheveux.

— Paul a raison. Faut que t'arrêtes. T'as trop à perdre.

Jacinthe l'examina de pied en cap.

— Mets-en que j'ai trop à perdre.

Installé à la table de la salle commune, l'air reconnaissant, Gagné mordit dans son hamburger.

— Mmm… Fait changement des mets chinois.

Avachie dans un fauteuil, Jacinthe dévorait le sien.

— Rien là, mon big. C'est Lessard qui a tout payé.

L'ancien policier leva son Coke à l'intention de Victor, qui, en retrait dans le dortoir, assis sur son lit de camp, prenait des nouvelles de l'état de santé de Nadja.

Tandis que Gagné siphonnait le cola bruyamment avec sa paille, Jacinthe pointa l'index vers la robe de chambre rose qu'il avait enfilée.

— Ça te va bien, ce modèle-là. Y en font-tu pour femme ?

Avec l'ongle, Gagné délogea un morceau de nourriture coincé entre ses dents.

— Tu mettras la mienne, j'm'en sacre…

Ils relevèrent tous les deux la tête quand Victor vint les rejoindre, la mine sombre.

Jacinthe l'enveloppa d'un regard empathique.

— Pis, c'est quoi, les news ?

Victor se laissa choir dans le fauteuil à droite de sa partenaire et se frotta les yeux.

— Pas de changement pour l'instant. Son état est stable.

Jacinthe donna quelques claques d'encouragement sur sa cuisse gauche.

— Fais-toi-z'en pas, mon homme. Elle va être correcte, ta chiquita.

Victor baissa la tête, affligé. Il souhaitait de tout son cœur qu'elle ait raison. Il avait hâte de retrouver la chaleur de son amoureuse. Il avait si froid près des autres.

Peu à l'aise avec ce trop-plein d'émotions, Jacinthe avala sa dernière frite et se frotta le ventre en poussant un soupir.

— Ouf… Vraiment pleine, moi là. Juste te dire, Lessard : la prochaine fois que t'insistes pour qu'on se tape du fast-food, je vais être obligée de refuser.

Un sourire apparut sur les lèvres de Gagné, puis sur celles de Victor, par effet de contagion. Jacinthe s'esclaffa, aussitôt suivie par Gagné. Bientôt, ils riaient tous les trois aux larmes. Le temps d'une parenthèse, ils pouvaient se comporter comme des gens ordinaires. Car c'est tout ce qu'ils étaient, en réalité. Des gens ordinaires aux prises avec des circonstances extraordinaires.

Quand ils eurent à peu près retrouvé leurs esprits, Jacinthe attrapa le colis qu'elle avait posé sur le plancher. Elle le mit sur la table, puis enfila des gants de latex. Gagné déplia le couteau qu'il avait sorti de sa poche de pantalon et le lui remit.

— Prêts pas prêts, j'y vais.

Jacinthe fit sauter le ruban retenant le couvercle et enleva prudemment le papier bulle qui protégeait l'intérieur. Une quinzaine de pierres bleues aux reflets mauves, toutes identiques, apparurent au fond de la boîte. Elle en saisit une entre ses doigts. Un visage d'enfant était finement gravé dessus.

— Des lapis-lazulis…

Victor tendit sa paume gantée. Elle y déposa la pierre.

— C'est bien ce que vous avez trouvé empilé en inukshuk dans le nid des tireurs ?

Elle se mordit la lèvre et confirma qu'outre la gravure il s'agissait de pierres similaires. Celles-ci portaient toutes la même gravure. Ils en discutèrent, mais échouèrent à y déceler un sens. Puis Gagné examina le rabat de la boîte, où figurait l'adresse de l'expéditeur.

— Ça vient de Russie. Pourquoi Thomson a reçu ça ?

Victor fronça les sourcils, embêté.

— Je sais pas. Mais ça le relie à ceux qui ont tué Lefebvre.

Gagné s'appuya au dossier de sa chaise.

— Thomson était-tu un de ceux qui ont tiré le journaliste ? J'ai vraiment rien vu dans son profil qui permette d'aller là…

Victor réfléchit un moment. Ça ne correspondait effectivement pas.

— Je vois deux possibilités. Soit quelqu'un a placé ça sur le mont Royal pour incriminer Thomson, soit Thomson a fourni les pierres aux tireurs.

Jacinthe remit la pierre dans sa boîte avec une délicatesse qui ne lui était pas coutumière.

— Même si on suppose que Thomson est mort parce qu'il connaissait l'identité de Monsieur X, ça nous dit pas ça représente quoi, ces pierres-là. Il nous manque des liens.

Ils méditèrent là-dessus quelques secondes. Victor avait l'impression qu'ils se rapprochaient de quelque chose. Il ignorait encore de quoi, mais ils avançaient dans la bonne direction. Il se tourna vers Gagné.

— Pis les profils militaires ? Ça donne quoi ?

— Une aiguille dans une botte de foin. Pis je suis même pas certain qu'on fouille dans la bonne écurie.

L'ancien policier attrapa un calepin sur lequel il avait jeté des notes.

— Ce qu'il y a sur la clé, c'est les profils des militaires qui ont un casier judiciaire et qui ont fait du tir de précision. Cinquante-deux candidats. Trafic de drogue, voies de fait, violence conjugale. Pas d'homicide. Là-dessus, il y en a vingt-huit qui ont servi en Afghanistan.

Jacinthe soupira, découragée.

— On peut pas les vérifier un par un. Même avec les moyens des crimes majeurs, ça prendrait des jours, peut-être des semaines. Pis on n'est pas sûrs que les tireurs ont un casier ni que c'est des militaires qui ont fait le coup.

Gagné approuva, conscient plus que quiconque de la complexité de la tâche.

— J'ai parlé à un vieux chum du Royal 22e qui m'en doit une. D'après lui, la liste passe à six cents noms si on inclut les militaires sans casier qui ont touché au tir de précision.

Il avala une gorgée de Coke avant de continuer.

— Si j'étends la liste aux tireurs d'élite du SPVM, on se ramasse avec au moins cinquante noms de plus. Pis si on ajoute ceux de la SQ, ça monte à…

Il consulta ses notes pour trouver le chiffre. Victor posa une main sur son bras.

— *Good job*, Yves. On avait besoin d'un point de départ. Ce que ça nous montre, c'est qu'il y aura pas de miracle. Si on veut avancer sur cette voie-là, il va falloir examiner les profils un à un, pis rencontrer chaque candidat.

Jacinthe froissa l'emballage de son dernier burger.

— Ouin ben, gracias, mon big. On n'est pas proches de sortir de ton cinq étoiles.

Gagné leur sourit d'un air énigmatique.

— Ben justement, j'ai une p'tite sortie à vous proposer, les siamois. Pis cette fois-là, pas question que je reste ici à faire le secrétaire.

Il retira sa robe de chambre, prit son manteau et partit vers l'entrée. Jacinthe et Victor se regardèrent, intrigués.

## 43

## Déterrer les morts

Dans les bureaux des crimes majeurs, Paul Delaney avait vidé sa table de travail d'un mouvement ample de l'avant-bras après que Victor lui eut raccroché au nez. Cravate détachée, manches de chemise relevées, il ramassait les dossiers répandus sur le plancher lorsque Marc Piché apparut dans l'embrasure. Mains dans les poches, le chef du SPVM contempla la scène d'un œil sceptique, comme un inspecteur d'assurance qui jauge les dommages après le passage d'une tornade.

— Gros courant d'air, j'imagine ?

Delaney rassembla des photos provenant des vidéos de surveillance qui montraient Victor traqué par les tireurs à la Datcha Zakouski. Puis il désigna son ventilateur sur pied, qui se dressait dans un coin de la pièce comme un épouvantail.

— Il y a des fluctuations de courant ici. Je peux même plus partir ma fan tranquille.

De mauvais poil, traits tirés, Piché s'assit sur le siège du visiteur.

— Taillon en congé de maladie, c'est-tu sérieux, ça ?

Delaney s'affala dans son fauteuil et soutint son regard sans sourciller.

— Inquiète-toi pas pour les heures supplémentaires, si c'est ça le problème.

— Mon problème, c'est de voir le commandant des crimes majeurs sur le terrain.

Delaney ferma les paupières, mais se contint.

— Tu réalises quand même que la partner de Jacinthe est aux soins intensifs pis que son meilleur ami s'est fait tirer et a disparu?

Piché enleva une mousse sur la manche de son uniforme.

— À ce que je sache, t'as même pas de rapport de psy...

— Tu voudrais quoi? Un diagnostic de choc post-traumatique pis qu'on la perde pendant six mois? Moi, j'aime mieux qu'elle parte quèques jours en moto.

Les deux hommes croisèrent le fer.

— Ben d'abord, il va falloir que tu m'expliques ta stratégie, Paul. Pis tes explications ont besoin d'être convaincantes.

Delaney recula sur sa chaise.

— J'ai repris le dossier. Loïc me donne un coup de main. C'est tout.

Les yeux au plafond, Piché rétorqua sur un ton moqueur.

— Blouin-Dubois? Il a à peu près quinze minutes d'expérience. Pis toi, ça fait quoi, dix-douze ans que t'as pas enquêté? Peut-être plus...

Piché poursuivit comme s'il se parlait à lui-même.

— Non... Il va falloir que je te trouve de l'aide. Et vite à part ça.

Delaney répliqua d'une voix contrôlée, mais ferme.

— C'est à ma gang qu'on s'est attaqué, c'est mon enquête.

Piché se leva et, appuyant ses paumes sur le bureau, il se pencha vers Delaney.

— Moi, je suis là pour prendre les décisions difficiles. C'est ça, avoir du leadership.

Le chef des crimes majeurs planta son regard dans celui de son supérieur.

— Oh, j'ai aucun problème si tu veux parler de leadership, Marc. Mais personne est dupe. Au cas où tu serais pas au courant, ça jase depuis la mort de Tanguay.

Piché accusa le coup en silence, puis il se redressa.

— Je te donne soixante-douze heures. Mais fais ben attention avec les bruits de corridor, Paul.

Delaney saisit la menace à peine voilée.

— Mon but, c'est d'arrêter des tueurs, pas de déterrer les morts.

## 44

## Palissades infranchissables

La Saab filait dans l'obscurité sur un chemin de gravier qui menait au quai d'une pétrolière et à ses citernes de mazout, tout près de la rue Notre-Dame Est. La pluie avait repris, le vent faisait ballotter les arbres. À l'intérieur du véhicule, la hiérarchie et le poids des habitudes avaient été respectés : Jacinthe tenait le volant, Victor se rongeait les sangs sur le siège passager et Gagné régnait en roi et maître sur la banquette arrière.

Cette fois, l'ancien policier ne leur avait pas laissé le choix : il avait refusé de leur dire où ils pourraient trouver celui qu'ils cherchaient, se bornant à donner au compte-goutte des indications sur la route à suivre.

Jacinthe lui jeta un regard dans le rétroviseur.

— Pis t'as appris quoi sur le p'tit crisse de rappeur ?

Gagné sortit un carnet de sa poche et s'éclaira avec la lampe de son cellulaire.

— Son vrai nom, c'est Lucas Bérubé-Bilefski. Vingt-sept ans. Pas fini son cégep. Enfant unique. Son père est pédopsychiatre, sa mère, chirurgienne plasticienne. A connu un gros succès en 2016 avec son premier album, *Grammatica.*

Il s'interrompit et baissa sa vitre. Jacinthe le vit s'éponger le front avec le revers de sa main.

— Yo, ça va, Gagné ? T'es blanc comme si tu venais de fumer un batte de dix pouces.

Il prit une profonde inspiration, les yeux rivés au plancher.

— Ça me donne mal au cœur de lire en char.

— Donne ton calepin à Lessard, il va finir de nous briefer.

Gagné sortit la tête par la fenêtre entrouverte quelques secondes, puis il posa l'arrière de son crâne contre l'appuie-tête.

— Non, non, c'est beau. De toute façon, pour le reste, j'ai pas besoin de mes notes. Pas de casier judiciaire. Arrêté une fois en 2017 pour une histoire de pilules, mais y s'en est tiré. Apparemment, le DPCP avait pas assez de preuves.

Victor considéra Jacinthe.

— T'es sûre que B-Lefski a parlé aux deux gars qui nous ont agressés à la Place des Arts ?

Elle répondit sans hésiter.

— Certaine. Les deux dudes sont arrivés, ils l'ont rejoint, y se sont parlé quinze-vingt secondes, pis après ton beau B-Lefski a pointé vers les loges.

— Il y a quand même une question d'interprétation. T'as pas entendu ce qu'ils se disaient. Ils avaient peut-être déjà ma description et lui demandaient s'il m'avait vu.

— C'est clair que toute dans vie est une question d'interprétation. C'est comme tout ce qu'on s'est raconté à propos de Monsieur X. Peut-être qu'on se trompe. Peut-être que je me trompe. Ou peut-être pas…

Victor approuva de la tête et laissa les paroles de Jacinthe faire leur chemin. Elle avait raison. Ils se cognaient aux palissades infranchissables d'un labyrinthe géant et avançaient à l'aveuglette sans aucune certitude autre que celle qu'ils devaient se fier à leur instinct. En la matière, il était convaincu que celui de Jacinthe était aussi sûr que le sien.

Ils avaient des façons différentes d'aborder le réel, des sensibilités propres face à certaines situations, mais il avait besoin d'elle pour étayer la base sur laquelle asseoir ses propres impressions, ses raisonnements, et elle, de ses « grandes théories » pour pousser toujours plus loin leur recherche de la vérité.

Jacinthe éteignit les phares pour éviter qu'on les repère. Victor reprit.

— Bref, tu le sens pas, B-Lefski.

Sa réponse fusa, nette, précise, tranchée.

— Non. Pas pantoute.

La voiture glissa sans bruit dans la nuit, sur le chemin de gravier. Jacinthe se gara. Ils demeurèrent silencieux un moment. Devant eux, le fleuve étendait sa masse sombre et agitée. Sur leur droite, un pétrolier amarré au quai du centre de stockage désert était fouetté par les embruns.

De l'autre côté, un boisé dissimulait un entrepôt ceint d'une clôture surmontée de barbelés, lui conférant des airs de forteresse. Victor se tourna vers Gagné, qui avait retrouvé son teint habituel.

— T'es sûr que c'est là, Yves ?

— Certain. Le building est juste après les arbres. Mais…

Il marqua une hésitation avant de se résoudre à livrer le fond de sa pensée.

— On devrait peut-être s'annoncer… ?

Jacinthe arma son revolver, le glissa dans sa ceinture et gloussa en alternant les voix.

— Ben oui ! « Allo ? B-Lefski ? C'est-tu toi qui nous as attaqués ? » « Ah, salut Jacinthe ! Faut pas le prendre personnel ! » « Pas de trouble, big, pas de trouble. »

Victor posa une main sur son bras pour la faire taire.

— OK, voilà ce qu'on va faire.

Jacinthe trouva une poignée de graines de tournesol dans une poche de son pantalon cargo et la mit dans sa bouche. Ils avaient parcouru à pied et en silence les deux cents derniers mètres dans le noir et se trouvaient dissimulés derrière un monticule de pierres.

— Le gars est un chanteur de rap connu, pis copropriétaire d'un atelier de soudure. Y a-tu juste moi qui trouve que ça fitte pas ensemble ?

L'enquêtrice avait tenté de murmurer. Heureusement, le vent couvrait sa voix. Gagné hocha la tête, l'air amusé.

— Parce que animateur de téléréalité pis président des États-Unis, tu trouves ça compatible, toi ?

Yeux plissés, une paire de jumelles entre les mains, Victor détaillait avec attention l'entrepôt rectiligne qui se dressait devant eux. Son regard s'arrêta sur deux hommes armés qui fumaient près d'un cylindre métallique d'où s'élevaient des flammes.

— J'peux déjà vous dire que c'est pas un entrepôt de soudure, ça.

Il tendit les binoculaires à Jacinthe, qui se mit à étudier les alentours.

— Je vois au moins deux gars armés, pis un système de caméras de surveillance.

Elle cracha des écales par terre et renchérit.

— Ça, pis s'il y a pas un détecteur de mouvement, j'porte la robe de chambre que Gagné m'a achetée pour le reste de la semaine !

Elle poursuivit son observation. Gagné demanda au bout d'un moment :

— Comment on fait pour être sûr qu'il est là ?

Jacinthe abaissa les jumelles et se tourna vers lui.

— On rentre, c't'affaire.

Victor fit signe que non.

— Avec les gardes armés ? Oublie ça.

Reprenant les binoculaires des mains de Jacinthe, il scruta encore les installations qui se profilaient devant eux.

— Tu déclenches pas une guerre si tu peux l'éviter.

— OK d'abord, c'est quoi ton plan, mon homme?

Gagné stoppa la Saab dans un nuage de poussière devant la porte de l'enceinte. Il appuya de longues secondes sur le klaxon tandis que la chaîne stéréo vomissait de la musique tonitruante. Puis il sortit de la voiture. Un pan de sa chemise pendait hors de son pantalon. Il se mit à crier d'une voix forte, qui semblait déformée par l'alcool.

— Eille! Y aurait-tu moyen d'avoir un p'tit coup de main, les gars?

Près du cylindre de métal, les deux hommes ne bougèrent pas. Le reflet des flammes léchait leurs visages.

— Eille, là-bas! J'ai besoin d'aide!

Sachant qu'il avait attiré leur attention, Gagné continua ses exhortations jusqu'à s'époumoner. Mais quand il vit que les deux gardes demeuraient sur leur position, il battit en retraite vers le véhicule et appuya de nouveau sur le klaxon par la vitre entrouverte. Il fit ensuite des appels de phares avant de revenir vers la clôture, qu'il agrippa à deux mains pour la secouer.

— Eille! Mon cell est mort, pis j'ai besoin d'aide! Eille!

Les gardes tinrent un bref conciliabule, puis l'une des deux silhouettes se détacha de la lueur des flammes et s'évanouit dans la pénombre. Quelques instants plus tard, une jeep roulait en direction de la porte d'enceinte. L'homme qui était resté près des flammes balança sa cigarette, marcha vers l'immeuble et disparut à l'intérieur. Entre-temps, Gagné s'était assis sur le sol caillouté, la tête entre les mains, comme s'il essayait de reprendre ses esprits.

Le conducteur immobilisa son véhicule de façon à éclairer l'inconnu et la Saab avec ses phares, qu'il laissa allumés tandis qu'il mettait pied à terre et s'avançait vers le portail de la clôture.

Gagné se leva et porta une main en visière à son front.

— Ah, merci! Merci, monsieur! J'ai fait un flat, mon cell est mort, pis j'ai pas de roue de secours! Ça serait-tu possible de vous demander de m'appeler un towing?

Alors qu'il terminait sa phrase, Gagné avait esquissé un geste comme pour attraper son portefeuille dans sa poche arrière, mais le suspendit lorsque la voix du garde tonna.

— Laisse tes mains à une place où je peux les voir!

Gagné plissa les yeux, incommodé par la lumière des phares, mais il crut voir se découper la forme d'un poing fermé qui tenait un pistolet braqué dans sa direction. L'ancien policier leva les mains devant lui, paumes tournées vers le ciel.

— Je voulais juste sortir un peu de cash, pour toi!

— C'est une propriété privée, ici! Décâlisse!

Jouant à celui qui titube et peine à conserver son équilibre, Gagné s'avança.

— C'est pas cool de faire des peurs au monde de même! Juste un coup de fil pis je m'en vais.

Dans l'obscurité, vingt mètres en amont du portail où parlementait Gagné, Jacinthe coupa une quinzaine de mailles de la clôture à partir du sol à l'aide de cisailles que Gagné avait apportées, puis elle souleva le coin afin que Victor puisse s'y glisser. Son épaule blessée se rappelant à sa mémoire, celui-ci se faufila dans l'ouverture tandis qu'elle chuchotait à son intention.

— J'espère juste que t'as raison pis que t'activeras pas un détecteur de mouvement.

Son torse était de l'autre côté de la clôture quand il répondit à voix basse.

— On fait comme j'ai dit. Pis, surtout, peu importe ce qui arrive, tu tires pas. Compris?

Elle acquiesça d'un signe de tête. Victor se mit à ramper vers la porte de l'enceinte. Pour éviter la lumière des projecteurs, il longeait l'ombre de la clôture. Son calcul était simple. L'homme qui était resté derrière n'avait eu d'autre choix que de rentrer pour désactiver l'alarme dans la zone où se trouvait son collègue. Ainsi, Victor s'était placé à la limite de ce qu'il estimait être la zone non couverte.

Près de la clôture, Gagné continuait d'argumenter, mais la patience du garde s'étiolait.

Victor rampa encore dix mètres dans les mauvaises herbes et les cailloux, longeant la clôture, puis il bifurqua sur sa gauche en décrivant un arc de cercle de manière à contourner le garde et à se retrouver derrière lui.

— Je te donne dix secondes pour rembarquer dans ton char pis sacrer ton camp. Sinon…

Le garde sentit tout à coup le canon d'une arme posé contre son crâne et se figea. La voix de Victor monta, ponctuée par le cliquetis de la sûreté de son pistolet qu'il retirait.

— Sinon quoi?

## 45

## Discussion au clair de lune

La Saab s'arrêta dans un coin sombre d'un cimetière de voitures situé près du terminal portuaire de Montréal-Est. Victor descendit et ouvrit le coffre, découvrant le garde dont ils avaient entravé les poignets et les chevilles. Le front de l'homme était couvert de sueur, ses yeux écarquillés de colère, et une bandelette de *duct tape* collée sur sa bouche l'empêchait de parler. Il s'agissait du Colosse, celui-là même que Jacinthe avait envoyé valser d'un coup de pied dans les parties génitales, à la Place des Arts.

L'enquêtrice apparut à son tour dans le champ de vision de l'homme, un couteau à la main.

— Pis, le mal des transports? Tu t'es pas trop fait brasser?

Elle caressa la mâchoire du Colosse avec la lame, la glissa de son menton vers sa gorge, descendit sur son thorax et s'arrêta tout juste à la hauteur de son pubis. Les ailes de son nez en pleine extension, il la détaillait avec un mélange d'appréhension et de haine.

Elle poursuivit sur le même ton badin.

— C'est ça qui arrive quand on est trop cheap pour voyager en première classe.

La pointe du couteau dessinait maintenant de petits cercles autour des testicules de l'homme.

— En plus, c'est pas comme si t'avais pas les moyens de te payer ça. T'sais, avec des bijoux de famille de même…

Elle fit une pause, appuya deux doigts contre son oreille, comme si elle venait de recevoir une communication, puis esquissa un sourire aussi faux que large.

— Quoi ? Ah oui ! C'est vrai ! La valeur des bijoux a mangé un coup récemment.

Elle fit une moue narquoise tandis qu'elle coupait l'attache immobilisant ses chevilles.

— Pauvre p'tit pitou…

Jacinthe avait prononcé ces paroles avec une emphase exagérée, mais le Colosse expulsa un soupir de soulagement par les narines. Impassible, Victor avait assisté à la scène sans détacher son regard de celui de l'homme une seule seconde. Il l'attrapa par le collet et le redressa dans le coffre. De la colère dansait dans ses pupilles.

Alors qu'ils se trouvaient toujours dans l'enceinte de l'entrepôt, Victor l'avait désarmé, l'autre n'opposant aucune résistance, puis il l'avait obligé à déverrouiller le portail. Le Colosse avait d'abord prétendu qu'il n'en possédait pas la clé, mais un violent coup de poing dans les reins lui avait rendu la mémoire.

Une fois la porte ouverte, l'entraver et le forcer à se coucher dans le coffre de la Saab avaient pris moins d'une minute. Victor avait abandonné son walkie-talkie et son arme au pied de la clôture, puis Jacinthe avait effectué un demi-tour et la voiture était repartie en sens inverse.

Jacinthe faisait les cent pas devant la banquette de voiture défoncée sur laquelle ils avaient installé leur prisonnier, à même le sol poussiéreux. Des carcasses de voitures empilées et des monticules de rebuts de métal les entouraient.

Le Colosse, à qui Victor avait retiré le bâillon, crâna.

— Vous me ferez rien, vous êtes des polices. Je le sais.

Jacinthe se pencha sur l'homme, tout le haut de son corps massif menaçant de s'affaisser sur lui. Elle lui donna quelques claques sur le côté du visage.

— Ah oui ? Moi, je pense plutôt que, quand on va avoir fini avec toi, tu vas voir toutes les couleurs de l'arc-en-ciel mon beau.

Le Colosse paraissait moins impressionné par les paroles de Jacinthe que par le couteau qui pendait le long de sa cuisse. En retrait, assis sur le capot de la Saab, Gagné fumait une cigarette.

Victor se tourna vers elle.

— Laisse-nous. Je vais m'en occuper tout seul.

Elle le dévisagea, hésitante, puis s'adressa au Colosse.

— J'espère qu'y te maganera pas trop. Parce que, après, toi pis moi on va s'amuser avec le joyau de la couronne.

L'effroi grandit dans les yeux de l'homme, cependant qu'avec une agilité déconcertante pour sa taille Jacinthe pivotait sur ses talons et s'effaçait.

Victor fixa celui qui se tenait devant lui jusqu'à ce qu'il détourne le regard. Il savait que le Colosse était un dur à cuire et qu'il en avait probablement vu d'autres. Mais, contrairement à Jacinthe, il ne jouait pas un rôle pour intimider son adversaire. Il bouillait d'une rage à peine contenue à l'idée que celui qu'il s'apprêtait à questionner était peut-être lié à l'assaut qui avait failli leur coûter la vie, à Nadja et à lui. Sans cesser de le fouiller des yeux, Victor attrapa son cellulaire, le déverrouilla et lui montra l'écran.

— Je veux que tu checkes cette photo-là comme il faut.

Le Colosse secoua la tête aussitôt.

— Je sais pas c'est qui…

D'un geste si vif et si brutal que l'autre n'eut même pas la chance de s'y préparer, Victor l'empoigna par les cheveux, le tira vers lui et le força à se lever de son siège. La douleur tordit le visage du prisonnier. Victor relâcha sa prise et lui donna une poussée ; l'homme retomba sur la banquette. De glace, il lui présenta de nouveau l'écran de son cellulaire.

— C'est une photo de ma blonde sur son lit d'hôpital. Elle a failli mourir après avoir essayé d'empêcher des malades de me tuer. Comme toi pis ton partner à la Place des Arts.

— On n'a rien à voir avec ça.

Victor décocha un coup de poing dans l'estomac du Colosse, qui émit un grognement de douleur en se vidant de son air.

— Tu réponds quand je te demande de répondre.

Toussant sa vie, le Colosse opina.

— Je t'avertis. J'ai pas envie de niaiser.

Tandis que Victor poursuivait son interrogatoire, Jacinthe avait rejoint Gagné près de la Saab. Celui-ci envoya son mégot dans la carcasse rouillée d'un pick-up. Des langues de brume étaient apparues, conférant un aspect fanto-matique au parc à ferraille. L'ancien policier sortit de la poche de sa veste un paquet enveloppé dans du papier d'aluminium, qu'il commença à déballer.

Jacinthe esquissa un sourire.

— En aurais-tu une couple de trop?

Gagné lui tendit le paquet. Jacinthe attrapa deux *dumplings* et se les enfonça dans la bouche. Gagné en prit un et croqua dedans. Ils mastiquèrent un instant sans rien dire.

— Lessard pis toi, ça fait combien d'années que vous êtes partners?

— Depuis le 25 mai 1995. Je vais m'en souvenir toute ma vie.

Gagné attendit la suite, sachant qu'elle viendrait sans qu'il ait besoin de formuler une autre question. Jacinthe fixa un point dans le vague.

— Quand j'ai eu la job aux crimes majeurs, Lessard fai-sait équipe avec Ted Rutherford. Un genre de duo père-fils.

J'arrivais avec zéro expérience, dans un milieu de gars, en crisse contre la terre entière, lesbienne, pis pas plus en shape que maintenant. Après une semaine, j'étais déjà en conflit avec tout le monde. Lessard a été le seul à me parler au début. Le seul à s'intéresser à ce que je disais, à m'encourager. Trois mois après mon arrivée, Ted est parti à la retraite. Moi, j'étais sur le bord de la porte. Mon dossier était déjà pas mal épais aux affaires internes. Lessard était l'étoile montante. Y pouvait choisir de travailler avec n'importe qui. C'est lui qui a insisté pour faire équipe avec moi. J'ai jamais trop compris pourquoi.

L'ancien policier roula le papier d'aluminium en boule dans sa main. Il sourit.

— Faut croire que les voies sacrées de l'amour sont impénétrables.

Il réalisa au silence de Jacinthe que de vieux souvenirs faisaient leur chemin dans sa mémoire.

*Premier jour de travail. Elle est à peine installée dans son cubicule aux crimes majeurs.*

*Elle fouille dans une boîte pour en sortir ses affaires et punaise un poster de film au mur quand Victor entre en coup de vent, passe devant elle sans la remarquer, s'arrête quelques mètres plus loin, puis revient en face de son bureau.*

*— Ton poster, là… c'est pas le film où la reine veut accoupler un mercenaire avec une gladiatrice qui s'appelle Gwendoline ?*

*Ce prénom, qui donne son titre au film, figure en grosses lettres rouges sur l'affiche.*

*Jacinthe plisse les yeux, puis acquiesce d'un ton neutre.*

*— Le mercenaire s'appelle Willard. L'as-tu vu, le film ?*

*— C'est un classique. Moi, c'est Victor Lessard.*

*Il la détaille un moment, s'attachant à cerner la personnalité de son interlocutrice.*

*— Toi, c'est Gwendoline ou Willard ?*

*Un sourire tire le coin de sa bouche.*

*— Jacinthe « Willard » Taillon.*
*Ils échangent un premier regard complice.*

Gagné hocha tristement la tête. Il contemplait la boule de papier d'aluminium comme s'il s'était agi d'une étoile cassée sur laquelle la vie ne pouvait plus éclore.

— C'est beau, les couples qui durent et qui survivent aux moments difficiles.

Jacinthe émergea, puis fit signe que oui, comprenant que la remarque de Gagné concernait autant ce qu'elle venait de dire que la rupture douloureuse qu'il avait vécue.

— Je l'ai laissé tomber une fois, Lessard. J'ai pas cru en lui alors que j'aurais dû, alors que lui aurait cru en moi. Je le laisserai plus jamais tomber.

— C'est pour ça que t'es là aujourd'hui ?

— Ça, pis pour le protéger contre lui-même.

Immatérielle à la conversation entre Jacinthe et Gagné, toute l'attention de Victor était canalisée sur le Colosse. La belle assurance que celui-ci montrait quelques minutes plus tôt s'effritait à vue d'œil.

— Arrête. Je le connais pas, le dude.

Victor tenait toujours son cellulaire tourné vers lui. Sur l'écran, il avait fait apparaître la photo de ses parents avec l'homme qu'ils appelaient Monsieur X. Le Colosse expulsa un jet de sang et de salive qui vint s'écraser sur le sol devant lui.

— J'te jure que je l'ai jamais vu de ma vie.

— Juré craché ?

Jacinthe les rejoignait, suivie par Gagné. Victor reprit.

— Qu'est-ce que vous faites dans l'entrepôt de soudure ?

— Ça, je peux pas en par…

Victor venait de le frapper de nouveau, cette fois au niveau du foie. Paralysante et le privant d'air, la douleur le terrassa. Le Colosse promenait maintenant des yeux affolés autour de lui, cherchant Jacinthe comme si elle représentait pour lui le moindre de deux maux. Quand Victor leva encore le poing, la réponse fusa juste avant qu'il cogne.

— C'est une mine de bitcoins !

Jacinthe grimaça comme si elle venait de mordre dans un citron.

— Une mine de quoi ?

Le Colosse s'empressa de préciser.

— De la monnaie virtuelle. C'est plein d'ordis qui servent à inscrire pis à sécuriser des transactions. Y doit y avoir pour deux millions juste en machines là-dedans.

L'homme avait débité son explication d'un bloc. Victor sut que le Colosse disait la vérité, du moins à propos des activités qui se déroulaient dans l'usine.

— Qui gère ça ? B-Lefski ?

— Oui. Lui pis son ancienne blonde.

Victor plissa les yeux. L'image d'une femme éplorée ressurgit dans sa mémoire.

— La danseuse ? Vera Nesvitaylo ?

— Ils sont restés proches.

Victor jeta un regard entendu à ses deux partenaires.

— Qui d'autre est derrière ça ? Komarov ? Thomson ?

Le Colosse hésita une fraction de seconde, mais ce fut suffisant pour que Victor sache qu'il allait mentir.

— Personne…

Il heurta violemment la tête de l'homme avec son coude, l'envoyant valser sur le dos. Et avant même que l'autre réalise ce qui se produisait, il lui enfonça un genou dans la gorge.

— Parle ! Pis vite !

Le visage du Colosse devint cramoisi. Il balbutia en cherchant son air.

— OK, OK ! Je connais pas de noms. Je sais juste qu'y a un gars qui vient de temps en temps pour collecter. Arghhh, tu m'étouffes !

Mais Victor ne relâcha pas la pression.

— Qui ?

Le Colosse suffoquait. Il articula avec peine.

— Un gars autour de six pieds, athlétique, à peu près trente-cinq ans. Des cheveux très courts. Y enlève jamais ses lunettes fumées.

Gagné leur fit remarquer que, sur les photos de la fusillade qu'il avait prises à la Datcha Zakouski, le cagoulard qui dirigeait le commando portait des verres fumés et que sa silhouette correspondait à la description qu'en avait faite leur prisonnier.

Simple coïncidence ? Victor était trop occupé avec le Colosse pour s'en soucier.

— Donne-moi des noms !

L'homme se cabra et balança tout d'un trait.

— Je connais pas son nom ! Tout ce que je peux te dire, c'est que quand il vient B-Lefski chie dans ses culottes. Faut que tout soit en ordre !

Jacinthe intervint.

— Il a déjà reçu des menaces ?

Les yeux exorbités, le Colosse faiblissait. Sa voix n'était plus qu'un murmure.

— Pis y a déjà mangé une volée, aussi. Des côtes pis des dents cassées…

— Pourquoi ton partner pis toi vous avez essayé de me tuer à la Place des Arts ?

— On n'était pas là pour te tuer. Arghhh…

Victor appuya encore plus fort sur la gorge du Colosse. Les veines de son cou et de ses tempes se distendaient.

— Tu mens !

— Non ! C'est vrai ! Arrête, j'étouffe !

L'homme que Victor avait sous les yeux était terrorisé à présent, sa résistance vaincue. Jacinthe posa une main sur l'épaule de son partenaire, qui lâcha le Colosse. Celui-ci avala une goulée d'air en hoquetant.

— Je te niaise pas. On était là juste pour te faire un message.

Jacinthe se moqua entre ses dents.

— Ben continue de travailler sur tes habiletés sociales, mon grand. Je vais te donner les coordonnées de mon psy, si tu veux.

Intrigué, Victor poursuivit.

— Un message… Quel message ?

— B-Lefski… y voulait te parler.

Victor songea que le jeune rappeur avait de bien étranges façons de communiquer, mais il garda la réflexion pour lui.

— Je peux le trouver où ? À la mine de bitcoins ?

— Non. Pas ce soir. Il est aux Catacombes.

— Les Catacombes ? C'est où, ça ?

Le Colosse lui jeta un regard suppliant.

## 46

## Les Catacombes

La lourdeur des basses et de la percussion faisait vibrer le mur de briques que Victor longeait. Se trouvant dans une ruelle d'Hochelaga encombrée de conteneurs métalliques, l'immeuble pulsait au rythme de la musique qui provenait de l'intérieur.

Avant de quitter le cimetière de voitures, il avait essayé d'obtenir d'autres informations du Colosse, en vain. L'homme leur ayant livré tous ses secrets, ils l'avaient abandonné sur place après lui avoir retiré son téléphone, ses chaussures et son pantalon. Gagné lui avait tendu le thermos de thé qu'il avait pris pour eux avant de partir de Chinatown.

Mécontente, Jacinthe avait secoué la tête.

— T'es pas mal trop sweet, toi.

Sans s'arrêter de marcher, Victor lança un coup d'œil circulaire dans la ruelle : il n'y avait pas âme qui vive aux alentours, sauf deux types qui se tenaient près d'une porte de métal. Il arriva bientôt à leur hauteur. La musique ébranlait le battant. Visages fermés, allure inquiétante, les cerbères portaient des vestes aux couleurs de l'un des clubs de motards les plus sanguinaires de Montréal ces dernières années : les Death Riders, résurgence d'un ancien club-école des Hells Angels.

Sans qu'un mot soit échangé, l'un des *bikers* le fouilla avec un détecteur semblable à ceux qui sont utilisés dans les aéroports, alors que l'autre lui tendait un terminal. Sans hésiter, Victor composa la série de chiffres que lui avait révélée à contrecœur le Colosse.

Un message apparut à l'écran : *Authentification en cours.* Il rendit l'appareil. Et tandis qu'il camouflait son inquiétude, il repensa à la conversation qu'il avait eue avec Jacinthe avant de quitter la Saab.

— Qui dit que le code marche encore, hein, *genius*?

Victor lui avait donné son pistolet.

— Dans ce cas-là, pourquoi Gagné serait rentré ?

Elle s'était braquée.

— Il marche peut-être juste une fois.

Qu'il accueille sa réserve avec scepticisme ne l'avait pas démontée.

— C'est pas une bonne idée. J'y vais avec toi.

— Ça prend quelqu'un dehors pour couvrir nos arrières, Jacinthe. On fait ce qu'on s'est dit. Il y a déjà eu assez de morts.

— Justement !

Victor l'avait fusillée du regard. Elle avait cogné du poing sur le tableau de bord.

— Si j'ai pas de tes nouvelles dans vingt minutes…

Il avait levé les yeux au plafond.

— Le plan, c'était trente, Jacinthe.

— Ben là, c'est rendu vingt !

Victor était sorti sans un mot et avait marché vers le bâtiment, conscient que sans arme il se trouverait à la merci des motards si jamais son signalement leur avait été communiqué ou si le code était erroné.

Son attention focalisée sur l'interface qui paraissait tourner à vide, il s'efforçait de garder son calme. Puis, après ce qui lui sembla une éternité, le message d'approbation arriva. L'homme au terminal fit un signe à son collègue, qui prit trois clés, déverrouilla le mécanisme de la porte et se tassa pour le laisser entrer.

Victor découvrit un corridor aux murs de pierres sombres, éclairé par des flashs stroboscopiques. Il eut envie de mettre ses mains sur ses oreilles tant la musique était assourdissante. Mais il n'en fit rien et, remerciant l'homme qui lui avait ouvert, il s'engouffra à l'intérieur.

Les questions se bousculaient dans sa tête. Qu'est-ce que B-Lefski avait de si important à lui dire pour qu'il envoie deux hommes afin de l'intercepter? Et quel lien y avait-il entre ce message, les assassinats de Lefebvre, Komarov et Thomson, la mine de cryptomonnaie et la mort de ses parents?

Il remonta le couloir avec l'espoir que chaque pas le rapprocherait des réponses qu'il cherchait à obtenir. Des mots apparaissaient et disparaissaient, projetés sur la pierre, au fur et à mesure qu'il progressait: *infini, isolement, abysse…*

Victor remarqua que le plancher était en pente. À n'en pas douter, il s'enfonçait dans le sol. Parvenu au bout, enveloppé d'un halo mauve, il se retrouva face à un mur. Il se demandait comment le franchir quand celui-ci pivota sur sa droite, révélant une marée de silhouettes baignées par un kaléidoscope de lumières et se mouvant au rythme hypnotique de la musique électro, comme une vague déferlante. Victor retira sa veste de cuir et roula les manches de sa chemise: il régnait une chaleur suffocante.

Aux aguets, il commença à se frayer un chemin à travers la masse grouillante de corps qui s'enlaçaient et s'entremêlaient, luisants de sueur. Une magnifique drag-queen aux cheveux turquoise, tempes rasées et maquillage aux reflets argentés, le reluqua langoureusement, lèvres mouillées et suggestives. Il lui fit un sourire poli et poursuivit son avancée, puis contourna par la droite deux femmes qui, la poitrine dénudée, s'embrassaient avec passion.

Un sentiment proche de la panique l'envahissait peu à peu, et il en connaissait la source : il avait tendance à souffrir de claustrophobie et d'agoraphobie. En l'occurrence, il devait y avoir une centaine de personnes dans l'étroit passage qu'il empruntait. Un bruit strident sifflait dans ses tympans, se mêlant à la musique et aux clameurs qui s'échappaient des bouches souriantes. Il avait l'impression de plonger dans les entrailles d'un animal, de descendre dans le ventricule d'un cœur qui palpite.

Au-delà des corps enchevêtrés, Victor aperçut une porte donnant sur une pièce plus large, d'où émanait une lumière bleutée, veloutée, qui l'attira. Il posa doucement la main sur une épaule nue pour ouvrir son chemin. Une jeune femme aux cheveux roux, le visage maquillé de blanc à part deux auréoles noires couvrant entièrement le tour de ses yeux et ses paupières, le sonda sans expression. Puis un sourire énigmatique apparut sur sa bouche peinte en rouge sang pendant qu'elle remontait sa main, dans laquelle elle tenait une cravache. Il remarqua alors que la dominatrice était vêtue d'une combinaison de latex ouverte sur ses fesses. Il lui sourit à son tour tandis qu'elle glissait sa langue avec concupiscence sur ses lèvres, mais il continua d'avancer.

Encore quelques pas et, le cœur cognant, il atteignit la porte d'une autre salle, de plus vastes dimensions. S'essuyant le front, il franchit le seuil avec soulagement et l'impression d'avoir traversé un terrain miné. Il déboucha dans une pièce rectangulaire, une mezzanine bondée d'une faune hétéroclite. La piste de danse s'étendait sous ses pieds, dans le bassin d'une ancienne piscine municipale.

Victor trouva un bout de rambarde inoccupé et s'y accouda. Derrière lui, sur sa gauche, se profilait un bar longiligne où trois serveuses abreuvaient la masse avec des gestes assurés. Une grosse boule disco frappée par des lasers jaunes déversait ses rayons sur la foule.

Aux yeux d'un observateur, Victor donnait l'impression de suivre l'ondoiement des danseurs qui semblaient animés d'une même pulsion, transportés par un même souffle. Mais il en allait tout autrement. Il tourna la tête imperceptiblement vers la gauche, puis vers la droite, notant l'emplacement des caméras de surveillance et guettant le moindre mouvement suspect.

Il savait que, s'il avait été repéré, les choses n'allaient pas tarder à se précipiter. Au mieux, une main se poserait sur son épaule et un agent de sécurité l'inviterait à le suivre. Au pire... Il rejeta l'idée. Il préférait s'imaginer qu'il avait déjà vécu le pire à la Datcha, mais il ne se berçait pas d'illusions. La question n'était pas de savoir s'il allait être intercepté, mais plutôt quand. Il n'était pas en sûreté dans l'antre du dragon et devait agir vite.

Victor quitta la rambarde et marcha vers l'escalier qui descendait jusqu'à la piste de danse. Il se faufila dans la cohue de clients agglutinés aux abords du comptoir qui délimitait le bar. Il se trouvait à quelques mètres des marches lorsqu'un homme qui achevait de monter l'escalier le fixa. Les yeux tuméfiés, il avait deux bandes de sparadrap formant un X sur son nez boursouflé.

Un couple bouscula Victor, qui restait sur place, tétanisé : il soutenait le regard de celui qui s'était immobilisé sur la dernière marche. Il l'avait instantanément reconnu, et l'autre aussi. Il s'agissait du deuxième homme qui avait tenté de s'en prendre à lui à la Place des Arts. Le Marathonien.

Victor pas plus que son adversaire ne goûtèrent l'ironie voulant qu'ils se revoient dans des circonstances similaires, à savoir dans un escalier. À la différence près que, cette fois, les rôles s'inversèrent : la proie devint le chasseur. Dès que le fil se rompit et que leurs yeux se dessoudèrent, le Marathonien se retourna et dévala les marches à toute vitesse. Sans hésiter, Victor se lança à sa poursuite.

Plus petit et plus rapide, le Marathonien arriva en bas avec une bonne longueur d'avance sur Victor, qui devait le rattraper coûte que coûte et le mettre hors d'état de nuire avant qu'il sonne l'alarme.

Une vision d'horreur lui glaça le sang. De l'endroit où il se trouvait, encore en hauteur, il comprit où allait le Marathonien : freiné par la foule qui se massait devant l'immense bar illuminé adjacent au plancher de danse, il marchait droit vers un homme vêtu de noir.

Muni d'une oreillette, émetteur à l'épaule, celui-ci se dressait à l'entrée d'un petit couloir qui, derrière le bar, menait à une sortie de secours : un agent de sécurité. Sans ralentir sa course, Victor fit le tour de la salle du regard. Il compta six sorties et autant d'hommes en noir postés devant. Il y en avait sûrement d'autres disséminés çà et là. Si le Marathonien atteignait l'agent de sécurité, il créerait une réaction en chaîne : ce dernier appellerait ses collègues en renfort et Victor serait neutralisé aussitôt.

Il foula l'ultime marche avec l'impression que ses jambes devenaient plus lourdes à chaque pas. Le temps se comprimait, défilait en montage accéléré de visages et d'ombres. Puisqu'il était maintenant au même niveau que le Marathonien et que celui-ci était de petite taille, Victor le perdit de vue dans la foule des gens qui avançaient vers le bar, en marge de la piste de danse.

Il avait une décision à prendre. Il était encore temps de rebrousser chemin, de sortir des mâchoires du piège qui était en train de se refermer sur lui. Mais l'image de Nadja clouée sur un lit par la faute de ces lâches revint le hanter. Cette vision intolérable le força à avancer en dépit de ce que sa raison lui dictait.

Les yeux de Victor scrutaient frénétiquement la foule. Où était passé l'homme ? Était-il déjà trop tard ? Partant de l'agent de sécurité que voulait rejoindre le Marathonien, il remonta la ligne de ceux qui se trouvaient devant lui à hauteur d'épaules, évaluant mentalement, sur la base de l'endroit où il l'avait perdu de vue, la distance qu'il lui restait à parcourir.

La poitrine en feu, le cœur cognant à tout rompre dans sa cage thoracique, Victor avançait aussi vite qu'il pouvait le faire sans attirer l'attention, faisait pivoter ses épaules et ses hanches, posait sa main sur des dos, écartait des corps, fermement mais sans bousculer. Tout à coup, il aperçut la tête du Marathonien, qui venait de réapparaître à proximité de l'agent de sécurité.

Alors les jambes de Victor fléchirent, ses pieds cessèrent de le propulser et il s'arrêta, conscient à cet instant précis d'une chose : le Marathonien était trop rapide, trop agile pour qu'il puisse le rejoindre. Un sentiment d'abattement le traversa. Il était perdu. Et, avec lui, l'espoir de retrouver les fous qui avaient essayé de les tuer, Nadja et lui.

Ne pouvant croire que les choses se passeraient ainsi, Victor écarquilla les yeux. Il ne reculerait pas devant l'affrontement, mais, avec son épaule blessée, il serait vite submergé en nombre et en force par ses adversaires. Sa meilleure option demeurait encore de se fondre dans le décor et de tenter de quitter l'immeuble sans se faire prendre.

Mais, au moment où il s'apprêtait à rebrousser chemin, il vit une main surgir brusquement du néant, agripper fermement le Marathonien par le collet et le tirer vers une autre salle, hors de son champ de vision.

Victor mit plusieurs secondes à atteindre la porte où le Marathonien avait disparu. Quand il poussa le battant entrouvert, il nota au passage qu'une partie du cadre était cassée, signe que la personne se trouvant dans la pièce y était entrée par effraction. Il referma derrière lui et s'avança avec circonspection. Servant visiblement de dépôt, la salle était subdivisée par des rangées de caisses de bouteilles d'alcool.

Tout au fond, il y avait deux hommes. L'un d'eux arborait un large sourire.

— Je commençais à me demander t'étais où. On t'attendait…

Dos au mur, Gagné maîtrisait le Marathonien en maintenant son bras replié en arrière, sous son omoplate.

Victor ne se perdit pas en palabres inutiles.

— Il faut que je voie B-Lefski.

Le Marathonien ricana par bravade.

— Pourquoi je saurais où il est?

Victor se mit à rire doucement, bientôt imité par Gagné, qui, d'un ton badin, s'adressa à l'homme d'une voix assez forte pour couvrir la musique.

— J'te gage un dix que tu vas retrouver la mémoire dans pas long.

Victor empoigna son nez sillonné de sparadrap entre le pouce et l'index et serra de toutes ses forces.

— Ça fait mal, ça, hein?

Le cri d'animal blessé du Marathonien se perdit dans le tonnerre de la musique.

Victor ne l'avait pas remarquée, mais, en retrait sur la mezzanine, une jeune femme était restée immobile, les yeux rivés sur lui. Quand elle l'avait vu disparaître dans le vestiaire, sur les talons du Marathonien, elle avait hésité un instant, puis elle avait descendu l'escalier pour gagner la sortie. Elle avait enfilé le capuchon de son *hoodie* avant de quitter les Catacombes, dissimulant ainsi la peau foncée de son visage.

## 47

## Do it. Do it. Do it.

*I know I see everything for what it is. Infinity. Revelation. Four thoughts at the same time. Ten times the same time.* La musique sombre et éthérée de la chanson *Infinity*, des Suuns, résonnait à tue-tête dans le casque d'écoute de Lucas Bérubé-Bilefski, qui la jouait en boucle depuis une heure.

Debout devant la porte-fenêtre, vêtu d'un jeans noir et d'un t-shirt marqué du visage de John Frusciante, il fumait un joint en regardant les lumières de la ville qui s'étendait sous lui, jusqu'à l'horizon. *I know I see I'm in a street. Blood red light. Infinity. Isolation.* Cette ville, il n'y a pas si longtemps encore, il l'avait eue à ses pieds. Que s'était-il passé? Où les choses avaient-elles commencé à déraper? Il soupira, ignorant s'il aurait la force de mettre son plan à exécution. *Do it, do do do do it, do it,* suggérait la voix du chanteur.

Derrière lui, sur le sol de sa pièce de création – un cube de métal noir vitré qu'il avait fait construire sur le toit de l'immeuble qui abritait les Catacombes –, gisaient des papiers disposés en éventail et un clavier connecté à un Mac Book. Il travaillait sur une nouvelle composition, mais n'en était qu'aux premières ébauches.

Depuis quelque temps, la source s'était tarie et il essayait de raviver la flamme par tous les moyens. Il avait une fois de plus jeté différents textes incomplets l'un à côté de l'autre en espérant qu'une étincelle surgirait, que des associations d'idées surviendraient – une technique de collage qu'avait utilisée David Bowie à une certaine époque –, mais les mots lui échappaient, tournoyaient autour de lui sans qu'il pût les fixer.

Son esprit n'était pas en paix pour créer. Le serait-il jamais à nouveau? Quelle connerie que le mythe de l'artiste torturé ayant besoin que sa vie se détache lambeau par lambeau pour être en mesure de produire. Il lui fallait avoir les idées claires, au contraire, pour que la pulsion créatrice se renouvelle. Était-il encore possible, après ce qu'il avait fait, de se libérer de ce fardeau qui obscurcissait sa conscience et accablait son âme?

Il ferma les yeux et tira sur le joint. La drogue commençait à faire son effet et à l'apaiser. Un instant, son corps tout entier fut absorbé par la musique. Transportés par le rythme, les doigts de sa main droite se mirent à faire des mouvements près de son oreille.

Le personnage qu'il avait construit, B-Lefski, lui pesait. Les premières œuvres sont les seules pures, les seules vraies, les seules qui sont le fruit d'une vie de gestation. Ensuite surgit le désir de durer, et le cycle de création devient sans cesse plus difficile. Le jeune homme songeait de plus en plus souvent au fait qu'un artiste est envié pour la liberté dont il dispose, mais que c'est sans compter le poids quotidien de créer, d'être pertinent et d'assumer son rôle d'amuseur public en permanence.

Lucas gardait les paupières fermées tandis que ses pensées s'entortillaient sur elles-mêmes, rampaient dans ses veines, grouillaient dans son ventre.

*Capuchon sur le crâne, écouteurs aux oreilles, il marche tête basse dans la rue Cedar. Robert Thomson refuse de le voir, mais il va forcer la rencontre. Il doit le faire pour protéger Vera. Quand il lève les yeux, il voit des patrouilleurs tendre une bande de plastique jaune devant la maison. De la surprise, puis de la peur se peignent sur son visage baigné par la lumière des gyrophares.*

*B-Lefski a toujours su que le point rouge d'un fusil de précision pouvait apparaître à tout moment sur son front. Et qu'alors ce serait la fin. Et que ce serait peut-être mieux ainsi. Ils avaient déjà tué Lefebvre et Komarov. Ce qu'ils avaient fait au journaliste, à ce père de famille sans histoire, pouvait lui arriver à lui aussi. La mort pouvait le frapper sans prévenir. Il l'acceptait. Mais maintenant que Thomson s'ajoute à la liste et que l'effet domino est enclenché, il doit agir vite. En état de choc, il continue son chemin sans s'arrêter.*

B-Lefski n'avait pas entendu le tintement de l'ascenseur quand la cabine avait rejoint le palier quelques secondes plus tôt, mais il ne cilla pas lorsque la musique stoppa dans ses oreilles et que Victor Lessard apparut dans le reflet de la vitre. Celui-ci tenait une feuille de papier, qu'il avait ramassée sur le piano avant d'éteindre la chaîne hi-fi.

B-Lefski retira son casque d'écoute et se retourna vers lui. Sans sourciller, il tira sur le joint et le tendit à Victor, qui refusa d'un mouvement de tête. Le jeune rappeur leva le bras et désigna un fauteuil pour l'inviter à s'asseoir. Encore une fois, Victor fit signe que non.

Les deux hommes se jaugèrent un moment. Le plus jeune comprenait très bien que celui qui se tenait devant lui pouvait lui rompre le cou s'il en avait envie.

Son regard passant de la feuille de papier au rappeur, Victor brisa le silence.

— *Les étoiles tournent trop vite.* C'est ta nouvelle toune ?

— Veux-tu que je te la joue ?

Il n'y avait ni défi ni arrogance dans la voix de B-Lefski. Que la résignation de celui qui, pour le meilleur et pour le pire, a décidé de libérer son cœur et sa conscience.

Victor remarqua un album platine encadré sur le mur, derrière le petit bureau.

*B-Lefski – Grammatica.*

Il reconnut aussi l'affiche laminée d'un album qui avait compté pour lui, *Wish You Were Here*, de Pink Floyd. On y voyait deux hommes d'affaires se serrer la main, comme pour conclure un accord. Sauf que l'un d'eux était transformé en torche humaine. Sous l'affiche, une feuille de papier tachée et chiffonnée était punaisée au mur. Dessus, des paroles d'une vieille chanson de Neil Young avaient été retranscrites au Sharpie d'une écriture enfiévrée. « *And once you're gone, you can never come back. When you're out of the blue and into the black. It's better to burn out than to fade away. The king is gone but he's not forgotten.* »

Victor eut soudain envie d'un verre. Mais l'instant passa. Il passait toujours.

— Apparemment, t'avais un message pour moi quand on s'est croisés. Tu voulais me dire quoi ?

— De disparaître pis d'oublier cette histoire-là pendant qu'il est encore temps.

Le regard que Victor lui lança était comme un cri.

— Tu voulais me dire ça par grandeur d'âme, j'imagine ?

— Je voulais surtout éloigner le danger de Vera.

Réfléchissant à toute vitesse, Victor rassembla les morceaux : s'il l'avait vu comme une menace pour la jeune femme, c'est donc que le rappeur savait qu'il se trouvait avec Komarov lors de la fusillade.

— Quand je suis allé la voir, elle était pas au courant du meurtre de son oncle. Mais, toi, tu l'étais…

Le silence de B-Lefski résonna tel un aveu.

— Pourquoi tu lui as pas dit ?

Le rappeur baissa la tête de honte.

— J'ai… j'ai pas été capable. J'ai manqué de courage.

— Pis la fusillade… Comment t'as su ?

— C'est pas important.

Victor s'approcha du jeune homme et l'attrapa au collet.

— T'es au courant de ce qu'ils m'ont fait, non ? T'es au courant que la femme que j'aime est en danger de mort ? Tu vas m'expliquer pourquoi ! Pis vite !

Il avait rugi ces dernières paroles et repoussé violemment B-Lefski, qui était tombé à la renverse sur le plancher.

— J'ai reçu un texto. T'étais sur une *kill list*.

Victor le prit par les cheveux et le força à se relever.

— On parle de la *kill list* de qui ?!

B-Lefski répondit sur le même ton. Les deux hommes se hurlaient en plein visage.

— La *kill list* des Freelanders !

## 48

## Les étoiles tournent trop vite

Le silence avait chassé les éclats de voix, n'en portant plus que les échos brisés, et l'acide de leur sang brûlant s'était apaisé. Le réflexe initial de Victor avait été d'interroger B-Lefski pour en apprendre davantage à propos des Free-landers, mais, puisque le rappeur s'était mis à parler d'emblée, il l'avait laissé continuer sur sa lancée.

— Il y a deux semaines, un journaliste vient me poser des questions sur Nikolaï Komarov, l'oncle de Vera. Je refuse de lui parler, mais le gars est déjà au courant de pas mal d'affaires. Quelques jours plus tard, il se fait assassiner dans son salon. Quand j'entends parler de tireurs d'élite postés sur le mont Royal, je fais le lien. Je sais que c'est les Freelanders. Après la fusillade à la Datcha, j'apprends par un employé, qui est un ami, que c'est Nikolaï qui s'est fait avoir avec un autre gars.

B-Lefski se racla la gorge.

— Une couple d'heures passent, pis je reçois un texto avec ta photo. Je te connais pas. Je t'ai jamais vu de ma vie. Mais les Freelanders donnent à tous leurs contacts l'instruction de te tirer à vue et de faire attention parce que t'es dangereux et armé. Moi, je suis pas un tueur, pis je me méfie des Freelanders. C'est pour ça que j'ai voulu te parler. Pour comprendre ce qui se passait et savoir s'il y avait du danger pour Vera et moi à cause de la mine.

— T'avais peur qu'ils s'en prennent aussi à vous…

— On n'est jamais trop prudent.

— D'où les deux goons que tu m'as envoyés.

— Des amis d'enfance à qui j'ai donné une chance.

Une ombre passa sur le visage du jeune homme.

— Tu les as pas… ?

Victor le rassura d'un mouvement de tête.

— Pis les Freelanders ?

Il laissa la question en suspens. Semblant s'adresser davantage à lui-même qu'à son interlocuteur, B-Lefski compléta.

— Un groupe armé d'extrême droite. Des motards et des anciens militaires.

Il ouvrit la porte vitrée et sortit sur le toit. Victor lui emboîta le pas. En contrebas, les lumières de la ville scintillaient comme des lucioles.

— C'est quoi ? Une milice comme les Soldats d'Odin ou les III % ?

B-Lefski flirtait avec le rebord de tôle et le vide tandis que Victor se postait en retrait, sur la terrasse de bois, à côté d'un barbecue en forme de coupole.

— Non. Les Freelanders sont pas mal plus dangereux. Ils sont complètement sous le radar. Pis eux, ils ont les moyens de leurs ambitions.

Les pièces du casse-tête commençaient à s'emboîter dans le cerveau de Victor.

— Ils font sûrement pas des téléthons, ces gars-là. Ils se financent comment ? Avec ta mine de cryptomonnaie ?

Le rappeur répondit par l'affirmative. Victor lui lança un regard mauvais.

— Ils veulent quoi, au final ?

— Ils pensent que trop d'immigrants partagent pas nos valeurs, que ça va tuer le pays, pis qu'y faut se préparer pour une guerre.

La nuit était froide, le vent soufflait et, en chacun d'eux, les ténèbres gagnaient du terrain. Mais alors que les regrets accablaient B-Lefski, des questions vrillaient l'esprit torturé de Victor.

— Pourquoi ils se sont attaqués à moi ?

— Je sais pas. Mais ces gars-là, c'est le genre qui s'arrêteront devant rien si tu te mets sur leur chemin.

— Comme Lefebvre s'était mis sur leur chemin ?

B-Lefski haussa les épaules.

— Le journaliste ? J'imagine qu'il posait trop de questions.

— Pis Komarov ? Il posait trop de questions, lui aussi ?

— Il était capable d'identifier les Freelanders. Comme Robert.

— Robert Thomson… C'était quoi, son rôle ? La Russie ? Y a-tu un lien ?

— La seule chose que je sais, c'est qu'il a déjà organisé des soirées chez lui où Komarov pis des Freelanders étaient invités.

Victor tenta d'en savoir plus sur ces soirées, mais B-Lefski affirma n'y avoir jamais assisté.

— Tu t'es ramassé à dealer avec eux comment ? L'oncle de Vera ?

Le jeune homme sembla se plonger dans ses souvenirs.

— Je savais que la musique, ça serait pas éternel, pis j'avais des chums qui minaient. J'ai investi. Nikolaï, ça l'intéressait. Il posait des questions. À un moment donné, j'ai dit qu'avec plus d'ordis on ferait plus de cash…

Victor voyait le portrait se dessiner peu à peu.

— Mais t'avais pas d'argent pour les acheter. Donc, il t'a présenté des investisseurs… Les Freelanders.

Le rappeur se tourna vers lui et, sans paraître le moins du monde surpris, opina de la tête. Comme s'il avait accepté d'emblée que l'homme se trouvant en face de lui avait la capacité d'effectuer de tels recoupements.

292

— J'ai su juste par après qui ils étaient vraiment.

Victor s'alluma une cigarette. Il prit une longue bouffée qui fit crépiter le tabac, puis rejeta la fumée par les narines.

— C'était quoi le rôle de Vera là-dedans ? Vous aviez besoin d'un prête-nom ?

B-Lefski suivait des yeux le ruban de rue illuminé qui léchait le pied de l'édifice.

— Nikolaï voulait que sa part des profits lui revienne à elle. J'avais pas de problème avec ça, jusqu'à ce que je comprenne dans quoi il m'avait embarqué. On s'est brouillés.

— C'est pour ça que Vera et toi vous êtes plus ensemble ?

— Elle pouvait juste pas envisager l'idée que Nikolaï était mêlé à des affaires louches.

Victor s'approcha, l'air menaçant.

— Donne-moi des noms.

B-Lefski leva les mains pour calmer le jeu.

— Leur chef se fait appeler Messiah.

Victor embrassa le vide du regard, comme s'il s'apprêtait à l'avaler.

— Un gars qui porte tout le temps des lunettes fumées.

Le rappeur s'avança vers lui d'un pas.

— J'ai vu ses yeux une fois. C'est weird. Y a un œil brun pis l'autre… décoloré, comme.

— C'est de naissance ? Une maladie ?

Une flamme apparut dans l'obscurité. B-Lefski ralluma son joint.

— Aucune idée.

— Pis les autres ?

— Ils ont tous des surnoms, eux aussi.

Un souvenir revint à la mémoire de Victor, une voix autoritaire qu'il avait entendue lancer des directives alors qu'il sombrait après avoir été touché à l'épaule. Pac Man, Black Dog… Il murmura entre ses dents.

— Des suprémacistes blancs…

Il avait prononcé ces mots comme pour mieux s'en imprégner.

— Pis toi, Lucas? T'as pas peur d'être le prochain sur la *kill list*?

Il scruta le visage de B-Lefski, guettant sa réaction. Et alors qu'il croyait y lire de la crainte, il observa plutôt du renoncement.

— La seule personne qui me fait peur, c'est moi.

Victor n'était pas certain d'avoir saisi l'allusion, mais il y reviendrait. Il fouilla dans sa veste et prit la photo trouvée chez Komarov, qu'il lui montra.

— Tu reconnais quelqu'un là-dessus? Mets-leur quarante ans de plus.

Le rappeur ne reconnut ni ses parents, bien sûr, ni l'autre homme sur la photo.

— Sais-tu ce que c'est, le programme Marée Rouge?

Une gerbe d'étincelles ricocha sur le toit. B-Lefski venait de jeter son joint.

— Jamais entendu parler.

Les yeux brillants, il le sonda du regard.

— Elle est vraiment belle. C'est qui?

Victor prit un air sombre et rangea la photo.

— Ma mère. C'était ma mère.

Le rappeur avait quitté le bord du toit et l'avait rejoint sur la terrasse.

— Tu trouves pas que tout est fake?

Victor fronça les sourcils et se tourna vers lui. Toute expression avait à présent déserté le visage de B-Lefski.

— Qu'est-ce que tu veux dire? Qu'est-ce qui est fake?

Le cellulaire de Victor vibra dans sa poche. Il laissa l'appel filer dans sa boîte vocale.

— Tout. La vie. La mort. La réalité. Les émotions. T'as pas envie de te purifier, des fois? De disparaître? Dans le noir, y a juste moi et moi. Rien en bout de ligne…

Il déverrouilla l'écran de son téléphone et le tendit à Victor. Ce dernier tressaillit en voyant une photo de Vera Nesvitaylo en train de méditer, casque d'écoute sur les oreilles, paupières closes ; en avant-plan, le canon d'un pistolet muni d'un silencieux était pointé en sa direction.

Victor releva les yeux vers B-Lefski.

— Quand est-ce que...

C'était un de ces moments où les choses se mettent à glisser, où une barrière invisible explose dans l'esprit et s'ouvre sur des territoires dans lesquels on s'enfonce sans savoir ce qu'ils recèlent ni même si on réussira à en revenir.

B-Lefski avait attrapé la bouteille de combustible servant à allumer les briquettes de charbon de bois. Avant même que Victor se rende compte de ce qui se passait, il s'en était vidé le contenu sur la tête et le corps. Puis un briquet était apparu dans son poing.

— Lucas, écoute-moi...

Le jeune homme tremblait.

— Je suis tanné de me battre...

Victor cherchait son regard, mais celui-ci refusait de s'ancrer au sien. Les paumes dans les airs, il s'avança imperceptiblement vers lui.

— Lucas, écoute-moi. Pense à Vera.

Les yeux écarquillés de B-Lefski fouillaient en lui-même, dans son âme tourmentée.

— C'est ça que je fais. Je pense tout le temps à Vera.

Victor brandit le téléphone toujours ouvert de l'autre.

— T'as reçu ça quand ?

— Juste avant que t'arrives. Il y avait un message avec : « Attends qu'on te contacte. »

— Ils la tueront pas. Ils ont besoin de toi pour continuer à gérer la mine.

B-Lefski répondit d'une voix affectée par le désespoir.

— La photo, c'est une menace. Pour me montrer qu'ils me tiennent. Ils vont se servir d'elle pour me forcer à faire ce qu'ils veulent. Mais Vera, elle sait rien d'important. Elle les a jamais vus.

— Dis-moi elle est où ! On va régler ça ensemble, je te donne ma parole.

Le rappeur secoua la tête. En quelques secondes, tout son visage avait semblé s'affaisser, comme si on en avait retiré les os et les cartilages.

— Tu comprends pas ! J'ai pigé dans le cash ! Pis Nikolaï est plus là pour réparer mes gaffes. Peu importe où je regarde, c'est un mur. Mais ces gars-là, c'est des soldats, pas des psychopathes. Si je disparais, le danger disparaît pour Vera. C'est la seule façon de briser l'engrenage pis de redevenir libre. De me purifier.

Hurlant, Victor s'élança d'un bond vers lui.

— Non ! Arrête, Lucas !

Mais c'était trop tard. B-Lefski avait actionné le briquet. Son corps s'alluma d'un coup. Et tandis que Victor s'avançait pour étouffer les flammes avec sa veste de cuir, il vit le feu mordre le visage du jeune homme et le ravager. Ce dernier prit son élan et rejoignit le rebord du toit. Horrifié, Victor vit la boule de feu embraser l'obscurité et basculer dans le néant. B-Lefski s'était jeté dans le vide sans un cri.

# 49

## La couleur de la peau

Cheveux en bataille et joues mouillées de larmes, Vera était à genoux sur le plancher de son appartement, pieds et poings liés. Elle regardait d'un œil terrifié l'homme cagoulé qui, devant elle, braquait sur sa tête un pistolet muni d'un silencieux. Elle battit des cils à plusieurs reprises, comme si elle tentait de chasser un cauchemar.

— Je te jure que je te dis la vérité !

— Tu l'as cachée où ?

Vera fixa son agresseur d'un air suppliant.

— Mon oncle ne m'a jamais parlé de police d'assurance. C'est la vérité !

— Je parle pas d'un contrat avec une compagnie d'assurances.

La jeune femme était désemparée. Elle avait beau chercher dans tous les recoins de sa mémoire, elle ne trouvait pas l'information qui aurait pu lui sauver la vie.

— Mais quoi, alors ?!

— Il t'a jamais fait de cadeau, Komarov ?

— Oui, mais…

— Ben envoye, crache !

— Je le sais pas. Des vêtements, des bijoux…

— Non. Je cherche un endroit où il aurait pu cacher une vieille photo. Avec trois personnes dessus. Deux gars pis une fille. Des jeunes. On l'a pas trouvée chez lui. Il l'a peut-être cachée dans tes affaires. Dis-moi où, pis je te laisse tranquille !

Vera essaya de se contenir. Céder à la panique ne l'aiderait pas.

— Mais je le sais pas ! Je l'ai jamais vue, ta photo !

Pac Man garda son calme et maintint le cap sur son objectif. Il était hors de question pour lui de décevoir Messiah et d'échouer une seconde fois.

— C'est quoi, les cadeaux que Komarov t'a donnés ?

— Je sais pas. Je…

Messiah était assis à son bureau et fixait l'écran de son ordinateur, sur lequel il avait fait apparaître la photo qu'il avait prise de la jeune femme noire, dans le métro. Il tressaillit. Une main venait de se poser sur son épaule.

Iba se tenait debout derrière lui. Il ne l'avait pas entendue arriver.

— Qu'est-ce que tu fais là ?

— C'est encore la fille noire qui te fatigue ?

Iba ne pouvait évidemment voir l'écran, mais Messiah mit néanmoins sa main sur la souris et ferma la photo, contrarié qu'elle lise en lui avec autant de facilité. La jeune femme eut un sourire triste. Il prit la parole.

— On n'aurait jamais dû aller chercher une hackeuse sur le Darknet… Fuck. C'est elle qui a contacté Lefebvre pour lui donner des infos sur nous autres.

— Comment tu peux être certain de ça ? Tu l'avais jamais vue avant de la prendre en photo. C'est peut-être même pas elle que tu as engagée.

— C'est elle. Il y a pas d'autre explication. Sinon ça serait qui, cette fille-là ?

Songeur, il marqua une pause avant de poursuivre.

— Pis y a la couleur de sa peau. Ça expliquerait pour-quoi elle a contacté Lefebvre.

Iba se désigna ironiquement.

— C'est vrai, la couleur de sa peau. J'oubliais…

— Tu comprends ce que je veux dire.

Elle parla d'une voix calme, presque douce.

— Tu penses que je ne me rends pas compte de ce que tu fais ? Tu as bâti un mur autour de toi pour arrêter de souf-frir. Mais il tient pas debout, ton mur. Pas plus que tes idées.

La femme se troubla.

— La mort de la petite, c'était pas plus de ta faute que de la mienne.

Messiah se braqua aussitôt.

— Arrête, Iba.

Elle prit son visage entre ses paumes.

— Pourquoi tu penses que je reste même si ce que vous faites me dégoûte ?

Messiah ferma les yeux une seconde, goûta la caresse de ses mains, ce contact tant désiré qui le brûlait chaque jour davantage. Mais il se dégagea.

— Conte-toi pas d'histoires. T'es ici juste parce que tu parles arabe pis que…

— Pis que quoi ? Que je suis aveugle ? Arrête de te mentir à toi-même. Des interprètes, tu aurais pu en trouver des dizaines d'autres.

— OK. Pourquoi tu restes d'abord ?

Iba garda le silence un temps, comme si elle ressassait des souvenirs enfouis dans d'autres.

— Après l'explosion, quand j'étais à l'hôpital… T'as été là pour moi. C'est à mon tour.

Sa réponse le blessa amèrement, mais il tenta de n'en rien laisser paraître.

— Tu rembourses une dette, rien d'autre… C'est ça ?

Elle allait répondre lorsque le cellulaire de Messiah sonna. Quand il prit l'appel, Iba s'éloigna dans le corridor.

— Je t'écoute. L'as-tu ?

Pac Man tournait légèrement le dos à Vera. Celle-ci releva la tête et le regarda, du feu dans les yeux. Parlant d'une voix calme, le Freelander masqua sa fébrilité.

— Pas encore. Mais si ça te dérange pas, je vais changer de méthode.

Derrière Pac Man, Vera glissa subrepticement ses bras sous ses jambes pour ramener ses mains en avant. Elle se leva doucement, l'air résolue.

— OK, mais écoute-moi. Je veux être certain qu'on s'est bien compris. Tu peux la brasser un peu, mais pas plus.

Vera plongea vers Pac Man, passa ses doigts autour de son cou et se mit à l'étrangler. L'homme tenta de l'écarter, mais ses poignets liés lui compliquaient la tâche. Cherchant son air, il commença à lutter comme un chien enragé. Grimpée sur son dos, dopée par sa fureur, Vera s'accrocha et serra plus fort.

Le Freelander laissa tomber son pistolet, prit les avant-bras de la jeune femme dans ses mains et, tirant de toutes ses forces, les souleva par-dessus son menton. Vera criait et essayait de tenir bon, mais la puissance de l'homme surpassait la sienne. Si bien que, au terme d'un combat inégal, il parvint à reprendre le contrôle. Il était à présent assis à califourchon sur elle. Sa main gauche enserrait la gorge de la danseuse ; la droite tenait son cellulaire sur son oreille, où la voix de Messiah tonna.

— Pac Man ? Pac Man ?

Le souffle court, il finit par répondre.

— Je suis là…

— Tue-la pas ! Tu m'as compris ?

Un long silence suivit l'injonction de Messiah.

— Pac Man ?!

— J'ai… j'ai pas le choix…

— Pourquoi t'as pas le choix ?!

Contrarié, le jeune homme hésita. Son regard s'attarda sur le poing de Vera, crispé sur un morceau de textile noir. Le Freelander redoutait l'explosion qui allait suivre.

— Elle m'a vu la face…

Dans l'échauffourée, la ballerine avait arraché sa cagoule. Messiah raccrocha sans dire un mot. Pac Man posa son téléphone par terre et mesura ce qu'il s'apprêtait à faire tandis que Vera recommençait à s'agiter et à secouer furieusement la tête.

— Je ne te connais pas. Tu peux t'en aller. Je te jure que je dirai rien !

Les yeux pleins de larmes, il se mit à l'étrangler.

— Shhhh… shhhh… Je suis désolé. Je suis désolé…

La voix du Freelander s'était cassée en prononçant ces paroles, mais ses deux mains continuèrent de serrer le cou de Vera. Cramoisie, la danseuse résista autant qu'elle le put, mais elle sentit très vite son ultime souffle arriver et sa vie l'abandonner.

Il n'avait pas prévu qu'ils auraient à tuer autant de personnes. Il avait l'impression que le contrôle de la situation lui échappait. Mais il ne fallait pas perdre de vue l'objectif final. Ils agissaient pour le bien commun. Ils étaient en guerre. Les pertes de vies étaient malheureusement nécessaires et les dommages collatéraux, inévitables. Il y en avait eu, et il y en aurait d'autres. Ces pensées et d'autres encore plus sombres torturaient Messiah, qui avait les mains enfouies dans ses cheveux lorsque Black Dog entra dans le bureau en coup de vent.

— Je viens de recevoir un appel des Catacombes. B-Lefski est mort.

Le chef des Freelanders releva les yeux vers lui, abasourdi.

— Quoi ?!

— Ça ressemble à un suicide.

Black Dog se mit à se balancer d'une jambe à l'autre. Messiah comprit qu'il y avait autre chose, que son fidèle lieutenant avait peur de lui dire.

— Qu'est-ce qu'y a? Parle!

— Les gars des Death Riders ont checké les caméras de surveillance. Ils pensent qu'y avait quelqu'un avec lui quand c'est arrivé. Ils m'ont décrit le gars. Ça ressemble à…

Le poing de Messiah s'abattit avec force sur son bureau.

— Victor Lessard!

Black Dog approuva. Messiah se leva d'un bond, envoyant sa chaise valser à l'autre bout de la pièce. Il réfléchit à toute vitesse.

— Pac Man est encore chez Vera Nesvitaylo… Faut y aller avant que Lessard arrive!

— Oublie ça, on va avoir à peine le temps de sauter dans le truck.

Furieux, Messiah se dirigea vers la porte. Avant d'en franchir le seuil, il se retourna vers son homme de confiance.

— Appelle Pac Man. Dis-y que B-Lefski est mort. Pis qu'il faut qu'y dégage de là!

— *Roger that.*

Messiah remonta le corridor en s'efforçant de garder son calme. Il allait devoir corriger le tir et éliminer ceux qui se dressaient en travers de sa route. La réussite du plan en dépendait.

*Une heure après l'assaut des Forces spéciales contre Ghetto X*

Victor soupire en entendant la question de Sondos. Il a envie d'une cigarette et de sortir de cette pièce surchauffée. Mais l'agente du SCRS refuse de lâcher le morceau.

— Je vais te répéter la question une dernière fois. Vous avez trouvé quoi en arrivant chez Vera Nesvitaylo?

— Du sang. Une piscine de sang.

# 50

## Quelques secondes contre l'éternité

Dans la voie de gauche de l'autoroute Décarie Sud, Jacinthe donna un grand coup de volant, faisant déraper la Saab entre deux voitures qui se suivaient, puis elle la ramena dans l'axe de la route et appuya sur l'accélérateur. La sortie Sherbrooke se profilait au loin, sur leur droite. Carré dans la banquette arrière, Gagné tentait désespérément de joindre Vera Nesvitaylo au téléphone, mais tombait chaque fois dans sa boîte vocale. Secoué, la tête appuyée contre la vitre du côté passager, Victor rejouait le film des événements dans sa mémoire.

La musique des Catacombes en sourdine, il s'était avancé jusqu'au rebord du toit et avait contemplé le corps fracassé de B-Lefski qui achevait de se consumer sur l'asphalte de la ruelle, huit étages plus bas. L'un des Death Riders était apparu avec un extincteur et avait aspergé le cadavre, maîtrisant les flammes.

À ce moment, Victor avait songé que le désespoir pouvait mener aux idées les plus noires comme aux pires fantasmes de l'esprit. Et même si, en son âme et conscience, il savait que c'était injuste envers lui-même, il regretterait longtemps sa conversation avec le jeune homme et se dirait que tout était là, sous son nez, et qu'il avait eu en main les éléments pour l'empêcher de s'enlever la vie.

Mais comment aurait-il pu saisir la portée de ce que B-Lefski ne comprenait peut-être pas encore lui-même quelques jours plus tôt? Le rappeur avait-il déjà crié au secours avant? Et, le cas échéant, est-ce que seul l'écho de sa voix terrifiée lui avait répondu?

Quoi qu'il en soit, Victor tirerait plus tard un peu de réconfort dans la publication du texte inachevé qu'il avait trouvé en entrant dans la pièce. Et il se souviendrait à jamais de la nuit où l'étoile de B-Lefski avait cessé de tourner.

Mais dès lors que le corps du rappeur avait été aspergé de neige carbonique, le temps s'était accéléré. Et malgré le chaos qui le secouait, la nature profonde de Victor, sa fibre de policier, avait enclenché le mécanisme enraciné au cœur de son serment de « servir et protéger ». Il lui fallait sortir au plus vite. Vera Nesvitaylo était en danger.

Aussi, chacun des gestes qu'il avait exécutés par la suite s'était inscrit dans une logique claire, précise, efficace et coordonnée : fouiller les affaires de B-Lefski, se frayer un passage avec Gagné à travers la foule des Catacombes sans attirer l'attention, appeler Jacinthe pour qu'elle les attende à la porte d'une sortie dérobée et quitter les lieux le plus rapidement possible, trouver l'adresse de la danseuse et fendre la nuit en catastrophe dans la Saab pour se rendre à son domicile en l'espérant saine et sauve.

L'effroi et la culpabilité étaient arrivés à retardement, sur la route. Ne connaissant que trop bien ses mécanismes mentaux et les dommages causés par la faille qui avait tranché son enfance et son monde en deux, Jacinthe avait eu besoin d'un seul regard pour comprendre. Tant qu'il vivrait, Victor Lessard prendrait sur ses épaules la responsabilité de tout faire pour sauver des vies, afin de compenser la perte de celles qu'on lui avait prises.

Elle essaya de le réconforter.

— *Come on*, mon homme, tu pouvais rien faire. Le jeune avait déjà décidé de se péter avant que t'arrives.

À l'évidence, Victor avait du mal à se convaincre qu'elle avait raison. Elle tenta quand même de diriger son attention vers autre chose.

— Son œil décoloré, au Messie, c'est quoi? C'est de naissance ou c'est une maladie?

— C'est ça qu'y faut checker.

— Pis les papiers de B-Lefski?

Sur ses genoux, Victor consulta des feuilles prises chez le rappeur.

— Des colonnes de chiffres. On dirait que ç'a rapport avec la mine.

— T'es sûr que Vera est pas plus qu'un prête-nom là-dedans?

— C'est ce que B-Lefski m'a dit.

— Même s'il disait la vérité, la gang de fêlés, là... les Freelanders...

Victor savait ce qu'elle allait dire et le redoutait.

— B-Lefski a beau s'être sacrifié pour sauver la p'tite, si elle leur sert plus à rien...

L'enquêtrice se passa l'index sous la gorge. Gagné s'avança sur sa banquette. Ils se regardèrent avec inquiétude. Victor résuma ce qu'ils pensaient tous les trois.

— Plus vite, Jacinthe.

Elle accéléra. Le moteur tournait à plein régime. Ils n'allaient pas tarder à être fixés.

L'appartement de Vera Nesvitaylo était situé dans un immeuble patrimonial de la rue Sherbrooke, à Westmount. Dix étages transformés en condos hors de prix. L'ascenseur de service était un de ces vieux modèles du début du siècle dernier composé d'une cage qu'on refermait en tirant un rideau métallique. Ses chromes astiqués comme ceux d'une coursive avaient beau étinceler, il montait à peine plus vite que la marée.

Rendus au palier, Victor et Gagné s'en catapultèrent, trouvèrent à la hâte la porte de l'appartement, l'enfoncèrent sans sommation et déboulèrent dans l'entrée l'arme à la main. L'intérieur était plongé dans la pénombre.

— Vera ?

Victor actionna en vain l'interrupteur. Gagné appela la jeune danseuse à son tour tandis qu'ils allumaient leurs lampes de poche.

— Mademoiselle Nesvitaylo ?

Se couvrant l'un l'autre, les deux hommes avancèrent prudemment dans un salon décoré comme ces endroits qu'on voit dans les magazines ou sur Instagram. Éparpillés par terre, des vêtements et un sac à main apparurent dans le pinceau de la lampe de Victor, qui s'arrêta. Puis son attention se cristallisa sur un point précis du plancher.

Mais ce fut Gagné qui brisa le silence.

— Fuck. On arrive trop tard.

Horrifié, Victor serra les mâchoires. Interdits, son partenaire et lui contemplaient une flaque de sang épaisse comme du sirop contre la toux sur les lattes peintes en blanc. À la couleur, à l'odeur ferreuse et à la consistance du sang, ils savaient que le meurtre était récent.

Gagné posa une main sur l'épaule de Victor.

— On a fait ce qu'on pouvait.

De la même manière qu'il ne se pardonnait pas d'avoir échoué à sauver B-Lefski du suicide, celui-ci commença à remettre en cause chacun des gestes qu'il avait accomplis depuis que le rappeur avait plongé vers la mort. Auraient-ils pu quitter les Catacombes plus vite, en prenant moins de précautions ? Et ces minutes qu'ils avaient perdues à trouver une autre issue pour ne pas tomber entre les mains des Death Riders auraient-elles permis de sauver Vera Nesvitaylo?

Le poids du monde l'accablait. S'il avait été plus attentif et surtout plus futé, B-Lefski et la jeune danseuse seraient toujours vivants. Quelques secondes contre l'éternité…

Le souffle court et les pas lourds de Jacinthe les firent se retourner.

— Mes esties. Avoir su que je me taperais les escaliers…

Comme convenu, elle était passée par l'entrée arrière.

— Pis? Est-tu correcte?

Du menton, Victor désigna les traînées de sang qui sinuaient sur le plancher, telle la trace baveuse d'un escargot, et disparaissaient au seuil d'une autre pièce.

Jacinthe rangea son arme et s'approcha.

— Fuck… Avez-vous regardé dans la chambre?

Au vu de la quantité de sang, ils savaient d'expérience que la jeune femme n'avait pas survécu. D'autant qu'elle avait utilisé ses dernières forces pour ramper.

Gagné baissa la tête.

— J'ai pas envie de voir ça.

Victor les considéra un instant.

— Je vais y aller.

Jacinthe lui attrapa l'avant-bras et le força à s'arrêter.

— On va y aller ensemble, mon homme.

Il entra dans la chambre avant elle, prenant soin d'enjamber les marques de sang pour ne pas contaminer la scène de crime. De la surprise puis un soulagement immense illuminèrent son visage.

La voix de Jacinthe retentit dans son dos.

— Gagné! Viens checker ça!

Victor se retourna et ils échangèrent un regard complice.

— Yo, veux-tu ben me dire c'est qui, lui?

— C'est sûrement un Freelander.

Pour peu, il se serait presque réjoui de se retrouver devant un cadavre, ce qui l'aida à surmonter sa répulsion. Le corps qu'ils avaient sous les yeux était celui d'un homme caucasien vêtu de noir qui gisait face contre terre dans son sang. La lame d'un couteau de cuisine planté dans sa nuque ressortait par sa gorge.

Jacinthe paraissait impressionnée.

— En tout cas, elle sait se défendre, la p'tite danseuse de ballet.

Gagné apparut et promena le faisceau de sa lampe de poche dans la pièce.

— Y a même sa cagoule pis son coat d'armée, ici.

Il avait fait le tour du lit. Jacinthe s'approcha et observa de plus près le manteau vert ensanglanté qui s'encadrait dans le cône lumineux.

— Attends, c'est pas un jacket d'armée, ça ! Ça serait pas le manteau de la fille qui s'est sauvée avec l'ordi de Lefebvre ?

Réalisant sa méprise, Gagné acquiesça, décontenancé.

— Yako ? Qu'est-ce qu'elle serait venue faire ici ?!

Victor ouvrait la bouche pour répliquer quand le cellulaire de Jacinthe sonna. L'afficheur indiquait « Virginie ».

— Je réponds-tu ?

Il opina ; elle mit l'appareil sur le haut-parleur.

— C'est pas un bon moment, Virginie. On peut pas te parler longtemps.

En arrière-plan, on entendit d'abord le bruit du métro, puis la voix de la journaliste.

— Moi non plus, je suis en route pour une rencontre. Je rentre pas dans les détails, mais je viens d'avoir un appel des techs du journal. Ils ont trouvé une partie d'un article que Guillaume avait enregistré dans les dossiers partagés. Le plus bizarre, c'est que le document, c'est un article de littérature médicale.

Elle laissa passer un instant, pour mesurer son effet.

— Une hétérochromie acquise, ça vous dit quelque chose ? C'est une condition assez rare qui peut résulter d'un traumatisme de l'œil.

Tétanisé, Victor dévisagea ses deux complices.

— Messiah… sa pupille décolorée…

La conversation fut de courte durée. Après que Jacinthe eut remercié Virginie et raccroché, Victor se tourna vers Gagné.

— Tu vas reprendre ta liste de militaires, Yves. Le bassin de suspects vient peut-être de rapetisser, pis pas à peu près.

Victor ignorait s'ils tenaient enfin un élément significatif, mais il ne s'arrêterait pas. Pas tant que tous les morceaux ne se seraient pas mis en place, pas avant que les êtres ignobles qui avaient tenté de prendre la vie de son amour soient définitivement mis hors d'état de nuire.

## 51

# Communiquer avec les morts

Paul Delaney immobilisa son véhicule banalisé devant la maison de Robert Thomson, rue Cedar. Il y revenait après avoir dû rentrer à Versailles quelques heures auparavant pour éteindre des feux et abattre ses tâches usuelles. En remontant l'allée, il s'étonna de voir seulement une voiture de patrouille et un policier en faction. Malgré l'heure tardive, il s'était attendu à retrouver le va-et-vient de la scène de crime telle qu'il l'avait quittée plus tôt.

Intrigué, il enfila ses gants de latex, passa sous le ruban de plastique jaune et poussa la porte. Il traversa le hall, puis entra dans le salon. L'endroit était désert. De plus en plus perplexe, il marcha vers la cuisine.

— Loïc ?!

Pas de réponse. Il s'arrêta devant l'armoire où le corps de Thomson avait été trouvé. Vide. Loïc apparut dans l'escalier menant à l'étage. Il se battait avec son paquet de gomme, qu'il avait du mal à ouvrir avec ses gants.

— J'suis là, boss. Je viens juste de revenir…

— L'identification judiciaire est partie ?

— J'ai pas trop compris. Y m'ont laissé un message pendant que j'étais en train de bouffer au resto. Apparemment, ils ont reçu un appel, ils ont remballé leurs affaires, pis ils se sont poussés.

— C'est pas normal, ça.

— Ce qui est encore plus bizarre, c'est le corps.

— Qu'est-ce qu'il a, le corps?

— Je sortais de mon char quand les gars de la morgue l'ont emmené. Au lieu de le mettre dans leur fourgon, ils l'ont embarqué dans une van noire avec un logo du fédéral.

Delaney devint sombre et méfiant.

— Quoi? La GRC?

Une voix féminine dans leur dos les fit se retourner.

— Non. Le Service canadien du renseignement de sécurité.

Grande, peau foncée et vêtue d'un tailleur noir, la femme souleva le ruban jaune pour se glisser dessous et s'avança dans la pièce.

— Claire Sondos...

Elle sortit son badge et enfonça le clou.

— À partir de tout de suite, le SCRS s'occupe de l'enquête sur les meurtres de Nikolaï Komarov et de Robert Thomson. Mon équipe s'en vient.

Delaney fit un pas vers elle et la toisa.

— C'est hors de question. Ce sont deux enquêtes des crimes majeurs.

Sondos sourit. Le sourire de celle pour qui il ne fait aucun doute qu'elle aura le dernier mot.

— On va avoir besoin de tout ce que vous avez.

— Les meurtres sont liés. J'ai des enquêteurs qui ont été blessés dans la fusillade. Vous pensez quand même pas que je vais abandonner comme ça?

Sondos ignora les doléances de Delaney.

— Tout ce que vous avez, ça inclut la liste des témoins, les rapports d'interrogatoires et le reste. Et en passant, pour vos «enquêteurs»... pensez-vous qu'on n'est pas au courant de la démission de Victor Lessard? D'ailleurs, pour votre information, il fait l'objet d'un avis de recherche national.

Lèvres plissées, l'air dépité, Delaney ne put s'empêcher de penser que si Jacinthe et Victor l'avaient écouté ils n'en seraient pas là.

— Ah bon? À quel titre?

— Personne d'intérêt dans le meurtre de Nikolaï Komarov et, maintenant, dans celui de Robert Thomson.

Sondos marqua une pause et les jaugea tous les deux.

— Lessard... Est-ce qu'il est entré en contact avec vous?

Loïc se balança d'une jambe à l'autre. Delaney fit l'innocent.

— Pour ça, il faudrait qu'il soit encore en vie.

L'agente du SCRS planta son regard dans le sien.

— Oh oui, il l'est.

Le patron des crimes majeurs eut une expression sceptique.

— Qu'est-ce qui vous fait dire ça?

— Vous.

Feignant la surprise, Delaney prit Loïc à témoin.

— Ah bon? T'as entendu ça, le Kid?

L'enquêteur allait répondre, mais Sondos le devança.

— Vous avez pas l'air trop... affligé, mettons. D'après moi, vous en savez plus que ce que vous dites. Vous savez qu'il est en vie, parce que vous communiquez avec lui.

Delaney sourit, comme s'il venait d'entendre une énormité.

— Peut-être que j'ai le pouvoir de communiquer avec les morts...

Sondos les considéra tour à tour. Sa patience s'étiolait.

— Si vous savez où je peux trouver Lessard, dites-le-moi tout de suite.

Loïc haussa les épaules et fit éclater une bulle de gomme balloune.

— Sinon quoi ?

L'agente du SCRS leur désigna la porte. Delaney dut se retenir pour ne pas exploser.

— Vous allez avoir de mes nouvelles. Pis vite à part ça.

Elle lui adressa une moue peu impressionnée.

— Je vous rassure, ça m'empêchera pas de dormir.

Delaney fit un signe à Loïc. Ils se mirent à marcher vers la sortie. Mais, avant de quitter le salon, il se retourna pour lancer une dernière flèche à Sondos.

— Si jamais Lessard m'envoie une carte postale, je vous préviens sans faute.

Sondos prit un air condescendant.

— C'est drôle, ça.

La rue était déserte. Loïc se tenait debout devant la portière conducteur de la voiture banalisée de Delaney. Un lampadaire projetait sur son visage un halo de lumière orangée.

Assis derrière le volant, le chef des crimes majeurs avait descendu sa vitre.

— Tu vas continuer de me sortir tout ce que tu trouves sur Robert Thomson, le Kid, OK ?

— Euh… mais on vient pas de se la faire enlever, cette enquête-là ? Entre autres…

— On n'a plus accès au corps ni à la scène de crime. Mais y a d'autres façons d'enquêter.

— Ça empêche pas que le SCRS…

— Tu peux pas être plus catholique que le pape quand le pape est pas catholique. Tu comprends ce que je veux dire, Loïc ?

— Euh… je pense que oui, chef.

Delaney ne put s'empêcher de sourire.

— Parfait. Je te retrouve à Versailles dans pas long. De mon bord, je vais essayer de rejoindre Piché. Je te garantis que ça va brasser.

Malgré la pénombre, le jeune enquêteur enfila ses Ray-Ban aux verres miroir et partit d'un pas nonchalant vers sa voiture banalisée, garée de l'autre côté de la rue.

Le cellulaire de Delaney vibra. Il venait de recevoir un message texte de Victor. Après l'avoir lu, il fit une grimace. Par la vitre toujours ouverte, il interpella Loïc, qui le rejoignit en quelques enjambées.

— On a une nouvelle scène de crime. L'appartement de la nièce de Komarov. Envoye, embarque. On va y aller avant que le SCRS nous tire le tapis en dessous des pieds.

Loïc s'exécuta. Delaney attendit de s'être éloigné suffisamment de la maison de Thomson, et du SCRS, avant d'actionner la sirène et les gyrophares.

## 52

# Le dur désir de durer

Au quartier général du SPVM, rue Saint-Urbain, la rencontre que Virginie avait évoquée plus tôt battait son plein. Cravate détachée, en bras de chemise, le directeur du SPVM était assis dans son fauteuil, près des fenêtres qui encadraient Chinatown, le Vieux-Montréal, ainsi que la masse sombre du fleuve Saint-Laurent où les reflets jaunâtres de la lune se miraient. Le bureau était désert. C'est Piché qui avait insisté pour voir Virginie à cette heure tardive. Celle-ci avait pris place dans un fauteuil face au sien.

La journaliste croisa ses jambes galbées.

— Je voulais que vous puissiez me donner votre version des faits avant la publication, monsieur le directeur.

Marc Piché hocha lentement la tête, l'air désabusé.

— C'est Lessard qui vous a pissé dans l'oreille? Ce que vous me racontez là, c'est de la p'tite guéguerre entre enquêteurs frustrés. Ça fait partie de mon mandat de changer la culture du SPVM, d'éliminer les cliques. Malheureusement, ça ne se fait pas d'un coup de baguette magique. Mais… ce que je vous explique là, vous le savez aussi bien que moi. Avec votre expérience, je me serais attendu à ne pas vous voir tomber dans le panneau.

Virginie ne se laissa pas démonter.

— Pourtant, j'ai plusieurs sources qui corroborent mon histoire. Niez-vous qu'il y a eu dissimulation à propos des « activités » du commandant Tanguay ?

Semblant outré par l'accusation, Piché s'avança dans son fauteuil.

— Absolument ! C'est la première fois que j'en entends parler !

Il marqua une pause, puis sa voix monta d'un ton.

— Et croyez-vous une seule seconde que je l'aurais laissé faire ça ? Mon travail, c'est de protéger le public avant l'institution.

La jeune femme joua le jeu de celle qui le croyait sincère et déplia son piège.

— Donc vous allez demander une enquête pour faire la lumière là-dessus ?

Mais elle n'allait pas apprendre à un vieux singe à faire des grimaces.

— Certainement ! Si vous avez des preuves de ce que vous avancez, mettez-les sur la table. Je m'en occupe personnellement.

Virginie se renfrogna. Elle n'allait en aucun cas dévoiler ses sources.

— Je ne peux pas faire ça, vous le savez très bien.

Piché lui lança un regard torve.

— Dans ce cas-là, pensez-y comme il faut avant de publier. Vous savez, les carrières sont parfois courtes dans le monde du journalisme...

La jeune femme se leva, piquée au vif.

— Je me laisserai pas intimider.

Piché se leva à son tour et esquissa un sourire avenant.

— C'était seulement un conseil, mademoiselle Tousignant.

Il lui tendit la main. Virginie tourna sur ses talons et sortit sans dire un mot.

Debout devant une des fenêtres, observant la ville en contrebas, Marc Piché réfléchissait à ce qu'il s'apprêtait à faire. Il se disait que, parfois, quand on est trop engagé dans une situation délicate pour faire marche arrière, la seule façon de s'en tirer indemne est de s'y enfoncer encore plus profondément, quitte à toucher le fond. Sa décision prise, il composa un numéro sur son cellulaire.

— Salut. J'ai besoin de ton aide avec Victor Lessard. Ça prend quelqu'un à qui on va faire porter le chapeau. On a une opportunité avec sa disparition...

Le directeur du SPVM fut agacé par la réponse de son interlocuteur.

— Non, non. Tu m'as pas compris, Lachaîne. C'est pas l'aide des affaires internes que je veux. C'est la tienne. Soit on s'en sort ensemble, soit on coule ensemble. T'as dix secondes pour te décider.

Un rictus se dessina sur les lèvres de Piché.

— C'est ça que je pensais. (...) T'as tout compris. Lessard est le bouc émissaire parfait. Y est pas là pour se défendre. (...) S'il est mort, tant mieux. Mais même s'il réapparaît, la machine va déjà être partie. (...) Exactement, y a jamais de fumée sans feu. (...) Non, non, pas au bureau. (...) Je te rappelle.

Le directeur du SPVM raccrocha et posa son front et ses paumes, bras en croix, contre la vitre. Les lumières de la ville scintillaient dans son reflet. Rien ni personne n'allait le renverser de son socle. Et surtout pas une vieille histoire impliquant Victor Lessard.

## 53

## Tour du CN *versus* tour de Pise

L'air sombre, Victor s'avança vers le pommeau de douche de gauche et appuya sur le bouton pour faire couler l'eau. Il regardait les gouttelettes frapper le carrelage à la propreté douteuse lorsque Gagné arriva.

Celui-ci ouvrit une douche à son tour.

— L'accès aux dossiers médicaux est contrôlé, mais mon contact au Royal 22e Régiment va s'essayer. Si notre gars a eu un problème à l'œil, et que c'est pas un défaut de naissance, on va finir par le coincer.

Victor acquiesça, songeur, tandis qu'il déballait un savon.

— Ça veut dire que Guillaume Lefebvre en connaissait un méchant paquet sur Messiah pour avoir pris la peine de chercher des articles là-dessus…

— Oui. J'ai lancé une recherche pour recouper notre liste de tireurs d'élite avec les banques de données sur l'extrême droite. L'ordi est en train de rouler.

Victor ne répondit pas. Derrière ses paupières closes, une succession d'images s'imposa, comme s'il était emprisonné dans une vision prémonitoire.

*Nadja est toujours drapée de blanc, mais la lumière faiblit.*

*— C'est la couleur parfaite. La couleur de la pureté.*

*Elle lui fait un sourire amoureux et ouvre les mains pour l'enlacer, mais elles sont pleines du sang qui coule maintenant d'une large blessure sur son ventre. Victor reste au bout de la pièce, incapable de s'avancer vers elle.*

*Nadja l'invite à la rejoindre en murmurant.*

*— Laisse-nous pas partir...*

*Un coup de feu déchire le silence. C'est lui qui tient le pistolet.*

*La lumière s'éteint et tout devient noir.*


Victor tressaillit, puis émergea, hanté. Son regard se perdait dans l'eau qui s'écoulait par la bonde.

La voix de Gagné revint progressivement à sa conscience.

— B-Lefski t'a dit que les Freelanders, c'était un groupe d'extrême droite, non ?

Troublé, Victor aquiesça.

— Oui. T'as raison. Faut recouper les listes.

Ils avaient la tête sous l'eau quand ils entendirent Jacinthe arriver. Nue elle aussi, et pas le moins du monde gênée d'exhiber ses bourrelets et ses varices, elle s'installa sous le pommeau de la douche située entre eux. Elle laissa la caresse de l'eau la détendre un moment.

— Les Freelanders, on trouvera pas ces gars-là en allant à la dernière adresse qu'ils ont donnée à l'armée. Il faut que ça marche, ta liste, mon big.

Elle prit de l'eau dans sa bouche et la recracha en un jet puissant et sonore.

— En passant, les boys, juste vous rappeler au cas où y en aurait un qui aurait le goût de s'essayer : on joue dans la même équipe.

Ils rirent à l'unisson. Gagné feignit le désappointement. Elle se tourna vers Victor.

— Passe-moi donc le savon, Lessard.

Il le lui tendit, mais elle continuait de le fixer.

— T'es sûre que tu veux pas que je vienne avec toi ?

— Certain. Je veux que Paul en ait le moins possible à te reprocher si ça vire mal.

Il attrapa sa serviette sur un crochet, se sécha et sortit des douches. Gagné et Jacinthe finirent de se laver en silence, chacun prisonnier de ses propres pensées.

Jacinthe essuya le miroir embué du plat de la main. Serviette enroulée à la taille, elle commença à se brosser les dents. Assis sur un banc, dos à elle, Gagné achevait de s'habiller lorsque le cellulaire de l'enquêtrice, posé près de lui, vibra. Un message texte apparut à l'écran, que Gagné ne put s'empêcher de lire.

« Piché nie tout. Mon boss est frileux. »

Jacinthe s'approcha et consulta le message. Gagné détourna le regard et fit mine de n'avoir rien vu. La brosse à dents dans la bouche, elle pianota une réponse.

« Piché a mis de la pression ? »

La réplique de Virginie ne tarda pas.

« Sais pas. Faut trouver mieux. »

Contrariée, Jacinthe avait repris son brossage devant le miroir quand Gagné se risqua.

— C'est quoi, cette histoire-là ?

Elle cracha dans le lavabo et pivota vers lui, exposant ses formes flasques. Du dentifrice s'agglutinait à la commissure de ses lèvres.

— Pas de tes affaires, mon big.

— Piché, c'est pas mon meilleur. Pis j'en connais un boutte sur lui pis sur ce qu'y faisait pour couvrir Tanguay. Si tu m'expliques, ça peut devenir mes affaires aussi.

Sa curiosité piquée, elle jaugea Gagné d'un œil intéressé.

Jacinthe marchait de long en large pour tromper sa nervosité tandis que Gagné, affairé devant son ordinateur, affichait un air découragé.

— J'ai beau recouper les listes pour retrouver notre gars avec l'œil délavé, ça donne rien. Pis mon contact au Royal 22ᵉ réussit pas à avoir accès aux dossiers médicaux.

Jacinthe tempêta. L'absence de Victor lui pesait.

— Quand toute va ben !

Elle s'arrêta devant l'ancien policier et posa les paumes sur le bureau.

— Eille, pis par rapport à Piché, sérieux, dude, dis-moi c'est quoi ton affaire !

— Comme j't'ai dit, j'pense que j'ai le chaînon manquant. Faut juste que je le récupère.

Mais la patience n'avait jamais été la plus grande qualité de Jacinthe.

— Crisse, Gagné, arrête de faire ton ténébreux, pis crache !

Il croisa les bras et secoua la tête avec détermination.

— J'ai été en dedans parce que Piché a fermé les yeux sur les crimes de Tanguay. Je prendrai pas la chance de me *jinxer*.

Ennuyé, il marqua une brève pause avant de reprendre.

— Il doit pas aimer ça, Delaney, notre façon de faire. T'es-tu sûre que Lessard a raison de lui faire confiance ? Moi, j'ai toujours eu le feeling que c'était un gars pas mal trop *by the book*.

— C'est vrai que Delaney, c'est un des gars les plus honnêtes que je connaisse. Y est drette comme la tour du CN.

— J'aurais pensé que ça, c'était Victor.

Jacinthe sourit, puis recommença à tourner en rond.

— Lessard, c'est plus la tour de Pise... Drette, mais par rapport à son angle à lui.

Gagné croisa ses pieds sur le bureau et joignit ses mains sur sa nuque.

— J'espère juste que l'angle de Victor est pas rendu trop croche pour Delaney.

Jacinthe ne put cacher qu'elle le craignait aussi. Ils restèrent ainsi quelques instants, sans ajouter un mot. Puis l'ancien policier brisa le silence.

— Penses-tu que Yako et Vera Nesvitaylo sont quelque part ensemble, en sécurité ?

Jacinthe lissa ses courts cheveux poivre et sel.

— J'espère que oui, mon big. J'espère que oui.

## 54

## Échapper à l'inconscience des limbes

Le pick-up de Yako s'engagea sur le chemin de terre rabo-teux. La lumière des phares éclairait la silhouette fantoma-tique des épinettes. Sur la banquette arrière de la cabine double, Vera était recroquevillée sous une couverture de laine, tremblante, encore traumatisée par l'attaque de Pac Man et le suicide de Lucas Bérubé-Bilefski.

Durant le trajet, Yako s'était retournée à quelques reprises avec l'intention de la réconforter, mais elle avait eu peur de ne pas en avoir la force, peur de ne pas trouver les mots justes pour exprimer sa compassion.

Elle gara la voiture près de la roulotte et sortit sans un bruit. Au bout d'un moment, Vera se redressa, regarda dehors et vit Yako à l'écart, qui fixait la forêt. La danseuse fut prise d'un frisson d'angoisse en replongeant dans ses souvenirs.

*À califourchon sur sa poitrine, Pac Man étrangle Vera, qui, sombrant dans l'inconscience des limbes, n'oppose plus aucune résistance. Une ombre apparaît soudain et fond sur le dos de l'homme, enserrant sa gorge et lui plantant un couteau dans les côtes en criant. Pac Man hurle de douleur, puis tente d'agripper Yako, qui se sert de tout son poids pour le faire basculer sur le côté.*

*Elle reprend le couteau dans son flanc et l'enfonce de toutes ses forces dans sa nuque.*

*La lame ressort par la gorge de Pac Man, qui couine et gargouille, pendant qu'il se vide de son sang. Alors seulement Yako se relève, haletante, et aide Vera à se dégager.*

*Les mains et le manteau de la femme noire sont pleins de sang, mais elle ne s'en préoccupe pas. Elle attrape le poignard de commando dans l'étui fixé à la cuisse de Pac Man et fait un geste pour apaiser Vera.*

*— Tes mains. Faut qu'on parte. Vite.*

*La danseuse avance prudemment ses poignets vers elle.*

*— Faut appeler la police…*

*— Non. Pas la police.*

*Yako coupe les liens qui entravent Vera.*

*— Viens avec moi, OK ?*

*Yako surprend le regard horrifié de Vera. Elles sont toutes deux couvertes de sang. Yako enlève son manteau et elles s'en servent pour se débarbouiller sommairement.*

Vera chassa la vision cauchemardesque, sortit de la voiture et s'approcha de la roulotte. Par la porte entrouverte, elle aperçut Yako qui, dans la pièce du fond, était en train de se changer.

La danseuse entra. Yako se retourna vers elle.

— Ça va mieux ?

La mine basse, Vera murmura que oui. Puis elle désigna son cellulaire, que Yako avait posé sur le comptoir. La carte SIM avait été retirée.

— Faut que j'appelle ma mère, en Russie, sinon elle va s'inquiéter. On se parle tous les jours à la même heure.

Yako attrapa le téléphone et la carte SIM, et les mit dans la poche de sa veste.

— Pas tout de suite. Fais-moi confiance. S'il te plaît.

Vera obtempéra.

— Je te dois bien ça…

Les deux femmes échangèrent un sourire triste, alourdi par la violence dans laquelle leur lien s'était créé.

Yako reprit.

— Pendant que tu dormais, ils ont joué plusieurs chansons de B-Lefski à la radio. Tout le monde parle de lui. Sa voix ne s'éteindra jamais…

Vera détourna la tête, et les larmes lui vinrent aux yeux. La douleur était encore vive. Alors que les mains de son agresseur la propulsaient vers les confins de la mort, elle avait entendu le cellulaire de l'homme vibrer. Quand il avait pris l'appel et que son interlocuteur lui avait parlé du suicide de B-Lefski, de l'incompréhension ainsi qu'une peine immense s'étaient abattues sur elle malgré l'épais brouillard qui l'enveloppait.

Voulant apaiser son tourment, Yako vint passer un bras autour de ses épaules. Elle désigna les vêtements propres qu'elle avait étendus sur le lit.

— Change-toi et essaie de dormir. Il faut que je parte.

## 55

## Chanter au diapason

Les vagues s'abattaient avec fracas contre le béton du quai de l'Horloge. Seule la silhouette illuminée du pont Jacques-Cartier s'allongeant sur sa gauche lui tenait compagnie. Victor tira sur sa cigarette. Il grelottait et son épaule le faisait souffrir.

Même si sa dernière conversation avec Delaney avait mal fini, il comprenait ses motifs. Le chef des crimes majeurs l'avait toujours traité avec équité et respect. Jacinthe et lui venaient de laisser deux cadavres dans leur sillage ; Victor voulait le mettre au courant de ce qu'ils savaient.

Delaney arriva d'un air décidé. Il s'accouda à la balustrade et prit une grande inspiration avant de parler. Ses mots étaient durs, mais sa voix, calme et contrôlée.

— Avez-vous perdu la tête Jacinthe pis toi ? Qu'est-ce que vous avez fait avec Vera Nesvitaylo ?

Victor écrasa son mégot sous sa semelle et se tourna vers son ancien patron.

— Rien. Elle était pas là quand on est arrivés. Il y avait juste le corps du gars qui a essayé de la tuer. Je te jure qu'on sait pas où elle est.

— C'est elle qui l'aurait tué ?

Victor haussa les épaules. Il n'était pas prêt à lui parler de Yako. Pas encore.

— Va falloir que tu m'en dises pas mal plus que ça si tu veux pas te faire ramasser par le SCRS. J'ai semé leur filature à trois coins de rue d'ici.

Victor tressaillit de surprise.

— Quoi ? T'es suivi par le SCRS ?!

— T'as pas compris ? C'est moi qui pose les questions !

Victor se décida : il allait tout lui raconter.

La conversation durait depuis de longues minutes. Ils s'étaient mis à marcher sur le quai vers l'ouest. Ils arrivaient à la hauteur d'un ancien traversier converti en spa qui se dandinait avec indolence sur l'eau.

Delaney enfouit les mains dans ses poches.

— Tu m'as tout dit ? T'as rien oublié ?

Victor fit signe que oui, puis que non.

— Je peux-tu te demander pourquoi le SCRS te colle au cul, maintenant ?

— Ils te cherchent, qu'est-ce tu penses ?

— Parce que j'étais avec Komarov ?

— Je suppose que c'est une des raisons.

Delaney marqua une pause.

— Ils m'ont pris l'enquête sur Thomson. Pis celle sur Komarov par la même occasion.

Victor lui jeta un regard médusé.

— Ils savent-tu qu'ils étaient amants ?

Delaney opina, perplexe.

— J'imagine que oui.

— Piché dit quoi, lui ? Il va te backer ?

Le chef des crimes majeurs prit un air désenchanté.

— Piché... J'ai rendez-vous avec lui tantôt, mais penses-tu vraiment qu'il va lever le petit doigt pour faire avancer une enquête qui te concerne ?

Victor encaissa sans sourciller. Il se doutait qu'il s'était fait un ennemi du chef du SPVM en démissionnant. Mais à ce point? Les deux hommes parcoururent quelques mètres en silence. Delaney reprit.

— J'ai fait faire des vérifications par Loïc pis les crimes économiques. Dans la dernière année, Robert Thomson a fait trois transactions significatives.

— Combien?

— Plusieurs centaines de milliers de dollars.

Victor suivit des yeux un pétrolier qui glissait sur les flots, ses feux réfléchissant à travers la brume de la nuit comme des pentagrammes illuminés. Personne sur le pont; on aurait dit un navire fantôme.

— Quelles sortes de transactions?

— Il a utilisé une série de compagnies paravents. Pas moyen de le savoir. Chose certaine, ça équivalait à dix ans de son salaire au musée.

Delaney imita Victor, qui venait de s'immobiliser. Ils se faisaient face.

— Le SCRS est au courant, Paul. Sinon pourquoi ils se mêleraient de ça?

— Je peux me tromper, mais mon impression, c'est qu'ils ont perdu le contrôle d'une opération, pis qu'ils cherchent à gagner du temps.

— À gagner du temps pis à réparer les pots cassés. Mais toi... t'as pas peur que le SCRS blâme les crimes majeurs s'ils apprennent que t'enquêtes en secret sur Komarov pis Thomson?

— Comme bouc émissaire, tu ferais une pas mal meilleure job que moi, tu penses pas? T'as pissé dans tous les coins de cette affaire-là.

Victor secoua la tête, accablé.

— Le SCRS... Manquait plus rien que ça.

— Encore ce matin, je voulais te convaincre de sortir de ton trou. Mais là...

— Si je sors pis que je leur tombe dans les pattes…

Delaney approuva. Une expression amère se peignit sur son visage.

— Pis moi, j'ai-tu besoin de te dire comment ça me fait chier de me faire botter le cul par le SCRS ?

Ils échangèrent un regard entendu.

— Faut que tu découvres la vérité sans eux pis malgré eux, Victor. Sans ça, c'est écrit dans le ciel que le SCRS ou Piché vont te faire payer la note. J'ai pas l'intention de les laisser faire. Mais, pour que je reste de ton bord, va falloir qu'on chante au diapason.

Victor acquiesça et posa une main sur l'épaule de son ancien supérieur.

— T'as ma parole, Paul.

Tout se passa dans les non-dits du silence qui s'ensuivit. Delaney sut.

— OK. Qu'est-ce que je peux faire pour t'aider ?

— Il y a des dossiers médicaux auxquels j'ai pas accès. Des dossiers militaires…

Sentant son téléphone vibrer dans sa poche, Victor l'attrapa et consulta l'afficheur.

— À part Gagné, Jacinthe pis toi, j'ai donné ce numéro-là à une seule autre personne.

Sans plus attendre, il répondit.

— Vera ? Vera Nesvitaylo ?

Delaney tendit l'oreille pour entendre la suite.

## 56

## Cénotaphe et monument aux braves

Victor s'avança dans l'allée bordée d'arbres du parc Notre-Dame-de-Grâce, qui était situé tout près de l'appartement qu'il avait jadis partagé avec son fils, Martin. Il fumait une cigarette en essayant de se donner un air nonchalant mais, tandis qu'il s'approchait du cénotaphe formé d'une colonne oblongue posée sur un socle de granit circulaire, son attention était entièrement dirigée vers l'objet de sa présence, dont il guettait l'arrivée.

Alors qu'il s'arrêtait devant le Monument aux braves, qui commémorait les fils de NDG fauchés au champ d'honneur durant la Première Guerre mondiale, il consulta sa Hamilton. Plus que cinq minutes à tuer avant le rendez-vous.

Le parc était désert à cette heure. Il était en théorie illégal de s'y trouver après 22 heures, mais les risques qu'il tombe sur une voiture de patrouille du poste 11, où il avait travaillé dans le passé, étaient à peu près nuls.

Victor recracha la fumée de sa cigarette et observa la scène gravée sur la plaque de bronze fixée à la colonne : un bataillon en marche, baïonnette au fusil, longeant un cimetière. Il scruta les confins du parc et tendit l'oreille, mais il ne perçut aucun son, à part celui des feuilles qui craquaient sous ses pas.

La voix au téléphone – une voix de femme qu'il n'avait jamais entendue – l'avait enjoint de se trouver devant le cénotaphe à l'heure dite s'il voulait savoir ce qu'il était advenu de Vera Nesvitaylo. Avant de couper la communication, la femme avait encore précisé qu'il devait venir seul et sans arme.

Malgré le vent frisquet qui le faisait frissonner, Victor retira sa veste de cuir et sa chemise, restant en t-shirt. Le but de la manœuvre était de montrer à son interlocutrice, si elle l'observait de loin, qu'il avait suivi ses instructions.

À pied, Gagné était posté près de l'entrée nord du parc, à l'angle de l'avenue Marcil et du chemin de la Côte-Saint-Antoine. Pour sa part, Jacinthe les attendait derrière le volant de la Saab, qu'elle avait garée juste avant le stand de taxis au coin de l'avenue Girouard et de la rue Sherbrooke. Ainsi positionnés, prêts à intervenir au moindre mouvement suspect, ils couvraient tous les angles du parc.

Aux aguets, s'efforçant de contenir sa nervosité, Victor tira de nouveau sur sa cigarette et pivota sur ses talons, effectuant un demi-tour sur lui-même.

Une voiture remonta Sherbrooke en direction est et ralentit avant le feu de circulation. Victor se crispa et essaya d'apercevoir le conducteur dans l'habitacle sombre. Il ne vit toutefois qu'une silhouette informe dont il aurait été bien embêté de préciser le genre. La tension qui bandait ses muscles se relâcha lorsque le véhicule tourna à droite et s'engagea dans Old Orchard. Il le suivit des yeux par acquit de conscience, mais la voiture poursuivit sa route jusqu'au bout de la rue sans s'arrêter.

Victor écrasa sa cigarette sous sa semelle et fit quelques pas vers l'ouest pour remonter l'allée ceinturant le cénotaphe. Chemin faisant, son attention fut attirée par l'immeuble qui bordait la rue étroite, là où la voiture venait de s'engager.

Le théâtre Empress, dont la façade et la décoration intérieure avaient été inspirées par le style égyptien, était un édifice jadis phare du quartier, mais aujourd'hui complètement négligé. En voyant cette splendeur du passé oubliée, Victor se désola encore une fois qu'on la laisse tomber en décrépitude, qu'on l'abandonne aux mains des fonctionnaires et des politiciens.

Ponctué d'un moment d'inattention, cet excès de sentimentalisme fut son erreur. Alors qu'il passait devant un banc échappant aux lueurs des réverbères, il ne remarqua en effet pas la forme tapie sur le sol, dans l'obscurité. Il ne prit conscience du mouvement dans son dos que lorsqu'il sentit la caresse du métal contre sa nuque.

Une voix de femme se fit entendre.

— Bougez pas…

Victor leva les bras.

— Pas de stress, je suis pas armé.

Une main souple le palpa pour s'assurer qu'il disait vrai. Quand celle qui le tenait en joue fut satisfaite, elle lui ordonna de se retourner lentement. Victor s'exécuta et se retrouva nez à nez avec une jeune femme à la peau noire. Celle-ci abaissa la lampe de poche métallique qu'elle avait utilisée pour simuler le canon d'un pistolet. Elle le regarda avec intensité, le jaugeant.

— Vera pense qu'on peut vous faire confiance.

La femme ne cessait de scruter les alentours.

— Je crois qu'elle a raison. Venez.

Elle commença à remonter l'allée vers l'extrémité nord du parc. Victor lui emboîta le pas.

— Et avertissez vos amis qu'on s'en vient. Je les ai vus. Je ne veux pas qu'on ait de problèmes.

Victor attrapa son cellulaire et les texta.

— Et Vera? Elle est où?

— En sécurité. En passant, je m'appelle Yako Sabara, monsieur Lessard.

— Appelle-moi Victor.

Et tandis qu'ils poursuivaient leur chemin en silence, Victor se dit qu'à ce stade les mots étaient superflus.

## 57

## Un moment de silence dans le chaos

En dépit des paroles de Victor, qui l'avait rassurée à plusieurs reprises quant au fait qu'ils n'étaient pas suivis, Yako se trouvait dans un état d'hypervigilance. Pour la énième fois, ses yeux scrutèrent avec appréhension l'obscurité de la rue. L'observant dans son rétroviseur, Jacinthe l'interrogea du regard.

— Tourne à gauche ici.

Ayant décidé de laisser son pick-up à Montréal pour monter avec eux, Yako avait pris place à côté d'Yves Gagné sur la banquette arrière. Tête accotée à la vitre, celui-ci avait fini par s'endormir au fil de leurs pérégrinations.

Jacinthe soupira et exécuta la manœuvre en maugréant.

— On va-tu tourner en rond de même encore longtemps? Y fait noir comme dans le trou de cul d'une loutre, pis je commence à avoir faim. Au moins, tu pourrais jaser un peu pendant qu'on refait le rallye Paris-Dakar dans Montréal...

C'est qu'ils étaient partis du parc Notre-Dame-de-Grâce depuis plus de vingt minutes. Assis sur le siège passager, Victor toucha le bras de sa partenaire pour lui demander de ne pas envenimer la situation. La jeune femme s'était montrée très avare de détails, se bornant à donner de-ci de-là des directives sur le trajet à emprunter.

Yako avait en outre refusé de répondre à toute question. En fait, chaque tentative se soldait de la même manière : elle serrait les dents, croisait les bras et observait le mutisme le plus complet. Et elle avait posé une exigence : s'ils voulaient rencontrer Vera, ils devaient suivre ses instructions à la lettre sans les remettre en cause.

Après qu'ils eurent remonté le boulevard Décarie en direction nord, bifurqué vers l'est en empruntant le chemin de la Côte-Sainte-Catherine et traversé Outremont et le Mile End, il devint manifeste qu'ils erraient. Alors qu'ils faisaient encore des incursions dans des rues désertes, Jacinthe ne put s'empêcher de revenir à la charge.

— Écoute, ma belle, on a l'air de rien de même, mais on est des policiers. Je pense que, si on était suivis, on s'en serait rendu compte.

— Vous avez aucune idée à qui vous avez affaire.

Jacinthe répliqua du tac au tac.

— On est au courant pour les Freelanders, si c'est à ça que tu fais référence.

Yako jeta un coup d'œil à la dérobée par-dessus son épaule.

— Si vous les connaissiez comme je les connais, vous sauriez que les précautions que je prends sont nécessaires. Vitales, même. Prends la prochaine à droite.

Victor se questionna sur les intentions de la jeune femme. Débusquer d'éventuels poursuivants était-il son unique préoccupation ?

— C'est correct, Yako, on va prendre le temps qu'y faut pour que tu sois sûre que personne nous suit. Peut-être aussi que tu te demandes si tu peux nous faire confiance. Si tu veux, on peut s'arrêter quelque part pour prendre un café pis jaser. On va te raconter tout ce qu'on sait. Après, tu pourras décider de ce que t'as envie de faire.

Il n'y avait pas d'agressivité dans la voix de Yako quand elle répondit, seulement de la dureté.

— Ça ne sera pas nécessaire. On va prendre la deuxième à gauche après le stop.

Victor ignorait tout de son passé, mais il songea qu'elle s'était formé des lignes de défense mentales pour ne pas craquer, un bouclier lui permettant de contrer les assauts et d'empêcher les autres d'avoir accès à ses émotions. Ce mécanisme, qui relevait à la fois de la préservation et de la survie, il l'avait souvent observé chez des victimes d'actes violents ou chez leurs proches.

— Le Freelander qui a été poignardé chez Vera Nesvitaylo… c'est toi?

Yako leva le menton et déglutit. Un instant, Victor vit ses yeux se voiler et crut qu'elle allait se fissurer, mais il n'en fut rien. La même dureté reparut.

— C'était Vera ou lui. Je referais exactement la même chose.

Jacinthe approuva du chef.

— *Attagirl!* T'as ben faite!

Ne semblant pas avoir entendu, Yako tourna la tête et guetta encore une fois la route par la lunette arrière. Victor l'enveloppa d'un regard bienveillant. Il s'agissait sans doute de la première personne à qui elle enlevait la vie.

Tenant pour acquis que Yako était prête à entamer le dialogue, Jacinthe poursuivit.

— C'est-tu toi qui as ses papiers? Nous, on n'a rien trouvé dans ses poches.

Yako desserra les mâchoires.

— Il n'avait aucun papier sur lui.

— Pis les Freelanders, leur cyberattaque, sais-tu si…

La réponse arriva avant la fin de la question.

— Pas tout de suite.

Yako avait remis son bouclier. Victor fit signe à Jacinthe de se taire et se carra dans son siège. Il laissa planer un silence. Puis il reprit avec beaucoup de délicatesse.

— Ce qui est arrivé… si jamais t'as besoin d'en parler…

La jeune femme écrasa une larme du pouce.

— On va aller prendre la 15 Nord.

Jacinthe fit un virage serré et accéléra.

— Bon ! Y était temps qu'on arrête d'aller nulle part.

Ils avaient quitté la ville depuis deux heures, se trouvaient à proximité de Rivière-Rouge et montaient encore vers le nord. Victor jeta un coup d'œil derrière. Après leur avoir révélé leur destination, Yako avait fini par s'endormir, elle aussi. Le côté droit de son visage était appuyé contre l'épaule de Gagné, qui, la tête renversée vers l'arrière, la bouche grande ouverte, couvrait le bruit du moteur par ses ronflements.

Jacinthe lâcha le volant une seconde et s'étira, bras levés, en bâillant.

— On la réveillera rendus aux îles Moukmouk… Yo, Gagné ! Baisse le volume !

L'ancien policier s'interrompit, émit de petits grogne-ments, puis se remit à ronfler de plus belle. Jacinthe l'ob-serva dans son rétroviseur, attendrie.

— Méchant bon jack pareil, ton Gagné.

Victor sourit et approuva. Elle continua.

— Tu vas pouvoir compter sur lui si un jour y m'arrive quèque chose.

— De quoi tu parles ?

Elle passa une main sur ses traits rongés par la fatigue.

— Capote pas, je dis ça de même. On mène pas des vies de bonnes sœurs, mon homme…

Il ne put que lui donner raison. Ils roulèrent sans parler de longues minutes. Puis, narines dilatées, le visage de Victor afficha brusquement un air de dédain.

— C'est-tu toi?

Une odeur sulfureuse venait d'empester l'habitacle et il ne douta pas une seconde de sa provenance. Jacinthe garda les yeux sur la route, flegmatique.

— Comme tu disais, si le chapeau te fait, mets-le.

Il remonta son t-shirt sur son nez.

— Jacinthe…

— C'est pas moi, c'est Gagné!

— Jacinthe Taillon… je connais ton odeur par cœur!

Les épaules de sa partenaire se mirent à tressauter tandis que, comme une baudruche qui se dégonfle, elle pouffait d'un rire sonore et gras. Elle parvint quand même à articuler quelques mots entre ses quintes de rire.

— Ben quoi? Fallait ben le baptiser, ton p'tit bolide!

Stoïque, Victor baissa sa vitre; les cheveux balayés par le vent, il secoua lentement la tête puis s'esclaffa à son tour. Après s'être calmé, il songea à ce que Yako leur avait dit juste avant de se recroqueviller sur elle-même et de fermer les paupières.

— Je les connais très bien, les Freelanders. Je travaillais pour eux. C'est sûr qu'ils nous cherchent. Ces gars-là tolèrent pas les erreurs.

Elle avait ensuite rouvert les yeux, le temps de conclure.

— Si vous voulez boire un café, il va falloir en acheter.

Rempli d'une profonde reconnaissance pour ses compagnons d'infortune, Victor se retourna vers la banquette arrière pour observer Yako et Gagné, qui dormaient toujours à poings fermés. Puis il détailla Jacinthe, concentrée sur sa conduite. Partout autour d'eux, la mort rôdait, mais ils continuaient d'avancer.

# 58

## Les fiches quoi ?

L'urine ricocha sur les feuilles d'un arbuste, créant un nuage de condensation. Son gant de baseball coincé sous l'aisselle, Victor ferma les yeux et expira longuement par la bouche, vidant ses poumons des tensions emmagasinées. Soulagé, il remonta sa braguette et releva la tête. Ils avaient roulé une partie de la nuit. À présent, le soleil se levait dans la matinée froide, éparpillant ses rayons entre les branches dégarnies, avalant la cime des arbres.

Il rebroussa chemin dans le sentier, mit quelques minutes à ramasser une brassée de brindilles sur le sol couvert de feuilles mortes et d'aiguilles de pin, puis il revint d'un pas décidé vers le campement.

La vieille roulotte de Yako était rouillée et tachée de boue ; des sections avaient été arrachées et remplacées par des panneaux de bois. Derrière, sous une bâche rapiécée gonflée par le vent, se dressait une table de pique-nique qui avait connu des jours meilleurs.

Les sacs de victuailles qu'ils avaient achetées dans un dépanneur étaient disposés devant le feu qui crépitait au cœur d'un monceau de pierres des champs. Une cafetière et des casseroles fumaient sur une grille de poêle montée sur des piquets improvisés, taillés dans de gros billots noircis.

Victor laissa tomber le bois sur le sol et, pour se donner une contenance, il enfila son gant et lança dans le panier la balle de baseball au cuir bruni et parcheminé qu'il avait trouvée dans un tas de rebuts derrière la roulotte.

Affamée, Jacinthe tournait les tranches de bacon et les patates rissolées avec une fourchette tandis que Gagné attisait le feu. L'odeur de la nourriture embauma la clairière ; Victor réalisa qu'il avait faim.

La langue sortie, Jacinthe gardait les yeux rivés sur le contenu de sa poêle en fonte.

— Checke ça, mon homme... Ça va nous remettre sur le piton.

Assis sur des chaises pliantes, ils se préparaient à avaler leur déjeuner en demi-cercle, près du feu. Ayant renoncé à essayer d'entrer dans la sienne, Jacinthe fit le service, puis s'installa sur une bûche. À petites lampées, Victor but du café, puis posa sa tasse dans un coin de son assiette, en équilibre sur ses cuisses.

Yako sortit de sa roulotte en refermant la porte tout doucement et vint les retrouver.

— C'est parfait, elle ne s'est pas réveillée. Elle était encore sous le choc quand je suis partie vous rejoindre.

Victor approuva. Le traumatisme découlant de la mort de B-Lefski et de la violente agression dont elle avait été victime était tel que Vera aurait besoin de toutes ses forces pour faire face au terrible ressac qu'elle ne manquerait pas d'éprouver.

Jacinthe engloutit d'un coup une demi-rôtie badigeonnée de beurre d'arachide.

— Depuis quand t'habites ici ?

— Ça va faire un an. Le proprio du terrain est une connaissance. Quand ma demande d'asile politique a été refusée, je ne savais plus où aller.

Victor la regarda avec empathie. Quelques mois auparavant, Jacinthe et lui avaient enquêté sur le meurtre d'un réfugié clandestin qui avait été poignardé à mort dans un squat du centre-ville pour une poignée de dollars. En parlant à des intervenants, ils avaient appris que, chaque année, des centaines de migrants qui étaient passés à travers les formalités du système s'évanouissaient ensuite dans la nature.

Parfois par incompréhension, les problèmes de langue et de santé mentale étant parmi les plus courants ; parfois simplement parce qu'ils avaient eu des ennuis avec la police. Mais, la plupart du temps, parce que le seul verdict qui les attendait à l'issue du processus était, comme dans le cas de Yako, l'expulsion.

La jeune femme s'assit sur une des chaises libres.

— On était rendus où, déjà ?

Victor lui tendit une assiette, qu'elle accepta.

— Tu nous expliquais comment tu affichais tes services sur le Darknet.

Gagné lui rafraîchit la mémoire en lui rappelant ses propres mots.

— « Tu t'annonces, tu te fais payer en bitcoins. Tout le monde est anonyme. »

Yako acquiesça et baissa les yeux vers son repas.

— C'est toujours comme ça que ça marche. Quelqu'un te trouve dans des forums spécialisés et te donne des mandats. Pas besoin de détails. C'est ce qui garantit la sécurité des deux parties.

Jacinthe se resservit des œufs brouillés.

— On s'entend que ceux qui t'engagent, c'est pas des enfants de chœur.

Yako reprit la parole en mastiquant.

— C'est vrai. Mais il y a quand même une ligne que je ne franchis pas. Si la vie de quelqu'un est menacée…

Elle s'interrompit et reposa son assiette, troublée par la contradiction dans ce qu'elle venait d'affirmer. Tout lui rappelait que Guillaume Lefebvre avait perdu la sienne.

— Au début, ce client-là m'a demandé de faire des contrats sans importance pour me tester. Mais, petit à petit, la complexité de ce qu'il me demandait a augmenté. C'est quand j'ai réalisé ce qu'il voulait faire que j'ai commencé à paniquer.

Elle leva les yeux. Les autres étaient suspendus à ses lèvres. Victor sauta sur ses pieds, fit quelques pas à l'écart et s'alluma une cigarette.

— Tu savais pas pour qui tu travaillais, mais à partir de là, t'as essayé d'en savoir plus sur ton employeur ?

— Effectivement. Je l'ai appris en fouillant.

Victor expulsa un nuage de fumée qui se dissipa dans la brume.

— Comment ?

— Version longue ou version simple ?

Pince-sans-rire, Jacinthe pointa Gagné de l'index.

— Version simple. Sinon, lui, y devient tout mêlé.

Esquissant un sourire, Gagné lui fit un doigt d'honneur. Yako poursuivit, imperturbable.

— J'ai hacké leur système.

Victor remit une bûche dans le feu, que Gagné attisa.

— C'est là que t'es allée voir Guillaume Lefebvre.

Dans le reflet des pupilles de Yako, le temps se mêla aux flammes et se dilata, rendant plus graves encore ces choses qu'elle tentait d'oublier.

— Rapidement, je me suis aperçue que quelqu'un d'autre cherchait la même chose que moi sans couvrir ses traces. Je lui ai envoyé un avertissement. C'était Guillaume.

Jacinthe se remémora sa conversation avec Virginie Tousignant à propos des rapports de dépenses de son collègue.

— Mais Lefebvre en voulait plus. Il t'a convaincue de le rencontrer. Vous êtes allés dans un resto de Chinatown. Après, tu t'es mise à le feeder. T'es devenue une de ses sources...

Yako le lui confirma, puis raconta leurs premiers rendez-vous, la façon dont ils avaient commencé à collaborer.

— En croisant nos informations, on a fini par comprendre à qui on avait affaire.

Même si elle tentait de le dissimuler en projetant aux autres une image de guerrière sans peur, Victor voyait la fissure dans l'armure de la jeune femme. Yako n'avait pas seulement perdu Lefebvre. Enlever la vie n'est pas quelque chose dont on sort indemne, il pouvait en témoigner.

— Les Freelanders...

Yako eut une moue de dégoût et cracha sur le sol.

— Sans le savoir, je travaillais pour de sales racistes.

Des nuages étaient apparus et une légère bruine tombait, mouillant les visages et tapissant tout d'une patine triste. Gagné se leva discrètement et se mit à ramasser les assiettes et les couverts sales.

Dans la roulotte, Vera se redressa sur le lit en suffoquant. Quand elle se rappela pourquoi elle était là et ce qui lui était arrivé, une vive douleur l'étreignit.

Des voix émanaient de l'extérieur. Elle alla à la fenêtre. Quand elle les vit autour du feu, elle songea à sortir, mais elle n'en avait pas la force. Pas tout de suite.

Vera fixa longuement la veste de Yako, négligemment posée sur une chaise. La danseuse hésita, puis elle fouilla dans les poches et attrapa son cellulaire et la carte SIM que Yako lui avait confisqués. Elle se mordit les lèvres, tor-turée par un conflit moral. Puis, la main tremblante, elle inséra la carte dans le téléphone, qu'elle alluma. Elle passa ensuite un appel qui mit plusieurs secondes à être ache-miné. Elle parla en russe, tout bas.

— Maman? Oui, je… je vais b…

Elle s'arrêta un court instant.

— Toi?

Submergée par l'émotion de parler à sa mère, mais aussi par la culpabilité face à ce geste de désobéissance, elle se mit à pleurer.

Gagné rinça la vaisselle sous le robinet de la citerne qui servait à recueillir les eaux de pluie, puis il reprit sa place près du feu. La discussion se poursuivait.

Confusément, Victor commençait à prendre la mesure de ce que Yako leur révélait.

— Donc t'as vu Lefebvre le jour de sa mort…

Oscillant entre eux et ses souvenirs, qui se remirent à défiler dans sa tête, elle acquiesça. Et là, l'espace d'une seconde, elle revit les traits du journaliste se convulser, son corps se comprimer dans un spasme, puis s'affaisser sur le plancher.

— On avait rendez-vous…

Des larmes coulèrent sur ses joues quand elle leur décrivit les derniers moments de son complice. Puis elle inspira profondément.

— J'ai pris de gros risques pour alimenter Guillaume. J'ai fait plein de recherches pour l'aider à documenter ce que je savais sur les Freelanders. J'étais prête à aller jusqu'au bout. Lui aussi…

La voix de la hackeuse se brisa.

— C'était un bon gars, Guillaume, un homme courageux. Mais il n'a pas été assez prudent.

Ils échangèrent des regards navrés alors qu'un lourd silence tombait sur eux.

— Je lui avais donné des informations sur les Freelanders et sur la mine de bitcoins. Mais, malgré mes avertissements, il est allé poser des questions à des gens qu'il a mis en danger.

Victor eut l'impression qu'une main glacée remontait de son dos vers son cou.

— Vera Nesvitaylo et B-Lefski. Lefebvre est apparu sur le radar des Freelanders en allant leur parler…

Les yeux de Yako fixèrent le vide devant elle, au-delà de la forêt.

— Tout est de ma faute. Sans le savoir, je les ai désignés comme des cibles tous les trois. Mais même après le meurtre de Guillaume, jamais j'aurais pensé que…

Yako se tut pour ne pas craquer. Victor posa sa main sur l'épaule de la jeune femme, qui le laissa faire.

— Que les Freelanders iraient jusque-là ?

Ses yeux s'embuèrent tandis qu'elle serrait les dents.

— Je suis allée aux Catacombes pour avertir B-Lefski, mais il a pas voulu me voir.

Elle demeurait immobile. Ses paupières ne cillaient plus. Victor aussi se sentait coupable. Il tenta de prendre le fardeau sur ses épaules pour libérer la conscience de la hackeuse.

— C'est moi qui aurais dû… J'étais là hier soir.

Elle passa sa paume sur ses cheveux rasés et le dévisagea.

— Je sais. Je t'ai vu en partant.

Victor la considéra avec étonnement.

— Je me suis renseignée sur toi après la fusillade. Quand je t'ai reconnu aux Catacombes, j'ai pensé que tu réussirais à lui parler.

Jacinthe intervint d'une voix forte et sans appel.

— Personne pouvait rien faire pour B-Lefski ! Personne. C'tu clair ? Pis Vera…

Elle montra la roulotte.

— … pis Vera, tu lui as sauvé la vie. T'as fait la bonne affaire.

Secoués par la tristesse de l'Ivoirienne, ils laissèrent passer un temps. Puis Gagné brisa le silence.

— Les Freelanders, ils t'ont engagée pour faire quoi ?

Yako fit un effort pour se ressaisir.

— Installer un cheval de Troie dans le système du ministère de la Défense. Au début, je pensais qu'ils voulaient créer des dommages dedans, mais, après, je me suis rendu compte que le Ministère allait leur servir de porte d'entrée pour mettre la main sur les fiches S.

Jacinthe fronça les sourcils.

— Les fiches quoi?

L'air grave, Victor les regarda l'un après l'autre. Il savait de quoi il retournait.

— Les dossiers des personnes en sol canadien soupçonnées d'être des djihadistes.

## 59

## Répliquer coup pour coup

En sortant du quartier général du SPVM, rue Saint-Urbain, Paul Delaney entra dans un établissement de restauration rapide, où il s'acheta un sous-marin et un café. Il marcha ensuite d'un pas vif jusqu'au parterre du Quartier des spectacles, coin De Montigny. Là, fixant sans le voir le triptyque des statues en forme d'oiseaux qui ornait le square, il mordit dans son sandwich et essaya de chasser la frustration qui le tenaillait.

Comme prévu, Marc Piché s'était montré peu disposé à affronter le SCRS. Le chef des crimes majeurs avait eu beau expliquer avec éloquence qu'il en allait de la crédibilité du service, son supérieur s'était contenté de lui débiter des formules creuses et d'affirmer qu'il verrait ce qu'il pouvait faire. Delaney était parti en claquant la porte.

La situation lui paraissait d'autant plus trouble qu'une heure auparavant, alors qu'il passait en revue le dossier d'enquête concernant le meurtre de Thomson, son téléphone avait sonné. Avant que la réceptionniste eût fini de lui annoncer que Claire Sondos désirait le voir, celle-ci avait fait irruption dans son bureau en compagnie d'un homme.

Delaney avait ouvert un tiroir, flanqué le dossier dedans et fait mine de chercher dans sa mémoire.

— Tiens, c'est drôle, ça...

Sondos avait feint de ne pas saisir qu'il venait de lui servir la même formule condescendante qu'elle, la veille. Mais, avant de poursuivre, il n'en avait pas moins observé une pause, pour bien mesurer l'effet de son entrée en matière.

— ... je me souvenais pas qu'on avait rendez-vous. Êtes-vous en train de vous attacher ?

Rigide, l'agente des services de renseignements avait désigné celui qui l'accompagnait.

— Mon collègue, Hubert Baron.

Les deux hommes s'étaient salués d'un signe de tête poli. Mi-trentaine, rasé de frais et tiré à quatre épingles dans son complet anthracite, Baron avait des traits juvéniles, mais grisonnait aux tempes. Des poches sombres se dessinaient sous ses yeux.

Sondos avait quant à elle repris les hostilités sans tarder.

— Vous deviez vous attendre à notre visite...

Delaney s'était calé dans son fauteuil, prêt pour l'affrontement.

— Pas particulièrement, non.

Elle s'était penchée vers lui, le regard pénétrant.

— Pensez-vous qu'on s'en aperçoit pas quand quelqu'un fouille dans nos affaires ?

Il avait levé les mains en l'air, paumes tournées vers elle.

— Euh... je vous suis pas, là.

— Bullshit !

Plus calme et plus avenant, Baron était intervenu pendant que sa collègue arpentait la pièce pour passer ses humeurs.

— C'est étrange, parce que quelqu'un ici, aux crimes majeurs, a essayé d'accéder à des bases de données sur des anciens militaires. À des dossiers médicaux, notamment.

Évidemment, Delaney était au courant. C'était lui qui avait donné instruction à Loïc de le faire. Mais il avait haussé les épaules et affecté l'ignorance.

— En tout cas, si vous vous êtes déplacés, ça veut sans doute dire que celui ou celle qui a fouillé a failli trouver quelque chose d'intéressant, non?

Mains sur les hanches, Sondos tonna, cassante.

— Je vous ai averti de ne pas jouer dans nos plates-bandes.

Peinant de plus en plus à se contenir, le chef des crimes majeurs avait soupiré.

— Moi aussi, j'ai une enquête en cours.

— Je vous l'ai déjà dit: mettez tout ça sur la glace.

— Faut bien que la police fasse son travail.

— Dans ce cas-là, le travail de la police, c'est de retrouver Victor Lessard. Ah oui, j'oubliais… Vous ne savez même pas s'il est en vie. Et j'imagine que le fait que vous vous amusiez à déjouer notre filature, ça non plus, ça n'a pas rapport avec lui.

Les masques tombés, Delaney n'avait pas essayé de donner le change. Sondos l'avait encore toisé, puis elle était sortie. Baron lui avait emboîté le pas, mais il s'était arrêté en chemin et avait tourné la tête vers Delaney.

Une seconde, celui-ci avait cru que l'agent du SCRS allait parler, mais, après une hésitation, l'autre avait renoncé et quitté le bureau à son tour.

Delaney avait mangé moins de la moitié de son sandwich lorsqu'il le contempla, désabusé, et constata qu'il n'avait plus faim. Il se mit à marcher vers sa voiture et donna le morceau qui restait à un itinérant.

Un élément lui échappait. Et il allait découvrir lequel, avec ou sans le soutien de sa hiérarchie. Car s'il avait appris une chose dans les dernières années, alors qu'il accompagnait Madeleine dans sa lutte contre le cancer, c'est qu'il fallait toujours se battre. Si quelqu'un voulait lui arracher son enquête, il allait répliquer coup pour coup. Il n'en émergerait pas nécessairement vainqueur, mais son adversaire en sortirait au moins aussi amoché que lui.

Soudain, il prit conscience que quelqu'un marchait dans son dos, ajustant son pas au sien. Se retournant, il vit que c'était Hubert Baron. Celui-ci avait un dossier à la main.

— Continuez à avancer.

L'agent du SCRS lui remit le dossier subrepticement, sans s'arrêter.

— C'est le gars que vous cherchez…

Delaney ne put s'empêcher de lui jeter un regard furtif.

— Pourquoi vous me donnez ça?

— Échange de bons procédés. Un jour, c'est peut-être moi qui aurai besoin d'aide, Paul.

Baron traversa la rue entre deux voitures, laissant un Delaney ébahi derrière lui.

## 60

## Déplacer des monticules de terre

Ils avaient tous gardé le silence après que Victor eut expliqué en quoi consistaient les fiches S, comme si prononcer un mot sur les djihadistes potentiels dont elles dressaient le profil risquait de déclencher une prophétie autoréalisatrice ou encore de leur attirer quelque noire malédiction. Un instant, le babil de la forêt les enveloppa et prit le dessus sur leurs pensées. Et tandis qu'un oiseau chantait à l'infini la même note aiguë, que le vent sifflait entre les branches et que la ligne des arbres se balançait en émettant des craquements sourds, la réalité, lentement, prit corps dans leur esprit.

Ce fut Gagné qui exprima tout haut ce que ses compagnons pensaient eux aussi.

— Il faut prévenir le ministère de la Défense.

Yako secoua la tête avec amertume.

— Le cheval de Troie a été découvert ça fait un bout, et la brèche a été colmatée par le Ministère. Mais le mal est fait...

À la lumière de ce qu'ils avaient appris, Victor formula une hypothèse.

— Les fiches S, penses-tu que c'était ça, la cyberattaque sur laquelle Guillaume Lefebvre faisait des recherches pour son article ?

Yako l'ignorait. Gagné but une gorgée de café.

— C'est sûr que quelque chose de plus gros se prépare, sinon pourquoi ça continuerait à tomber comme des mouches ?

Un moment passa avant que Jacinthe les sorte de leurs réflexions.

— Les Freelanders vont faire quoi avec les fiches S ? Traquer pis tuer des djihadistes ?

Gagné afficha un air sceptique.

— Si les Freelanders avaient tué des djihadistes, on en aurait entendu parler d'une manière ou d'une autre.

Il y eut encore un silence. Une idée commençait à germer dans l'esprit de Victor, qui se tourna vers la jeune hackeuse.

— Est-ce que Lefebvre t'a déjà parlé du programme Marée Rouge ? Pendant la guerre froide, le gouvernement du Canada avait créé des camps secrets pour interner les sympathisants communistes.

— Moi, le seul camp dont Guillaume m'a parlé, c'est celui des Freelanders. Il appelait ça Ghetto X.

Un rictus désabusé apparut sur le visage de Jacinthe.

— Monsieur X, Ghetto X... Y nous manque juste un X pour que ça devienne porno.

Comme un prélude à sa prochaine question, Victor se leva et jeta une brassée de branches mortes sur le feu pour raviver les flammes.

— Et si, au lieu de tuer les djihadistes, le but des Freelanders, c'était plutôt de les retirer de la circulation ?

Gagné saisit tout à coup où il voulait en venir.

— Les retirer de la circulation pour les interner dans leur camp ?!

Jacinthe ouvrit une canette d'orangeade et, d'une seule gorgée, en avala la moitié.

— Yo, pourquoi les Freelanders feraient ça ? Un chien chie pas dans sa cage. Leur camp, c'est probablement là qu'ils vivent pis qu'ils stockent leurs guns.

Le ton monta et chacun défendit avec ferveur son point de vue. Mais, ayant perçu dans les yeux de Yako qu'un souvenir refaisait surface, Victor les fit taire. Mal à l'aise d'être soudain le centre de l'attention, l'Ivoirienne s'ouvrit néanmoins.

— Je ne sais pas si ça peut vous aider, mais pour les armes Guillaume pensait qu'ils étaient en relation avec quelqu'un qui a des contacts en Russie.

Gagné se leva à son tour et fit quelques pas pour se dégourdir les jambes.

— Il a pas nécessairement le profil, mais Thomson a travaillé trois ans en Russie.

Victor s'alluma une cigarette. Il avait l'impression qu'ils pourchassaient une forme floue dans le brouillard.

— Ou, au contraire, c'est la couverture parfaite. Oublions pas qu'il frayait avec tout ce beau monde-là. Il pouvait peut-être leur servir d'intermédiaire. Pis ça expliquerait ses transactions bancaires.

Jacinthe fit une moue incrédule.

— Pis pourquoi Thomson aurait aidé à fournir des armes aux Freelanders?

Victor répondit à sa question par une autre.

— Pourquoi pas?

Ils avaient continué de sonder Yako en passant en revue les éléments dont ils disposaient, mais elle ne connaissait personne qui souffrait d'hétérochromie ou qui confectionnait des inukshuks avec des lapis-lazulis, et l'Afghanistan n'évoquait rien de particulier pour elle.

Tandis qu'elle parlait, Victor avait observé de près la jeune femme, qui se tenait très droite et très digne. Et alors qu'elle était nimbée par la lumière du jour, il avait discerné la finesse de la texture de sa peau foncée, la délicatesse des ailes de son nez et les moindres capillaires dans le blanc de ses yeux noirs.

Il ignorait presque tout des circonstances l'ayant menée jusque-là. Mais elle ne l'aurait pas mentionné plus tôt qu'il aurait fini par le comprendre : elle avait fui. C'était marqué dans sa chair, sur les traits de son visage, dans chaque espace entre deux mots qu'elle prononçait, dans chaque silence entre deux phrases, dans sa façon de jeter des regards à la dérobée, dans sa manière de se mouvoir, discrète et silencieuse.

Avait-elle fui un pays où les jeunes avaient perdu l'espoir, où les vieux avaient tourné le dos à leurs idéaux ? Avait-elle fui par dépit, par nécessité ou pour survivre ? Avait-elle fui un de ces villages à la terre jonchée de corps d'enfants mutilés à la machette ou simplement une maison où l'on chuchotait ? Avait-elle fui la violence d'un seul homme ou celle de tout un peuple ? Elle avait évidemment ses raisons. Mais la vie avait convaincu Victor qu'au bout du compte on ne fait essentiellement qu'une chose : on fuit le manque d'horizon.

Il en connaissait un rayon sur la question. L'évasion des prisons intérieures, celles qui empoisonnent l'esprit. Peu importe ce que Yako avait quitté, elle était sans doute partie avec l'envie profonde de trouver mieux ailleurs. Mais un index pointé sur une carte peut-il détourner le cours des choses ?

Victor les avait croisés à de trop nombreuses reprises, les habitants de la marge dans leur univers parallèle, ces hommes et ces femmes vêtus de manteaux hors saison qui hantaient les rues tôt le matin, affalés sur un banc, les yeux hagards, des sacs à moitié remplis de leurs maigres possessions.

Aussi, quand le spleen le trouvait, il pensait à sa chance et se convainquait qu'il avait le devoir absolu de continuer d'avancer et de taire ses tourments. Et que, parfois, une fourmi doit déplacer des monticules de terre pour arriver à la lumière.

Quand le silence retomba, Victor tendit à Yako la photo de celui qu'ils appelaient Monsieur X en compagnie de ses parents.

— Reconnais-tu l'homme qui est à droite ? Mais en pas mal plus vieux.

Se rappelant les images qui étaient revenues à Victor plus tôt, Jacinthe intervint.

— Pis peut-être avec une dent en or.

La jeune femme plissa les yeux et observa la photo quelques secondes.

— Non, désolée. Je devrais ?

Victor reprit le portrait. Il allait répondre lorsqu'une voix retentit dans son dos.

— Moi, je le reconnais…

Ils se retournèrent d'un même mouvement. Une couverture sur les épaules, Vera Nesvitaylo les avait rejoints et fixait la photo en hochant la tête.

# 61

## Retrouver ses souvenirs

Les présentations furent rapidement faites, puis Vera contourna le petit groupe et vint se blottir contre Yako, au coin du feu. Les cheveux de la danseuse étaient remontés en un chignon d'où s'échappaient quelques mèches rebelles. Des cernes étaient apparus sous ses yeux. Mais ni l'accablement visible sur ses traits, ni les événements tragiques des dernières heures n'avaient altéré sa beauté.

Victor était toujours debout. Un torrent d'adrénaline s'était déversé dans ses veines quand il l'avait entendue dire qu'elle reconnaissait Monsieur X. Parmi les questions qui le consumaient, une se détachait pourtant des autres : pourquoi lui avait-elle affirmé le contraire dans sa loge ?

— J'avais cru comprendre que tu l'avais jamais vu. C'est important que je sache, Vera.

Elle reporta son attention sur la photo et l'observa de longues secondes.

— Il a beaucoup changé. Mais sa bouche et ses yeux… Je pense que je l'ai vu une fois.

Jacinthe intervint d'un ton de nature à couper court à toute tergiversation.

— C'est simple, ma belle. C'est lui ou c'est pas lui ?

Vera se prit la tête entre les mains et revit les images de l'agression qui avait failli lui coûter la vie. Puis ses yeux implorants cherchèrent ceux de Victor.

— Je ne vous ai pas menti. C'est juste que… je ne sais pas comment expliquer ça. C'est comme si mon cerveau n'avait pas fait la connexion avant que…

Gagné tisonna le feu. Victor renchérit avec calme.

— Avant que… ?

Yako posa une main dans le dos de Vera.

— L'homme qui a voulu me… me tuer cherchait une photo. Je ne sais pas pourquoi, mais j'ai eu un flash. Je me suis demandé si c'était celle que vous m'aviez montrée.

Victor la fixait avec une intensité redoublée.

— Je pense que ton oncle l'avait cachée pour pas qu'ils mettent la main dessus.

Un court silence les enveloppa le temps que la jeune femme assimile l'information.

— Si je ne me trompe pas, on était dans une soirée chez le conjoint de mon oncle… chez Robert Thomson. C'est là que je l'ai vu.

Encouragés, Jacinthe, Gagné et Victor échangèrent un regard de connivence. Comme si elle revivait la scène, paupières closes, Vera fouilla ses souvenirs.

*Elle a trop parlé, trop ri, trop bu de champagne. Sa vessie est sur le point d'éclater. Et tandis qu'elle traverse le salon bondé pour se rendre aux toilettes, distribuant sourires et excuses, elle contemple les femmes élégantes en robes longues, les hommes en smokings, leurs visages animés par l'éclairage feutré des lustres de cristal ; ses oreilles bourdonnent de musique jazz, d'éclats de rire et du tintement des verres.*

*C'est là, en périphérie, dans une pièce envahie par des volutes de fumée, d'où émanent des relents de cigare. Un homme au crâne rasé est en conversation avec son oncle Nikolaï. Leurs yeux ne se croisent pas ; il ne lui a jamais été présenté. Mais sa simple*

*présence exerce sur elle un curieux magnétisme alors qu'elle pour-
suit son chemin vers les toilettes.*

Victor risqua une autre question pour l'aider à déverrouiller les images.

— Cette soirée-là, ça fait longtemps?

La danseuse hocha lentement la tête.

— Quelques mois… Un an… Je ne sais plus trop.

— Qu'est-ce que tu te rappelles de l'homme sur la photo?

Lorsqu'elle rouvrit les paupières, Vera Nesvitaylo
s'adressa à Victor comme s'il n'y avait plus qu'eux autour
du feu.

— C'est quelqu'un de réservé, de discret. Quelqu'un
qu'on voit sans le voir. Pourtant, on remarque tout de suite
sa présence, son charisme…

Elle s'interrompit, comme pour mieux interpréter son
souvenir.

— Il dégageait un sentiment de puissance. Et de danger
aussi.

Jacinthe jeta un coup d'œil perplexe à Victor, qui reprit.

— Sais-tu son nom?

Les lèvres de la ballerine se contractèrent tandis qu'elle
se triturait les méninges. Mais elle finit par s'avouer vaincue.

— Je ne m'en souviens pas. Je ne suis même pas sûre de
l'avoir déjà su.

Soudain, d'autres images se rappelèrent à sa mémoire.

*Vera sort des toilettes et se fraie un chemin parmi les convives
pour regagner le salon quand une main se pose sur son bras,
pour l'entraîner à l'écart avec douceur, mais fermeté. Son oncle
semble préoccupé malgré son sourire affectueux.*

En dépit de sa fébrilité, Victor se garda de brusquer Vera.
Parfois, les souvenirs ondoient à la lisière du conscient
avant de se fixer. Et c'est ce qui arriva.

— Attendez, attendez. Ça me revient maintenant…
J'ai eu l'impression que Nikolaï voulait m'éloigner de lui.
Comme s'il voulait m'empêcher de le rencontrer.

Victor s'accroupit près de la jeune femme et s'adressa à
elle sur un ton engageant.

— Et ton oncle t'a jamais parlé de cet homme-là avant
ou après la soirée ?

— Non… jamais.

Jacinthe prit le relais.

— Le dude était chez Thomson. Donc il y a un lien
entre eux. C'est quoi, ce lien-là ?

L'exercice s'avérait difficile pour Vera, qui se mordit la
lèvre inférieure.

— Je… je ne sais pas…

Alimentant le feu avec de grosses branches, Gagné proposa une hypothèse.

— La logique voudrait que ce soit lié à la mine de bitcoins.

La danseuse haussa les épaules.

— C'est Lucas qui s'est toujours occupé de ça. Moi,
j'avais juste accepté de signer des documents pour rendre
service à mon oncle.

Victor se releva, s'alluma une cigarette et se mit à faire
les cent pas pour évacuer son anxiété.

— Te rappelles-tu autre chose ? N'importe quoi, même
si ça peut te paraître anodin. Il y avait peut-être quelqu'un
avec lui ? Une femme ? Un homme ?

Vera réfléchit. Ses yeux s'écarquillèrent. Un autre souvenir se manifestait.

*Alors que son oncle Nikolaï l'emmène plus loin, Vera reporte son
attention sur l'homme au crâne rasé, autour duquel tout semble
graviter. Puis elle remarque un autre homme qui se dirige vers la
pièce enfumée d'un pas rapide.*

La ballerine émergea après plusieurs secondes.

— Il y avait un homme. Un homme plus jeune.

Tandis que Victor faisait nerveusement crépiter sa cigarette, Jacinthe le guettait, inquiète de le voir si agité. Elle reprit d'une voix calme.

— Pis le jeune, le reconnaîtrais-tu ?

— Difficilement.

Victor recracha la fumée par ses narines.

— Pourquoi ?

— Parce que je n'ai jamais vu ses yeux. L'éclairage était tamisé, mais il avait gardé ses lunettes noires.

Il y eut un moment d'intense stupeur. Un frisson parcourut l'échine de Victor. La jeune danseuse ferma encore les paupières.

*Avant de disparaître au bout du corridor, entraînée par son oncle, Vera entend la voix du jeune homme aux verres sombres qui retentit dans son dos. Il interpelle l'homme au crâne rasé par son prénom, pour attirer son attention.*

Lorsqu'elle rouvrit les yeux, elle avait fait la lumière ; la vision s'était précisée.

— Joseph ! Je pense qu'il s'appelle Joseph, votre Monsieur X !

## 62

## Promenade au bord du lac

Poignets entravés dans le dos, chaînes aux chevilles, éprouvés par leur captivité, les prisonniers avançaient à la file indienne dans l'étroit sentier. Black Dog et un autre Freelander ouvraient la marche. Compacte, la forêt de conifères les enveloppait.

En queue de peloton, l'homme à l'oreille mutilée soutenait un de ses compagnons, qui peinait à mettre un pied devant l'autre. Messiah s'approcha et leur offrit sa gourde. Les deux hommes burent une longue rasade et le remercièrent d'un hochement de tête. Puis le chef des Freelanders accéléra le pas et remonta le cortège jusqu'à Black Dog.

— T'as pas dit un mot de la matinée. On a-tu un problème?

Black Dog hésita un instant, puis fit un signe au Freelander qui l'accompagnait. En silence, celui-ci rejoignit l'arrière du groupe.

Sans quitter le sentier des yeux, Black Dog livra le fond de sa pensée.

— Y a des gars qui parlent... Pis pas juste de la mort de Pac Man.

À travers les branches, la masse sombre d'un lac commença à se profiler.

— De quoi d'autre ?

— D'Iba. De la couleur de sa peau, de vous deux…

Messiah le coupa, très mécontent.

— Iba s'est battue avec nous. Pis j'suis pas le seul à qui elle a sauvé la vie. Elle a gagné sa place. Ça compte. Tu le sais, ça.

Black Dog se tourna vers lui.

— Le problème des gars, c'est pas tant qu'elle ait gagné sa place que le droit de coucher avec leur chef.

Piqué au vif, Messiah le foudroya du regard.

— Ça, c'est de l'hostie de bullshit ! Pis s'il y en a un qui prétend le contraire, qu'il vienne me le dire en pleine face !

Black Dog se renfrogna.

— Excuse-moi. Je vais leur parler.

Il hésita un temps, puis reprit.

— On est tous stressés. Chaque fois qu'on fait un *move*…

Agacé, Messiah compléta.

— Je le sais. Victor Lessard est là…

Entouré de toutes parts par la forêt, sans habitation pour le border, le lac miroitait devant eux. Messiah et ses hommes avaient détaché les chevilles des prisonniers afin que ceux qui le désiraient puissent se mouiller les pieds. Immergé jusqu'à la taille malgré la froideur de l'eau, l'un d'eux profitait de la caresse du soleil sur son visage.

Alors que Messiah était plongé dans ses pensées, le prisonnier qu'il avait surnommé Van Gogh s'approcha. Les deux hommes se considérèrent : une forme de respect mutuel s'était établie entre eux. Désignant le lac et la nature autour, l'homme à l'oreille mutilée inclina la tête pour exprimer sa reconnaissance à Messiah.

— « Les petites émotions sont les grands capitaines de nos vies. »

Le prisonnier approuva. Messiah lui donna une tape sur l'épaule avant de se diriger vers Black Dog.

— C'est pas de moi. C'est de Vincent van Gogh.

Alors qu'il menait le groupe qui rentrait au camp, Messiah leva brusquement le bras. Tout le monde s'arrêta net. En position de combat, le chef des Freelanders se détacha de la file et s'avança, l'index près de la détente de son fusil-mitrailleur.

Un homme venait d'apparaître dans le sentier. Vêtu d'un coupe-vent, les mains dans ses poches, il semblait faire une promenade de santé. Messiah baissa son arme et se troubla en le voyant se diriger vers eux. Puis son regard devint méfiant. Il fit un signe à Black Dog. Celui-ci prit la tête du convoi, qui repartit aussitôt.

Messiah rejoignit l'homme, qui s'efforçait de sourire. La tension était palpable tandis qu'ils se mirent à marcher tranquillement en direction du lac.

— T'es là à cause de Pac Man ?

L'autre le dévisagea et prit un instant pour répondre.

— Je sais que tu vas faire le nécessaire. J'avais juste envie de te voir.

Messiah opina. Il avait compris le sous-entendu. Son interlocuteur poursuivit.

— Pourquoi tu as éliminé Thomson ? On avait convenu de s'en servir.

— Parce que, à cause de lui, on pouvait me relier au meurtre de Lefebvre. Pis remonter jusqu'à toi.

Mécontent, l'homme se pencha et ramassa une pierre sur le sol.

— T'as laissé des traces ?

— C'est pas important. C'est réglé.

— Aussi réglé que la mine ?

Messiah s'impatienta.

— Je suis en train de tout nettoyer, OK ? Fais-moi confiance, pour une fois dans ta vie.

— Ce n'est pas une question de confiance. Es-tu en contrôle de la situation ?

Messiah le toisa.

— Toujours…

Ils arrivèrent au lac. L'homme lança la pierre qu'il avait ramassée, laquelle ricocha à la surface de l'eau.

— L'étau se resserre, mais j'ai besoin d'encore un peu de temps pour mettre les choses en place avec les hackers.

Il se tourna vers Messiah.

— Pis de ton côté, tes prisonniers ?

— On va avoir la cellule terroriste au grand complet. Leur chef a parlé.

Son interlocuteur approuva.

— Le gars avec l'oreille amochée ?

Messiah acquiesça d'un mouvement de tête. Mais l'autre sentait un inconfort.

— Un problème ?

— On a Victor Lessard sur les talons. Je t'avertis : je finirai pas en prison. S'il faut que…

L'homme lui tapota l'épaule.

— Le plan reste le même. Penses-tu que je te laisserais aller en prison ?

Le chef des Freelanders afficha un air rassuré. Le cellulaire de son interlocuteur se mit à vibrer.

— Je dois le prendre. Je te rejoins au camp.

Perplexe, Messiah opina et s'éloigna sur le sentier. L'homme appuya sur une touche de son appareil.

— Bonjour, Claire.

Sondos semblait de très mauvaise humeur.

— Ça fait des heures que j'essaie de vous joindre.

— Des impondérables… Je suis désolé.

— Les morts s'accumulent. On s'était entendus. Ça ne se passe pas du tout comme prévu.

Elle avait haussé le ton. Elle prit quelques secondes pour se recomposer.

— Mon patron est sur le point de tout faire avorter. Je suis à la limite de ma corde.

— Je vous avais prévenue : Messiah a la gâchette facile. Mais le jeu en vaut la chandelle, vous le savez. On ne va quand même pas s'arrêter si près du but ?

Sondos se montra perplexe.

— On est vraiment si proches ?

— À portée de main. Donnez-moi quarante-huit heures.

Sondos hésita encore, puis elle trancha.

— C'est bien parce que c'est vous, Joseph.

Il raccrocha et sourit, satisfait, découvrant une incisive supérieure en or.

À l'écart, dissimulé à la vue de l'autre par les arbres, Messiah avait entendu des bribes de la conversation. Ses yeux devinrent des fentes.

# 63

## Deux cercles rouges

La surprise passée, ils avaient questionné Vera Nesvitaylo à propos de l'homme qu'elle disait s'appeler
Joseph afin d'en apprendre davantage à son sujet,
mais elle n'en savait pas plus. Yako avait fini par briser
le silence.

— Guillaume m'avait demandé de localiser le camp des
Freelanders. Il faut que je vous montre…

Elle s'effaça pour les laisser entrer dans la roulotte. Les-
sivée, Vera demeura immobile près du feu. Yako l'interrogea du regard.

— J'ai le goût d'être toute seule un peu.

L'Ivoirienne revint sur ses pas et ajouta du bois dans le
brasier. Elle allait repartir vers la roulotte lorsque Vera, les
yeux figés sur les flammes, l'interpella.

— Dis-moi que c'est un cauchemar, que je vais me
réveiller et déjeuner avec Lucas et mon oncle…

Yako toucha son épaule et lui offrit un sourire triste.

Déglinguée, la roulotte grinçait, craquait et semblait près de
ployer sous leurs poids, de se replier en portefeuille. Enhar-
dies par leurs propres mouvements, deux grosses mouches
se télescopaient dans le coin de la vitre, s'y cognant et

rebondissant avec furie. Leur bourdonnement vrillait les tympans de Victor et lui donnait l'impression qu'elles se heurtaient sur les bords intérieurs de sa boîte crânienne.

Secouant sa torpeur, il reporta son attention sur la carte géographique que Yako avait étalée sur la table. Jacinthe tapota l'ordinateur de la jeune Ivoirienne du plat de la main, lequel ne ressemblait à aucun modèle commercial.

— Tu te sers pas de Google Maps ?

Gagné émit un petit rire.

— Être hacker, ça veut pas dire que tu reconnais pas la valeur du bon vieux papier.

Yako hocha la tête.

— J'en ai besoin pour le repérage initial. Après, j'utilise mon ordi.

Victor examina la carte. Plusieurs cercles avaient été tracés au feutre rouge. Toutefois, seuls deux d'entre eux n'avaient pas été biffés par la suite. L'un délimitait Saint-Michel-des-Saints, l'autre Lac-aux-Sables, ainsi qu'un rayon de plus ou moins trente kilomètres autour de chacun de ces deux pôles.

Jacinthe se redressa et s'étira le dos en grimaçant.

— Ghetto X… On cherche quoi au juste ? Une cabane à sucre ? Un shack dans le bois ? Un groupe de chalets ?

— Guillaume pensait à un vieux camp forestier. Il a aussi parlé d'un lac.

Intrigué, Victor la fixa droit dans les yeux.

— Et ce qui est encerclé en rouge ?

— Il m'avait donné ça comme point de départ. Il ne reste que deux zones que je n'ai pas encore éliminées.

Où et comment Guillaume Lefebvre avait-il obtenu des informations aussi détaillées ? Victor considéra ses deux complices et sut qu'ils étaient sur la même longueur d'onde. Une affirmation de Gagné acheva de le lui confirmer.

— Pour être capable d'être aussi précis, ça veut dire que Lefebvre avait probablement une autre source.

Jacinthe répliqua du tac au tac.

— Même ma grand-mère gagerait sa dernière couille là-dessus, mon big.

Personne ne trouva rien à ajouter jusqu'à ce que Victor se tourne vers Yako.

— Lefebvre, sais-tu à qui il parlait à part toi ?

— Aucune idée. Guillaume était un bon journaliste. Il ne dévoilait jamais ses sources.

Les yeux de Victor demeuraient rivés aux deux zones toujours non vérifiées sur la carte tandis que ses pensées s'entortillaient : la jeunesse mystérieuse de ses parents, Marée Rouge, le drame familial, la mort de Lefebvre et son article, la fusillade au resto russe, une cyberattaque, les Freelanders, les fiches S, l'homme de la photo prénommé Joseph, et maintenant Ghetto X.

Ces fils étaient-ils attachés à la même histoire, les reliant en un tout, ou certains éléments n'y apparaissaient-ils que par pure coïncidence ? Il avait beau se creuser les méninges, le mystère auquel ils faisaient face lui semblait irréel et lui donnait le vertige.

Gagné le sortit de ses réflexions.

— Peut-être que sa source était à l'intérieur même des Freelanders ?

Jacinthe approuva, puis renchérit.

— Ça pouvait aussi être Komarov. Ou encore Thomson.

Victor soupira. Ils cherchaient des réponses sans savoir s'ils formulaient les bonnes questions. Il s'avança vers la fenêtre. Dehors, les arbres vacillaient dans le vent.

— En tout cas, ça viendrait jeter une autre lumière sur leur mort.

Il ne savait pas ce qui réunissait ces éléments, mais s'incarnait dans sa psyché l'impression que la mission qu'ils poursuivaient était plus grande que lui-même, qu'elle n'était pas seulement guidée par sa propre soif de vengeance ou l'envie de faire la lumière sur son passé. Des intérêts supérieurs étaient en jeu ici, il en avait la conviction. Il allait se rendre jusqu'au bout de cette histoire et débusquer les secrets enfouis. Car il était hors de question qu'il vive dans un monde où on peut vous tirer dessus parce que vous essayez de faire éclater la vérité, aussi horrible soit-elle. Et cette idée suffit à le faire frissonner alors qu'une boule d'anxiété gonflait dans sa cage thoracique.

— Est-ce que je peux garder la carte, Yako?

— Aucun problème.

Le cellulaire de Victor vibra tandis qu'il la repliait. Il reconnut le numéro de Delaney.

— Salut, Paul.

— J'ai quelque chose pour vous autres…

— Je t'écoute.

— Non, pas au téléphone.

Victor fronça les sourcils, intrigué.

— As-tu un papier pis un crayon? Je vais t'expliquer comment venir nous rejoindre.

— Je veux pas savoir où vous êtes, Victor. Comme ça, j'aurai pas à mentir si on me le demande.

— OK. Je vais te texter un point de rendez-vous pas trop loin d'ici.

— Parfait. Donne-moi une couple d'heures. J'ai deux ou trois trucs à régler avant.

Victor raccrocha et sortit de la roulotte, les traits tirés. Il avait besoin de respirer de l'air frais. Il leva les yeux vers la cime des arbres. Une ombre se répandait, obscurcissant le ciel. Et bientôt, un linceul opaque le recouvrit et la pluie, froide, se remit à tomber.

# 64

## On pourrait l'appeler Henri

*Drapée de blanc, magnifique et évanescente dans la lumière, Nadja tient à la main un pinceau barbouillé de peinture blanche. Dans une des chambres de leur appartement, elle lui sourit, enjouée.*

*— Savais-tu qu'en plaçant deux prismes l'un à côté de l'autre les couleurs de l'arc-en-ciel reforment la lumière blanche ?*

*Le regard de Victor se tourne ailleurs dans la pièce.*

*— C'est la couleur parfaite. La couleur de la pureté.*

*Il aperçoit des pots de peinture, quelques pinceaux, des rouleaux, une bâche. Et un lit de bébé. Tout est blanc.*

*La voix de Nadja semble de plus en plus lointaine.*

*— Tu vas voir, c'est une nouvelle page qu'on va tourner...*

*Victor cherche son amoureuse des yeux, mais elle a quitté la pièce. Il n'y a plus que lui dans la chambre immaculée. La voix de Nadja n'est qu'un murmure.*

*— Celle qui va effacer toutes les autres...*

*Victor s'approche et baisse les yeux vers un bac de peinture blanche. Soudain, des gouttes de sang y apparaissent. Puis il entend des battements de cœur intra-utérins, hyper rapides. Il s'avance vers le lit de bébé. La voix ténue de Nadja le porte.*

*— J'ai pensé à des prénoms...*

*Victor continue à marcher vers le lit.*

*— Si c'est un garçon...*

*Elle hésite un temps.*

*— Si c'est un garçon, on pourrait l'appeler Henri...*

*Victor secoue la tête avec désespoir.*

*— Non...*

*— On pourrait l'appeler Henri...*

*— Non... !*

*— On pourrait l'appeler Henri...*

*Victor est maintenant au-dessus du lit de bébé. Il n'y a rien. À part une tache de sang.*

*Les battements de cœur s'arrêtent.*

Victor se réveilla d'une secousse et, désorienté, mit quelques secondes à comprendre où il se trouvait. Il regarda sa montre. Il avait dormi trois heures sur le lit de Yako, entortillé dans les couvertures.

Il ne se souvenait plus très bien comment il avait atterri là, mais il se leva et s'étira. Tout son corps le faisait souffrir. Puis il alla à la fenêtre et risqua un regard dehors. La pluie avait cessé. L'air absente, les yeux dans le vague, Vera était assise près du feu que Gagné tentait de raviver tandis que Yako ramassait du bois.

La porte de la roulotte s'ouvrit et Jacinthe apparut dans l'encadrement.

— Yo, la marmotte, es-tu prêt? Faut partir bientôt si on veut pas faire attendre Paul.

Victor fixait un point au loin, par-dessus l'épaule de Jacinthe.

— Vas-y avec Yves. Je veux qu'un de nous trois reste ici...

Jacinthe jeta un coup d'œil derrière elle et comprit. Il observait Vera, encore secouée, qui s'était levée et errait comme un fantôme dans la clairière.

— C'est elle qui t'inquiète?

— Je veux qu'elle sache qu'elle est pas toute seule.

Jacinthe hocha lentement la tête. Pour une fois, elle n'insista pas, devinant ce que Victor n'avait pas dit : il avait aussi besoin de faire le vide un moment.

— Pas de trouble, mon homme. On est revenus dans une heure max.

Elle rameuta Gagné et partit vers la Saab. Celui-ci déposa son tisonnier improvisé et lui emboîta le pas. Elle rejoignait le véhicule quand elle sortit les clés, les soupesa dans sa paume et les lança à l'ancien policier, qui les attrapa, incrédule.

— C'est toi qui chauffes, mon big.

Gagné s'illumina d'un sourire de petit garçon.

Sur une route secondaire bordée d'arbres, Jacinthe et Gagné roulaient en direction de l'endroit où ils allaient rencontrer Paul Delaney. Même s'il était heureux d'avoir obtenu la permission de conduire, quelque chose tracassait l'ancien policier.

— T'aurais pas été mieux d'y aller avec Victor ?

Jacinthe le regarda d'un air amusé.

— Lessard filait protecteur… À cause de Yako pis de la poupée russe.

— Ouin, c'est vrai que c'est comme une poupée russe, toute cette affaire-là.

— C'est de Vera que je parlais.

Gagné avait très bien compris. Elle reprit, une moue coquine aux lèvres.

— Eille, je me demande si, quand tu la déshabilles, tu trouves pas une Vera plus petite. Pis après ça une autre, pis une autre…

— Arrête de fantasmer, Jacinthe.

Elle passa un bras derrière le siège de Gagné, qui revint sur l'objet de son malaise.

— Reste que Delaney…

Il s'interrompit, ce qui mit les nerfs de Jacinthe en boule.

— Quoi, Delaney? Envoye, crache-le, ton motton.

Il quitta la route des yeux pour la dévisager.

— Moi, y… y m'aime pas la face.

— On s'en sacre-tu! C'est pas un concours de popularité.

— Oui… Sauf que j'ai fait du temps, Jacinthe. J'ai… je l'ai aidé, moi, Tanguay.

Le visage défait, il éprouvait visiblement toujours des remords.

— À l'époque, si j'avais su ce qu'il faisait…

— T'as volé des informations dans le CRPQ, pas violé des enfants, OK?

Elle lui donna une claque sur la cuisse, qui retentit avec fracas.

— Le passé, c'est comme une assiette cassée, ça se répare pas. Mais t'as payé pour ce que t'as fait. Un gars a le droit d'avoir une deuxième chance.

Jacinthe vit que ses mots se frayaient un chemin dans l'esprit de Gagné.

— Pis t'as Suzie, en plus. Serais-tu en train d'avoir une deuxième chance là aussi?

L'ancien policier mûrit sa réponse avant de la risquer.

— J'espère que je me fais pas des accroires. Ça ferait trop mal, sinon.

— En tout cas… de la manière qu'elle te regarde…

— Tu… tu trouves?

Elle mima un geste obscène impliquant la bouche et un phallus imaginaire. Il éclata de rire et elle aussi. Mais les appréhensions revinrent peu à peu se peindre sur le visage de Gagné, tandis qu'il ralentissait à l'approche de la route asphaltée qui coupait le chemin forestier.

— Je suis descendu tellement bas, Jacinthe. Jamais je pensais que je remonterais à la surface. Ce que je suis en train de vivre là… je suis même pas sûr que c'est vrai.

— Y a des affaires qui se méritent, mon big. Pis là, tu le mérites.

Elle l'observa du coin de l'œil avec affection. Ses paroles lui avaient de toute évidence mis du baume au cœur. Ils roulèrent encore plusieurs minutes en silence, puis Gagné désigna de l'index un point qui se mit à grandir à l'horizon, jusqu'à devenir l'ossature d'un bâtiment.

— C'est là.

Isolée, entourée par la forêt, la station-service abandonnée se dressait au bord de la route comme un anachronisme dérisoire. Le poste de paiement était placardé, les pompes avaient été retirées, et il ne subsistait de l'enseigne que le cadre métallique corrodé.

Chaussé de ses lunettes fumées, Paul Delaney les attendait, adossé à son véhicule banalisé. Gagné gara la Saab en parallèle. Quand il les vit émerger de la voiture, le chef des crimes majeurs sembla au moins aussi surpris de l'absence de Victor qu'agacé par la présence de Gagné. Il n'y eut pas de poignées de main échangées.

Le dossier qu'Hubert Baron avait donné à Delaney était posé sur le coffre de la Saab. Sur la couverture, Jacinthe vit les mentions « confidentiel » et « secret défense ». Elle l'ouvrit et commença à le parcourir. Derrière elle, Gagné lisait par-dessus son épaule. Au bout d'un moment, elle releva les yeux vers Delaney, posté à sa droite.

— Veux-tu ben me dire où t'as eu ça ?

— Peu importe…

Elle continua d'en prendre connaissance et murmura entre ses dents.

— Abel Parker…

Gagné s'avança timidement.

— Le dossier est pas mal caviardé.

Plusieurs passages du texte avaient en effet été rendus illisibles par l'ajout de bandes noires. Delaney toisa Gagné, mais finit par acquiescer.

— C'est un ancien militaire. Il a servi en Afghanistan. Tireur d'élite. Ce gars-là est capable de toucher une cible à plus de deux kilomètres de distance.

Il n'y avait plus aucun doute dans l'esprit de Jacinthe.

— C'est clair que c'est lui qui a tué Lefebvre.

Delaney approuva et désigna un autre paragraphe.

— C'est pas tout. Parker fait partie d'un groupe d'extrême droite : les Freelanders.

Elle ne perdit pas de temps à lui expliquer qu'ils en connaissaient déjà l'existence et coupa au plus court.

— Pis le dude, y aurait pas une maladie des yeux, Paul ?

Surpris, le chef des crimes majeurs le leur confirma.

— Une hétérochromie. Un œil brun et l'autre gris, comme décoloré.

— C'est lui, le chef des Freelanders. Il se fait appeler Messiah par ses hommes.

Gagné s'était adressé directement à Delaney, qui ne daigna pas se retourner vers lui. Ce fut Jacinthe qui mit fin au malaise en frappant de la paume sur le coffre.

— Abel Parker… Pas de danger qu'il y ait une photo de lui dans le fucking dossier !

Les deux hommes opinèrent d'un mouvement de tête synchrone. Delaney sembla vouloir ajouter quelque chose, mais il s'arrêta et considéra Gagné à la dérobée.

Le geste n'avait cependant pas échappé à Jacinthe.

— Il y avait-tu d'autre chose, mon Paul ?

Il répondit par la négative, devint glissant comme du savon et attrapa son trousseau de clés.

— Je vais continuer à fouiller de mon bord. On se reparle plus tard.

Ils échangèrent encore quelques trivialités, puis Delaney grimpa dans sa voiture et démarra. Jacinthe observa le véhicule qui disparaissait au bout du chemin.

Son patron ne leur avait pas tout dit. Mais pourquoi ?

Jacinthe avait repris le volant de la Saab tandis qu'ils roulaient en direction de la roulotte de Yako. Sur le siège passager, Gagné relisait attentivement le dossier.

— C'est curieux, quand même. Parker a fait l'objet d'aucune surveillance particulière. Je veux dire, si ce dossier-là existe, c'est qu'il est sur le radar de quelqu'un, non?

Aussi perplexe que lui, Jacinthe lui lança un regard approbateur.

— Ça, c'est clair comme de l'antigel. Mais qui?

Une bouffée de chaleur submergea Gagné. Lire en auto n'était décidément pas une bonne idée. Il enleva son coton ouaté et le balança derrière. Nauséeux, il se prit l'arête du nez entre le pouce et l'index.

— Je te l'avais dit, pour Delaney: il me truste pas.

— C'est parce qu'il voit juste tes erreurs.

Elle marqua une pause avant de reprendre.

— Je le sais, moi, que dans le fond t'es un maudit bon gars. Loin, loin, dans le fond.

— T'es fine, Jacinthe. Même si tu fais attention pour que ça paraisse pas.

Elle se mit à rire à gorge déployée.

— Je t'aime ben, moi avec, mais faudrait pas que ça se sache. J'ai ma réputation.

## 65

# Un trou dans les nuages

Le feu fumait sur ses braises. Tandis que Yako s'affairait à l'intérieur, Victor était assis sur une marche rouillée de la roulotte. Du coin de l'œil, il observait Vera depuis plusieurs minutes. La danseuse s'était installée en tailleur à l'orée de la clairière et, mains sur les genoux, paupières closes, elle essayait de méditer. Au bout d'un moment toutefois, sentant les sanglots poindre, elle se releva. Victor sauta sur ses pieds et s'alluma une cigarette. Feignant de vouloir se délier les jambes, il alla la rejoindre.

— Ça va, le cou ?

La jeune femme toucha sa gorge du bout de ses doigts effilés et fit signe que oui. Des marques violacées étaient apparues sur sa peau. Empruntant un étroit sentier, ils échangèrent quelques mots pour briser la glace. Vera sembla se détendre quand Victor proposa qu'elle le tutoie. La forêt se comprimait sur eux à mesure qu'ils s'y hasardaient. Un corbeau croassa.

— Je suis plus forte que tu penses. J'avais pas besoin que tu restes.

Victor écarta une branche qui se trouvait en travers du chemin, puis la laissa passer.

— Qui te dit que c'est pas moi qui avais besoin de rester ?

Sans s'arrêter, elle tourna la tête vers lui.

— Je comprends pas…

Il revint à sa hauteur et ils poursuivirent leur marche.

— Toi et moi, on est dans le même bateau. On a failli se faire tuer par les Freelanders… Pis une personne qu'on aime s'est sacrifiée pour nous.

Vera fut touchée par ses paroles.

— Je me sens responsable, pour Lucas. Il m'aimait encore. Si je n'avais pas été là, il ne se serait pas suicidé.

— C'est pas de ta faute.

— Ça l'est en grande partie. Je le sais, et tu le sais aussi.

— C'était en lui. Il voulait pas t'entraîner dans sa chute.

La ballerine soupira. Une mèche de ses cheveux roux retomba sur son œil. Elle souffla dessus pour la repousser.

— Ça ne me soulage pas de voir ça comme un sacrifice…

L'émotion l'étreignit, ses yeux s'embuèrent. Elle resta pensive un moment.

— Toi, te sens-tu coupable ?

Victor serra les lèvres et fit oui du menton. Même pour les bons motifs, il ne voulait pas commettre l'erreur que B-Lefski, par un geste désespéré, avait su éviter : entraîner les autres dans sa chute. Le gouffre était déjà en lui, sombre et profond, et c'était *son* fardeau.

— Je commence même à me demander si c'est légitime de m'entêter à continuer, si j'ai le droit d'être aussi égoïste.

Même si Vera ne connaissait pas l'histoire de Victor dans ses moindres détails, elle pressentait l'origine de son désarroi.

— Tu veux laisser tomber ?

Il haussa les épaules, l'air indécis.

— Jacinthe et Yves prennent des gros risques pour moi. Pis, en même temps que ça me dépasse, on dirait que c'est en train de devenir une affaire trop personnelle. Je voudrais pas qu'il leur arrive du mal. J'ai peur de moi, de ce que je pourrais…

Il laissa la phrase en suspens. Amère, elle reprit.

— Je te comprends. Moi aussi je pense à ce que je leur ferais si…

Ce fut son tour de ne pas terminer sa phrase. Il allait lui parler de la violence qui croupissait en lui, de ce qu'il redoutait qu'elle lui fasse faire s'il finissait par y céder, de la faille qui l'érodait depuis trop longtemps de l'intérieur ainsi que des stigmates de l'horreur et de la honte d'avoir achevé son père de ses mains, lorsqu'un bourdonnement attira son attention. Il tendit l'oreille et prit Vera par le bras pour la forcer à s'arrêter.

Comme le battement d'ailes d'un moustique disproportionné, le son se rapprochait et s'amplifiait. Perplexe, Victor fronça les sourcils et se mit à scruter le ciel. Il n'y avait rien. Vera ouvrit la bouche pour dire quelque chose, mais il plaqua son index contre ses lèvres.

Et, soudain, il le vit : un drone venait d'apparaître entre les nuages, au-dessus de la cime des arbres. L'engin se dirigeait droit vers la roulotte de Yako. Tandis qu'il entraînait Vera sous un arbre, il eut une certitude : ils allaient être repérés.

Vingt minutes plus tôt, la camionnette des Freelanders avait ralenti puis emprunté un chemin de terre qui serpentait dans les bois. Un silence lourd régnait à l'intérieur de l'habitacle, où Black Dog se trouvait derrière le volant, et Messiah, sur le siège passager. Un homme à la barbe et à la tignasse rousses était assis à l'arrière.

Messiah avait de nouveau consulté son GPS et désigné un endroit.

— On est dans la zone. Là, c'est bon. Rentre-moi le truck entre les troncs.

Black Dog s'était arrêté, puis il avait reculé le véhicule entre deux arbres aux branches hautes afin de le camoufler sous le couvert du feuillage clairsemé. La dissimulation était loin d'être parfaite, mais elle ferait illusion un temps.

Les trois Freelanders étaient sortis de la camionnette et avaient attrapé leurs fusils d'assaut. Messiah avait également pris un sac de toile vert, puis il s'était adressé à Red Fox.

— Tu restes en retrait pour nous couvrir.

Il avait pointé un petit promontoire tapissé d'arbustes.

— Mets-toi en position là-dedans.

Red Fox avait approuvé d'un hochement de tête sec et s'était dirigé vers la butte. Le laissant derrière eux, Black Dog et Messiah s'étaient enfoncés dans le bois.

Sans se retourner, ce dernier avait questionné son fidèle lieutenant à voix basse.

— Combien de temps pour préparer le drone?

— Deux minutes. Gros max…

Plaqué contre un tronc avec Vera, Victor avait sorti son pistolet. Ils entendirent d'abord le piétinement des feuilles, puis ils aperçurent un homme qui s'avançait entre les arbres, son fusil d'assaut pointé, en position de combat. Le chef des Freelanders passa tout près de l'endroit où ils étaient embusqués sans les voir.

Retenant son souffle, Vera s'était mise à trembler. Elle fixait Victor, les yeux écarquillés, paralysée par la peur. Celui-ci lui ordonna d'un geste de ne pas bouger et toucha son oreille pour indiquer que quelqu'un d'autre venait dans leur direction.

Quelques secondes plus tard, un deuxième homme apparut en effet dans leur champ de vision. Fusil d'assaut en bandoulière, nez rivé à son écran, il pilotait le drone.

Messiah s'arrêta et, par-dessus son épaule, il fit comprendre à Black Dog qu'il allait se rendre à la roulotte. L'homme de tête disparut dans le bois, et l'opérateur du drone reporta son attention sur son écran.

Victor fit de nouveau un signe à Vera. Puis, avec beaucoup de prudence, il se mit à marcher derrière le second Freelander.

Le chuintement du drone avait incité Yako à sortir de sa roulotte pour voir de quoi il retournait. Quand elle avait aperçu l'appareil qui bourdonnait dans le ciel, elle s'était précipitée à l'intérieur, en panique. Lorsque Messiah émergea du bois et arriva dans la clairière, Yako se tenait devant le feu, qu'elle avait ravivé avec un accélérant. Les flammes consumaient en grésillant les dossiers qu'elle avait constitués tout au long de sa collaboration avec Guillaume Lefebvre. Des cendres tourbillonnaient dans l'air.

Messiah s'approcha et la mit en joue d'une voix ferme.

— Bouge pas. Lève tes mains ! Je veux voir tes mains !

Yako laissa tomber les derniers documents qu'elle tenait, puis obtempéra. S'il ne pensait pas la retrouver là, il avait évidemment reconnu la fille du métro, celle qu'il était convaincu d'avoir recrutée sur le Darknet pour infiltrer le système de la Défense, celle qui hantait ses pensées.

— Je savais qu'on allait se revoir. Dis-moi où sont Vera pis les autres.

Le chef des Freelanders avait visionné les images des caméras de surveillance des Catacombes. On y voyait Victor et Gagné monter dans la Saab avec Jacinthe. Ayant appris la mort de Pac Man sur les ondes de la police, il ne faisait aucun doute dans son esprit qu'ils étaient ceux qui avaient secouru la danseuse. En prime, une intuition le consumait : ils étaient probablement encore dans les parages.

Le défiant du regard, Yako garda le silence. Messiah n'en explosa que davantage.

— Je t'ai posé une question. Tu me réponds !

— Vera ? Je sais pas de qui tu parles.

Il arma son fusil d'assaut et tonna.

— Bullshit ! On a triangulé son cellulaire. Victor Lessard est-tu avec elle ?

Yako toucha les poches de sa veste. Elle remarqua aussitôt l'absence de l'appareil. Le geste faillit lui être fatal. L'index de Messiah se crispa sur la détente. L'air menaçant, le chef des Freelanders s'avança vers elle, la gueule de son fusil d'assaut pointé sur sa tête. Il était maintenant assez proche pour qu'elle puisse voir les veines de ses tempes battre sous le coup de la colère.

— Je te le demande une dernière fois : Vera Nesvitaylo ! Elle est où ?!

Une voix puissante et sèche retentit dans son dos.

— Elle est ici.

Victor surgit du bois à son tour : il avait désarmé Black Dog et tenait le canon de son pistolet appuyé contre sa nuque, se servant de lui comme bouclier. Il avait confié l'arme du Freelander à Vera afin qu'elle puisse se défendre si les choses tournaient mal, mais lui avait enjoint de ne pas dépasser la ligne des arbres.

Messiah agrippa Yako de la même façon.

— Tu bouges d'un poil, Lessard, pis sa tête explose.

Victor décida d'aller à la pêche.

— T'as encore tes lunettes fumées, Messiah ? As-tu oublié ta cagoule ?

Le silence de l'autre lui confirma qu'il avait visé juste.

— Pis les yeux, en arrière ? Laisse-moi deviner : deux couleurs différentes.

Black Dog implora Messiah.

— Tire !

Celui-ci déglutit. Ses doigts se contractèrent sur la crosse de son fusil d'assaut. Sa tête lui dictait de faire feu, mais quelque chose l'en empêchait au fond de ses tripes.

— Tue-le, Messiah ! Moi, c'est pas grave !

Le temps se suspendit tandis que Black Dog essayait de convaincre son chef.

— Tu vas l'avoir ! Tire !

Victor raffermit sa poigne sur le collet de l'homme.

— Bouge pas, j'ai dit !

Les deux antagonistes se toisaient, tentant de camoufler leur anxiété en force tranquille.

— C'est quoi ton vrai nom, Messiah ?

Stoïque, le Freelander resta sourd à la question.

— Qu'est-ce que tu me veux ? Qu'est-ce que vous me voulez, toi pis ta gang ?

— T'es tout le temps sur mon chemin, Lessard.

— Pis toi sur le mien.

Le silence les enveloppa. Victor jeta un coup d'œil à Yako, qui s'efforçait de garder son calme.

— T'es un militaire, mais es-tu un gars de parole ? As-tu un code d'honneur ?

Victor ne pensait qu'à une chose : sauver Yako, cette jeune femme qui avait toute la vie devant elle et aucune raison de mourir dans cette clairière, au nom d'une cause qui ne la concernait pas. Il reprit d'une voix assurée.

— Je suis sûr que tu sacrifierais pas un de tes hommes si tu pouvais l'éviter. Je te propose un échange. Aucun coup de feu. Tout le monde s'en tire. Je te donne ma parole.

Victor espérait de tout son cœur avoir touché une corde sensible. Black Dog fixa Messiah encore plus intensément.

— Écoute-le pas ! Shoote !

Le temps se repliait sur lui-même. Les deux hommes échangèrent un regard chargé de haine viscérale. Tout pouvait basculer, et la mort, frapper de nouveau. Mais, après un silence sans fin, Messiah baissa son arme.

Les yeux de Black Dog s'agrandirent.

— Messiah… Non ! Fuck !

Figée, Yako attendait les directives de Victor.

— Viens-t'en derrière moi.

Elle s'exécuta. Victor poussa Black Dog en direction de Messiah, qui l'interpella.

— T'es conscient que ça finira pas là, Lessard.

— Je sais. On va se revoir.

— On va se revoir.

Marchant prudemment à reculons, chaque duo rebroussa chemin à son extrémité de clairière et disparut dans le bois. Comme un appel au calme, les flammes s'apaisèrent, elles aussi. Le corbeau se remit à croasser.

## 66

## On cherche tous un moyen
## de se hisser au firmament

La Saab ralentit, puis s'arrêta brutalement sur la petite route sinueuse. Gagné leva les yeux du dossier d'Abel Parker posé sur ses genoux : un chevreuil se trouvait en travers de la chaussée et les observait. Il se tourna vers Jacinthe, qui souriait, attendrie. L'ancien policier aurait cru qu'elle s'impatienterait et le chasserait à coups de klaxon, mais elle n'en fit rien et attendit plutôt que l'animal se mette à trottiner vers le bas-côté. Elle appuya sur l'accélérateur. Gagné vit la bête disparaître dans le bois.

Quelques instants plus tard, la voix de Jacinthe se fit entendre dans l'habitacle.

— C'est ma hantise, ça. Écraser Bambi…

Gagné répondit du tac au tac.

— Ah oui ? C'est pas de le manger ?

Ils rirent à l'unisson. Dix kilomètres plus loin, Jacinthe stoppa de nouveau. Gagné sortit et ouvrit la grille du chemin forestier menant à la roulotte de Yako. Il remonta aussitôt dans le véhicule, puis attrapa son paquet de cigarettes tandis qu'elle repartait.

— Tu peux pas attendre qu'on soit arrivés ?

— Ça te dérange-tu tant que ça ?

Jacinthe soupira bruyamment.

— OK d'abord mais même règle que pour Lessard : tu baisses ta vitre.

Il s'exécuta, puis s'alluma une cigarette. Elle se mit à bougonner avec humour.

— Pas moyen d'avoir un partner qui pue pas le cendrier. Ça fait des années que je veux qu'il écrase.

Gagné aspira la fumée, puis la recracha.

— Y a pire. Moi, quand j'ai commencé dans le service, mon partner sentait la robine à 10 heures le matin.

Jacinthe sourit, attendant la suite. Gagné poursuivit avec flegme.

— Pis évidemment, y insistait pour chauffer.

Quand ils cessèrent de rire, elle hésita, tourna autour du pot.

— Eille, justement, parlant de pourris, Piché…

Le changement de sujet était aussi subtil que subit. Gagné la considéra d'un air perplexe.

— Quoi, Piché ?

— Je pense que j'ai deviné ce que t'as trouvé sur lui…

— Je penserais pas, non.

— Si je te le dis pis que j'ai raison… ?

Gagné tira sur sa cigarette. Jacinthe lui donna un coup de coude ; elle le sentait tergiverser.

— Envoye donc, Gagné ! Maudite agace-pissette !

La pluie avait formé de grosses flaques sur le chemin de terre, autant d'obstacles que Jacinthe devait éviter en roulant lentement. Gardant les yeux sur la route, elle insista tant et si bien que l'ancien policier finit par se laisser convaincre.

— J'ai deux affaires. La première date de quand je faisais les jobs sales pour Tanguay. J'étais méfiant…

Jacinthe railla en roulant des yeux.

— Je comprends vraiment pas pourquoi…

Gagné opina à son sarcasme et reprit sa ligne de pensée.

— Pis des fois, un téléphone intelligent, c'est pas mal pratique pour enregistrer.

— T'enregistrais tes conversations avec lui ?

— Certaines, oui.

— Pis t'as-tu du bon stock ?

— Sur un des enregistrements, j'étais en train de lui dire que j'étais plus sûr de vouloir continuer. Là, Tanguay me dit quelque chose du genre : « C'est pas le temps de choker. De toute façon, regarde… on est backés, OK ? »

D'un hochement de tête, Jacinthe l'encouragea à poursuivre.

— J'y demande dans quel sens, pis là y dit : « Si jamais y a de la marde, quelqu'un en haut va passer la moppe. »

— Tu penses qu'il parlait de Piché ?

— Qui de haut placé aurait promis de le protéger, à part son ancien partner ?

Jacinthe le dévisagea. Elle n'avait jamais réalisé que les liens entre les deux hommes étaient si étroits et remontaient à si loin. Elle réfléchit un instant aux implications de ce qu'il avançait.

— Pis l'autre affaire ?

Gagné lança son mégot et remonta sa vitre en souriant.

— L'autre affaire ? Attache ta tuque…

Jacinthe vit la camionnette camouflée entre les arbres au dernier moment. Elle écrasa les freins en même temps qu'elle entendit une détonation assourdie. Dans la foulée, elle passa sa main sur son visage pour essuyer les projections de sang qui venaient de l'éclabousser, puis elle jeta un coup d'œil rapide à Gagné : il avait été atteint d'une balle qui avait traversé la portière de la voiture. De nouveaux coups de feu retentirent, sifflant un air funèbre dans la forêt. Le pare-brise se lézarda. La tôle tinta. Jacinthe passa en marche arrière et enfonça l'accélérateur. Et tandis que tout basculait autour d'elle et que la Saab reculait à pleine vitesse, elle vociféra.

— Fuck-fuck-fuck-fuck-fuck-fuck-fuck-fuck !

Sur le promontoire, Red Fox avait épaulé son fusil en percevant le bruit du moteur. Il avait suivi la trajectoire du véhicule avec sa lunette, reconnu l'un de ses occupants, que Messiah lui avait montré sur les images provenant des Catacombes, et fait feu.

Convaincu d'avoir touché le passager, son arme en position de tir, il se mit à courir vers la courbe où venait de disparaître la Saab. Moins de vingt secondes après, il aperçut la voiture immobilisée quinze mètres devant lui. Il ralentit le pas et marcha prudemment, l'œil dans sa visée. À travers les fissures du pare-brise, il constata alors une incongruité : le siège du conducteur était vide.

Ce fut la dernière chose que Red Fox vit. Avec une agilité étonnante, Jacinthe surgit du fossé et fit feu sur son assaillant avec le *shotgun* de Gagné.

— Tiens, mon enfant de chienne.

Elle se hâta vers la Saab sans un regard sur le chaos qu'elle laissait derrière : le cadavre du Freelander était tombé face contre terre. Du sang jaillissait en rigoles épaisses de son crâne fracassé.

Jacinthe arrêta la Saab sur la route principale et se pencha sur son compagnon afin de vérifier la gravité de sa blessure. Blanc comme un linge, Gagné avait les mains crispées sur l'abdomen. Elle souleva son t-shirt et vit le sang bouillonner sur ses doigts, se répandre dans l'habitacle. Elle palpa son dos. La balle était entrée et ressortie.

Gagné essaya de crâner.

— Allume-moi donc une autre cigarette.

Jacinthe étira le bras et attrapa le coton ouaté sur la banquette arrière, qu'elle plaqua fermement contre les plaies.

— Oublie ça. Ça va te tuer.

Il grimaça un sourire. Elle sentit une déferlante de panique prête à l'engloutir, mais elle se ressaisit et réussit à conserver son sang-froid.

— Mets de la pression là-dessus. Faut que tu toffes jusqu'à l'hôpital, mon estie !

Gagné approuva d'un faible mouvement des paupières.

— Eille, Taillon ?

Elle appuya sur l'accélérateur et repartit en trombe.

— Chus là, mon big.

— Va chier.

La tête de l'ancien policier retomba contre sa poitrine. Catastrophée, elle le secoua avec sa main libre.

— Non, reste avec moi, mon big ! Laisse-toi pas aller !

Main gauche sur le volant, Jacinthe coinça son cellulaire entre son épaule et son oreille tandis qu'avec la droite elle comprimait le chandail sur la blessure.

— Envoye Lessard, réponds !

## 67

# Il y a toujours une fenêtre ouverte

Les murs de la salle d'attente des soins intensifs suintaient l'affliction. Regard dans le vide, dossier d'Abel Parker à la main, Victor se sentait glisser vers l'abîme. La vie lui avait déjà arraché trop de proches et, des remous de son âme dont il ne pouvait sonder la profondeur, des mains se tendaient, celles des morts qui voulaient le ramener à eux. Non, pas un autre. Pas cette fois. Il n'en réchapperait pas.

Il émergea au moment où Delaney revint vers lui.

— C'est fait. Vera pis Yako sont reparties avec Loïc.

Victor le remercia ; savoir que les deux jeunes femmes étaient désormais sous la protection des crimes majeurs le rassurait. Delaney hésita.

— Tu devrais pas trop t'éterniser ici.

— Gagné a tout risqué pour moi. Je l'ai entraîné là-dedans. Tu ferais la même chose à ma place, Paul.

Delaney baissa la tête, acquiesça.

— Comment il va ?

— Le chirurgien a dit qu'il a fait tout ce qu'il a pu.

L'animosité de Delaney envers l'ancien policier semblait avoir disparu.

— Mais… il va-tu passer à travers ?

Les yeux humides, Victor eut un geste d'impuissance. La vérité, c'était que Gagné luttait pour sa vie.

— Jacinthe est avec lui?

Ébranlé, il répondit d'un mouvement du menton. Delaney mit un bras sur ses épaules.

Tandis qu'elle filait à tombeau ouvert en direction de l'hôpital le plus proche, Jacinthe l'avait prévenu du danger imminent. Il l'avait rassurée: la menace était écartée. Pour l'instant, du moins. Après avoir raccroché, il avait aussitôt appelé Paul Delaney. En route pour Montréal, le chef des crimes majeurs avait rebroussé chemin et les avait rejoints à la sortie du bois, sur une route sûre que Yako leur avait indiquée.

Aucune parole n'avait été prononcée alors qu'ils roulaient vers l'urgence de Rivière-Rouge, sirène et gyrophare allumés. Sur la banquette arrière, Yako avait enlacé Vera. Et derrière le volant, Delaney s'était contenté de jeter quelques coups d'œil à la dérobée à Victor.

Gagné reposait dans le lit blanc, pâle, intubé et inconscient, branché de partout à des poches de soluté. L'infirmière laissa Jacinthe seule avec lui un instant. Celle-ci n'eut donc pas besoin de cacher à quel point elle était bouleversée. Comme avec Nadja, elle lui parla sans trop savoir s'il l'entendait.

— Suzie s'en vient. Elle doit être à veille d'arriver.

Elle lui prit la main.

— Tu te laisseras pas aller, hein? Faut que tu passes à travers, mon big!

Elle repoussa brusquement sa main, qui retomba, inerte, le long de son corps.

— Parce que si tu te laisses aller, j'irai pas à ton service, pis j'irai pas non plus mettre des fleurs sur ta tombe. Je voudrai même pas savoir elle est où, ta crisse de tombe!

Elle retint ses larmes et sortit en claquant la porte.

Afin de se soustraire aux regards, ils s'étaient isolés dans une salle d'examen attenante aux soins intensifs. Delaney l'ayant rassuré que l'état de Nadja était toujours stable et débriefé à propos du dossier qu'il avait remis à Jacinthe et Gagné, Victor acheva de lui raconter son affrontement avec le chef des Freelanders, dans le bois.

— C'était lui, t'es sûr ?

Victor serra les dents.

— Oui. Pis c'était lui, Guillaume Lefebvre, pis la fusillade au resto, pis Nadja, pis Thomson, pis Gagné, pis tout le reste. Je l'avais là, juste devant moi. Pis j'ai pas pu en profiter.

— Valait mieux ça qu'un bain de sang.

— Fucking Abel Parker ! Il faut que je remette la main dessus. Pis vite.

Il marchait sur le fil du rasoir et Delaney le savait.

— Il faut aussi que tu gardes la tête froide, Victor.

— Facile à dire.

Le ton du chef des crimes majeurs passa à celui des confidences.

— Il y a quelque chose que j'ai pas voulu dire devant Gagné quand j'ai vu Jacinthe.

— Quoi ?

— C'est le SCRS qui m'a donné le dossier.

Cette révélation embrouilla l'esprit de Victor, ébranla ses repères.

— Le SCRS ?

Delaney semblait au moins aussi perplexe que lui.

— Je sais, je comprends rien, moi non plus. D'un côté, ils viennent m'ordonner de mettre mon enquête sur la glace. Pis de l'autre, un de leurs agents me remet ça en cachette de sa boss. Juste après que la boss en question soit venue me péter sa coche pour me dire de me tasser.

— Mais s'ils le surveillent, pourquoi ils feraient couler le dossier ? Ça serait quoi, leur but ?

— C'est ça, la question à cent piastres. Si tu veux mon avis, ça sent la manipulation. La boss dont je te parle, Claire Sondos, à ta place, je ferais bien attention à elle.

Victor désigna le dossier qu'il pétrissait entre ses mains.

— Il y a plus de trous que d'autre chose, là-dedans. On sait même pas dans quel régiment il était en Afghanistan. On n'a rien ou presque à part son nom.

Il réfléchit un court instant.

— C'est-tu juste un os qu'y nous donnent à ronger ou c'est une vraie piste ?

Delaney haussa les épaules. Il l'ignorait.

— J'ai demandé à Loïc de faire une petite recherche sur Abel Parker. Je t'en reparlerai.

Un silence passa. Victor reprit.

— C'est pas normal, Paul. Il y a quelque chose qui marche pas, au SCRS.

Après avoir un peu hésité, Delaney fit l'innocent.

— Pis toi, t'aurais pas le goût d'aller leur demander en personne ce qui se passe ?

Préoccupé, Victor l'interrogea du regard.

— L'agent qui m'a donné ça s'appelle Hubert Baron.

## 68

## Les cris et le silence

Une boîte de carton vide sous le bras, Abel s'arrêta devant un casier de métal et l'ouvrit. Il décolla une photo scotchée sur la face interne de la porte. Une femme dans la cinquantaine souriait à l'objectif en compagnie de Pac Man. Après l'avoir observée, Abel mit le portrait dans sa poche de poitrine et commença à ranger les effets personnels du défunt dans la boîte. Une silhouette entra dans son champ de vision et vint s'accoter au casier adjacent.

Abel tenta de dissimuler la tristesse dans sa voix.

— Il avait juste sa mère, Pac Man. Va falloir que je l'avertisse. Avant que les médias se mettent à dire n'importe quoi, que son fils était un terroriste ou, pire encore, un meurtrier. Il faut qu'elle sache qu'il se battait pour une cause, que son fils, c'était un soldat, pis un patriote.

Paumes appuyées sur le manche d'une pelle, Black Dog regarda la boîte que tenait toujours Abel, mais il se tut.

— Pac Man aurait mérité de mourir en guerrier. Pis qu'on enterre son corps ici. Avec celui de Red Fox…

Black Dog le considéra, l'air grave.

— Pourquoi t'as pas tiré sur Lessard? Tu l'avais devant toi. On aurait été débarrassés. Pis Red Fox serait peut-être encore en vie.

Abel se tourna vers lui. Il se sentait coupable, mais répondit d'une voix convaincue.

— Parce que c'est pas mon genre de sacrifier mes hommes. Pis je voulais pas te perdre, Black Dog. T'étais mon meilleur avec Pac Man. T'es mon chum, OK?

Black Dog hocha la tête avec pudeur. Les deux hommes demeurèrent silencieux un bref moment.

— Ta force, Messiah, c'est que tu sais que ce qu'on fait, c'est extrême. Mais tu le fais pareil. C'est pour ça que je te suis. C'est pour ça que les gars te suivent.

Les doutes continuaient d'assaillir Abel. Toujours à sa mélancolie, Black Dog reprit.

— Chaque fois que je ferme les yeux pour m'endormir, je vois des jambes arrachées, des bras tordus, des tripes à l'air, du sang, pis de la marde. Les images de ce qu'on a vécu là-bas s'effaceront jamais, mais, avec le temps, j'ai appris à vivre avec…

Gagné par l'émotion, il marqua une pause avant de poursuivre.

— Je vais te dire quelque chose, Messiah, une chose que je t'ai jamais dite. La fois où t'as tiré la petite à travers un taliban… Ce jour-là, Lewis pis moi, c'était supposé être notre kill. Mais lui, il s'était pété la face la nuit d'avant, pis y était pas en état. Le lieutenant l'a su, y était en crisse, fait qu'il nous a mis dans le blindé pis on a patrouillé à votre place.

À présent, le Freelander était plongé loin dans ses souvenirs.

— Je me demande souvent ce qui se serait passé si les rôles avaient été inversés.

Messiah mit un temps à encaisser la confidence.

— Peut-être que la petite serait encore en vie. Et peut-être qu'Iba pis moi on serait morts dans l'embuscade.

Black Dog semblait revivre un cauchemar.

— Huit dans un blindé, pis y a juste moi qui meurs pas. Es-tu capable de m'expliquer ça, toi ? Est où, la logique, là-dedans ?

Il continua après une seconde.

— Pis Lewis qui criait pour que je retrouve sa jambe…

Abel aussi était habité par de sanglantes images du passé.

— Le pire, c'est pas les cris, c'est le silence, après…

D'un signe de tête, Black Dog acquiesça. Abel lui tapa sur l'épaule.

— On devrait jamais s'en vouloir d'être en vie.

Black Dog se ressaisit.

— T'as raison. Viens-t'en, mon chum. On va trouver un coin tranquille pour Pac Man.

Ils marchèrent vers le bois, Black Dog tenant sa pelle, Abel, sa boîte de carton.

— Toi, ton père voulait que tu fasses quoi dans la vie ?

Black Dog se mit à rire.

— Que j'aille à l'université. Que je sois avocat, comme lui pis ma mère. Je l'ai tellement déçu quand je me suis inscrit dans l'armée. Mais moi, en mission, y a juste là que je me sens à ma place.

Ses paroles trouvèrent une résonance chez Abel.

— Moi aussi. C'est juste là que je sais toujours quoi faire pis comment.

Il laissa passer un temps.

— Pis ton père, qu'est-ce qu'il pense que tu fais, maintenant ?

— Ça fait déjà un boutte qu'on se parle plus. Après l'Afghanistan, j'ai fait des conneries avec une gang de motards. Il l'a su. Il comprendrait pas, anyway.

Admiratif, il se tourna vers Abel.

— Mais toi, c'est pas pareil, t'es chanceux. Ce qu'on fait là, la cyberattaque…

Messiah se troubla un instant.

— Oui, c'est sûr… On va voir.

# 69

## La prise de la poignée de porte

Le stationnement souterrain de la Place Dupuis était désert à cette heure tardive. Mains dans les poches, cravate détachée, Hubert Baron se dirigeait d'un pas désinvolte vers son véhicule de fonction. Derrière cette façade, l'agent des services de renseignements était tout sauf décontracté. Cette affaire et ses implications sur sa trajectoire commençaient à lui peser. Il attrapait la poignée quand il entendit une voix dans son dos.

— Yo, Baron…

Il pivota sur ses talons et se braqua.

— Pourquoi vous m'avez appelé? Qu'est-ce que vous me voulez?

Jacinthe posa sa main sur l'épaule de Baron, qui tressaillit.

— Ç'a pas été une bonne journée, mon gars. Fait qu'on va laisser faire la bullshit.

L'agent du SCRS les considéra à tour de rôle. Leurs yeux trahissaient des envies de meurtre.

— J'ai déjà donné des infos à vous savez qui, ça suffit.

Victor s'approcha. Leurs visages étaient à quelques centimètres l'un de l'autre.

— C'était quoi, ton but, en donnant le dossier d'Abel Parker à Delaney?

Baron adopta un ton solennel.

— Des fois, notre devoir, c'est de désobéir aux ordres, de ne pas faire ce qu'on nous demande.

Jacinthe s'avança aussi, le piégeant entre eux et son véhicule.

— Blablabla… Scuse, mais je vais prendre la version avec la traduction simultanée.

L'agent du SCRS scrutait les alentours, comme s'il craignait de parler à visage découvert. Ce qu'il dit ensuite fut à peine audible.

— J'ai perdu confiance dans ma boss…

Victor laissa le silence s'étirer, puis compléta.

— Claire Sondos.

Baron approuva de la tête.

— Disons que je ne suis pas à l'aise avec la façon dont elle gère les affaires. Mais si jamais elle apprend pour le dossier…

Victor le jaugea, incapable d'évaluer sa sincérité.

— C'est quoi le rapport avec Abel Parker?

Baron hésitait à répondre. Jacinthe fit encore un pas et appuya ses mains sur le toit de la voiture. Ses seins proéminents touchaient maintenant l'homme, qui, coincé entre ses bras, tentait de se faire le plus petit possible.

— Pis pourquoi Sondos serait pas contente de savoir qu'on a le dossier de Parker en main, hein, Baron? Tu vas pas me dire qu'il travaille pour vous autres, toujours? Que vous le protégez parce que c'est un de vos informateurs?

Baron fit signe que non, mais s'entêta à rester coi. La main de Jacinthe agrippa sa cuisse et se mit à remonter.

— Connais-tu ça, la prise de la poignée de porte?

Et tandis qu'une idée commençait à germer dans l'esprit de Victor, Hubert Baron regardait à la ronde, l'air d'espérer que quelqu'un le délivrerait de leur emprise.

— Accouche avant que matante Jacinthe se fâche!

Le scénario qu'elle avait évoqué était classique. Il arrivait que les services secrets ou la police taisent le dossier d'un individu peu fréquentable avec qui ils collaboraient afin de ne pas compromettre une opération en cours.

L'autre motif le plus fréquent pour « enterrer » un tel dossier : éviter des fuites qui attireraient l'attention sur une personne d'intérêt déjà sous enquête. Victor voulut tester cette seconde hypothèse.

— Les Freelanders... Vous les avez infiltrés, c'est ça ?

Il sut qu'il avait visé juste quand Baron détourna la tête sans le contredire.

— Il y a une limite morale aux méthodes qu'on peut employer. Enfin, c'est mon avis.

Fatigué de ces jeux de faux-semblant, Victor s'écria avec véhémence.

— Mais de quoi tu parles ? Envoye, crache !

— Les... les armes...

Victor pensa à l'hypothèse qu'il avait émise plus tôt.

— Quoi, les armes ? C'est Thomson qui les fournissait aux Freelanders ?

Baron se taisait et le fixait d'un air qui semblait signifier : « T'as tout ce qu'il faut entre les mains pour comprendre. »

— Donc, c'était lui l'agent infiltré ? Dis-moi que je me trompe...

Baron opina de la tête.

— Tu te trompes pas. C'était lui.

Un électrochoc traversa Victor et ralluma l'étincelle de sa colère.

— Attends... Thomson leur vendait des armes dans votre dos ou vous étiez au courant ?

La réponse de Baron tomba, nette et sans appel.

— Sondos l'était.

Hors de lui, il prit Baron par le collet.

— C'est le SCRS qui a armé les Freelanders par l'intermédiaire de Thomson ?! Vous avez mis des guns dans les mains de crinqués d'extrême droite ! Mais vous pensiez quoi ? Qu'ils s'en serviraient pas ?

— Lâche-moi.

Victor voyait rouge. Il hurlait au visage de Baron ; son avant-bras comprimait sa gorge.

— Le SCRS est responsable de tout ce qui est arrivé !

— Arrête, tu me fais mal… Moi, je suis juste un pion.

Jacinthe agrippa le bras de son partenaire.

— Calmos, Lessard.

— Pourquoi le dossier d'Abel Parker est plein de trous ? Pis lui, y est où ?

Victor exerçait une pression telle que Baron peinait à articuler.

— Je sais pas ! Je sais rien ! C'est pas mon enquête !

— Ma gang de sales ! Ma gang d'esties de chiens sales !

Jacinthe attrapa Victor par le revers de sa veste et le poussa fermement à l'écart de l'autre.

— On décâlisse avant que ça dégénère.

Les mains sur les genoux, l'agent du SCRS tentait de reprendre son souffle et ses esprits.

— On est du même bord, Lessard ! Sinon pourquoi je vous dirais tout ça ?

Le poing crispé le long de sa cuisse, Victor partit passer sa frustration ailleurs. Jacinthe ouvrit la bouche pour ajouter quelque chose, mais préféra lui emboîter le pas. Pantelant, Baron resta seul.

Une fois qu'ils eurent disparu de sa vue, l'agent des services de renseignements grimpa dans son véhicule de fonction et composa un numéro sur son cellulaire.

— C'est fait…

S'il avait pu voir son interlocuteur, il aurait trouvé un homme affublé d'une incisive en or qui souriait d'un air satisfait. Mais, pour l'heure, Baron se contentait de tapoter nerveusement le volant et de guetter dans son rétroviseur, tous les sens en alerte.

— Je fais quoi, maintenant ?

La voix de l'autre retentit dans l'habitacle, calme et rassurante.

— T'as planté le germe. Là, t'attends. Lessard va te recontacter.

Baron raccrocha et resta songeur un instant. Puis il attacha sa ceinture et démarra.

## 70

## Relier le passé au présent

Ils venaient tout juste de quitter Baron et marchaient dans une ruelle située non loin du stationnement souterrain, chacun dans ses pensées tourmentées.

Victor tira une bouffée de sa cigarette. Des flashs lui revenaient en mémoire, éclataient comme des détonations qui crevaient le silence de la nuit d'encre. Sa mère, ses frères, Nadja, Gagné… Des flashs liés par deux points communs : la violence et le sang.

— À quoi tu penses, mon homme ?

Au son de sa voix brisée, il se tourna vers Jacinthe. Une larme roula sur la joue de sa partenaire, que la tristesse accablait.

— Même chose que toi.

Il régla son pas sur le sien et passa son bras autour de ses épaules. À sa grande surprise, elle ne trouva rien à redire.

Le vent s'était levé. Victor frissonna, torturé autant par le froid que par l'inquiétude et la mauvaise conscience de celui qui s'imagine être à l'origine des malheurs du monde. Au bout de quelques minutes, ils arrivèrent à la voiture qu'ils avaient louée après avoir quitté l'hôpital. Ils avaient en effet estimé que le pare-brise lézardé de la Saab et ses autres blessures de guerre risquaient d'attirer l'attention et de les compromettre.

Delaney leur avait offert son véhicule, mais Victor avait refusé. Les implications seraient trop grandes s'il survenait quelque chose alors qu'ils utilisaient son auto. Il avait déjà entraîné trop de proches dans son noir sillage.

Après avoir traversé la cuisine et le frigo du restaurant de Chinatown, puis remonté le couloir souterrain, ils arrivèrent dans le silence sépulcral de la salle commune. Au centre, le poste de contrôle de Gagné demeurait cruellement désert. Leur cœur se serra en voyant le fauteuil de leur ami tombé au combat, comme un autel à sa mémoire. La mine sombre, Jacinthe s'avança avec circonspection, effleura du bout des doigts la robe de chambre rose qui en recouvrait le dossier. Quand elle se retourna vers Victor, ses yeux étaient rougis. Il baissa la tête, bouleversé lui aussi.

Rien n'allait, ils avaient le sentiment de perdre leurs repères et se sentaient déstabilisés depuis des jours, chaque heure ajoutant son poids à leur fardeau. Ils essayèrent de dormir un peu sur leurs lits de camp. Comme on ne s'endort pas d'un cauchemar, mais qu'on s'en réveille, ils ne trouvèrent pas le sommeil.

Victor se leva le premier, déplia la carte que lui avait donnée Yako et l'étala sur la table. Jacinthe le rejoignit peu après et s'avachit dans un fauteuil, une jambe posée sur un accoudoir. Du doigt, Victor désigna les deux cercles rouges sur la carte. Les deux zones que Yako n'avait pu vérifier.

— Le camp dont Yako nous a parlé, Ghetto X… C'est de là que les Freelanders opèrent. Abel Parker doit nécessairement être sur place. On va aller le chercher.

Il bouillait encore de rage contenue. Inquiète de le voir s'enliser dans un tel état, Jacinthe laissa de côté sa propre agitation, sa propre révolte.

— Respire par le nez, mon homme. Si tu peux plus te contrôler, on n'ira pas chier loin.

Il fit signe qu'il avait compris, mais, une poignée de secondes plus tard, il recommença à parcourir le dossier du chef des Freelanders, qu'il finit par balancer avec fureur à l'autre bout de la pièce parce qu'il n'y trouvait rien de substantiel à se mettre sous la dent.

— C'est qui, ce gars-là? C'est qui?

Défiant ses bourrelets, Jacinthe ramassa les papiers épars sur le plancher.

— Crains rien, on va le trouver, le fucking Messie. Pis s'il faut monter sur une croix pis y arracher ses clous un par un, ça va me faire plaisir de te tenir l'échelle.

Au matin, Jacinthe avait fait du café, un tord-boyaux imbuvable qu'elle-même peinait à boire, mais que Victor avalait comme un élixir, au péril de ses problèmes de reflux. Depuis de longues minutes, ils tentaient de rassembler ce qu'ils avaient appris de leurs rencontres avec Yako et Hubert Baron.

Pour l'occasion, Victor avait sorti un calepin et un stylo afin de prendre des notes, ce qui ne s'était pas vu depuis ses beaux jours aux crimes majeurs.

Après quelques suppositions sans suite, Jacinthe lança une nouvelle salve.

— OK... On reprend ça. Le SCRS aurait armé les Freelanders pourquoi au juste? Attraper des djihadistes à leur place?

Victor acquiesça et parla tout bas, comme s'il voulait conjurer le mauvais sort.

— Ils soupçonnaient peut-être des djihadistes identifiés sur les fiches S d'être sur le point de commettre un attentat, mais ils avaient pas ce qu'il faut pour obtenir un mandat d'arrestation?

Le visage de Jacinthe se crispa.

— Pis rendus à Ghetto X, les Freelanders ont fait quoi avec les djihadistes ? Y ont appelé le SCRS ou y les ont interrogés eux-mêmes avec pas de gants blancs ?

Victor se laissa tomber dans un fauteuil. Il sortit la photo de l'homme prénommé Joseph en compagnie de ses parents et l'observa. Puis il releva le regard vers Jacinthe.

— Le SCRS a fait faire la job de bras par les Freelanders. Rappelle-toi, les Américains ont sous-traité la torture à Guantanamo. C'est la théorie des mains propres.

— OK, mettons. Mais si le SCRS était pour donner des guns aux Freelanders par l'entremise de Thomson, pourquoi pas leur donner les fiches S aussi ?

— Transférer des données top-secret, ça laisse des traces. C'était peut-être moins risqué de laisser la porte ouverte pour qu'ils viennent se servir eux-mêmes.

Jacinthe jongla avec l'idée.

— Le SCRS aurait intentionnellement laissé les Freelanders les hacker ?

Il lui confirma que c'était ce à quoi il songeait. Jacinthe réfléchissait, faisait des recoupements.

— L'attentat que les djihadistes planifiaient, fallait que ça soit big en maudit pour que le SCRS prenne des risques de même.

— Assez pour justifier une opération clandestine.

— Pis à voir la réaction de Baron, elle leur a sauté en pleine face.

Songeur, Victor opina.

— Pour une raison ou une autre, Abel Parker est devenu incontrôlable.

Jacinthe désigna la photo qu'il tenait entre ses doigts.

— Lui, ou celui qu'il protège…

Elle se tut pour laisser sa bouche rattraper ses idées.

— C'est le dude qui s'appelle Joseph, le seul lien entre le passé pis le présent. Entre…

Victor compléta.

— … entre Marée Rouge pis Ghetto X. Le seul lien avec mon père…

Sur la photo, il détailla Joseph, Jeanne et Henri.

— On s'en sort pas. C'est le gars de la photo qui a engagé ton père dans Marée Rouge. C'était lui, son boss. Abel Parker, c'est les bras, pis lui, le cerveau.

Victor approuva de la tête. Jacinthe poursuivit.

— Les Freelanders veulent pas juste t'empêcher de le trouver. Tu sais quèque chose qui peut faire fucker son plan. Quèque chose qui remonte à ton enfance…

Ils échangèrent un regard entendu, puis un lourd silence tomba. Les paroles de Jacinthe vrillaient les synapses de Victor, lui donnaient le sentiment qu'une trappe allait s'ouvrir sous ses pieds et qu'il allait plonger dans le vide.

Si ce qu'elle disait s'avérait, il devait coûte que coûte retrouver ce secret enfoui dans les méandres de ses souvenirs.

Le cellulaire de Jacinthe émit un son qui le sortit de la spirale dans laquelle il se trouvait englué. Elle avait reçu un message texte. Redoutant une énième mauvaise nouvelle, il attendit avec circonspection tandis qu'elle consultait l'écran.

— Le Kid a retracé l'officier supérieur d'Abel Parker en Afghanistan : Jacques Marcoux. Le gars anime un atelier de soutien pour anciens combattants à NDG.

Victor comprit que la recherche commandée par Paul Delaney avait porté ses fruits. Sans un mot, ils se levèrent et prirent leurs vestes.

— Vous avez aucune idée de qui vous parlez. Une fois, au sud de Kandahar, on est tombés dans une embuscade. Vingt talibans avec une mitrailleuse lourde et un mortier.

Rue de Maisonneuve Ouest, ils avaient attendu dans leur voiture de location que les soldats ayant participé à l'atelier quittent l'immeuble de la Légion royale canadienne. À leur arrivée, Jacques Marcoux empilait des chaises. Sec, nerveux, le visage marqué de ceux qui ont été avalés par l'horreur, l'ancien officier ressemblait à un vieillard mais ne devait pas avoir plus de cinquante ans. L'homme rassembla ses pensées.

— Savez-vous comment on se sent quand on est à genoux dans la poussière et les cailloux, pis qu'on peut même pas bouger le petit doigt? Quand la seule différence entre la vie et la mort, c'est une paroi rocheuse…

L'air d'avoir été enseveli vivant, il s'approcha de Victor.

— Savez-vous à quoi ça ressemble, des gars empilés les uns sur les autres qui sont sûrs qu'ils vont mourir?

Marcoux replongea dans ses souvenirs glauques.

— Juste ce jour-là, Abel Parker a sauvé douze vies. S'il avait pas été sur son perchoir pour veiller sur nous, toute la section y serait passée. C'était mon meilleur homme.

Il les fixa l'un après l'autre, pour être certain d'être bien entendu.

— Pour les gars, Abel, c'était le bon Dieu. Savez-vous comment ils l'appelaient?

Mâchoires contractées, Victor s'empressa de répondre.

— Oui, on le sait. Messiah.

Marcoux ouvrit la bouche, surpris. Jacinthe s'éloigna vers le fond de la salle et pigea deux beignes dans la corbeille qui était posée sur une table. Victor changea de stratégie. Malgré toute l'empathie qu'il ressentait à l'égard de l'homme et de son terrible vécu, sa patience commençait à s'étioler.

— Écoutez, monsieur Marcoux, je remets pas en cause tout ce qu'Abel Parker a pu faire là-bas. Mais moi, ce qui m'intéresse, c'est ce qui se passe ici, ce qui se passe maintenant. Ce qui m'intéresse, c'est le pourquoi des meurtres et, surtout, comment les arrêter.

Victor se mit à marcher dans la pièce. Quand il revint devant Marcoux, il lui débita tout d'un trait, convaincant.

— Ce que je veux comprendre, c'est comment un héros de guerre a pu devenir un tueur sanguinaire qui élimine des innocents. C'est pas le résultat d'un choc post-traumatique. Il y a une idéologie derrière. Un homme change pas sur un claquement de doigts. Y a eu des signes avant-coureurs. Je veux savoir lesquels.

Mais l'ancien militaire, qui en avait vu d'autres, ne se laissa pas impressionner.

— La raison d'être de l'armée, c'est de recruter des individus pour en faire des tueurs. Et leur apprendre à tuer au nom de notre système capitaliste, drapé dans un idéal de démocratie : protéger notre pays pour continuer à faire rouler l'économie. Dans cette rhétorique-là, y a pas de coupables, pas de logique. Juste un ennemi à abattre.

Marcoux s'était enfiévré. Il reprit son souffle avant de continuer.

— Quand t'as été entraîné à tirer sans poser de questions, quand t'as été au combat et que t'as tué de tes propres mains, quand t'as tout risqué et que t'as eu peur de perdre ta vie, ça devient une seconde nature. Tu peux pas déconstruire ça du jour au lendemain.

Victor et Jacinthe se regardèrent, troublés. Marcoux poursuivit.

— D'après ce que vous m'expliquez des Freelanders, Abel est convaincu qu'il continue de faire ce qu'on lui a appris dans l'armée comme étant juste et nécessaire.

Faisant craquer les jointures de ses doigts une par une, Jacinthe décida de le talonner.

— Jamais je croirai qu'il s'est pas quand même passé de quoi en Afghanistan.

Mécontent, Marcoux se dirigea vers la table et commença à jeter les gobelets et les assiettes sales. Après un moment, il se retourna en soupirant.

— Il y a effectivement eu un incident...

Ils avaient écouté son récit sans l'interrompre. Entendre cet homme brisé parler avec émotion et humanité de ce que les soldats sous son commandement et lui avaient vécu les bouleversa. Quand Marcoux eut terminé, Victor posa la première question, brisant le silence recueilli.

— La grenade a explosé quand Abel a pris le lapis-lazuli dans la main de la petite ?

— La goupille était reliée à un fil de pêche. C'est sa spotter, Iba Khelifi, qui l'a sauvé.

Victor consulta Jacinthe du regard ; comme lui, elle avait fait le lien entre la petite et le visage d'enfant gravé sur les pierres trouvées chez Thomson. Elle tapota son orbite gauche de l'index en s'adressant à Marcoux.

— Pis son œil qui a changé de couleur, ça vient-tu de là ?

— Ils ont évité le souffle de l'explosion, mais l'air était rempli de particules de fer. Iba Khelifi a été moins chanceuse. Elle est devenue complètement aveugle... Abel n'a plus jamais été le même après. Il s'est mis à prendre des risques démesurés.

Victor osa une explication faisant écho à son propre passé.

— Comme s'il avait perdu le goût de vivre ?

L'ancien militaire acquiesça, puis finit de ranger la table.

— Il a commencé à remettre notre mission en question. À dire qu'on n'avait pas rapport en Afghanistan, qu'on n'avait pas à se mêler de leurs affaires.

Jacinthe jeta quelques notes rapides dans son calepin, puis elle tendit une autre perche à l'ex-officier.

— Pac Man, Black Dog, ça vous dit-tu de quoi ?

Marcoux fit signe que non. Mais elle insista.

— Des gars d'une autre unité, peut-être ?

— Aucune idée.

L'homme disait la vérité, Victor le sentait. Il sonda dans une autre direction.

— Khelifi, c'est un nom arabe ? Est-ce qu'il y avait des tensions raciales dans votre section ?

À la déception de Jacinthe, Marcoux rangea les beignes dans une boîte et la ferma.

— Si c'était seulement ça… On parle de l'armée. Des tensions, il y en a à propos de tout et de rien : des femmes, des gais, de la religion, de la couleur de cheveux, du hockey…

Victor revint à la charge, implacable.

— Est-ce qu'Abel Parker avait un problème avec Iba Khelifi ?

— Ils étaient comme le feu pis l'eau, toujours à se gosser pour un oui ou pour un non, mais en même temps inséparables. Qui aime bien châtie bien, faut croire.

Était-ce son ton qui leur mit la puce à l'oreille ? Jacinthe fouilla la question avec son franc-parler habituel.

— Quoi ? Y fourraient ensemble ?

L'ancien militaire hésita, comme s'il avait l'impression de trahir un secret.

— Abel essayait de le cacher, mais, d'après moi, il aurait pas dit non. Après l'explosion, il a passé des mois à son chevet, à l'hôpital militaire. Je serais pas surpris s'il avait développé des sentiments pour elle.

Le silence qui suivit s'étira comme un élastique que Jacinthe s'empressa de rompre.

— Ça doit être confrontant pour un couillon d'extrême droite de se faire sauver son petit cul blanc par une Arabe.

Victor vit un autre nœud dans l'étoffe.

— Presque autant que de tomber en amour avec.

Sur son cellulaire, il fit apparaître la photo de l'homme prénommé Joseph en compagnie de ses parents et la montra à Marcoux, qui examina attentivement le portrait.

— Jamais vu. Désolé.

Victor secoua la tête et reprit la parole.

— Pis si je vous parle de fiches S ou du programme Marée Rouge ?

— Ça ne me dit rien non plus.

Sans se décourager, Victor attaqua par un autre angle.

— Est-ce qu'Abel avait des entrées au SCRS? Aux opérations clandestines, peut-être?

L'ex-officier réfléchit.

— Pas à ma connaissance. Mais si le service de renseignements a lancé une opération clandestine, Abel ne fitte pas dans le portrait.

— Pourquoi?

— Généralement, pour faire les jobs sales, ils recrutent des candidats sans attaches. Des gars ou des filles qui peuvent être sacrifiés.

La question de Jacinthe fusa, comme si elle avait attendu l'ouverture pour la lancer.

— Justement. Il avait-tu de la famille, le Messie? Son dossier ressemble à une passoire.

Marcoux débrancha la cafetière et souleva le couvercle.

— Un père, en tout cas.

Victor montra un intérêt renouvelé pour la conversation.

— Il en parlait souvent?

La réponse de Marcoux ne tarda pas.

— Si j'ai bien compris, son père était très strict. Mais Abel semblait avoir beaucoup d'admiration pour lui.

— Un ancien militaire?

La question de Victor embêta son interlocuteur.

— Aucune idée. Mais c'est rare que tu te distingues par hasard sur un champ de bataille. Ça prend pas juste du courage, du sang-froid pis de la rigueur. Des hommes de la trempe d'Abel, il faut quasiment qu'ils aient été programmés avant d'entrer dans l'armée.

Victor écarquilla les yeux, tétanisé par les points qu'il venait de relier dans sa tête. Jacinthe enchaîna.

— Le père, vous connaissez son nom?

Marcoux secoua la tête; il l'ignorait. Alors que Victor restait enfermé dans sa bulle à réfléchir aux implications de ce qu'il entrevoyait, elle posa encore quelques questions dont les réponses ne les éclairèrent pas davantage, puis ils remercièrent l'ex-officier. Des poignées de mains polies furent échangées.

Quand ils sortirent dans l'air humide, Victor leva le regard vers les nuages cotonneux. De minuscules flocons tourbillonnaient dans le ciel gris. Et tandis qu'ils se dirigeaient vers la voiture, Jacinthe maugréa.

— Fin octobre… Pas eu le mémo, maudit hiver à marde ?

Au moment d'entrer dans le véhicule, elle interpella Victor par-dessus le toit.

— Yo, Lessard, j'entends le hamster tourner.

Songeur, il paraissait être dans un état second.

— Qu'est-ce que Marcoux a dit à propos du père d'Abel ?

— Euh… qu'il était strict pis toute…

— Quoi d'autre ?

Elle songea aux paroles exactes qu'il avait employées.

— Ben… que des gars comme le Messie sont souvent programmés avant de rentrer dans l'armée. On voit ça aussi dans le sport. Genre Tiger Woods avec son père.

— Exactement. Abel a été programmé par son père.

— Je veux ben, mais ça nous dit pas plus c'est qui.

— Au contraire…

Il n'eut pas à ajouter un seul mot. Jacinthe comprit et se braqua aussitôt.

— Attends, attends ! Je te vois venir… Tu vas pas me dire que le dude de la photo, c'est…

Il n'y avait plus aucun doute dans l'esprit de Victor.

— Joseph Parker. Le père d'Abel.

# 71

## Opération clandestine

Abel entra dans le bureau impeccablement rangé et prit une posture militaire, mains croisées dans son dos. Assis derrière sa table de travail immaculée, Joseph Parker l'observa un long moment, comme pour le percer à jour, mais sans jamais dévoiler ses intentions. Ce fut Abel qui finit par briser le malaise et le silence.

— Tu voulais me voir ?

La tension entre eux était palpable.

— T'aurais dû venir sans que j'aie à le demander.

Abel se tut. Mais le regard pénétrant de Joseph le força bientôt à sortir de sa réserve.

— Je vois pas de quoi tu parles…

Joseph esquissa un sourire de dérision.

— Je parle de Red Fox et de Pac Man. Et de ta petite bataille de coqs avec Victor Lessard. Prends-moi pas pour une valise, Abel… Je te connais comme le fond de ma poche.

Le chef des Freelanders tenta de ravaler sa surprise, au mieux de la camoufler.

— Qui t'a parlé de ça ?

Joseph chassa une poussière sur son bureau avec le bout de son index.

— C'est pas ça qui compte. Ce qui compte, c'est que j'aurais dû l'apprendre par toi.

Abel releva le menton pour se donner une contenance.

— Je comprends pas en quoi ça te concerne.

La voix de Joseph tonna, lourde de sous-entendus.

— Es-tu en train de me challenger, Abel ? Parce que si t'as des doutes sur ta mission, autant mettre cartes sur table tout de suite.

— Non, j'ai pas de doutes. Mais tu devrais me faire plus confiance. Moi, j'ai jamais su le fond de l'histoire, mais je t'ai fait confiance pour Thomson.

*Six mois avant le meurtre de Guillaume Lefebvre*

*Au champ de tir, Joseph Parker regarde dans ses binoculaires tandis qu'Abel fait glisser la culasse et éjecte la douille de la balle qu'il vient de loger en plein centre de la cible.*

— Good kill. *T'as pas perdu la main.*

*Il se tourne vers Abel.*

— *Le SCRS va envoyer un agent pour vous infiltrer, toi pis tes Freelanders. Il s'appelle Robert Thomson. Fais-lui prouver sa valeur. Demande-lui de faire quelque chose qui va le compromettre, pour voir jusqu'où il est prêt à aller.*

— *Mais comment le SCRS a entendu parler de nous ?*

— *L'important, c'est pas qu'ils sachent. C'est que toi, tu sois au courant. T'as une longueur d'avance. Utilise-la à ton avantage.*

Le claquement du coup que Joseph donna sur son bureau sortit Abel de sa rêverie.

— Et toi, tu devrais savoir que j'ai toujours agi dans tes meilleurs intérêts !

Joseph se leva et s'approcha d'Abel. Toute trace d'agressivité avait disparu. Il le prit par les épaules, en un geste rempli d'affection.

— Ce que je fais, je le fais pour toi. T'es mon fils.

Joseph planta ses yeux droit dans ceux d'Abel. Et si les pupilles du père avaient été une passerelle permettant de naviguer entre ses neurones et d'accéder aux souvenirs stockés dans son cerveau, le fils aurait compris comment le SCRS avait appris l'existence des Freelanders.

*Onze mois avant le meurtre de Guillaume Lefebvre*

*L'air absorbé et grave, accoudé à la balustrade du belvédère Camillien-Houde, Joseph Parker observe Montréal en contrebas, engloutie sous un nuage de smog.*

*Marchant à pas rapides, Claire Sondos le rejoint.*

*— Votre message m'a inquiétée, monsieur. Je suis venue le plus vite possible.*

*Il parle d'une voix basse, sans se tourner vers elle.*

*— Ce que j'ai à vous dire est personnel et... délicat. Je peux vous faire confiance, Claire ?*

*Il la transperce d'un regard que Sondos s'efforce de soutenir, mais, déférente, intimidée, elle finit par baisser les yeux.*

*— C'est vous qui m'avez formée, monsieur. Vous me connaissez probablement mieux que je me connais moi-même. Vous connaissez aussi ma discrétion, ma loyauté.*

*Enjôleur, Parker touche l'avant-bras de l'agente du SCRS.*

*— Appelez-moi Joseph, je vous en prie. Depuis le temps qu'on se connaît...*

*Elle acquiesce. Il fixe de nouveau la silhouette fantomatique de la ville, devant lui.*

*— C'est à propos de mon fils. Abel a beaucoup changé depuis son retour d'Afghanistan.*

*— Je connais ses états de service. J'imagine à peine ce qu'il a vécu...*

*— Vous savez, incriminer son enfant, l'humain qu'on aime le plus au monde, c'est une décision aussi douloureuse que déchirante pour un père. Mais c'est pour son bien...*

*Affectant de mettre ses sentiments de côté, Parker se reprend.*

— J'ai de bonnes raisons de croire qu'Abel s'est radicalisé. Je pense qu'il est à la tête d'un groupe d'extrême droite. Un groupe armé et violent. Ils préparent quelque chose de gros, Claire...

— Vous voulez qu'on l'arrête ?

Ayant assuré sa formation des années durant, Parker connaît les leviers à utiliser pour rallier Sondos.

— Le problème, c'est que si vous l'arrêtez maintenant, on saura jamais ce qu'ils veulent faire, ni qui est impliqué...

— Qu'est-ce que vous avez en tête ? Une opération clandestine ? Vous voudriez qu'on les infiltre, c'est ça ?

Il prend l'air désemparé de celui qui a besoin qu'on l'éclaire.

— Pas si vous voyez une meilleure solution...

Elle ne répond pas, mais l'idée commence déjà à faire son chemin dans son esprit. Les yeux humides, Parker paraît dévasté.

— J'en ai perdu le sommeil, Claire. La nuit, je retourne ça dans ma tête. Je me demande... si j'ai été un bon père, je me demande si j'aurais pu en faire plus.

La gorge nouée, la voix cassée, il semble être au bord des larmes.

— On les regarde grandir, on leur donne tout notre amour...

Touchée par sa détresse, Sondos pose une main sur son épaule.

— Abel s'est battu pour son pays. Il a vécu l'horreur. Un choc post-traumatique peut pousser quelqu'un à commettre des gestes incompréhensibles. Même ceux qui ont eu les meilleurs parents... Vous le savez mieux que moi, monsieur.

Parker prend une longue inspiration, paraît rasséréné. Sondos conclut d'un ton empreint de bienveillance.

— Vous avez bien fait de m'appeler, Joseph. Je vais voir ce que je peux faire.

Envahi par une émotion sincère, le père tenait toujours son fils par les épaules.

— Je suis tellement fier de toi. Tu le sais ça, au moins ?

Abel baissa la tête et détourna le regard.

— Oui. Je le sais. Mais...

Il livra le fond de sa pensée avec peine.

— … mais je comprends toujours pas pourquoi Victor Lessard t'intéresse autant.

Joseph brisa l'étreinte et marcha un peu dans la pièce. Puis il pivota vers Abel.

— T'as pas à tout comprendre. Et moi, j'ai pas à tout t'expliquer. Comme toi, t'as pas à tout m'expliquer.

Abel fronça les sourcils, surpris par le sous-entendu.

— Qu'est-ce que tu veux dire?

— Iba Khelifi. J'espère juste que tu sais où tu t'en vas avec ça, parce que je ne voudrais pas que tu souffres comme moi quand ta mère est partie.

Joseph revint près de son fils, posa un baiser sur sa joue et l'enlaça. Tentant de dissimuler sa vulnérabilité, Abel ne sut pas comment gérer cette soudaine marque d'affection. Les bras pendant le long de son corps, il demeura figé.

## 72

## Le complexe de Dieu

La voiture de location filait vers l'est sur le boulevard René-Lévesque, projetant des trombes d'eau sur son passage. Après avoir quitté Jacques Marcoux, ils avaient convenu de retourner mariner dans leur jus, sous terre, à Chinatown.

Jacinthe appuya sur la pédale de frein et tourna abruptement le volant pour éviter un nid-de-poule abyssal. Puis elle observa Victor, cellulaire à l'oreille, veines des tempes saillantes, mettre fin à sa conversation avec ce qu'elle considérait, dans son échelle de valeurs, comme du panache.

— Tu disais qu'on est du même bord, Baron, ben là j'te donne une chance de me le prouver. (…) Je m'en sacre, de ça. Arrange-toi. J'en ai besoin. Pis vite !

Et il raccrocha. Jacinthe montra son appréciation en tapant sur le volant.

— *Good job*, mon homme. On va voir ce que ça donne.

Ils roulèrent en silence quelques secondes. Mais, obnubilé par ce qui appartenait maintenant pour lui au domaine des convictions, Victor revint à la charge.

— Réfléchis à ce que je te disais tantôt. Marée Rouge relevait du département de sécurité de la GRC. Pis quelque part dans les années 1980, c'est devenu le SCRS.

Jacinthe ne se fit pas prier pour jouer le jeu.

— OK, mettons que t'as raison. Mettons que Joseph Parker était le boss de ton père dans Marée Rouge, pis qu'il a fait le switch de la GRC au SCRS un moment donné. Il serait encore là pour tirer les ficelles ? Pas jeune, le bonhomme…

— Pas lui directement. Mais rappelle-toi ce que Baron a dit à propos de sa boss.

— Qu'il avait perdu confiance en elle. OK, attends. Je comprends où tu veux aller. Parker est plus au SCRS, mais il a toujours ses entrées. Une personne qui continue de lui être loyale. Genre Claire Sondos…

Victor approuva puis il renchérit.

— Ça se tient, non ? Pis si infiltrer les Freelanders, c'était vraiment l'opération de Sondos à l'interne, ça nous dit quoi sur Abel Parker ?

— Tu penses quand même pas que le père aurait donné volontairement son fils au SCRS ?

Victor opina.

— Si quelqu'un d'autre que Joseph Parker ou sa marionnette avait les connaissances et surtout l'intérêt pour faire ça, tu penses pas qu'on serait déjà tombés dessus ?

— Mais pourquoi ? Imagine, trahir ton propre fils…

— Encore là, rappelle-toi notre tête-à-tête avec Baron : Robert Thomson, un agent infiltré du SCRS, a armé les Freelanders au vu et au su de Sondos.

Jacinthe crut saisir ce qu'il sous-entendait. Du fils, ses préoccupations passèrent au père.

— Donc, si je te suis, Joseph Parker aurait manigancé avec elle pour faire armer les Freelanders par le SCRS ?

— C'est exactement ça.

— Sais-tu… C'est quasiment assez tordu pour que ça soit possible, ton affaire. Et ça serait quoi le lien entre Marée Rouge pis les Freelanders ?

Il allait répondre qu'il l'ignorait quand son cellulaire sonna. Elle plissa le front.

— Déjà Baron ?

— Je sais pas, c'est un numéro inconnu.

Victor répondit et mit l'appareil sur le haut-parleur. La voix de Yako résonna dans le combiné.

— Je voulais te remercier, Victor. Jacinthe aussi. Je vous dois la vie…

— C'est moi qui te remercie, Yako. Tu nous as beaucoup aidés.

Il poursuivit avec une pointe d'humour.

— Pis t'es du bon bord, maintenant.

Yako émit un petit rire et sembla chercher ses mots.

— Je… j'ai eu ton numéro par Vera, pas par Paul Delaney…

Victor comprit à son intonation : forte des mauvaises expériences de son passé, Yako hésitait à faire confiance aux autorités.

— C'est à propos des autres sources de Guillaume… Il y a une chose qui m'est revenue…

— Vas-y, je t'écoute.

— Quand on parlait de cyberattaques, il en savait autant sinon plus que moi, sur certains aspects en tout cas…

Intrigué, Victor fronça les sourcils.

— Tu penses qu'il a consulté un spécialiste ?

— Vous devriez parler à Elizabeth Iouchenko. Elle enseigne à l'UQAM.

La communication se hachura. Il craignit un instant de l'avoir perdue, mais la voix de Yako reparut.

— C'est une politologue spécialisée en affaires russes. Quand j'ai fait brûler mes papiers hier, juste avant que Messiah me surprenne, ça m'a rappelé que son nom revenait souvent dans les interviews. C'est une sommité au Québec. Une des seules.

Interloquée, Jacinthe quitta la route des yeux et chuchota à Victor :

— Lefebvre avait commandé une revue de presse sur les cyberattaques. C'est sûr qu'il savait c'est qui, Elizabeth-machin-truc.

Ils échangèrent un regard entendu.

La femme aux cheveux blonds et à l'allure distinguée qui, une heure plus tard, descendit l'escalier ceinturant le bout de l'avenue du Musée devait avoir entre quarante et cinquante ans. Nerveuse, elle jeta un coup d'œil en bas. Un bruit derrière elle la fit se retourner. Jacinthe et Victor venaient d'apparaître en haut des marches.

Celui-ci esquissa un sourire et alla à sa rencontre. Arrivé à sa hauteur, il lui tendit la main.

— Madame Iouchenko? Victor Lessard. Je vous présente… euh…

Il s'interrompit et se tourna vers Jacinthe, qui les avait rejoints. Maintenant qu'il ne travaillait plus aux crimes majeurs, comment devait-il la qualifier? L'enquêtrice coupa court à ses hésitations en broyant les doigts d'Elizabeth dans sa paume.

— Sa partner, Jacinthe Taillon… On descend-tu? Moi, les escaliers…

La politologue en tête, ils se mirent en route. Son regard se balançant au rythme des longues jambes gainées de nylon noir de la spécialiste en affaires russes, Jacinthe perdit l'équilibre et faillit tomber. Victor la rattrapa juste à temps pour l'entendre maugréer.

— Maudites marches à marde. J'te passerais un coup de rabot là-dessus, solide.

Le drapeau du consulat russe flottait vigoureusement dans le vent. La conversation battait son plein depuis plusieurs minutes. Victor avait allumé une cigarette; ils avançaient lentement sur le trottoir en direction de l'avenue du Docteur-Penfield. Sans lui donner trop de détails, ils avaient expliqué la situation à la professeure, qui leur avait confirmé avoir déjà été consultée par Guillaume Lefebvre.

— Aujourd'hui, on estime qu'il y a plus de mille officiers du renseignement russe infiltrés en Amérique du Nord.

Victor ne cacha pas sa surprise.

— C'est plus que pendant la guerre froide non ?

La politologue opina de la tête et désigna le consulat.

— Il y en a sûrement ici, en ce moment même.

Sarcastique, Jacinthe susurra entre ses dents :

— On sourit pour les caméras…

— Ce qu'il faut comprendre, c'est que le président Poutine veut redonner sa grandeur à la Russie mais qu'il n'a pas la puissance nécessaire pour défier les États-Unis et l'Union européenne. Alors, pour déstabiliser les démocraties, il lance des cyberattaques coordonnées.

Victor fronça les sourcils.

— Coordonnées par ses services de renseignements ?

— Oui. La logique de Poutine est simple : plus l'Occident est divisé, plus il devient fragile.

Jacinthe la considéra pensivement.

— Pis pendant ce temps-là, ça lui permet d'avancer ses pions ailleurs.

— Exactement. En démocratie, c'est l'opinion publique, le champ de bataille. Le président Poutine est à la tête d'une armée de trolls qui publient chaque jour des infos avec des faux comptes sur les médias sociaux.

L'enquêtrice fixa la spécialiste des affaires russes d'un regard incrédule.

— Des *fake news* ?

— De la désinformation, tout à fait. La montée du populisme, ce n'est pas un hasard. La plus grande réussite de Poutine, ç'a été de faire croire à l'Occident qu'il est vulnérable face aux migrants.

Le sujet piquant de plus en plus sa curiosité, Jacinthe se surprit à s'enhardir.

— Mais pourquoi il fait ça ? Je veux dire… Juste pour avoir plus de pouvoir ?

— Pendant la Deuxième Guerre mondiale, le père de Poutine a sorti sa mère d'un tas de cadavres. Elle respirait à peine, mais il a réussi à la sauver…

Victor crut saisir ce qu'elle voulait mettre en lumière.

— Poutine a le complexe de Dieu. Il essaie d'accomplir avec la Russie ce que son père a fait avec sa mère.

Saluant sa perspicacité d'un sourire, Elizabeth compléta.

— Pour beaucoup de Russes, il a effectivement ressuscité la mère patrie.

Victor appréciait l'intelligence de son interlocutrice, mais il avait besoin de réponses concrètes à des questions concrètes. Il opta pour la ligne droite.

— Par contre, les fiches S, c'est pas de la désinformation, c'est un vol d'informations ultrasensibles dans le système le plus sécurisé du pays. Lefebvre vous a sûrement parlé de ça aussi quand il est venu vous voir?

— Non. Il voulait en savoir plus sur la cyberattaque de 2015, en Ukraine.

Jacinthe et Victor la regardèrent, perplexes. La spécialiste des affaires russes s'expliqua.

— L'Ukraine a subi des coupures d'électricité juste avant Noël. Cyberattaque contre trois centrales de production…

— Encore les Popov?

— On n'a pas de preuves irréfutables, mais c'est ce que tout le monde soupçonne.

Jacinthe intervint d'un ton dubitatif.

— Pis c'était quoi, le but? Les hackers demandaient quoi pour rétablir le courant?

— Absolument rien. Ils ont voulu prouver qu'ils pouvaient prendre le contrôle à distance des systèmes. Ils se sont retirés quelques heures plus tard.

Victor risqua la même explication que celle qu'il avait donnée à Jacinthe pour expliquer la méthode choisie pour assassiner Lefebvre.

— C'était une démonstration de force.

Son interlocutrice renchérit.

— Une démonstration de force qui a requis une étude approfondie de la cible. C'est pour ça qu'on pense qu'un État se cache derrière l'attaque.

Victor enregistra l'information et reprit.

— On parle de combien de hackers?

— Une petite équipe avec des expertises complémentaires en sécurité informatique.

Jacinthe la dévisagea en plissant les yeux.

— Pis plein d'ordinateurs?

— Pas nécessairement. Ça demande de la précision, pas une grande puissance de calcul.

Victor saisit la balle au bond.

— C'est quoi, le profil de ces hackers-là?

— Ouin? Des kids en hoodie qui boivent de l'orangeade?

La politologue sourit, découvrant sa dentition parfaite.

— Des jeunes, discrets et intégrés dans leur milieu.

La conversation se poursuivit encore quelques minutes, sans qu'ils n'en apprennent davantage. N'ayant plus de questions, Victor tendit la main à la professeure.

— Merci pour votre aide.

— Je vous souhaite de trouver les coupables.

Ils se quittèrent à la jonction des avenues du Musée et du Docteur-Penfield. Victor et Jacinthe partirent vers l'ouest et rejoignirent leur véhicule en évoquant des hypothèses.

— OK, mon homme. Lefebvre focussait sur l'Ukraine pis les cyberattaques russes. Ça nous dit quoi?

Un coude posé sur le toit de métal, Victor tenta de rassembler ses idées.

— On sait que les Freelanders, leur but, c'est de libérer le pays. Donc il faut comprendre comment ils vont s'y prendre pour faire leur démonstration de force.

— Ils vont quand même pas faire un black-out à Montréal comme en Ukraine? Allo? On s'en crisse qu'y fasse noir.

Ils entrèrent dans la voiture. Victor attacha sa ceinture en grimaçant à cause de son épaule. Jacinthe mit la clé dans le contact et continua de réfléchir tout haut.

— Les *fake news*, manipuler l'opinion publique comme champ de bataille… Attends un peu. Je viens d'avoir un flash. S'ils gardent des djihadistes à Ghetto X, le plan, c'est peut-être pas de les faire parler sur l'attentat qu'eux y préparaient…

Le visage de Victor s'anima d'une lueur lugubre. Jacinthe venait de mettre le doigt sur une possibilité terrifiante.

— Exactement… S'ils veulent faire une vraie démonstration de force, les Freelanders ont juste à prendre le crédit publiquement de les avoir arrêtés et devenir des héros.

Elle le regarda, brusquement sceptique.

— Mais pour devenir des héros, faudrait quand même qu'ils déjouent un attentat, non?

— Au pire, ils vont en coller un sur le dos des djihadistes, Jacinthe. Une cyberattaque.

Ils apprécièrent en silence la virtuosité du plan qu'ils supposaient être, sans en avoir la certitude, celui des Freelanders. Victor ouvrit la vitre et s'alluma une cigarette. Dépassés, ils prenaient conscience chacun de leur côté de l'envergure des enjeux.

— Ah, pis donne-moi donc une poffe.

— C'est pas une bonne idée, Jacinthe. Souviens-toi, la dernière fois…

La dernière fois, c'était quinze ans plus tôt, quand ils s'étaient connus, et Victor gardait un vif souvenir de Jacinthe, le teint pâle, vomissant en jets dans une cuvette à un party de Noël des crimes majeurs.

Elle démarra le moteur.

— Donne-moi une poffe, j'te dis.

Il finit par s'exécuter à contrecœur. La première micro-bouffée la plongea dans une quinte de toux sans fin. À n'en pas douter, l'heure était grave.

# 73

## Ne pas se tromper de cible

La pinède s'ouvrait devant lui. Les aiguilles brunies qui couvraient le sol absorbaient le bruit de ses pas. Des oiseaux piaillaient et s'envolaient à son approche. Son père, sa mission, les hommes morts à cause de lui, Victor Lessard qui se dressait sans cesse sur sa route et Iba…

Le cerveau d'Abel bouillonnait; ses pensées se brisaient les unes sur les autres. Impossible de faire le vide, d'envisager la suite. Dès qu'il tentait de mettre de l'ordre dans ses idées, tout s'embrouillait. Brûler de l'intérieur était le pire des supplices.

Il portait son fusil de précision en bandoulière et tenait un petit tapis roulé. Il s'arrêta sous le couvert du pin le plus haut, le même que de coutume. L'arbre devait mesurer plus de vingt-cinq mètres et avoir au moins deux fois son âge.

Il déplia le tapis et l'étendit sur le sol, puis il appuya son fusil contre le tronc. Il détacha ses bottes de combat et les enleva. Il retira aussi ses chaussettes. Il fouilla ensuite dans une poche de sa veste et en sortit des lapis-lazulis qu'il empila en inukshuk près du tapis. À côté du totem, il déposa la photo d'une enfant.

Avec l'eau de sa gourde, il se mit à faire ses ablutions. Paupières closes, les mains levées à la hauteur des épaules, paumes en avant, Abel plaça la main droite sur la gauche au niveau de la poitrine et commença à prier.

— *Allahu akbar...*

*Afghanistan, 2011. Plusieurs jours après l'explosion, il quitte la base clandestinement et se rend à la maison où habite la famille de la fillette qu'il a abattue. Venu pour expier, il tend son pistolet au père de la morte et s'agenouille devant lui. Voyant que celui-ci hésite, Messiah guide le canon vers sa tête et le supplie du regard. L'arme vacille au bout du poing de l'Afghan, mais il finit par l'abaisser.*

— Go back to your country. You don't belong here.

*Ému, l'homme va vers une commode et ouvre un tiroir. Puis il revient vers Messiah et lui tend une photo de sa fille.*

— And pray for her. Always.

À genoux sur le tapis, Abel se prosterna et récita les *rakaat* de la prière de fin d'après-midi. Pour lui, rien n'était plus vivant ni plus réel que le souvenir de cette petite Afghane morte par sa faute. Et le moment où il venait se recueillir, chaque jour sous le même pin, était le seul où il trouvait une forme de paix intérieure.

Le vent mordant agitait les arbres qui bordaient l'étroit sentier. Abel était presque arrivé au lac. Sans s'arrêter, il baissa les yeux vers son poing gauche, qu'il ouvrit. Dans sa paume, il soupesa le lapis-lazuli qui, relié à un fil de pêche, avait déclenché l'explosion. Il avait retrouvé la pierre intacte, près d'Iba, après la déflagration.

Il contempla le lac comme on contemple le souvenir d'un amour impossible, puis il marcha jusqu'à un arbre qui s'était affaissé sur la grève. Un genou au sol, il creusa avec son couteau une entaille sur le tronc, dans laquelle il inséra le lapis-lazuli à la verticale. Il attrapa ensuite son fusil et se releva. Le visage dur, il s'éloigna en faisant jouer la culasse de son arme.

Cent mètres plus loin, Abel s'étendit sur le ventre, en position de tir. Sa respiration lente et profonde, il regarda dans sa lunette et aligna le lapis-lazuli dans sa visée. Puis il bloqua son souffle et crispa l'index sur la détente. Mais son attention se défila et des images l'assaillirent. Il revit le père de la fillette, l'arme à la main. « *Go back to your country. You don't belong here.* »

Abel inclina le front, incapable de tirer et de pulvériser l'objet qui le liait à sa blessure, à son tourment, à sa désincarnation. Il ouvrit la bouche pour hurler de toutes ses forces, mais pas un son ne sortit de sa gorge.

Sur le lit, Abel posa sa tête contre la poitrine d'Iba, qui caressait ses cheveux. De retour du lac, il était venu chercher du réconfort auprès de la seule âme qui le comprenait sans qu'il ait à prononcer un mot. Après un long moment, enfin apaisé, Abel se redressa et admira le visage d'Iba. Ses yeux condamnés au noir illimité rendaient son regard encore plus pénétrant, plus vivace. Il la trouvait magnifique. Il l'aimait.

Et pour la première fois, il osa ; sa main hésitante effleura d'abord la joue, puis le cou de la jeune femme, qui frissonna. Il prit ensuite son visage et posa délicatement ses lèvres sur les siennes. Bientôt, ils s'embrassèrent avec de plus en plus de passion et s'enlacèrent.

Mais Iba brisa l'étreinte en le repoussant tout doucement. Elle le désirait autant que lui, mais, considérant ce qu'il était devenu, ce qu'il représentait, elle ne pouvait pas, ne voulait pas. Ils restèrent ainsi jusqu'à la tombée de la nuit, prostrés et immobiles, deux être déchirés et envahis par la tristesse de ce qui aurait pu être, mais ne serait jamais.

Bouleversé, Abel voulut parler, mais il en fut incapable. Les mains d'Iba trouvèrent son visage, en épousèrent les formes et les contours.

— Moi aussi, j'ai de la peine. Il ne faut pas que tu le prennes comme une trahison.

— Pourquoi t'es encore là si… si toi et moi c'est pas possible ?

— Parce qu'il me reste une dernière mission.

— Une dernière mission ?

Iba prit son temps pour répondre.

— Oui… Je suis ta spotter, tu as besoin de moi.

— Je comprends pas où tu veux en venir.

— Je ne veux pas que tu te trompes de cible. Là, tu es en train de te tromper de cible.

Il allait protester, mais elle le devança.

— Ton attention est tellement tournée vers Victor Lessard que ça te fait perdre de vue des choses importantes. C'est de ton père que tu devrais te méfier, Abel.

Le chef des Freelanders écarquilla les yeux, profondément troublé.

— Rappelle-toi, tu disais que j'étais la meilleure pour faire la différence entre un taliban barbu et un autre taliban barbu. Peut-être que je ne vois plus, mais je suis encore capable d'observer.

Ne sachant quoi répondre, Abel se leva. Avant de partir, il posa sur la commode le lapis-lazuli qu'il n'avait pas pu détruire, comme s'il remettait son fardeau à Iba.

## 74

## États de service et lampions

Hubert Baron se pinça les narines entre le pouce et l'index, puis renifla de nouveau. Il venait de se faire une ligne de coke dans sa voiture de fonction, une pratique jadis occasionnelle qui était devenue coutumière. Garé en face d'un bar de danseuses nues de l'avenue du Parc où il avait ses habitudes, il observa ses yeux rougis dans le rétroviseur.

L'agent des services de renseignements méprisait le reflet qui le fixait, celui d'un homme qui s'était engagé sur la mauvaise voie, mais réussissait, jour après jour, à se convaincre qu'il ne pouvait plus faire marche arrière. Être conscient de sa faiblesse le rendait cynique et désabusé, sans toutefois l'empêcher de recommencer. Baron mit des gouttes ophtalmiques, puis, après un instant d'hésitation, il attrapa son cellulaire.

Un porte-documents sous le bras, Joseph Parker marchait vers une pizzéria de l'avenue Duluth lorsque son téléphone vibra dans sa poche. Il prit l'appel de Baron.

— T'avais raison. Lessard m'a téléphoné.

Joseph esquissa un sourire satisfait.

— Ça veut dire qu'il a avalé l'hameçon. Il te fait confiance.

— Peut-être. Mais il a déjà compris pas mal de choses. Et la mauvaise nouvelle, c'est qu'il veut tes états de service au SCRS.

La réponse de Parker vint sans la moindre hésitation.

— Pas de problème. Donne-les-lui.

— Quelle partie exactement?

— Tout.

— J'espère que tu sais ce que tu fais, Joseph.

Parker raccrocha et pénétra dans le restaurant.

Baron soupira avec force, écœuré de la vie en général et de la sienne en particulier. Il regarda la grande enveloppe jaune posée à côté de lui, sur le siège passager. Même s'il avait prévu le coup, il n'avait pu s'empêcher de marquer sa désapprobation. Mâchoires crispées, il démarra le moteur. Ce soir-là, Minifée devrait se trémousser sans lui.

Joseph Parker se faufila dans la salle de restaurant bruyante, s'engagea dans un corridor et se dirigea vers une porte discrète, située à l'opposé des toilettes. Là, il tapa un code sur la serrure à combinaison et ouvrit le battant.

À l'intérieur, trois femmes et deux hommes dans la vingtaine pianotaient sur leurs claviers, leurs visages dissimulés par de larges écrans. Vêtu d'une chemise blanche à col Mao, celui qui se trouvait le plus près de la porte se leva et salua Parker avec déférence. Les autres continuèrent à travailler.

Sans ouvrir la bouche, Parker tendit au jeune homme l'enveloppe de papier kraft qu'il venait de sortir de son porte-documents. Mais quand celui-ci voulut la prendre, il la retint. Intimidé, le jeune homme déglutit avec peine. Lui ayant rappelé le rapport de force déjà établi, Parker relâcha son emprise et partit.

Marchant d'un pas pressé dans Chinatown, Baron traversa la place Sun-Yat-Sen et passa sans les remarquer devant la pagode érigée en l'honneur du philosophe et homme d'État et les gravures chinoises des murs adjacents au pavillon. Il remonta la rue De La Gauchetière vers l'ouest. Arrivé au coin de la rue Côté, il contourna la fontaine et se dirigea vers l'église de la Mission catholique chinoise du Saint-Esprit, sise dans un immeuble d'inspiration néoclassique aux murs extérieurs en pierres de taille et en moellons. Après s'être assuré qu'il n'avait pas été filé, l'agent du SCRS sonna. Une femme asiatique vint lui ouvrir la porte et l'invita à la suivre.

En chaussettes, son enveloppe jaune sous le bras, Baron était assis sur une chaise droite devant un autel où il observait, l'air las, des statuettes représentant des déités chinoises. Il consulta sa montre pour la énième fois ; il attendait déjà depuis plus d'une heure. Son cellulaire vibra et le nom de Claire Sondos apparut sur l'afficheur. Baron allait répondre lorsqu'il entendit des bruits sur sa droite. Il se tourna vers l'entrée et vit Jacinthe et Victor en train de se déchausser à leur tour.

L'agent des services de renseignements fit taire son téléphone, puis il les toisa.

— Drôle de place pour un meeting…

Jacinthe le nargua, elle aussi.

— Essaye pas, je t'ai vu, t'étais en train de te confesser.

— Aucune chance. Ça prendrait au moins une semaine… En passant, c'est qui, la fille qui m'a ouvert ?

Jacinthe lui répondit le plus sérieusement du monde.

— Si je te le dis, je vais être obligée de te tuer après.

Elle s'avança vers lui. Il crut qu'elle allait lui serrer la main, mais elle se dirigea vers une table sur laquelle étaient posés des lampions dans des vases de couleur.

Victor vint le rejoindre.

— As-tu ce que je t'ai demandé ?

Baron lui tendit l'enveloppe, comme à regret.

434

— Le dossier complet de Joseph Parker. Je vais finir en prison si ma boss apprend que je t'ai donné ça. Sécurité nationale.

— Vous allez tous finir en dedans si on retrouve pas les Freelanders.

Jacinthe alluma un lampion et murmura pour elle-même.

— Un pour toi, chiquita…

Baron se leva.

— J'ai vérifié, tes infos sont fausses. C'est impossible que les Freelanders aient mis la main sur les fiches S. De toute façon, je l'aurais su s'il y avait eu une brèche de sécurité.

Victor avança son visage tout près du sien.

— Ben vérifie encore. Mes infos sont en béton armé.

— D'où tu sors ça? Ça me prendrait plus de jus, des noms…

En retrait, Jacinthe enflamma un second lampion.

— L'autre pour toi, mon big. Pour que tu t'en sortes.

L'air convaincu, Victor secoua la tête.

— Soit il se passe des affaires dans ton dos, Baron, soit vous avez un méchant problème à l'interne. Dans ton monde, ça s'appelle une taupe…

L'agent des services de renseignements parut consterné.

— Ça se peut pas, ça. Qu'est-ce que tu peux me dire d'autre? Par où je commence?

— Par celle en qui t'as perdu confiance…

Baron se contenta d'opiner tandis qu'ils échangeaient une poignée de main.

— Merci pour le dossier. On se tient au courant.

Jacinthe tapa sur l'épaule de l'agent du SCRS.

— C'est-tu toi qui pues des pieds de même, Baron? En tout cas, merci pour les papiers.

Ils gagnèrent l'entrée et remirent leurs chaussures. Sautillant sur une patte, Jacinthe interpella le fonctionnaire.

— Yo, en passant, tu laisseras un p'tit cinq piasses pour les deux lampions.

Incrédule, Baron les regarda sortir. Puis il balança une poignée de monnaie dans le panier servant à recueillir les offrandes. Ses billets, il les gardait pour Minifée.

## 75

## Serpents et échelles

Ils avaient eu du mal à trouver une place de stationnement dans Chinatown et avaient dû se résoudre à garer la voiture de location en face du Complexe Guy-Favreau. Un orage brutal les avait surpris alors qu'ils marchaient vers le restaurant abritant leur repaire souterrain, et des éclairs avaient lézardé le ciel.

Complètement trempés à leur arrivée, ils s'étaient changés. Sans hésiter, Jacinthe avait mis la robe de chambre rose à motifs chinois que Gagné lui avait achetée. Victor s'était pour sa part contenté d'un t-shirt sec. Après l'avoir enfilé, il avait placé une casserole sous un filet d'eau qui ruisselait du plafond, comme il avait vu l'ancien policier le faire.

Ils se séparèrent le dossier de Joseph Parker. Victor s'installa dans un fauteuil de la salle commune avec sa pile de documents. Assise à la table, Jacinthe étala devant elle les chemises cartonnées beiges dont elle avait hérité, frappées du logo du SCRS et des mentions « Classifié » et « Intérêt national ». Elle en ouvrit une et se mit à parcourir les feuilles jaunies, dont certaines dataient de l'époque antédiluvienne où on les tapait à la machine à écrire.

18739SC039
PARKER, JOSEPH L.
AST-12-234
Baccalauréat, Science politique, Université de Montréal, 1974.
Maîtrise, Relations internationales, Université McGill, 1976.
**Gendarmerie royale du Canada** (GRC)
Agent de renseignements, 1969-1974.
Directeur du programme Marée Rouge, 1974-1976.
Détaché à l'ambassade du Canada en Russie, 1977-1984.

Dehors, un coup de tonnerre retentit. Les ampoules clignotèrent. Jacinthe interpella Victor, qui avait attrapé une chemise dans laquelle il avait déniché une revue de presse composée d'articles consacrés à Joseph Parker.

— Il a fait un bac, une maîtrise, il est rentré dans la GRC, pis il a passé sept ans en Russie après Marée Rouge. Encore la Russie.

Absorbé par sa lecture, l'écoutant d'une oreille distraite, il hocha la tête.

— Mmh, mmh…

— Pis l'autre soir, j'ai couché avec Virginie Tousignant. Méchante cochonne, hein?

Voyant qu'il ne bronchait pas, elle lut un autre feuillet.

**Service canadien du renseignement de sécurité (SCRS)**
Directeur adjoint de la collecte à l'étranger, 1984-1995.
Directeur adjoint du renseignement, 1995-2001.
Sous-directeur des opérations, 2001-2003.
Directeur, 2003-2010.

Ils continuèrent leurs lectures respectives en silence encore quelques minutes. Mais, la nature ayant peur du vide, celle de Jacinthe remonta à la surface. Sans quitter les papiers des yeux, elle ne put s'empêcher de commenter.

— Il a grimpé les échelons, comme dans un jeu de société. Sauf que lui, on dirait qu'il a jamais pogné de serpent, juste des échelles. Directeur adjoint du renseignement par-ci, sous-directeur des opérations par-là, pis finalement directeur du SCRS de 2003 à 2010. Sept ans. En passant, savais-tu qu'elle est clitoridienne, Virginie ?

Toujours pas de réaction de la part de Victor, qui venait de lire en diagonale des articles qui, pour la plupart, parlaient de l'institution plus que de l'homme, mettant en lumière les grandes orientations stratégiques de l'agence de renseignements sous le règne de Parker. Le titre de la dernière coupure de journal, datée de mai 2010, attira toutefois son attention : « Entretien : le directeur du SCRS, Joseph Parker, prend sa retraite ».

Dans une pochette transparente, Jacinthe saisit des photos le montrant au fil des ans. Le jeune homme qui avait posé en compagnie des parents de Victor avait vieilli, certes, mais le magnétisme qu'il dégageait ne s'était jamais démenti.

— Réalises-tu que Parker était pas juste au SCRS, c'était le fucking big boss !

Elle passait les clichés en revue l'un après l'autre.

— L'ami de tes parents… Le dude qui te donnait des avions quand t'étais petit. J'en reviens pas encore… Yo, Lessard ? J'te parle !

Le nez plongé dans son article, Victor commença à faire les cent pas avec fébrilité. Ses lèvres remuaient pendant qu'il lisait. Jacinthe replaçait les photos dans leur enveloppe lorsqu'il se figea, tétanisé.

— Coudonc, y est-tu en train de te pousser des hémorroïdes ?

Quand il se tourna dans sa direction, elle sut à l'expression de son visage qu'il avait mis le doigt sur un élément important.

— Écoute ça. J'ai un article écrit quand Parker a pris sa retraite. «Après toutes ces années au SCRS, qu'est-ce qui vous préoccupe le plus aujourd'hui, monsieur Parker? *La radicalisation des jeunes d'ici qui planifient des actes terroristes, c'est ce qui me tient éveillé la nuit présentement. Mais il y a un temps pour l'action courageuse et résolue. Et ce temps-là est arrivé…*»

— Beau crosseur qui parle des deux côtés de la yeule.

Victor acquiesça d'un signe de tête et continua.

— «Et quels sont vos projets de retraite? *Il y a longtemps, j'ai acheté un vieux camp de vacances, dans le bois, un peu à l'est de Saint-Zénon. Je l'ai retapé petit à petit, avec mon fils. Le temps est peut-être venu de le rouvrir. Il faut s'occuper de nos jeunes.*»

Les yeux de Jacinthe s'agrandirent.

— Fuck.

Transporté par sa découverte, Victor s'approcha du mur où Jacinthe avait scotché la carte de Yako et pointa l'index vers l'un des cercles rouges, celui qui entourait Saint-Michel-des-Saints et ses environs.

— À l'est de Saint-Zénon. C'est là, Ghetto X!

Elle n'eut d'autre choix que d'approuver.

— La coïncidence serait trop grosse, sinon…

Victor essaya de se contenir. Le doute avait cessé de flotter dans son esprit.

— C'est là! On checke sur Google Maps, pis on y va.

Jacinthe fit non de la tête.

— Je le vois dans ta face, ce que tu veux, mon homme. Pis si j'étais à ta place, tu me dirais de pas laisser ma colère prendre le dessus.

Le passé de Victor avait formé son âme au malheur. Mais, pour la première fois de son existence, il voyait la possibilité de s'en affranchir. Il n'allait pas se défiler.

— Je veux comprendre, Jacinthe. Depuis que j'ai douze ans que je veux comprendre.

Résignée, elle se rendit à ses arguments.

— OK, on va aller faire un tour pour être sûrs que c'est là, Ghetto X. Après, promets-moi qu'on va rester ben tranquilles dans le char, pis qu'on va attendre la cavalerie.

Il acquiesça, mais tout dans son non-verbal disait qu'il ne laisserait personne d'autre régler à sa place le sort des forces obscures qui s'étaient liguées contre lui.

## 76

## Robes roses et paraboles

Ils s'étaient arrêtés pour mettre de l'essence. Jacinthe sortit du dépanneur la bouche pleine, un sac de Cheetos déjà ouvert dans une main et des sandwichs dans l'autre. Son sourire s'estompa lorsqu'elle aperçut Victor. Au téléphone, la voix étranglée par l'émotion, il murmurait son amour et ses regrets à Nadja. Il avait en effet obtenu d'une infirmière des soins intensifs qu'elle colle le récepteur contre l'oreille de son amoureuse.

Jacinthe baissa la tête, l'air grave. Par pudeur, elle résista à l'envie de s'approcher davantage pour écouter, mais elle entendit tout de même des bribes. Assez pour comprendre qu'il demandait pardon à Nadja et lui faisait ses adieux, au cas où « les choses tourneraient mal ».

Victor raccrocha et ils grimpèrent dans le véhicule sans un mot. Il ne le sut jamais, mais Nadja avait bougé les doigts après son appel.

La voiture de location filait vers Ghetto X, le faisceau des phares happant la neige qui tourbillonnait. Le silence était lourd dans l'habitacle depuis qu'ils avaient fini de manger leurs sandwichs. Jacinthe observait son ami à la dérobée, inquiète. Elle le connaissait par cœur et savait qu'il ruminait des pensées sombres.

— Je t'ai-tu déjà raconté comment j'ai réalisé que j'étais gaie ?

Étonné, Victor sortit de sa bulle.

— Je pense pas, non.

— Je devais avoir sept ou huit ans. J'étais en première ou deuxième année. Je jouais jamais avec les gogosses de fille que ma mère m'achetait. Ça la faisait capoter.

Un sourire attendri apparut sur les lèvres de Victor.

— Je t'imagine. Tu devais être drôle.

— Drôle ? J'avais l'air d'un clown : ma mère me forçait à porter des robes pour aller à l'école. Des robes roses, la plupart du temps.

Victor devina la suite.

— Tu te faisais écœurer.

— *Big fucking time...* Je savais que j'étais pas comme les autres, mais, dans ma tête de kid, je me posais pas de questions, tu comprends ?

Il comprenait tout à fait.

— En tout cas. À la récréation, les sixièmes années me lâchaient pas. Toujours la même gang. Il y avait une fille là-dedans que je trouvais ben cute. Un moment donné, ils ont commencé à m'appeler « la gouine ». Moi, je savais pas ce que ça voulait dire.

La gorge de Victor se noua.

— Jacinthe...

— Ç'a duré de même quèques mois. Pis un jour, la belle fille m'a craché dessus. J'ai vu rouge. J'ai pogné le premier du bord, pis j'y ai pété la gueule. Les autres ont commencé à me fesser dessus pour que je le lâche.

Elle prit une longue inspiration.

— Mais sais-tu ce qui me faisait le plus mal ? C'était pas les coups. C'était son regard à elle. C'est là que j'ai compris...

Elle but une gorgée d'orangeade avant de reprendre.

— Quand je suis revenue à la maison, ma robe était déchirée, pis j'avais le nez en sang.

— Qu'est-ce que ta mère a dit?

— Rien. Elle m'a envoyée me changer. C'était de même chez nous. On pouvait pas parler des vraies affaires. Fallait tout le temps faire semblant. Mais pas besoin de te dire que j'ai plus jamais reporté de robe, ni de linge rose.

Des images du passé rejouèrent dans sa tête, puis elle revint au présent.

— Pauvre Gagné avec sa robe de chambre…

Un silence opaque les enveloppa, que Victor brisa tout doucement.

— Ce que t'essayes de me faire comprendre, Jacinthe, c'est que, d'une façon ou d'une autre, personne échappe à son passé.

— Moi? Jamais de la vie. C'est toi qui parles en paraboles, Lessard.

Elle se composa une moue crasse.

— Mais bon, pour une fois que tu m'écoutes…

La ligne des arbres parsemés de flocons défilait dans le champ de vision de Victor.

— Je t'écoute tout le temps, tu sauras. D'ailleurs, juste pour que tu saches… Virginie Tousignant est pas clitoridienne.

Il avait évoqué la chose d'un ton absolument anodin. Jacinthe explosa de rire en même temps qu'elle recracha une gorgée et se mit à tousser en frappant le volant.

— Lessard, maudit niaiseux, j'en ai plein l'nez!

## 77

# Modèle réduit

Victor abaissa ses jumelles et les tendit à Jacinthe, qui soufflait sur ses doigts engourdis par le froid. Elle attrapa l'objet et jeta un coup d'œil à son tour.

Pour autant qu'ils pouvaient en juger, Ghetto X était composé de six bâtiments de bois peints en blanc avec des bordures vert foncé, grossièrement regroupés en demi-cercle, à environ cinquante mètres les uns des autres. L'ensemble évoquait vaguement un camp militaire. En l'observant, Victor avait cru discerner une lueur aux fenêtres de trois baraques.

Accroupis derrière le tronc d'un pin gigantesque, ils exhalaient de petits nuages de condensation. Ils avaient garé le véhicule de location loin en aval du chemin forestier, qu'ils avaient évité d'emprunter. L'arme au poing, le cœur battant à tout rompre, ils avaient marché durant près de trente minutes dans la forêt dense et hostile, et s'étaient approchés avec moult précautions. La neige qui tombait dru compliquait leur tâche ; ils n'étaient ni chaussés ni habillés en conséquence.

La porte d'une des baraques s'ouvrit. Des menottes aux poignets et aux chevilles, deux hommes arabes en sortirent escortés par un garde armé. Ce dernier les entraîna vers un autre bâtiment, où ils disparurent bientôt.

Tandis que Jacinthe poursuivait son repérage, Victor chuchota à son oreille.

— On est d'accord que c'est là.

Elle fit signe que oui, puis lui repassa les binoculaires en vitesse.

— Checke ça, mon homme.

Victor découvrit un Freelander armé d'un fusil-mitrailleur qui patrouillait dans le sentier menant aux installations principales. Jacinthe consulta son cellulaire, qu'elle recouvrait en partie de sa main pour en dissimuler la luminosité.

— J'ai pas de réseau ici. On retourne au char appeler Delaney pis Baron.

Victor continuait de surveiller les mouvements du Free-lander avec les jumelles.

— Attends. Ce gars-là est pas tout seul à patrouiller de même dans le bois.

— C'est pas tout le monde qui a une fesse toujours collée ensemble comme toi pis…

Elle s'interrompit brusquement. La lumière d'une lampe de poche venait de crever l'obscurité et se mit à sonder la nuit quelques mètres à peine sur leur gauche.

Au prix d'énormes efforts, Jacinthe parvint à murmurer.

— Let's go, Lessard.

Mais déjà, le cône lumineux remontait vers eux. Un sifflement retentit ; celui qui tenait la lampe venait de rameuter ses coéquipiers. Une autre lueur apparut. Puis une troisième, sur leur droite. Ils étaient pris en souricière.

Victor réfléchit à toute allure. Avec sa corpulence, Jacinthe n'aurait aucune chance s'ils essayaient de fuir. Attaquer était également exclu. En cas de fusillade, ils ne pourraient rivaliser avec la puissance de feu des Free-landers. Sans compter qu'ils faisaient face à des hommes entraînés et prêts à tuer.

À la guerre, lorsque la fuite ou l'affrontement ne constituaient plus des options viables, restait uniquement le sacrifice. C'est ce que pensait Victor, à tout le moins. Si promptement que Jacinthe ne put réagir, il lui cracha ses directives.

— Appelle Paul. Pas Baron. Pis essaye pas de me suivre.

Il se redressa et partit en direction opposée en faisant du bruit pour attirer l'attention. Le faisceau le plus proche se dirigea aussitôt vers lui et un Freelander se lança à sa poursuite en criant à ses compagnons de rappliquer.

Victor se faufila entre les arbres et sprinta comme un dératé dans la forêt compacte. Le souffle court et accéléré, les branches lui fouettant le visage, le sol jonché d'obstacles invisibles menaçant à chacun de ses pas de lui faire perdre l'équilibre, il continua sa course effrénée. Il courait dans un seul but : mettre le plus de distance possible entre lui, ses poursuivants et Jacinthe.

Des rafales d'armes automatiques déchirèrent le silence ; les balles commencèrent à pleuvoir au-dessus de sa tête et firent éclater l'écorce d'un érable derrière lui. À son étonnement, il déboucha dans une clairière. Il bifurquait sur sa gauche pour regagner le couvert des arbres lorsqu'un Freelander sortit du bois devant lui, son fusil d'assaut braqué dans sa direction. Au même moment, un deuxième homme arriva au pas de course dans son dos. Puis un troisième. Hors d'haleine, Victor s'arrêta.

La voix d'un des Freelanders retentit, autoritaire.

— Droppe ton gun, pis mets-toi à genoux. Je veux voir tes mains sur ta tête. Lentement.

Se sachant pris au piège, Victor obéit à contrecœur. Désormais, il devrait espérer vaincre le monstre sans visage depuis l'intérieur, prisonnier dans ses entrailles.

Assis à son bureau, travaillant avec minutie, Joseph achevait de peindre le modèle réduit d'un avion militaire à hélice qu'il avait entrepris d'assembler quelques jours plus tôt. Abel entra et vint se poster devant lui.

— Les gars sont prêts. Ils commencent à s'impatienter. Faudrait que je sache… Quand est-ce qu'on passe à l'action ?

Joseph continua de fixer la pointe de son pinceau, qui caressait le fuselage de l'avion.

— Depuis le temps, j'espère que tes gars sont prêts, Abel. Mais dis-moi, ce sont eux qui commencent à s'impatienter, ou toi ?

Alors seulement, Joseph leva les yeux vers lui. Toujours entre eux ce même manège qui perdurait depuis l'adolescence, cette compétition malsaine, ces sous-entendus cryptiques, cette manière qu'avait Joseph de le tester et de le forcer à se tenir sur ses gardes pour lui montrer sa supériorité.

Au fond, Iba avait peut-être raison de dire qu'il devait se méfier de son père. Quoi qu'il en soit, Abel avait décidé de se vider le cœur lorsque son walkie-talkie crépita, brisant le silence.

— Black Dog à Messiah. Black Dog à Messiah.

Abel décrocha l'appareil à sa ceinture et appuya sur le bouton émetteur.

— Messiah à l'écoute. Qu'est-ce qui se passe ?

Black Dog semblait essoufflé et fébrile.

— C'est Victor Lessard…

Abel fronça les sourcils tandis que Joseph s'avançait sur le bout de son fauteuil pour entendre la suite.

— Quoi, Victor Lessard ?

— Il est ici. Pis il bougera pas d'ici.

Le père et le fils échangèrent un regard perplexe.

— J'arrive tout de suite.

Abel se précipita hors de la pièce, laissant son père seul. Le faciès de Joseph s'éclaira d'un sourire sibyllin alors qu'il reposait sur sa table de travail le modèle réduit du Mustang qu'il venait de terminer.

Black Dog pointait son pistolet sur le front de Victor pendant qu'un autre Freelander lui liait les poignets dans le dos en les tirant avec force vers l'arrière. L'adrénaline le dopait, anesthésiant la douleur à l'épaule qu'il aurait dû ressentir. La porte d'une baraque s'ouvrit brutalement sur Abel. Victor et lui se dévisagèrent avec animosité.

— Est où, ta partner ?

— Elle est pas avec moi. Je suis venu tout seul. Je voulais pas qu'elle risque encore sa vie pour moi.

— Bullshit ! Fouillez les bois, pis lui, emmenez-le !

Il appuya ses ordres d'un signe de tête. Les Freelanders poussèrent Victor à l'intérieur.

Lorsque les Freelanders avaient obligé Victor à marcher vers le bâtiment, enfonçant le canon de leurs armes dans son dos, Jacinthe avait hésité. Devait-elle partir ou tenter le tout pour le tout ? En voyant Messiah les rejoindre un instant plus tard, elle avait crispé les doigts sur son revolver. Mais, malgré la rage et la hargne qui l'habitaient, elle savait que toute tentative de sa part serait vouée à l'échec et mettrait la vie de Victor en danger. Mue par une volonté inébranlable de lui porter secours, elle s'éloigna sans bruit.

Poursuivant son chemin malgré la neige qui tourbillonnait dans le vent, le froid mordant et l'obscurité presque totale, Jacinthe était folle d'inquiétude. La poitrine haletante, elle s'arrêtait tous les vingt mètres pour consulter l'écran de son cellulaire, mais elle n'avait toujours pas de signal. Elle grommela entre ses dents.

— Estie de réseau de cul pis d'hiver de marde.

Et elle se remit en marche en invoquant tous les mots d'Église de son vaste répertoire.

*Une heure vingt minutes après l'assaut contre Ghetto X*

Ils sont immobiles et stoïques sur leurs chaises, seules leurs lèvres se meuvent. Deux cerveaux avancent leurs pièces méthodiquement, se livrant une lutte sans merci dans l'air surchauffé. Et dès lors qu'une question claque, la réponse fuse sans se faire attendre.

— Dans le fond, ça t'arrangeait que les Freelanders te capturent. C'était même ça que tu voulais, non?

— Pourquoi je serais allé me jeter dans la gueule du loup?

— Parce que, des fois, la meilleure façon de s'en sortir, c'est de lui montrer qu'on n'a pas peur de lui.

Il esquisse une moue sceptique.

— Le problème, c'est que le loup n'est pas toujours celui qu'on pense...

Sondos comprend que l'allusion la concerne. La méfiance se dilate dans le regard de Victor. Ils se dévisagent un instant, puis elle brise le contact et reprend.

— Tantôt, tu as dit: «Je me doutais pas de ce que j'allais trouver au bout du chemin.» Tu as trouvé quoi à Ghetto X, Victor?

— Que j'avais du souffle, pis la meilleure coloc au monde.

## 78

## Échapper au mauvais sort

À la fois fébrile et soulagé, Abel entra dans le bureau de son père pour lui confirmer la bonne nouvelle : ils tenaient Victor Lessard. Mais son sourire s'effaça aussitôt qu'il franchit le seuil. Non seulement Joseph brillait par son absence, mais toutes ses affaires avaient disparu. La pièce était complètement vide. Seul vestige de sa présence, le modèle réduit de l'avion Mustang maintenant achevé trônait en évidence sur le bureau.

Le regard éperdu d'Abel trahissait l'impuissance de celui pour qui revenaient depuis l'enfance les mêmes meurtrissures. Chaque fois, dans chaque geste, même les plus ténus, cet espoir de plaire à son père, de se sentir aimé par lui, et ces espoirs déçus jour après jour, année après année.

Son désarroi fit bientôt place à la colère et il décocha un coup de pied qui ébranla la cloison. Puis il s'effondra dans le fauteuil qu'avait occupé Joseph.

Messiah avait retrouvé un visage impassible lorsque Victor, les mains attachées dans le dos, fut assis de force et ligoté sur une chaise par deux Freelanders. Leur tâche exécutée, ils se placèrent en retrait, prêts à intervenir.

Abel l'observa un temps, puis il prit la parole.

— Je te l'avais dit qu'on se reverrait.

Stoïque, Victor fit le tour de la pièce du regard.

— Je vois que tu tiens tes promesses.

— Toujours.

Victor dissimula son étonnement lorsqu'il aperçut le modèle réduit posé sur la table, mais il ne put s'empêcher de glisser dans ses souvenirs tandis qu'une voix revenait le hanter. « *Celui-là, c'est pour toi, Victor. Un Mustang. Le meilleur chasseur à hélice de tous les temps. Y faisait trembler les pilotes allemands…* »

Lorsqu'il revint à la réalité, il désigna l'avion du menton.

— Qui est-ce qui fait des modèles à coller ?

Abel haussa les épaules, mais quelque chose s'était allumé dans ses yeux. Et cette étincelle de surprise, Victor n'avait pas manqué de la remarquer.

— Sûrement pas moi.

Il considéra le Freelander et sut qu'il ne servirait à rien de s'appesantir sur cette question. Pas encore. Il risqua un coup de sonde dans une autre direction.

— Tes prisonniers, ils sont pas ici pour les mêmes raisons que moi.

— Ils sont pas venus par eux-mêmes, en tout cas.

Guettant sa réaction, Victor lui déballa l'une des hypothèses qu'il avait évoquées avec Jacinthe.

— Qu'est-ce que tu vas leur mettre sur le dos ? Un faux attentat terroriste que vous allez organiser ?

Le chef des Freelanders se fendit d'un demi-sourire, mais ne démentit pas.

— On va arrêter un attentat terroriste, oui. Après, personne va contester notre légitimité. De toute façon, cette cellule-là planifiait une attaque dans le métro.

Abel venait de lui confirmer ce qu'ils soupçonnaient. Victor ne doutait pas de la véracité de ses confidences, pas plus qu'il n'était étonné de le voir s'ouvrir avec franchise. Un homme comme lui, un tireur d'élite qui avait survécu à la guerre et s'en était sorti avec tous les honneurs, devait la vie à sa capacité de décoder avec justesse les situations équivoques.

Abel savait déterminer si un individu était dangereux ou s'il était à sa merci, en plein centre de sa mire. Victor ne se berçait pas d'illusions : il appartenait à la seconde catégorie. Il se trouvait sous le contrôle absolu de l'ancien soldat et de son commando d'élite.

Sa seule arme était sa tête, et sa seule chance de prolonger son séjour sur terre était de faire parler Abel, de gagner du temps en priant pour qu'un miracle se produise et que Jacinthe rapplique avec des renforts.

— Pis ton père ?

— Quoi, mon père ?

— C'est quoi, son rôle ?

Abel parut embarrassé par la question, comme si lui-même se la posait.

— Il a rien à voir avec ça.

Le Freelander ayant baissé la garde, Victor revint à la charge avec le modèle à coller.

— L'avion… le Mustang, c'est lui qui l'a fait.

C'était une affirmation, pas une question. L'extrême stupéfaction qui se peignit sur les traits du chef des Freelanders le trahit une fois encore.

— Comment tu sais ça, toi ?

Sûr de lui, Victor se garda de satisfaire sa curiosité.

— Je le sais, c'est tout…

Mais, au lieu de s'énerver, Abel devint plus calme.

— Comment t'as trouvé notre camp ?

Victor se tint coi.

— À qui t'as parlé ?

Il s'entêta dans son mutisme. Abel fit un signe aux deux Freelanders postés dans la pièce, puis reporta son attention sur lui.

— Comme tu veux… Va falloir s'y prendre autrement.

Victor donna l'impression de ne pas craindre ce qui allait suivre, mais, sachant de quoi Abel et ses hommes étaient capables, il était mort de peur.

Un bidon d'eau à la main qu'il vidait sur le visage de Victor, Abel le questionna à nouveau. Black Dog observait la scène avec un mélange d'agacement et de respect pour l'entêtement et la pugnacité dont faisait preuve leur adversaire.

— Pourquoi t'as rencontré Komarov? Qu'est-ce que tu sais? Qu'est-ce qu'il t'a dit?

On l'avait conduit dans une pièce au milieu de laquelle se trouvait une table de bois surélevée d'un côté. Là, on l'avait forcé à se coucher dessus et on lui avait sanglé les bras, les poignets, le thorax et les jambes. Une dernière attache, plus large, avait servi à lui enserrer le front, lui immobilisant la tête.

Au bord de la noyade, Victor se débattait.

— Comment t'as fait pour nous trouver? C'est la fille noire, ta source? Qu'est-ce qu'elle t'a appris sur nous? Sur nos projets?

Sans montrer son exaspération grandissante, le chef des Freelanders continua à verser de l'eau sur la serviette couvrant le visage de son prisonnier. Sa voix se voulait impassible.

— Pis comment t'as deviné pour l'avion?

Abel redressa tout à coup le bidon et enleva la serviette. Victor toussa et cracha le liquide emplissant ses voies respiratoires. Il mit de longues secondes à recommencer à respirer normalement et davantage à retrouver ses esprits.

L'autre attendit qu'il récupère un peu avant de reprendre la parole.

— Je t'écoute…

— Va chier!

Plus découragé que fâché, Abel reposa la serviette sur le visage de Victor.

— Ce serait tellement plus simple si tu parlais, Lessard.

Victor essaya en vain de se défaire de ses liens et d'échapper au mauvais sort qui lui collait à la peau. Le déluge reprit.

## 79

# J'adore la morphine

Gagné ouvrit une paupière avec la sensation de se réveiller après une bonne nuit de sommeil. Quand il souleva la seconde, il aperçut les murs blafards, la palissade d'appareils et leurs voyants lumineux ainsi que le lacis de tubes. Un instant, il paniqua et se demanda où il se trouvait. Puis il croisa le regard bienveillant de Shu, assise à son chevet. Il se tourna vers elle et réprima une grimace de douleur.

— T'aurais pu aller te reposer, tu sais…

Contre toute attente, il avait repris connaissance quelques heures après son opération, et son état n'avait cessé de s'améliorer depuis.

— C'est bon, la morphine, j'adore la morphine, mais il faut que tu leur dises d'arrêter de m'en donner. J'ai pas envie de replonger.

Shu Sze lui prit la main.

— Je te laisserai pas replonger. Pas cette fois-ci. Mais je vais leur dire…

Gagné lui renvoya son sourire, puis sa mine s'assombrit brusquement.

— Toujours pas de nouvelles de Lessard pis Taillon ?

Elle secoua la tête. Il continua.

— J'espère juste qu'ils sont pas en train de faire des conneries.

La bouche pâteuse, il déglutit avec peine. Shu approcha un verre d'eau de ses lèvres et lui fit boire une gorgée.

— J'ai l'impression de les avoir abandonnés.

— Tu as fait plus que ta part, Yves. Et c'est toi qui as reçu la balle. Donc, en théorie, c'est moi que tu as failli abandonner.

Ça durait ainsi depuis son réveil. Et s'il se fiait à son instinct, qui l'avait pourtant si souvent trompé, ça s'était même amorcé avant, à Chinatown. Shu avait eu peur de le perdre. Il commençait à croire de nouveau en leurs chances, mais, craignant de trop se faire mal, il essayait de ne pas y penser.

— Plus personne abandonne personne. Fini, ça, OK?

Ils étaient émus. Du bout des doigts, elle caressait sa joue rugueuse de barbe drue lorsqu'on frappa à la porte.

Une magnifique jeune femme aux cheveux noirs se présenta dans l'embrasure.

— Vous êtes bien Yves Gagné?

Protectrice, Shu répondit à sa place.

— Ça dépend pour qui...

La journaliste fit un sourire avenant, puis s'adressa directement à Gagné.

— Je suis Virginie Tousignant. Vous m'avez appelée...

Shu lança un regard chargé de reproches à l'ancien policier.

— T'en as assez fait! Ça suffit!

Gagné se tourna vers Virginie.

— C'est gentil d'être venue.

Virginie entra et ferma la porte derrière elle. Gagné parla tout bas à Shu.

— On va pas se mettre à compter. Tu t'es pas arrêtée après avoir soigné Victor. Toi avec, t'as continué, Suzie.

— Je leur ai ouvert la porte de l'église où mon père fait du bénévolat. C'est pas pareil.

Restant à l'écart, Virginie se faisait discrète. Gagné tendit le bras vers son ex-femme.

— Je suis cloué ici, mais il y a encore une chose que je peux faire pour eux. Une chose que je veux faire. C'est important. Pis je le fais aussi pour moi.

Shu le considéra longuement. Et plus le silence durait, plus sa réserve se muait en assentiment. Elle fit enfin un signe à Virginie, qui prit place à côté d'elle.

Après qu'ils eurent échangé quelques civilités, la journaliste en était rapidement arrivée au vif du sujet.

— Non seulement Piché a fait des pressions pour m'empêcher de publier mon article, mais il a donné une entrevue à un autre journal dans laquelle il blâme Victor de ne pas l'avoir mis au courant plus tôt à propos des antécédents de Tanguay. Un de ses enquêteurs aux affaires internes corrobore sa version des faits.

Gagné secoua la tête, l'air aussi dégoûté que s'il venait de mettre le pied sur une crotte encore fumante.

— François Lachaîne, c'est la marionnette de Piché. C'est dégueulasse.

Très concentrée, Shu ne voyait pas l'enjeu. Pour elle, la vérité faisait foi de tout.

— Il y a sûrement moyen de prouver que Victor n'a rien à se reprocher. Pourquoi vous ne passez pas par son patron? Il est honnête, non?

Virginie lui rappela que parfois la vérité ne suffit pas.

— On est en terrain glissant avec Delaney. Il est déjà sous le microscope et il a fermé les yeux sur l'enquête clandestine de Victor. Si Piché le découvre, ça va se retourner contre lui et aggraver les choses.

La journaliste les laissa prendre la mesure de la situation avant de poursuivre.

— Au téléphone, vous m'avez parlé d'informations compromettantes sur Piché. Toute seule, je n'y arriverai pas. Mais peut-être qu'ensemble on peut faire quelque chose...

Virginie les considéra tour à tour.

— Vous pouvez me faire confiance. Je révélerais jamais une source.

La voix du commandant Tanguay se faisait tantôt menaçante, tantôt rassurante.

— *C'est plus le temps de se poser des questions, Gagné. De toute façon, t'as pas à t'inquiéter. On est backés en haut, OK ?*

Le cellulaire de l'ancien policier en main, Shu arrêta l'enregistrement. Virginie s'adressa à lui.

— Ça finit là ?

Des regrets apparurent sur les traits de Gagné.

— Quand j'ai voulu en savoir plus, Tanguay a mis son doigt sur ses lèvres et m'a fait un clin d'œil. Aujourd'hui, j'insisterais pour avoir des réponses, mais à l'époque...

— Et le supérieur, ce serait Piché ?

— *C'est* Piché. Juste ça, c'est mince, je le sais. Mais j'ai autre chose...

Un sourire anima le coin de la bouche de l'ancien policier.

— J'ai la preuve que Piché était au courant pour le réseau d'exploitation sexuelle. Je vais te donner les coordonnées de quelqu'un. Suzie...

Il tendit la paume et Shu y posa son cellulaire. Encore faible, il chercha laborieusement dans ses contacts. Quand il eut trouvé, il remit son appareil à Virginie.

— Tiens... Tu vas appeler cette personne-là. Tu lui dis que c'est de ma part. Pis tu y vas mollo, compris ? Faudrait pas qu'elle change d'idée.

Virginie le rassura en confirmant qu'elle avait saisi.

— Ç'a été dur de la convaincre. Mais si elle parle, tu vas tenir Piché par les couilles. Au propre comme au figuré.

Virginie fit une photo de l'écran avec son cellulaire, insista de nouveau sur le fait que le nom de Gagné ne serait jamais mentionné et le remercia.

— Remercie-moi pas. Si tu réussis, tu vas m'avoir aidé à retrouver le droit de me regarder dans le miroir.

La journaliste lui toucha le bras, reconnaissante. Puis ils se saluèrent et elle partit. Gagné se tourna alors vers Shu. Et là, dans cette chambre d'hôpital où survivre n'était encore pour lui qu'un improbable espoir quelques heures plus tôt, ils s'étreignirent avec l'intensité poignante des amoureux qui se retrouvent après s'être perdus.

# 80

## Han Solo et son bloc de carbonite

Le Freelander de faction lui ouvrit la porte. Se repérant avec sa canne, Iba entra dans la pièce aux fenêtres placardées. Le garde referma derrière elle. Elle connaissait par cœur la configuration des lieux : un petit lit et une table de chevet avec une lampe posée dessus. Comme dans sa propre chambre. La jeune femme perçut une présence sur la couche et se tourna vers la prisonnière.

— Ils ne t'ont pas trop fait mal, j'espère…

La réponse lui parvint d'une voix sèche.

— T'es-tu Iba Khelifi ?

— Comment tu connais mon nom ?

Un silence pesant s'installa. Iba revint à la charge.

— Je t'ai demandé comment ça se fait que tu connais mon nom.

Assise sur le lit, le dos appuyé sur des oreillers et les mains croisées sur la nuque, Jacinthe hésita. Elle ne savait pas si elle pouvait lui faire confiance, mais une telle bienveillance émanait d'Iba qu'elle se surprit à engager la conversation.

— On… on a parlé à Jacques Marcoux.

— « On »… Ça veut dire que c'est toi, la partenaire de Victor Lessard.

Toujours sur la défensive, Jacinthe resta muette.

— Tu n'as pas à avoir peur. Il n'y a pas de micros, ici.

L'assurance d'Iba contrastait avec sa propre méfiance.

— Tu t'appelles Jacinthe, c'est bien ça?

L'enquêtrice posa la question qui lui brûlait les lèvres.

— Est-ce que Lessard est vivant?

— Oui. Ils sont encore en train de l'interroger.

Jacinthe poussa un soupir de soulagement, mais celui-ci fut de courte durée.

— Ils vont-tu le mettre avec les autres prisonniers?

Iba secoua la tête. Son ton se fit compatissant.

— Je le sais pas, Jacinthe.

— Ils vont faire quoi avec eux? Leur coller un attentat sur le dos?

La jeune femme n'essaya pas de contredire l'hypothèse de la policière. Se tenant droite devant le lit, les mains jointes sur le bout de sa canne, elle répondit à voix basse de manière à ce que le garde ne puisse pas l'entendre.

— Il y en a qui ont parlé d'en faire des exemples. De faire comme Daech: les décapiter et mettre la vidéo en ligne.

Jacinthe se propulsa hors du lit d'un coup de reins. Elle chuchota au meilleur de ses capacités.

— C'est une drôle de place, un camp de suprémacistes, pour une Arabe. Ils te gardent prisonnière, toi aussi?

Elle s'approcha et agita sa main devant les yeux d'Iba, qui ne cilla pas.

— Non. Disons que j'ai un statut particulier. En passant, Jacinthe, je ne vois pas, mais une main qui passe devant un visage, ça déplace de l'air.

Stupéfaite, Jacinthe recula de quelques pas et se mit à balbutier.

— Messiah, c'est… c'est un estie de malade.

La jeune femme aveugle tourna la tête dans la direction où elle se trouvait à présent. Sa voix n'était qu'un murmure, mais chacun de ses mots résonna dans la tête de Jacinthe.

— Je ne cautionne ni ses gestes ni son idéologie, mais tu te trompes. Abel, c'est un écorché. Pour lui, la vie militaire a été une façon de se protéger, d'avoir un cadre clair, d'arrêter de se poser des questions. L'armée a anesthésié sa douleur, mais ça ne l'a pas fait disparaître. S'il n'était pas allé en Afghanistan, la blessure ne se serait pas rouverte. Et on n'en serait pas là.

— Sont pas tous revenus de même...

— Ils ne l'ont pas tous vécu aussi durement que nous.

— Tu l'excuses ?

— Non, absolument pas.

— Pourtant, tu l'as sauvé en Afghanistan. Pis t'es ici... Pourquoi ?

Une expression triste se peignit sur le visage d'Iba.

— On s'est retrouvés il y a deux ans. J'étais vraiment dans une mauvaise passe. Il a été là pour moi. Encore. Maintenant, c'est à mon tour.

Jacinthe leva les yeux au ciel.

— Ah, arrête ! Dis-moi pas que t'es en amour avec...

— Je suis responsable de lui. Il est responsable de moi.

L'enquêtrice répliqua d'un ton exaspéré.

— Ça veut dire quoi, ça ?

Iba hésita et mit un moment à répondre.

— C'est dur à expliquer... Même pour moi.

Croisant ses bras sur sa poitrine, Jacinthe prit un air désabusé.

— Jamais compris ça, moi, les filles qui tripent sur les *bad boys*.

Iba esquissa un sourire moqueur et riposta du tac au tac, toujours à voix basse.

— Ah non ? Je pensais que c'était pour venir récupérer le tien que tu t'étais rendue.

Jacinthe ne put s'empêcher d'apprécier son sens de la répartie, puis redevint grave.

— Pourquoi t'es venue me voir ? Tu veux quoi, Iba ?

— Je les ai entendus parler quand ils ont capturé ton partenaire, tout à l'heure.

— C'est quoi, le rapport ?

— J'ai l'intuition que Victor Lessard, ça pourrait être la dernière chance d'Abel de réaliser qu'il fait fausse route.

Jacinthe plissa le front. Elle ne savait que faire de cette affirmation qui lui donnait le vertige et semblait comporter plusieurs implications, mais une idée venait de germer dans son esprit et elle la lui balança avant qu'Iba ne développe sur le sujet.

— Vu que t'as un statut particulier, j'aurais un genre de service à te demander…

Tenant à peine sur ses pieds, Victor fut entraîné sans ménagement par deux Freelanders dans les corridors, puis poussé dans une pièce dont la porte fut tout de suite refermée. Très affaibli, il s'écroula sur le plancher. Mais, presque aussitôt, une paire de mains robustes l'aida à se relever et le hissa sur le lit.

— Viens-t'en, mon homme… Attends un p'tit peu. OK, c'est ça, assis-toi.

Jacinthe se pencha sur lui et coinça un oreiller entre son dos et le mur. Trop amoché pour être surpris par sa présence, il la laissa faire docilement tandis qu'elle lui enlevait son t-shirt détrempé.

— Y t'ont-tu waterboardé ?

Victor fit péniblement oui de la tête. Jacinthe se mit à tordre le vêtement. Des filets d'eau coulèrent entre ses doigts.

— Les esties de pleins de marde…

Elle était catastrophée de constater son état, mais soulagée qu'il soit en vie. Et, par-dessus tout, remplie de gratitude envers Iba, à qui elle avait demandé d'intercéder pour que les gardes ramènent Victor dans la pièce où elle était retenue prisonnière. La jeune femme ne lui avait rien promis, outre qu'elle tenterait de réclamer une faveur. Jacinthe espérait seulement qu'elle ne s'était pas mise en danger pour accéder à sa requête.

— T'as l'air d'Han Solo qui vient de sortir de son bloc de carbonite, mon homme.

Avec peine, il parvint à articuler quelques mots.

— Qu'est-ce que tu fais ici ? Ils t'ont attrapée ?

— Pantoute ! J'me suis dit que la place te reviendrait moins cher si t'avais une coloc.

Il la fixa d'un air à la fois réprobateur et reconnaissant. Puis il commença à tousser et à cracher de la salive et de l'eau.

*Il cherche Nadja dans la chambre blanche. Mais elle ne s'y trouve pas, l'endroit est entièrement vide. Les pots de peinture, le lit de bébé, tout a disparu.*

*— Nadja ?*

*Il continue à chercher, à regarder partout.*

*— Nadja, t'es où ?*

*Il sent la panique l'envahir. Du sang se met à suinter des murs.*

Victor se réveilla en sursaut et essuya du dos de la main la sueur qui perlait sur son front. Puis il se tourna vers Jacinthe, qui faisait les cent pas.

— J'ai-tu dormi ?

— Même pas eu besoin de te chanter de berceuse…

Elle lui tendit son t-shirt, toujours un peu humide. Il la remercia d'un mouvement de tête et l'enfila.

— T'aurais pas dû te rendre. Ils sont vraiment malades.

Iba avait affirmé que la pièce ne recelait pas de micros, mais, par prudence, Jacinthe parla à voix basse.

— J'ai réussi à rejoindre Paul avant de revenir. On va avoir du back-up.

Elle marqua une courte pause et reprit.

— Pour être franche, sans ça, je t'aurais laissé sécher ici tout seul.

Il grimaça un sourire. Elle redevint sérieuse.

— Qu'est-ce que tu leur as dit pour qu'ils te lâchent?

— Rien... ils sont pas allés jusqu'au bout, j'comprends pas...

— T'es tough, mon homme. Tu les as impressionnés.

Songeur, Victor demeura silencieux, comme s'il revivait la scène.

— Non, c'est pas ça. C'est juste que... je me demande si j'ai pas trouvé sa faille.

— La faille de qui?

Ils s'interrompirent. On venait d'introduire une clé dans la serrure. La porte s'ouvrit, livrant le passage à Messiah, Black Dog et deux autres Freelanders.

Abel considéra fixement Victor, ignorant Jacinthe.

— J'espère que tu pensais pas que l'histoire s'arrêtait ici, Lessard?

Victor se redressa sur le lit pour donner le change et paraître ragaillardi.

— Qu'est-ce que tu veux dire?

— On passe au chapitre suivant.

Jacinthe et Victor échangèrent un regard. Ce n'était pas encore de la peur, mais une appréhension qui faisait se contracter leur nuque. Les Freelanders les empoignèrent.

## 81

# Un oiseau dans le ciel

Il y a de ces moments qui façonnent un individu et qu'il n'oublie jamais. Et si la vie se charge de le faire avancer, elle l'oblige aussi parfois à affronter une culpabilité écrasante. Quelques minutes après avoir été emmené avec Jacinthe, Victor se retrouva dans une telle situation : Jacinthe était maintenant sanglée sur la table de bois inclinée où il avait été torturé plus tôt.

Au robinet, Abel finit de remplir un bidon.

— Tu vas beaucoup mieux voir de là.

Attaché à une chaise, faisant fi de la douleur, Victor banda ses muscles pour faire se relâcher ses liens.

— Mon tabarnac !

Abel s'approcha d'elle avec son bidon d'eau et une serviette.

— Fais pas ça, Abel !

— Si tu veux pas que je le fasse, parle !

Jacinthe essayait de surmonter sa terreur.

— Dis rien, Lessard !

— T'es un soldat, Abel. Pas un bourreau.

— Oui, je suis un soldat, mais un soldat en mission. Des fois, faut prendre les grands moyens pour l'accomplir, cette mission-là.

Abel posa la serviette sur le visage de Jacinthe, qui se mit à crâner.

— Je peux-tu en avoir une autre ? Celle-là sent le pipi. Comme le roux que j'ai shotgunné dans le bois.

Effacé jusque-là, Black Dog se rua vers la table avec l'intention de l'étrangler. Abel l'attrapa au vol et lui parla à l'oreille. L'homme se calma et reprit sa place d'observateur, des envies de meurtre dans les yeux. Loin de décupler la hargne d'Abel, les fanfaronnades de Jacinthe le confortaient dans sa démarche. Revenu à côté de la table, il inclina son bidon et fit couler de l'eau sur son visage.

Victor écumait de rage tandis que Jacinthe gargouillait et se débattait avec l'énergie du désespoir.

— Chien sale !

Mais Abel poursuivit sa tâche, sans plus d'émotion que s'il se versait à boire.

— As-tu quelque chose à me dire, Lessard ?

Victor serra les lèvres. Ils étaient à la merci des Freelanders et il craignait que ceux-ci les exécutent s'il leur livrait les renseignements qu'ils détenaient. Mais à mesure qu'Abel continuait, les forces de Jacinthe se mirent à diminuer, l'obligeant à agir.

— OK, OK ! Arrête !

Abel releva le bidon et retira la serviette. Quand Jacinthe commença à vomir de l'eau, le chef des Freelanders s'adressa à Victor. Un long silence s'ensuivit tandis qu'elle reprenait son souffle.

— Je t'écoute…

— C'est le SCRS qui nous a coulé de l'information.

Abel était déstabilisé, Victor le sentait.

— Qu'est-ce que tu veux dire ?

— Robert Thomson était un agent infiltré, mais il est mort. À ta connaissance, les Freelanders ont-tu d'autres liens avec le SCRS ?

Abel se revit entrer dans le bureau de son père pour lui annoncer la capture de Lessard, son sourire s'effacer quand, franchissant le seuil, il avait réalisé que Joseph était parti.

— Tu le sais de quoi je parle…

Black Dog, intrigué, dévisagea son chef. Victor enfonça le clou.

— Tu sais précisément de quoi et de *qui* je parle.

Abel tenta de le camoufler derrière sa posture rigide, mais ce fut comme s'il avait été frappé par la foudre. Et le supplice de la noyade qui venait à peine de commencer se termina à cet instant. De la main, il fit un signe aux Freelanders qui montaient la garde pour qu'ils ramènent Jacinthe et Victor dans la pièce leur servant de cellule. Les deux hommes s'exécutèrent. Alors qu'il passait devant Abel, Victor le toisa d'un regard dur.

Maintenant seuls dans la salle d'interrogatoire, Messiah et Black Dog laissèrent tomber les masques. Il y avait de la colère, de la nervosité et un soupçon de panique dans l'atmosphère. Black Dog fit un pas vers son ami.

— De quoi Lessard parlait? De qui?

Abel eut un geste d'impatience.

— Je le sais pas, Black Dog.

— C'est pas ça qu'il avait l'air de penser.

— Tu vas le croire lui plus que moi?

— C'est parce que ça pourrait vouloir dire que…

Le poing fermé le long de la cuisse, Abel trancha de façon non équivoque.

— Ça veut rien dire!

Intraitable, Black Dog insista.

— Ton père… y a été longtemps avec le SCRS.

Abel le mit en garde.

— Va pas là, Black Dog.

— Ça me tente pas. Mais c'est mieux de considérer que personne est au-dessus de tout soupçon, tu penses pas?

Abel le prit à la gorge et le plaqua contre le mur.

— Tu vas fermer ta crisse de gueule, OK?

Une parole de plus et ils en venaient aux coups. Mais un bruit leur parvint de l'extérieur, d'abord quasi imperceptible, puis grandissant. Abel lâcha Black Dog. Puis ils attrapèrent leurs fusils d'assaut et se hâtèrent vers la porte.

Black Dog remonta le corridor au pas de course.

— Y a un oiseau dans le ciel! Tout le monde à son poste!

Sous le regard hostile des Freelanders qui les escortaient, Victor avait soutenu Jacinthe dans le dédale de couloirs menant à la pièce où on les gardait captifs. Une fois à l'intérieur, il l'avait à son tour aidée à se hisser sur le lit.

— Ça va aller?

— J'ai déjà failli me noyer dans un cours de natation. Ici, au moins, l'eau goûtait pas le chlore.

Il avait hoché la tête, impressionné par sa résilience. Jacinthe avait enchaîné aussitôt.

— Ce que tu y as dit, au Messie, pour qu'il arrête... ça l'a complètement déstabilisé.

Victor avait approuvé en massant son épaule blessée.

— Son point faible, c'est son père, c'est Joseph la clé de voûte. Peut-être qu'on peut remonter jusqu'à lui en se servant d'Abel.

Une quinte de toux l'avait secouée.

— Je veux pas te péter ton bicycle, mais on remontera rien si on sort pas d'ici.

La remarque de Jacinthe les avait plongés dans un état de grande perplexité et de profonde confusion. Si les derniers jours avaient été plus que fertiles en émotions, les dernières heures les avaient tous les deux brûlés physiquement et moralement.

Ils se tenaient à présent côte à côte sur le lit, adossés au mur. Et Victor pensait au fait que la faille d'Abel faisait écho à la sienne. Soudain, il fronça les sourcils et tendit l'oreille. Un bruit encore ténu montait dans le lointain. Jacinthe se mit à rire tranquillement.

— Showtime, mon homme…

Avec soulagement, Victor distingua le bourdonnement d'un moteur d'hélicoptère et le « chop-chop » caractéristique de ses pales fouettant l'air.

## 82

## Dans l'enfer de la pinède

Secoué par les rafales de neige, l'hélicoptère de combat apparut au-dessus de Ghetto X dans la lumière du jour naissant. Pistolet au poing et vêtue d'une veste pareballes, Claire Sondos sauta les deux mètres qui séparaient l'aéronef du sol et se dirigea vers la ligne des arbres. Hubert Baron l'imita. Casqués, cagoulés et armés de fusilsmitrailleurs, des soldats d'élite des Forces spéciales faisaient rempart autour d'eux et progressaient dans la pinède en prenant position derrière les troncs.

En embuscade en amont, un Freelander apparut devant eux et arrosa à la ronde. Sondos se plaqua contre un pin et entendit des impacts de balles sur l'écorce. Les soldats des Forces spéciales ripostèrent et abattirent le tireur. Il y eut un bref retour du silence, puis ce fut comme s'il s'était agi d'un signal de départ. Les éléments se déchaînèrent et la pinède devint un enfer. Le staccato des armes automatiques se mit à enfler et à vriller les tympans ; les balles, à pleuvoir dans l'air. Un combat sans merci entre les Forces spéciales et les Freelanders s'était engagé.

Un soldat balança deux grenades fumigènes, coup sur coup. Un rideau de fumée monta dans la forêt, et les Forces spéciales reprirent leur avancée. Mais les tirs de l'ennemi redoublèrent d'ardeur. Les poumons en feu, les yeux larmoyants, Sondos fut séparée du groupe. Désorientée, elle s'élançait pour se mettre à couvert derrière un autre arbre lorsqu'un Freelander surgit entre les troncs, à portée de tir. Il l'avait aperçue lui aussi et, comme au ralenti, le canon de son arme tourna vers elle. Le regard plein de terreur, Sondos appuya la première sur la détente et l'atteignit de plusieurs projectiles. L'homme recula d'un pas, puis s'écroula.

Sondos plongea vers l'arbre où son adversaire venait de tomber pour s'abriter alors que des détonations retentissaient autour d'elle. Celles-ci se firent de plus en plus intenses, les canons des armes automatiques crachant de courtes flammes orangées. À travers le brouillard des fumigènes et la silhouette fantomatique des arbres, les blessés criaient et gémissaient.

Près du mur d'un des bâtiments du camp, touchée par un projectile, une bonbonne de propane explosa. Transformé en torche humaine, un Freelander sortit en hurlant, se jeta au sol et s'y roula pour essayer d'éteindre le feu qui le consumait.

Frappées de plein fouet par une rafale, les ouvertures d'une baraque vomirent des débris de bois et des éclats de verre. À retardement, le corps sans vie d'un autre Freelander bascula par une fenêtre pulvérisée.

Allongé sur le toit d'un bâtiment avec son fusil de précision, contrôlant sa respiration, Messiah éjecta une douille, actionna la culasse et tira encore. Dans sa lunette, il vit un soldat des Forces spéciales s'effondrer dans la neige. Il aperçut alors un de ses hommes en difficulté, cloué sur place par le feu nourri de deux soldats. Retenant son souffle, il en visa un et l'abattit.

Croyant pouvoir s'échapper, le Freelander piégé se redressa et prit son élan. De sa position, Messiah sut que son coéquipier n'avait aucune chance. Il tenta d'atteindre l'autre soldat, mais ce dernier était hors de portée. Il cria pour avertir son frère d'armes, en vain : le vacarme de la fusillade couvrit le son de sa voix.

Le Freelander fut freiné en pleine course lorsque sa poitrine explosa. Impuissant, Abel avait tout vu. Il attrapa son fusil d'assaut et sauta du toit. Défiant les projectiles sifflant autour de lui, il sprinta vers son ami fauché au combat.

— Black Dog !

Débordés, les Freelanders se retranchèrent dans un bâtiment et se trouvèrent bientôt encerclés. Dix minutes s'étaient écoulées quand ils durent se résoudre à se rendre.

Lorsque le silence revint dans la pinède, Hubert Baron sortit de sa cachette. Ne voulant courir aucun risque, il s'était abrité derrière le premier arbre et avait attendu sagement la fin des hostilités.

Sans même une égratignure, il marcha au milieu des morts et des blessés jusqu'à ce qu'il la retrouve.

— Ça va, Sondos ?

Adossée à un tronc, elle se trouvait à l'endroit où elle avait plongé pour se mettre à couvert et contemplait le corps du Freelander qu'elle avait abattu. L'homme ne devait pas avoir vingt ans. Elle leva des yeux émus vers Baron.

— Ç'aurait pu être mon fils.

# 83

## Étouffer la menace

Les mains attachées dans le dos, Victor avançait dans le corridor d'un des bâtiments de Ghetto X. On l'avait séparé de Jacinthe et Claire Sondos ainsi qu'un soldat des Forces spéciales l'escortaient. Sans un mot, ils le conduisirent jusqu'à une pièce rectangulaire et sans fenêtre dans laquelle l'agente du SCRS le précéda. Derrière lui, le soldat lui retira ses menottes.

Sondos lui désigna une chaise.

— Je vous demanderais de vous asseoir.

Victor s'exécuta tandis qu'elle prenait place dans un fauteuil sur roulettes.

— Quelque chose à boire, à manger ?

— Je prendrais un café. Et mes cigarettes.

— On va aussi vous apporter de quoi vous débarbouiller et vous changer.

Il approuva d'un signe. Elle poursuivit.

— J'attire votre attention sur le fait que notre conversation est enregistrée et filmée.

Victor hocha la tête et poussa un soupir. La femme le fouilla du regard.

— Pour les fins de l'enregistrement, je suis Claire Sondos, agente du Service canadien du renseignement de sécurité. Maintenant, je vais vous demander de vous identifier.

— Je m'appelle Victor Lessard.

La table était jonchée de gobelets de café et de cannettes vides. Victor se frotta les yeux. On lui avait apporté un sandwich, qu'il avait à peine touché, un t-shirt propre, mais pas ses cigarettes. Il commençait à en avoir assez.

— Finalement, j'avais tort de penser que le SCRS venait nous aider…

Une heure et trente-deux minutes s'étaient écoulées depuis l'assaut des Forces spéciales, et l'interrogatoire se poursuivait toujours. Sondos se renversa sur sa chaise.

— Le problème, c'est que tu retiens de l'info.

Il prit soin de nuancer.

— Disons que je suis prudent.

Il jeta une œillade furtive à Baron, qui lui avait dit ne plus faire confiance à sa patronne. Sondos répliqua sans dissimuler sa contrariété.

— C'est une question de sécurité nationale, Victor. Tu en sais plus que nous. Aide-nous.

L'agente du SCRS tapota ses phalanges avec son stylo.

— OK, on reprend ça. Tu disais que tu as découvert des liens avec ton passé…

Elle consulta un bloc de papier où elle avait griffonné des notes.

— Je te cite : « des liens que je soupçonnais pas »… Encore une fois, je te pose la question : des liens avec quoi, dans ton passé ?

L'image de l'avion Mustang en modèle réduit posé sur le bureau de Joseph Parker revint le tourmenter. Brusquement, il décida qu'il était temps de lâcher du lest.

— Des liens avec une personne qui était ici pas longtemps avant que j'arrive.

— Une minute. Je ne te suis pas, là… Qui ?

Il chercha les yeux de Baron, s'attendant à une intervention ou à un signe de sa part, mais l'agent du SCRS ne semblait pas prêt à lui venir en aide. Voyant qu'il continuait d'hésiter, Sondos inclina le haut de son corps vers lui.

— Arrête de te méfier et de tourner autour du pot, Victor. On a le même objectif.

— Sais-tu pourquoi je suis méfiant ? Il y a plein de gens dans cette histoire-là qui ont un objectif caché, qui affichent pas leurs vraies couleurs.

— Qu'est-ce que tu es en train de dire ?

— Qu'il y a un traître dans votre gang...

Baron contemplait le bout de ses chaussures ; Sondos fixait Victor d'un air sceptique. Il se carra dans sa chaise.

— C'est toi qui as cautionné ça, fournir des armes aux Freelanders ?

Si Sondos ne fit aucun effort pour cacher sa surprise, elle ne se défila pas.

— J'étais en charge de l'opération, c'est vrai. L'idée n'était pas de leur fournir des armes, mais de remonter jusqu'à la tête de l'organisation.

— Ben, la tête, c'est Joseph Parker.

L'agente du SCRS encaissa le coup, puis se mit à balbutier.

— Je... Non, c'est pas possible, ça...

— Ah bon ? Et pourquoi ?

— C'est lui qui m'a demandé d'enquêter sur son fils. Pour l'empêcher d'aller trop loin.

Elle secoua la tête avec vigueur, comme pour mieux se convaincre.

— Non, pas Joseph.

Victor revint à la charge avec véhémence.

— Parker a été un espion toute sa vie... C'est sa job de jouer sur plusieurs tableaux !

L'agente du SCRS se refusait à envisager que Joseph Parker ait pu la berner.

— C'est impossible...

Baron sortit de son mutisme et désigna Victor.

— Il bluffe. Il veut nous lancer sur une fausse piste.

Victor tressaillit. À quel jeu Baron jouait-il ? Voulait-il montrer à Sondos son intransigeance envers lui par peur d'être compromis par une éventuelle révélation des contacts qu'ils avaient eus ou poursuivait-il un autre but ?

Sans dissimuler son étonnement, Victor se tourna vers lui, mais Baron l'ignora. Pris de court par sa volte-face, il resta néanmoins sur sa position.

— Vous vouliez que je vous aide ? C'est ça que j'essaye de faire. Joseph Parker était ici, dans le camp.

De nouveau, Baron s'inscrivit en faux.

— Bullshit !

De plus en plus perplexe, Victor le toisa, puis reporta son attention sur Sondos.

— Avez-vous interrogé Abel Parker ?

— Il n'a pas encore ouvert la bouche.

Victor fut lui-même surpris de l'idée qu'il avança.

— À moi, il va parler. Si personne d'autre écoute.

Sondos manqua s'étouffer.

— Ça, c'est hors de question !

— Avec ce que tu viens d'apprendre, t'as rien à perdre.

Quand il vit que sa patronne considérait la proposition de Victor, Baron explosa.

— Voyons, Sondos ! Tu vas pas le laisser faire ! Tu vois bien qu'il te manipule !

S'il subsistait un doute, Victor comprit dès lors de qui il devait se méfier. Le loup dans la bergerie venait de se démasquer lui-même.

— Qu'est-ce que t'as peur que je découvre, Baron ?

Sondos considéra son subalterne.

— Trouve-moi Joseph Parker. Je veux lui parler.

— Tu penses quand même pas que…

Elle le coupa d'un ton qui n'admettait pas de réplique.

— On ne perd rien à faire des vérifications, Hubert.

Une lueur d'appréhension dans les yeux, Baron sortit de la pièce. Victor reprit.

— Abel, c'est le bras armé, mais c'est Joseph Parker, le cerveau. Pis même si vous avez neutralisé les Freelanders, vous êtes pas encore au bout de vos peines : Joseph est au large. La menace est pas écartée.

— Qu'est-ce que tu sais au juste là-dessus ?

Il largua sa bombe en guettant la réaction de son interlocutrice.

— Je pense qu'il va lancer une cyberattaque.

— Non, elle a déjà eu lieu : ils ont hacké les systèmes du ministère de la Défense.

— Ça, c'était juste pour préparer la suite.

Le visage de Sondos se crispa.

— Je ne comprends pas. Il y aurait quelque chose de plus gros ?

— Je sais pas. C'est pour ça que je veux que tu me laisses interroger Abel. Je pense que je suis capable de le faire parler.

Déchirée, l'agente du SCRS se mit à réfléchir. Victor la pressa.

— Faut que tu te décides, Sondos. On n'a plus de temps à perdre.

# 84

## Considérations d'ordre supérieur

Si on lui avait demandé comment elle se sentait dans les instants précédant la rencontre qu'elle avait sollicitée avec Marc Piché, Virginie aurait répondu : « Terrifiée. » Pourtant, c'est d'une démarche respirant la confiance qu'elle entra dans son bureau du SPVM.

Installé derrière sa table de travail, ses manches relevées, le directeur laissa passer quelques secondes avant de lever le nez du dossier qu'il potassait. Semblant calme et parfaitement sûr de lui, il désigna un fauteuil pour l'inviter à s'asseoir.

— J'ai bien peur que vous vous soyez déplacée pour rien, mademoiselle Tousignant. Parce que si c'est à propos de votre article, c'est une affaire classée, en ce qui me concerne.

— Ah, j'ai plus vraiment l'espoir de le faire publier, celui-là. Vous avez bien manœuvré, vous avez frappé fort en salissant Victor Lessard par média interposé.

— Parlant de Lessard, s'il vous passait par la tête de vous acharner…

La journaliste resta stupéfaite, ne s'étant pas attendue à un assaut aussi frontal.

— Quoi ?

— Un conflit d'intérêts, ça ne pardonne pas. Je ne suis pas sans savoir que vous et lui…

Il laissa l'insinuation se frayer un chemin dans l'esprit de Virginie, qui accusa le coup.

— D'où vous sortez ça? Il ne s'est jamais rien passé entre nous.

Si elle disait vrai en théorie, elle était en pratique très attirée par Victor et ne manquait pas de le lui rappeler chaque fois qu'elle le voyait.

Piché se fendit d'un sourire crasse.

— De mon chapeau de magicien. Je vous tends un cerceau et vous sautez dedans.

Virginie se mordit les lèvres. Il était allé à la pêche et elle était tombée dans le panneau. L'avertissement avait le mérite d'être clair : si elle tentait de se mettre en travers de son chemin, il ne reculerait devant rien pour la discréditer, quitte à inventer des faussetés.

Ayant fixé les limites de son territoire, Piché se sentit prêt à conclure.

— Vous savez, il faut parfois obéir à des considérations d'ordre supérieur, mademoiselle Tousignant. Le SPVM n'a pas besoin de mauvaise publicité.

— Parfaitement d'accord en ce qui concerne les intérêts supérieurs. D'ailleurs, c'est justement pour ça que je suis ici. Pas pour ma carrière de journaliste.

Avec toute l'arrogance dont il était capable, Piché esquissa une moue amusée.

— Ah bon?

— Vous niez toujours avoir eu connaissance d'une enquête pour proxénétisme au sujet du commandant Tanguay? Enquête qui aurait été abandonnée par les affaires internes?

— Je vous l'ai déjà dit : je n'étais pas au courant jusqu'à ce que Lessard dépose son rapport à la fin de son enquête sur le Graffiteur. S'il m'en avait parlé avant…

— J'ai bien compris ce que vous avez dit publiquement, monsieur le directeur. Selon vous, c'est Lessard qui s'est montré coupable d'obstruction, pas votre service, ni vous…

Piché leva les épaules d'un air impuissant et sourit.

— Vous m'enlevez les mots de la bouche.

La journaliste s'installa confortablement dans son fauteuil et le dévisagea, prête à en découdre.

— C'est curieux quand même, parce que j'ai eu l'occasion de discuter avec une jeune femme qui prétend au contraire que vous étiez au courant des activités de Maurice Tanguay depuis longtemps.

Elle marqua une pause pour laisser l'inquiétude le gagner.

— Une jeune femme que vous avez connue sous le pseudonyme de Salomé.

Le coup porta. Piché blêmit.

— Je ne vois pas de quoi vous parlez.

— Tant pis… Elle est prête à témoigner. Quand vous serez en cour, sous serment devant le juge et les avocats, ça va peut-être devenir plus difficile de continuer à nier l'existence du réseau d'exploitation sexuelle dont vous avez été vous-même client.

Affligé, Piché prit soudain conscience qu'il était coincé.

— À moins bien sûr qu'il y ait une autre solution, monsieur le directeur. La balle est dans votre camp. Mais pensez vite. Vous savez, les carrières sont parfois courtes dans la police, mais si ça évite de faire de la prison…

Virginie se leva et, sans même un regard pour l'homme défait et bouche bée qui restait pétrifié sur son siège, elle ramassa son sac.

— C'était seulement un conseil, monsieur le directeur.

# 85

## Les rôles sont inversés

Des menottes aux poignets, assis sur une chaise droite, Abel était enfermé dans la pièce qui, quelques heures plus tôt, servait encore de bureau à son père. Impassible, un soldat des Forces spéciales lourdement armé et cagoulé gardait la porte.

L'affrontement avait été brutal, sanglant. Les Freelanders avaient été pris de court. Tout était de sa faute. Il se doutait bien sûr que Lessard et sa partenaire ne s'étaient pas jetés dans la gueule du loup sans avoir prévu un plan de contingence. Mais il avait été si aveuglé par la présence du policier, si obnubilé par son besoin de comprendre ce qu'il savait, qu'il avait fait fi des règles les plus élémentaires de la prudence.

Il pensait à ses hommes morts à cause de lui sous les balles des Forces spéciales, à son ami Black Dog en particulier, dont la poitrine avait explosé sous ses yeux et dont le sang maculait à présent sa veste, et une rage insondable monta en lui. Ce sentiment se doublait d'une incompréhension totale à l'égard de son père.

Pourquoi Joseph était-il parti de Ghetto X sans le prévenir ? L'avait-il laissé se faire prendre intentionnellement ? Abel serra les poings. Il fallait qu'il sache. Et Iba, qu'allait-il lui arriver maintenant qu'il ne serait plus là pour veiller sur elle ? Elle qui n'avait rien à se reprocher, allait-elle finir en prison ?

La porte s'ouvrit, laissant apparaître Claire Sondos et Victor Lessard. Abel les dévisagea tour à tour. L'agente du SCRS fit signe au soldat qui montait la garde de la suivre, et ils sortirent. L'atmosphère était saturée de tension.

Victor prit place devant lui.

— On dirait que les rôles sont inversés…

Abel durcit le regard.

— Peut-être, mais fais attention, la roue tourne vite.

— On a des choses à se raconter, tu penses pas ? Tu m'as pas contredit quand j'ai suggéré que votre plan, c'était de déjouer un faux attentat terroriste. Une cyberattaque, c'est ça ? Pis là, l'intervention des Forces spéciales vient de tout défaire. Tu peux me le dire : c'était quoi, la cible ?

Le chef des Freelanders demeurait silencieux.

— Aide-moi, Abel. Il est encore temps de tout arrêter. Jacques Marcoux m'a raconté ce qui s'est passé en Afghanistan. La petite… C'est horrible. Mais t'étais du bon bord.

À ces mots, Messiah replongea dans ses souvenirs un instant, puis il les bloqua et s'interdit d'y sombrer.

— Non, justement. Les politiciens qui nous ont envoyés nous battre là-bas comprennent rien. Ils savent pas ce que ça fait d'enlever une vie. Le sang de cette petite-là est autant sur leurs mains que sur les miennes. Ces peuples-là, ce sont des grands peuples. On n'a pas à aller chez eux leur dire quoi faire, on n'a pas à leur imposer notre façon de voir les choses.

Victor se pencha vers lui en une question silencieuse. Abel poursuivit.

— Les talibans ont été vaincus, mais qu'est-ce que ç'a changé ? Rien ! Des milliers de morts pour rien ! Que chacun se mêle de ses affaires et reste chez eux. On n'essaiera pas d'aller leur rentrer la démocratie de force dans la gorge, pis eux autres, ils viendront pas se promener en burka devant chez nous. Sinon regarde ce qui est arrivé : en intervenant là-bas, on a favorisé la montée du terrorisme. Leur réponse, ç'a été la violence pis la haine. Pis si ça continue, ça va être notre réponse à nous autres aussi.

Abel lui avait balancé tout ça d'un trait. Victor savait qu'il était vain d'essayer de réfuter des années d'endoctrinement. Il secoua lentement la tête.

— Il n'y a jamais une seule réponse possible.

Abel détourna les yeux, dégoûté par ce qu'il voyait comme de la faiblesse.

— Sois pas naïf. Le terrorisme, c'est une déclaration de guerre. Et, moi, je suis un soldat. Ils sont nos ennemis. C'est notre identité qui est en jeu.

Victor comprit dès lors qu'il n'arriverait pas à tirer quoi que ce soit d'Abel sur ce terreau idéologique. Mieux valait emprunter une autre voie et exploiter son talon d'Achille.

— Pis ton père, il partage tes idées ?

— C'est quoi le rapport avec mon père ?

À la véhémence de la réponse, Victor sentit qu'il s'engageait sur la bonne piste.

— Les Freelanders, c'est une façon d'être uni à ton père. Mais il est là-dedans pour des motifs complètement différents. Il est pas là pour toi, il est là pour lui.

Abel demeura stoïque et s'efforça de ne pas montrer son trouble grandissant.

— T'es la marionnette de ton père, Abel. Il s'en sacre, de tes idées. Comment ça se fait que t'es ici, prisonnier ? Il t'a sacrifié, abandonné. Il s'est servi de toi.

Même si Abel tentait de le dissimuler, ces paroles l'atteignaient, le propulsaient au cœur du conflit qui le grugeait de l'intérieur. Il regarda droit devant lui tandis que Victor continuait d'essayer de le déstabiliser.

— Ton père a pas le même objectif que toi... C'est quoi, son but à lui ?

Pas de réponse.

— Est-ce que ça se pourrait que la menace soit pas écartée ? Que ton père poursuive l'opération sans toi ? Indépendamment des Freelanders ?

— C'était pas ça, le plan.

Victor laissa passer un instant. Abel avait enfin rouvert la bouche. Il progressait.

— Si j'ai demandé à te parler seul à seul, sans micros, c'est pas pour aider le SCRS… Il y a juste toi qui peux remonter jusqu'à ton père. Pis j'ai le feeling que c'est à toi et moi d'aller au bout de cette histoire-là.

Il y eut un long silence.

— C'était prévu pour quand, Abel ?

Le chef des Freelanders hésita, puis il finit par répondre d'une voix à peine audible.

— Pour bientôt.

— Il nous reste-tu encore un peu de temps ?

Abel se contenta de le fixer sans dire un mot.

# 86

## Un pacte avec l'ennemi

À présent que le SCRS et les Forces spéciales contrôlaient Ghetto X et son périmètre, Abel savait que ses chances de s'échapper étaient minces. Mais il ne s'agissait pas pour l'heure de sa principale préoccupation. Il ne cessait de retourner les affirmations de Victor Lessard dans sa tête, jusqu'à en éprouver un sentiment de doute vertigineux. Son père les avait-il trahis et livrés en pâture au SCRS ? Et, dans l'affirmative, pourquoi ?

Puis une voix s'imposa dans le flot de ses pensées pour rétablir le calme. Celle de son vieux maître de kendo, à qui Joseph avait demandé de lui donner des leçons particulières dès l'âge de six ans. « *Toujours avoir l'esprit tranquille, Abel. Fais le vide.* »

Le chef des Freelanders s'était recentré quand une clé tourna dans la serrure. Il leva la tête. La porte s'ouvrit sur Hubert Baron, qui remercia d'un signe le soldat en faction. L'agent du SCRS referma derrière lui et s'approcha d'Abel.

— Désolé, je pouvais pas me libérer avant.

— Faut que tu me fasses sortir d'ici.

— Je voudrais bien mais, avec les Forces spéciales dans la place, j'ai les poings liés. Si tu réussissais à t'évader, ça voudrait dire que t'as un complice, pis… je suis pas certain que ce soit une bonne idée qu'on prenne le risque que je tombe, moi aussi.

— Faut que j'aille rejoindre mon père, Baron.

L'agent du SCRS enfonça les mains dans ses poches et fixa les lattes du plancher.

— Je lui ai parlé, à Joseph.

— Qu'est-ce qu'il a dit?

— Que c'était mieux de laisser retomber la poussière pis d'attendre de voir ce qui va se passer.

Serrant les dents, Abel encaissa le choc comme une nouvelle marque de rejet.

— Il veut pas me faire sortir?

— Oui, c'est sûr, mais pas tout de suite.

— Baron… la cyberattaque… Est-ce que l'opération est suspendue?

L'agent des services de renseignements patinait sur une glace mince.

— Je… j'imagine que oui.

— T'es pas certain? Il te l'a pas dit?

Baron cherchait une façon de s'en tirer.

— Écoute, Abel, je…

Le tireur d'élite l'avait dans sa mire. Il n'abandonnerait pas la partie aussi facilement.

— Est-ce qu'il a décidé de continuer sans moi?

L'agent du SCRS essaya de se faire rassurant.

— Voyons, Abel…

— Si je reste ici, c'est clair que je vais en prison.

— Abel, ton père a le bras long. Je suis persuadé que…

— Fais quelque chose, Hubert!

— Je te l'ai dit, c'est rendu Alcatraz ici!

Abel se leva, s'approcha de son interlocuteur et le considéra d'un air suppliant.

— S'il te plaît…

Et, si vite que Baron ne put réagir, il se jeta sur lui, passa ses mains menottées derrière son cou en une prise d'étranglement. Baron se débattit, mais il n'avait aucune chance contre Abel et finit par perdre connaissance. Le chef des Freelanders guida son corps inerte vers le sol. Puis il attrapa l'arme de l'agent du SCRS et cogna sur la porte, comme celui-ci l'aurait fait.

Le gardien ouvrit sans se méfier. Le tenant en joue, Abel lui fit signe d'entrer dans la pièce, où il l'obligea à s'agenouiller. Une minute plus tard, le soldat gisait inconscient à côté de Baron. Abel le fouilla pour trouver la clé de ses menottes et les enleva. Après avoir entravé les deux hommes, il vérifia le chargeur du pistolet et se mit en marche. La voix de son senseï le portait : « *Toujours être en mouvement, Abel. Bouge !* »

Le Freelander possédait un atout décisif dans son arsenal : il connaissait par cœur les installations de Ghetto X. Ainsi, malgré quelques frayeurs, il réussit sans trop de mal à récupérer des clés dissimulées, à éviter les militaires qui effectuaient leurs rondes et à se glisser dans le bâtiment où se trouvait la chambre d'Iba. Il déverrouilla sa porte et l'entrebâilla sans bruit.

Le cœur d'Abel se serra. Elle était là, sur son lit. Il ouvrit la bouche, puis se ravisa et se tut, l'admirant dans toute sa pureté, dans toute sa magnificence.

Iba avait su qu'il était là dès l'instant où son pas, qu'elle aurait reconnu entre des milliers d'autres, avait résonné dans le couloir. La jeune femme sourit avec sérénité, même si les larmes lui montaient aux yeux. Bouleversé lui aussi, Abel partit sans un mot. C'est alors seulement qu'il comprit pourquoi il était venu : il ne la reverrait jamais.

— On n'est pas en état d'arrestation, mais la porte est barrée en estie pareil.

489

Pour la énième fois, Jacinthe venait de passer son humeur sur la poignée. Sur l'ordre de Claire Sondos, les Forces spéciales les avaient confinés, Victor et elle, dans une chambre du dortoir des Freelanders, « le temps de parler à Joseph Parker et de clarifier les choses ».

Dehors, un soldat s'arrêta devant la fenêtre. Comme à chacune de ses rondes, il jeta un regard à l'intérieur. Pour Jacinthe, ce fut la fois de trop.

— Eille, te penses-tu au zoo, sans-dessein ? Vas-tu te mettre à nous pitcher des pinottes ?

Insensible à ses quolibets, l'homme s'éloigna. Assis sur le lit, songeur et tendu, Victor intervint.

— Tu devrais t'asseoir pis garder tes énergies. Tu vas peut-être en avoir besoin.

Elle le considéra, les mains sur les hanches.

— Ah ouin ? Sais-tu quèque chose que je sais pas ? Parce que j'ai des petites nouv…

Le cliquetis de la serrure l'interrompit. La porte s'ouvrit sans bruit. Abel entra et referma derrière lui, un index sur les lèvres pour les inviter au silence. Victor sauta sur ses pieds et alla à la fenêtre pour vérifier où le garde en était dans sa ronde.

— On n'a pas beaucoup de temps, Abel.

L'autre n'hésita pas une seconde.

— Qu'est-ce qu'on attend d'abord ? Viens-t'en.

Les deux hommes se toisèrent, chacun essayant en vain de percer les intentions de l'autre.

— Euh… scusez, ça vous tenterait pas de m'expliquer ?

— On s'en va retrouver son père.

Jacinthe fit non de la tête, complètement estomaquée.

— Ben voyons donc ! C'est sûr que c'est un piège !

Victor reporta son attention sur Abel.

— Tu sais où aller ?

— On a une *safe house*.

Jacinthe le saisit fermement par l'avant-bras.

— Tu peux pas truster ce gars-là, Lessard. Il a essayé de te tuer. Ta blonde est dans le coma à cause de lui. Pis, à part de ça, même si on réussit à sortir, le SCRS va partir après nous.

Ces paroles attisèrent la colère de Victor, mais il se convainquit de nouveau que s'allier à son ennemi était le seul moyen de parvenir à la vérité.

Abel entrouvrit la porte, scruta le corridor, puis se retourna vers lui.

— C'est ça que tu voulais, Lessard ? Qu'on aille au bout de ça, les deux ensemble ? T'as le choix. Rester ici et jamais comprendre. Ou me suivre… Quitte ou double.

— Victor Lessard… dis-moi que tu feras pas ça.

Déchiré, mais d'un air résolu, Victor finit par répondre.

— Désolé, Jacinthe, faut que je sache…

Abel se fit pressant.

— On a le champ libre. Let's go !

Jacinthe prit une grande inspiration et lança à son ami un regard chargé de reproches.

— Tu me dois un burger, fucking Gwendoline. Avec des feuilles d'or au lieu du fromage.

Elle se posta derrière Abel, qui la considéra avec mépris.

— Elle vient pas avec nous. C'est toi pis moi, Lessard !

Ému, Victor secoua la tête. Il ne pouvait exiger de Jacinthe un autre sacrifice ; elle avait déjà mis sa vie en jeu trop souvent. C'est ce qu'il commença à lui dire.

— Reste ici. Après tout ce que…

Mais elle le coupa net.

— Penses-tu que je vais te laisser partir avec ce malade-là ? Partners, mon homme.

Elle gratifia Abel d'une moue de dédain.

— Pis toi, ta yeule, le Messie. On t'a pas sonné.

Ils sortirent prudemment de la pièce, à tour de rôle. Le chef des Freelanders tira la porte derrière eux. Il murmura d'un ton glacial.

— À gauche au bout du corridor… Vite.

Abel fermant la marche, ils accélérèrent le pas.

## 87

# Paramètres de refroidissement

Dans les entrailles de la pizzéria de l'avenue Duluth, la ruche fourmillait. Les postes de travail étaient tous occupés, sauf celui du jeune homme à la chemise à col Mao, celui qui avait reçu une enveloppe des mains de Joseph Parker. Debout derrière les autres hackers à qui il donnait ponctuellement des instructions, il se pencha par-dessus l'épaule d'une de ses collègues pour lire ce qu'elle écrivait. Elle terminait la rédaction d'un article qui serait publié sur Internet dans les heures suivantes et s'intitulait : « Cyberattaque en cours contre la centrale nucléaire de Bruce en Ontario. Un État en cause ? »

Le jeune homme lui dictait des modifications lorsqu'il reçut un appel de Parker.

— On en est où ?

Le hacker s'assit à son ordinateur et consulta l'application ouverte, qui montrait un schéma des principales composantes du système de la centrale nucléaire de Bruce avec, en dessous, une barre de progression de couleur verte qui indiquait un pourcentage : 78 %.

— On avance dans le système. Encore deux heures.

La voix de Parker retentit de nouveau.

— Les articles sont prêts ?

Sachant que son employeur le regardait par l'œil d'une caméra, le hacker approuva de la tête.

— Ils vont l'être…

Il s'en voulut aussitôt. Son ton avait trahi une inquiétude qu'il s'était pourtant juré de réprimer. C'était ténu, mais pas suffisamment pour déjouer une oreille aussi avertie que celle de Parker. À l'autre bout, celui-ci s'impatienta.

— Tout est OK?

Le jeune homme hésita un instant, mais il savait qu'il ne pourrait se défiler.

— Faire la démonstration qu'on contrôle le système, ça ne pose aucun problème. Mais jouer avec les paramètres de refroidissement du réacteur, ça peut être extrêmement dangereux. Une seule fausse manœuvre, et ce sont des centaines de milliers de morts, monsieur. Bruce est la centrale nucléaire la plus puissante au monde[11]…

— C'est pour ça que le jeu en vaut la chandelle, mon garçon. Et ce serait dommage que ce soit quelqu'un d'autre qui finisse le travail à ta place. On se comprend?

Le hacker baissa les yeux, mal à l'aise.

— Oui, monsieur.

---

11. La centrale nucléaire de Bruce, en Ontario, est la plus puissante du monde depuis la catastrophe du Fukushima, au Japon.

# 88

## Planter une idée

Cristaux brisés, dentelés, lumières fracassées, éclisses discontinues. Hubert Baron cligna des yeux et se rendit compte qu'il contemplait des écornures dans le revêtement du plafond. Il tourna la tête sur sa droite et perçut à travers le brouillard le corps inanimé d'un homme. Un homme habillé en soldat. Des voix retentirent sur sa gauche. Des individus cagoulés entrèrent dans son champ de vision, l'arme braquée ; des directives furent aboyées. Et ça lui revint d'un coup : les Forces spéciales, Ghetto X et… Abel Parker, qu'il avait laissé filer.

Sondos posa un genou par terre près de lui tandis qu'il reprenait ses esprits.

— C'est Abel… Il m'a choké.

De l'urgence dans la voix, elle l'aida à se redresser.

— Taillon et Lessard sont nulle part, et l'équipe d'appui au sol s'est fait voler un véhicule. Ils sont où ?

Encore un peu désorienté, nauséeux, Baron se massa la nuque.

— Aucune idée.

Il palpa son étui et constata que son pistolet manquait.

— Fuck, il m'a pris mon gun !

Sondos le dévisagea.

— Tu faisais quoi ici ?

Baron gonfla les joues puis exhala lentement.

— Je pensais être capable de le faire parler.

Il affecta un air contrit.

— C'était stupide…

L'agent des services de renseignements débitait ses mensonges avec conviction. Sondos le jaugea.

— J'ai cru comprendre que c'est Abel qui avait demandé à te voir. Pourquoi ?

Pris de court, son cerveau se mit à tourner à toute allure.

— Euh… Il voulait qu'on libère Iba Khelifi. D'après lui, elle a rien à voir avec les Freelanders.

Sondos finit par hocher la tête. Baron laissa filer quelques secondes en observant les soldats des Forces spéciales qui remettaient leur collègue sur pied, puis il tenta de planter une idée dans l'esprit de sa patronne.

— Pourquoi Abel les aurait libérés au lieu de les tuer ? Est-ce qu'ils seraient complices ?

À son tour, Sondos réfléchit en vitesse.

— Non, je pense pas. Il les a probablement pris en otage. Au cas où… Si on les retrouve, on peut encore arrêter la cyberattaque.

— Je vais réparer mon erreur, Sondos.

Elle acquiesça et s'effaça pour le laisser passer. Quand il sortit, elle embrassa la pièce du regard. Les explications de Baron la laissaient perplexe.

## 89

## Retour aux origines

Une lumière floue, en transparence à travers un voile noir. La respiration haletante. Dans l'habitacle de la voiture, la tête de Victor était couverte d'une cagoule, sans trous pour les yeux. Jacinthe se trouvait à ses côtés sur la banquette arrière, elle aussi cagoulée. Leurs mains étaient entravées dans le dos par des attaches autobloquantes.

Abel était au volant, tendu, concentré. Il gardait un œil sur eux dans le rétroviseur.

— Je le savais que c'était un piège, mon homme !

Le chef des Freelanders les avait mis en joue et ligotés alors qu'ils venaient de s'emparer d'un véhicule du SCRS aux vitres teintées, puis les avait cagoulés aux abords de l'île de Montréal.

— Pis toi, le Messie, tu vas ramasser du vomi sur ton tapis de char si on n'arrive pas bientôt.

Tandis qu'elle parlait pour détourner son attention, Victor s'échinait à la défaire de ses liens sans ménager son épaule. À l'avant, Abel contracta les mâchoires mais se tint coi. Ils roulèrent encore un peu en silence. Puis la voiture ralentit, s'engagea dans une allée et s'arrêta.

— Bon ! Commençait à être temps !

Redoutant la façon dont son père réagirait à son arrivée impromptue, à leur arrivée impromptue, Abel ferma les paupières et inspira à fond. Une fois calmé, il retira la cagoule de Jacinthe, qui frotta son front en sueur contre son épaule, puis il enleva celle de Victor.

Sidéré, celui-ci fixait la demeure devant eux. Une maison semblable à toutes celles du quartier, sans rien qui la rendît singulière. Mais elle représentait son pire cauchemar.

— C'est mon ancienne maison… C'est là que ma mère et mes frères sont morts.

Estomaquée, Jacinthe se tourna vers lui, mais il était ailleurs. D'après l'expression de son visage, Abel était au moins aussi surpris qu'elle par cette révélation.

La silhouette de Joseph apparut à une fenêtre. Il sortit son cellulaire et appuya sur une touche : devant la voiture, la porte du garage s'ébranla. Abel fit avancer le véhicule. Victor sentit la colère et l'appréhension monter en lui alors qu'il fixait Joseph, toujours derrière la vitre.

La porte menant du garage à l'intérieur s'ouvrit sur Jacinthe tandis qu'Abel, dans son dos, la poussait pour l'obliger à entrer. Elle traînait les pieds, opposant la résistance de sa masse imposante, et refusait de se laisser bousculer.

— Pas de panique, le Messie.

Victor passa dans l'encadrement à son tour. Chaque endroit où il posait les yeux le propulsait dans ses souvenirs, comme si quelqu'un avait rembobiné le film de sa vie. Il demeura figé sur le seuil, mais Abel le força à avancer.

Ils débouchèrent dans la salle à manger, qui donnait sur le salon. À l'exception d'une table, sur laquelle trônait l'ordinateur portable de Joseph, et de quelques chaises, l'espace était entièrement vide, dépourvu de tout mobilier.

Tout en gardant son arme pointée sur eux, Abel consulta l'écran de l'ordinateur, où il constata sur l'application ouverte que la barre de progression atteignait 81 %, signe que Joseph avait enclenché la cyberattaque.

Abel attrapa deux chaises et, alors que Victor détaillait la pièce, étranglé par l'émotion, il les plaça dos à dos et contraignit ses otages à s'y asseoir. Une voix retentit à l'autre bout de la salle à manger.

— Bonjour, Victor.

Il se retourna. Un sourire sibyllin aux lèvres, Joseph Parker l'examinait de la tête aux pieds. Hypnotisé par sa présence, Victor demeura muet.

— La dernière fois qu'on s'est vus, tu devais avoir...

Joseph semblait sincèrement ému. Le visage de Victor se métamorphosa peu à peu ; sa fascination silencieuse se mua en haine viscérale. Chargé d'incompréhension, le regard d'Abel passait de l'un à l'autre.

— Onze ans.

Joseph acquiesça.

— Je t'avais acheté un avion. Un Mustang. Tu t'en rappelles ?

Bien qu'il tentât de n'en laisser rien paraître, Abel tressaillit à cette mention, ce qui n'échappa pas à Jacinthe.

Victor répliqua d'un ton amer.

— Aucun souvenir.

Fulminant, Abel tendit le pistolet à Joseph, qui tint Jacinthe et Victor en joue pendant que son fils leur attachait les chevilles.

— Déjà à l'époque, tu n'étais pas un enfant comme les autres.

Joseph marqua une pause, comme s'il se projetait loin en arrière.

— Tu as changé. Tu ressembles encore plus à Jeanne...

L'entendre évoquer ainsi sa mère sur les lieux de son enfance plongea Victor dans ses souvenirs les plus anciens.

*Il fait un devoir de mathématiques sur la table de la salle à manger. Son frère Guy dans les bras, sa mère s'approche de lui tandis que les voix d'Henri et de Raymond qui s'amusent dans une autre pièce retentissent en arrière-plan.*

*— Tu travailles bien, mon chéri ?*

*Victor lève la tête de son cahier et observe le magnifique visage qui se dessine devant lui, nimbé de lumière. Un sourire éclaire les lèvres rouges de Jeanne. Son regard dit tout son amour.*

*— Je suis si fière de toi.*

*Une émotion intense la traverse brusquement. Une faille. Ses yeux s'embuent. Victor le remarque.*

*— Ça va, m'man ?*

*Elle sourit et retient ses larmes.*

*— Oui, mon chéri.*

Abel finit de l'entraver à la chaise et fit ensuite la même chose avec Jacinthe tandis que Joseph braquait toujours le pistolet sur eux.

— J'ai acheté la maison ça fait un petit moment. Elle n'avait pas beaucoup changé, et moi je n'ai rien touché. Tu dois être curieux de savoir pourquoi…

Victor secoua la tête. Sans qu'il le sache, son trouble réverbérait celui d'Abel, qui, ayant interrompu sa tâche, encaissait cette intimité dont il ignorait tout.

Joseph abaissa l'arme et s'approcha de Victor.

— On a tellement de choses à se dire.

Jacinthe attachée, Abel se redressa et rejoignit son père.

— Faut qu'on se parle. Maintenant.

Abel reprit son pistolet, puis ils disparurent tous deux à la vue de Jacinthe et de Victor.

La cuisine était aussi vide que les autres pièces. Du rouge aux joues, du feu dans les yeux, Abel affronta Joseph du regard. Il y avait trop longtemps qu'il n'exprimait pas le malaise qui lui pourrissait les entrailles, trop longtemps qu'il laissait son père prendre l'ascendant sur lui. Cette fois, il ne ravalerait pas sa colère.

— Tu t'es servi de moi…

Joseph répondit d'un ton calme.

— Qui tu vas croire, Abel ? Un inconnu qui dit n'importe quoi ou ton père qui t'a élevé seul et qui t'aime ?

— Victor Lessard, un inconnu ? Tu lui as donné un Mustang. Comme à moi.

— Ce sont ses parents que j'ai connus. Tu n'étais pas encore né.

— Ses parents ? C'est certainement pas pour eux que t'as racheté la maison de son enfance. Ils sont morts !

Incapable de le percer à jour, le fils jaugea le père.

— C'est quoi l'affaire avec Lessard ?

Paumes tournées vers lui, Joseph se montra conciliant.

— Patience, Abel. Tout va s'éclairer.

— Patience ? T'es parti du camp sans me prévenir. Pis tu m'as laissé me faire prendre avec mes hommes. Ça va s'éclairer, ça aussi ?

— Je te connais, je connais tes capacités. Je savais que tu te sortirais vite de là.

Aussi mystifié que furieux, Abel gronda.

— Je pense que t'as pas compris ! Black Dog est mort ! Plusieurs de mes gars aussi…

Joseph afficha un air désolé. Tout à coup, Abel saisit.

— T'es parti quand Lessard a débarqué. Tu voulais que je l'amène ici. Tu nous attendais… C'est ça ?

Joseph resta impassible. Abel fit quelques pas dans la pièce, puis revint devant son père.

— Le SCRS a arrêté les djihadistes, pis t'as quand même déclenché la cyberattaque. Je le sais, j'ai vu ton ordi. C'est quoi, ta *game* ?

Le long de sa cuisse, le pistolet vacillait dans son poing.

— Tu vas tout mettre sur mon dos pis celui des Freelanders, c'est ça ?

Joseph se fit convaincant.

— Tu es mon fils, Abel. Je ferais jamais ça.

Abel se durcit et pointa son arme sur la tête de son père.

— Tout ce que je veux, c'est que tu me dises la vérité.

— Tu ne connais pas tout de ma vie, Abel. Tu vas entendre des choses qui vont te mettre en colère, te troubler. Es-tu prêt à écouter?

Il tendit les bras. Abel hésita, son regard passant de celui de Joseph au plancher. Puis la tension retomba : il abaissa son pistolet et s'avança vers son père, qui le serra contre lui. Mais au-dessus de l'épaule de Joseph, le visage d'Abel était animé d'une expression où s'affrontaient désarroi et détermination.

Pendant que le père étreignait le fils dans la cuisine, Jacinthe se brisait le cou à essayer de voir Victor et faisait tout pour qu'il réagisse. L'affliction dans laquelle était plongé son partenaire la remuait d'inquiétude.

— Lessard? Es-tu correct?

Elle s'acharnait depuis qu'ils s'étaient retrouvés seuls, mais ses appels restaient lettre morte. Étranger à lui-même, Victor semblait vivre un cauchemar éveillé.

— Parle-moi, mon homme, parle-moi…

Elle se tortillait pour tenter de se dégager une main quand il sortit de son mutisme.

— Si j'avais su que c'était pour finir ici, je me serais laissé tuer avec Komarov.

— Dis pas des affaires de même. Pis c'est pas quand tu peux enfin comprendre ce qui te gruge par en dedans que c'est le temps de faire ta fafiole. Let's go, Lessard! Personne sait on est où. C'est juste toi pis moi. Faut qu'on stoppe la cyberattaque pis qu'on scramme.

Victor émergea et commença à essayer de se défaire de ses liens. Il n'aurait su dire avec certitude laquelle, mais Jacinthe avait touché une corde sensible. Elle tendit l'oreille : les éclats de voix avaient cessé. Elle parla très vite avant que leurs geôliers ne reviennent.

— Abel capote, lui aussi. Je sais pas ce que tu lui as dit à Ghetto X, mais ça l'a fessé. Pis quand son père a parlé de l'avion qu'il t'a donné, le Mustang là, je pensais qu'il allait le tuer drette là. Continue à les monter un contre l'autre. Provoque-les !

Se débattant comme un homme qui se noie, Victor serra les mâchoires et redoubla d'ardeur pour se libérer.

# Guerres de juridiction

Sur ses gardes, jetant des coups d'œil nerveux derrière lui, Baron entra dans les toilettes d'une baraque de Ghetto X et se pencha pour s'assurer qu'il n'y avait personne dans les cabines. Les Forces spéciales ayant neutralisé les brouilleurs utilisés par les Freelanders pour créer une zone blanche autour de Ghetto X, il fut en mesure d'appeler Joseph Parker. Tombant directement dans sa boîte vocale, il lui laissa un message à voix basse.

— On a un problème, Joseph. Je pense qu'Abel est en route pour la *safe house* avec…

Il secoua la tête de mécontentement.

— … avec Lessard et sa partner. J'arrive quand je peux.

Il raccrocha, alla au lavabo et se lava les mains. Pendant une seconde, il eut envie de se faire une ligne de coke, mais, alors qu'il observait son reflet dans le miroir, la honte l'envahit. L'habitude d'ignorer celle-ci reprenant vite son ascendant, il se ressaisit et sortit.

La pièce resta silencieuse quelques secondes, puis Claire Sondos, qui s'était accroupie sur le siège de la cuvette d'une des cabines, émergea de sa cachette. Troublée, déçue d'elle-même, elle serra les poings. Un bruit de bouilloire sifflant dans ses oreilles, elle était incapable de réfléchir à ce qu'elle devait faire.

Elle n'arrivait pas à déterminer ce qui l'enrageait le plus entre le fait que Baron, un partenaire en qui elle avait eu pleine confiance, soit une taupe ou celui que Joseph Parker, un homme qui l'avait formée et qu'elle estimait infiniment, l'ait trahie.

Mais comment avait-elle pu être aussi bête ? Et les pertes de vies humaines qui résultaient de son incompétence, ce jeune homme qu'elle avait elle-même tué, tout ça lui chavirait l'estomac. Elle eut soudain un haut-le-cœur, crut qu'elle allait vomir, mais elle réussit à se rasséréner en s'aspergeant le visage d'eau froide. Elle allait passer un appel quand des voix montèrent du corridor.

— Si tu me laisses pas y aller, tu vas te ramasser sur le cul, le jeune.

Dans le couloir, talonné par un soldat des Forces spéciales qui tentait de l'empêcher d'avancer, Paul Delaney arriva en trombe et se retrouva face à face avec Sondos qui venait de sortir des toilettes.

— Jacinthe Taillon pis Victor Lessard, je veux les voir tout de suite !

Elle se pinça l'arête du nez entre le pouce et l'index.

— Ça ne sera pas possible…

Le chef des crimes majeurs ne demandait qu'à exploser, et c'est ce qu'il fit.

— Comment ça, pas possible ?!

Il menaça le soldat du doigt.

— Toi, va me les chercher ! Ça presse.

Le militaire ne bougea pas d'un iota ; Sondos parla d'un ton neutre.

— Ils ne sont pas ici…

Delaney vit qu'elle était sérieuse.

— Quoi ? Vos explications ont besoin d'être bonnes en chien.

— Je n'en ai pas, d'explications ! Ils nous ont échappé, un point c'est tout. Ce que je sais, par contre, c'est que je n'ai pas de comptes à vous rendre et pas de temps à perdre.

Elle pivota sur ses talons et commença à s'éloigner, mais Delaney l'interpella.

— Je m'en sacre, des guerres de juridiction, Sondos. J'ai pas besoin de pisser partout pour marquer mon territoire. Jacinthe pis Victor, c'est des amis à moi, pas juste mes enquêteurs.

Il se calma et devint plus conciliant.

— Est-ce qu'on peut travailler ensemble ? Laissez-moi vous aider.

Elle revint sur ses pas et ils se dévisagèrent. Baron se pointa sur ces entrefaites, guettant discrètement l'arrivée d'un message texte de Joseph. Sondos soupira.

— Dans ce cas-là, on va arrêter de se vouvoyer.

Il lui tendit la main ; elle la serra, puis se tourna vers son collègue.

— Hubert, va voir Iba Khelifi dans sa chambre. Peut-être qu'elle peut nous aider à retrouver Abel. Paul et moi, on va réinterroger les autres Freelanders.

— C'est parti.

D'un regard d'aigle, elle observa Baron qui s'éloignait dans le corridor. Un soldat des Forces spéciales s'approcha d'elle et chuchota à son oreille. Paul Delaney plissa les paupières. Quelque chose se tramait.

# Moment de vérité

Un monolithe noir rongeait la moindre parcelle du cerveau de Victor. Tout ce qu'il avait vécu auparavant n'existait plus, comme si le chemin parcouru avait été tracé longtemps d'avance à son insu dans le but de le forcer à revenir à son point d'origine, aux racines du mal, à cette maison qui, en ouvrant une porte sur le mausolée de son passé, dissolvait dans le néant sa douloureuse ascension vers la lumière.

Les mains dans le dos, Joseph faisait des cercles autour d'eux, toujours immobilisés sur leurs chaises. Adossé au mur, en retrait, Abel avait posé son pistolet sur la table et triturait son couteau du bout des doigts. Même si tout l'accablait, mû par un terrible besoin de comprendre, Victor puisa au fond de ses ressources la force de continuer à questionner Joseph.

— T'étais le boss de mon père dans Marée Rouge, pis t'as passé sept ans à Moscou après. C'est à ce moment-là que t'es devenu la taupe des Russes, pis que tu leur as vendu la liste des sympathisants communistes.

L'ébauche d'un sourire naquit sur les lèvres de Joseph, mais il ne nia pas.

— La liste, c'était la porte d'entrée pour atteindre un objectif plus grand. Et beaucoup plus noble…

Victor se tourna vers Abel et tenta de le provoquer comme Jacinthe le lui avait conseillé.

— Ah oui? T'es au courant de ça, toi, Abel?

Intense, bouillant, le regard d'Abel prouvait que non. Joseph vint se planter devant Victor.

— Je te surveille à distance depuis longtemps. Tu es un bon enquêteur, Victor. Quand tu tiens un os, on ne peut pas te l'arracher.

Tandis qu'il continuait de pérorer, il jeta un coup d'œil discret à son ordinateur. La barre de progression atteignait à présent 84 %.

— À partir du moment où tu es entré en contact avec Nikolaï Komarov, je me doutais bien que tu allais essayer de remonter jusqu'à moi… J'aurais aimé que tu te joignes à nous, mais tu n'as pas ce qu'il faut.

Abel se mordit la lèvre inférieure. Cette sordide mascarade lui retournait l'esprit. De nouveau, Victor sauta sur l'occasion.

— Abel, lui, il avait ce qu'il faut ou tu l'as programmé?

Joseph considéra son fils d'un air admiratif.

— Abel a appris à se sacrifier au nom d'un idéal. Ça prend du courage pour agir même quand on a des doutes.

Les yeux d'Abel passaient de l'un à l'autre. En les entendant parler de lui comme s'il s'était désincarné, il se sentait mis à nu, dépossédé. La voix de Victor tonna.

— C'est sûr que ça prend du gros courage pour tuer des innocents au nom d'un idéal xénophobe.

La remarque troubla Abel davantage qu'il n'aurait voulu le montrer. Jacinthe exprima le même jugement lapidaire que Victor en approuvant de la tête. Mais Joseph continuait à professer ses vues comme s'il déclamait un évangile.

— Le vrai courage, c'est de continuer même quand nos actes peuvent sembler incompréhensibles aux autres.

— Tu parles comme un haut gradé qui envoie ses hommes mourir sans se salir les mains. T'entends ce que j'entends, Abel, non ?

Les mots de Victor transpercèrent l'ancien militaire. À la limite de la rupture, ses doigts se crispèrent sur le manche de son couteau.

Mais Joseph contredit l'affirmation avec lassitude.

— Je me suis sali les mains, moi aussi. Mais pas toujours comme je l'aurais voulu.

— Tu parles de quoi ? De l'attentat que vous vouliez mettre sur le dos des djihadistes enfermés à Ghetto X ?

Joseph ignora l'allusion et replongea plutôt dans le monde des idées, son territoire de prédilection.

— On vit dans une drôle d'époque : la démocratie est fragilisée. L'extrême gauche est engagée dans un combat avec l'extrême droite pour redéfinir la norme. L'idée, c'est de donner un électrochoc à l'opinion publique.

Se tortillant sur sa chaise, Jacinthe ramena le débat à la pratico-pratique réalité.

— Sauf que là, le SCRS a repris les djihadistes. Fait que le beau plan tombe à l'eau. Plouf…

Joseph balaya ses paroles du revers de la main.

— Une partie du plan, oui. Mais pas nécessairement la plus importante.

Abel reçut cette affirmation comme un coup de poing au plexus. Ne pouvant en croire ses oreilles, incapable de se contrôler, il prit son père au collet.

— C'est quoi, l'autre partie ? Parle !

Joseph attrapa la tête de son fils entre ses mains et approcha son visage du sien.

— Tu vas m'écouter jusqu'au bout. Parce que ce que j'ai à dire, ça te concerne, toi aussi…

Stupéfait, Abel se dégagea de son emprise. L'onde de choc avait touché également Jacinthe et Victor.

Celui-ci enchaîna.

— L'autre partie du plan… C'est pour ça que t'as envoyé Abel me tuer avec Komarov?

L'air sincère, Joseph niait maintenant de la tête.

— Je n'ai jamais eu l'intention de vous tuer, ni toi ni lui.

Abel serra les poings, rempli d'une colère qu'il peinait à contenir.

— C'était eux ou nous! J'avais pas le choix!

Continuant à marcher autour de ses prisonniers, Joseph fit un geste pour inviter son fils à la patience.

Victor fronça les sourcils.

— Abel était prêt à tout pour m'empêcher de remonter jusqu'à toi. Mais toi, tu voulais pas me tuer? Qu'est-ce que je comprends pas?

— Ce que tu ne comprends pas, c'est qu'il y a longtemps j'ai promis à Henri de t'épargner. Le jour où il s'est tiré une balle…

S'immobilisant devant Victor, Joseph mit les mains sur ses cuisses et s'inclina vers lui.

— Juste avant que tu entres dans la chambre pour l'achever de tes mains.

Victor sentit le vide s'ouvrir sous ses pieds. Joseph puisa dans ses souvenirs et se mit à raconter.

*Joseph est penché sur Henri, grièvement blessé sur le lit, lorsqu'il entend le bruit de la porte d'entrée. Victor arrive dans la pièce où gisent sa mère et ses frères. D'abord tétanisé, il monte à l'étage, dans la chambre de ses parents, où il étrangle Henri, agonisant. Caché derrière la porte, Joseph l'observe, à la fois fasciné et bouleversé. Il hésite un instant, songe à l'arrêter. Puis, déchiré, il part sans faire de bruit. Victor a douze ans.*

Joseph interrompit son récit. Paralysé de stupeur, Victor murmura pour lui-même.

— T'étais là…

Sans le quitter des yeux, Joseph se redressa et acquiesça.

— C'est là que j'ai compris quel genre d'homme tu serais, Victor.

Hors de lui, Victor essaya de se dégager. S'il l'avait pu, il aurait étranglé Parker sur-le-champ.

— C'est toi qui les as tués ?!

Abel condamna muettement son père. Jacinthe paraissait complètement chamboulée. Les veines de son cou dilatées par la colère, Victor continua de s'agiter.

— T'es mort, mon hostie ! T'es mort !

Joseph fit quelques pas dans la pièce et laissa passer l'orage. À présent, il tournait le dos à Victor, qui secouait la tête, la poitrine haletante.

— Si on analyse ça froidement, on peut dire que oui, c'est moi qui les ai tués.

Quand il lui fit face à nouveau, ses yeux miroitants semblaient animés d'une réelle tristesse.

— Laisse-moi te raconter, Victor. Tu me jugeras après.

Jacinthe cracha son venin en se débattant sur sa chaise.

— Il bluffe. Il va te bullshiter, Lessard... Écoute-le pas !

Abel vint se planter entre eux et son père.

— Tu fais quoi, là ?

— Tu voulais la vérité ? Tu vas l'avoir.

Un air de défi flottait sur le visage d'Abel, qui finit par s'effacer sur le côté. Joseph revint se placer près de Victor.

— Henri et moi, on a grandi ensemble, à Verdun. Il était sérieux, moi, un peu moins. On n'était pas tout le temps d'accord, mais on s'aimait comme des frères. On a rencontré ta mère dans un show de Robert Charlebois. On est vite devenus inséparables, tous les trois.

Un sourire triste, rempli de nostalgie et de regrets, s'était peint sur son visage. On aurait dit que le poids des années venait de le frapper de plein fouet.

— Jeanne était tellement... parfaite. On en était fous tous les deux, Henri et moi. J'ai longtemps pensé qu'on était faits l'un pour l'autre, mais Jeanne le trouvait plus… plus raisonnable que moi.

L'émotion de Joseph était palpable.

— On s'est perdus de vue pendant un certain temps. J'ai commencé à travailler pour la GRC.

Jacinthe jeta un coup d'œil à Abel, qui nageait en pleine incompréhension. Visiblement, il découvrait en même temps qu'eux le passé de son père.

— C'est là que t'as recruté mon père dans Marée Rouge.

— Je n'aurais jamais dû l'approcher. Si c'était à refaire…

— Si c'était à refaire, j'aurais été là, et je te garantis que ma mère pis mes frères seraient encore en vie !

Joseph baissa les yeux vers le sol.

— Quand je me suis rendu compte que quelqu'un avait copié la liste, j'ai compris assez vite que c'était Henri, mais je n'avais pas de preuves.

Victor avait passé des années à côtoyer le mal en tant qu'enquêteur. Sa connaissance des zones d'ombre de l'âme humaine l'aidait à combler les vides dans l'histoire de Joseph.

— Qu'est-ce que t'as fait ? Tu les as menacés de quoi, ma mère pis lui ? T'as mis de la pression pour la récupérer, ta liste ?

Abel voulut intervenir ; Jacinthe lui fit signe de s'en abstenir. Il lui lança un regard mauvais mais garda le silence. Joseph attrapa une chaise par le dossier, la traîna jusque devant Victor et s'y assit. L'air honteux, il continua à se confier.

— Comme Henri voulait pas parler, j'ai été obligé de passer par Jeanne…

Projeté dans ses souvenirs, Joseph les leur raconta.

*Debout devant le lit, Joseph rattache sa chemise. Il observe le dos nu de Jeanne, glissée sous les draps. Il s'assoit sur la couverture et caresse sa nuque, enjôleur.*

*— C'est merveilleux de te retrouver après tout ce temps-là...*

*Face au mur, le visage de Jeanne reste de marbre. Joseph poursuit avec douceur.*

*— Mais tu pourras pas toujours acheter du temps comme ça.*

*Jeanne se fait violence pour contenir ses émotions. Elle parle d'une voix éteinte.*

*— Si je t'aide à récupérer ta liste, vas-tu laisser Henri tranquille ?*

*Joseph se relève, noue sa cravate devant le miroir.*

*— On pourrait partir ensemble, juste toi et moi.*

*La jeune femme murmure pour elle-même.*

*— Ça, ça arrivera jamais.*

*Il se tourne vers elle.*

*— T'as un choix à faire, Jeanne. Il ne faut pas que tu te trompes. Des accusations de complicité, c'est très grave. Ils pourraient t'enlever tes enfants. Peut-être même vous interner dans les camps de Marée Rouge.*

*Joseph lui fait un petit sourire et sort. Jeanne se met à pleurer. Elle s'est déjà trompée. Elle a été tellement naïve de croire que coucher avec lui l'aiderait à le convaincre de cesser de les tourmenter.*

Joseph se tut. Débordant de mépris et de rage, Victor le dévisagea tandis qu'un fragment de mémoire se détachait pour remonter à la surface.

*Il est au lit. Raymond ronfle à côté de lui. Jeanne apparaît dans l'embrasure de sa porte. Le croyant assoupi, elle entre et se love contre lui. Il entend alors ses sanglots étouffés. Ne sachant comment réagir à cette charge d'émotion qui le dépasse, il fait semblant de dormir.*

— Ma mère était fragile. T'es allé jusqu'où pour la faire craquer ?

Les traits de Joseph avaient pris une expression de regret et d'amertume.

— Loin. Beaucoup trop loin...

— Mon tabarnac ! Si tu y as touché, je te jure que tu vas souffrir avant qu'j'te tue !

À son tour, Abel foudroya son père du regard.

— T'es pas un homme si t'as fait ça.

Joseph paraissait réellement ému.

— Je ne lui aurais jamais fait de mal. Pas de cette manière-là.

Jacinthe s'indigna.

— C'est facile d'arranger la vérité quand y a plus personne de vivant pour te contredire.

Joseph répéta à Victor ce qu'il s'était si souvent dit pour atténuer ses remords.

— Ça ne justifie rien, mais il faut que tu comprennes qu'on était en pleine guerre froide. Le vol de la liste, c'était extrêmement grave. De la haute trahison !

— Ah oui ? Plus grave que de trahir l'amitié de mes parents ?

La remarque fit éclater les faux-semblants de Joseph.

— J'étais jeune. J'avais des comptes à rendre. C'était moi qui avais recruté Henri. J'ai pensé que je n'avais pas le choix, que c'était lui ou moi. J'ai été lâche…

Découvrir la faiblesse de son père dégoûtait Abel.

— Pourquoi vous vous étiez perdus de vue, mes parents et toi ? C'est à cause de ma mère ?

Joseph encaissa et mit un temps à répondre. Victor avait touché dans le mille.

— Je l'aimais, oui… Je l'ai toujours aimée.

Sondant les tréfonds de sa propre sensibilité, Victor fit de nouveau des liens.

— Tu t'es jamais remis qu'elle ait choisi mon père. Tu voulais pas juste la liste, tu la voulais, elle…

Accablé par sa perspicacité, Joseph releva les yeux vers Victor.

— Jeanne a fini par parler. Je savais bien que trahir Henri l'avait profondément blessée…

*Jeanne est debout devant une commode. Joseph vient de partir. Ils ont refait l'amour. Il lui a reparlé des conséquences si elle continuait à protéger Henri. De nouveau, il a évoqué le sort des enfants, le cas échéant. Jeanne a beaucoup pleuré; son maquillage a coulé. C'est une femme brisée qui fouille dans un tiroir où sont rangés des vêtements d'Henri. Elle tasse une pile de camisoles et saisit un revolver.*

— … mais ce que j'ai compris trop tard, c'est à quel point ça l'avait détruite.

Une larme roula sur la joue de Joseph, qui se tourna vers Victor.

— Le jour où je l'ai démasqué, Henri m'a convaincu de lui accorder une faveur. Il voulait voir ta mère une dernière fois avant que je l'emmène.

*Joseph gare la voiture le long du trottoir, devant la maison de Jeanne et Henri. Sans un mot, celui-ci lui tend ses mains. Joseph le dévisage, puis déverrouille les menottes.*

La gorge nouée, Joseph réprima ses larmes.

— Je ne pouvais pas lui refuser ça. Si j'avais su…

Abel le regarda avec dédain.

— Tu l'as laissé faire?!

Joseph fit un signe de dénégation.

— Ça ne s'est pas passé comme ça…

Ils restèrent tous trois tétanisés tandis que l'ancien responsable du programme Marée Rouge replongeait dans son récit.

*Pleurant en silence, Jeanne est prostrée sur les corps sans vie de ses fils, étendus sur la moquette du salon. En proie à un désarroi insurmontable, elle attrape le revolver et met le canon dans sa bouche, mais elle est incapable de tirer. Elle frappe du poing contre le sol, hurle le nom de ses enfants disparus. Quand Henri et Joseph apparaissent dans l'embrasure, Jeanne a remis le canon dans sa bouche. Joseph reste cloué sur place tandis qu'Henri se précipite vers elle. Il essaie de lui arracher l'arme des mains, mais Jeanne est incontrôlable. Le coup part pendant qu'ils luttent. Le regard effaré, Jeanne s'effondre dans les bras d'Henri, où elle rend bientôt l'âme.*

— J'ai tout vu. J'ai figé.

La voix cassée par l'émotion, Joseph s'interrompit. Incrédule et meurtri, Victor secoua la tête, les yeux baignés de larmes.

— Ma mère aurait jamais fait ça ! Jamais !

— Écoute-le pas, mon homme. Il te joue dans la tête.

Joseph le contempla longuement comme s'il était témoin du changement qui s'opérait en lui.

— Malheureusement, c'est la vérité, la tragique vérité…

Fracassé, Victor ne savait quoi penser, son esprit ne cherchant plus que la mort ou la vengeance.

— Non, tu mens ! Si c'était vrai, pourquoi mon père se serait tiré ? Pis pourquoi tu lui aurais promis de pas me tuer ?

— Es-tu certain que tu veux savoir ?

Pressentant le danger, Jacinthe tenta de l'en dissuader.

— Non, Victor !

Mais puisqu'il fallait qu'il sache coûte que coûte, il opina de la tête et, le poids de ses squelettes lui voûtant les épaules, Parker reprit le fil de son histoire.

*À l'étage, assis sur son lit, Henri sanglote, complètement absent.*
*— Le coup est parti tout seul, je voulais pas. Je…*
*Joseph essuie le revolver avec un morceau de tissu et le met dans la main d'Henri pour y apposer ses empreintes. Puis il le pose sur le plancher. Il attrape ensuite le fusil de chasse d'Henri sous le lit. Le tenant avec le chiffon, il le place entre les jambes de son ami, puis guide les mains de celui-ci vers la crosse et la détente, et son*

menton, vers le bout du canon. Quand Henri revient dans le réel, Joseph pointe son pistolet de fonction sur sa tête.

— Ce serait mieux que ça soit toi qui le fasses, Henri.

Celui-ci met un instant à comprendre.

— Tu vas faire le ménage, Joseph ? Tu vas tout maquiller ? T'as peur que je parle et qu'on apprenne jusqu'où t'es allé avec Jeanne ?

Henri n'attend pas la réaction de son ami pour finir de délester son cœur de tout ce qui l'encombre.

— Je sais tout. Tes menaces. Les enfants...

Joseph est ravagé, mais si Henri disparaît, les problèmes s'effacent avec lui. Résigné, il s'entend dire :

— J'ai pas le choix...

Il y aura enquête et il ne peut se permettre qu'on l'accuse d'avoir poussé Jeanne à l'infanticide et au suicide. Il ne saurait être question que sa vie soit ainsi brisée.

— Vas-y, Henri, qu'on en finisse.

— Et Victor ?

Le doigt de Joseph se contracte sur la détente de son pistolet.

— Je ne peux pas prendre le risque que Jeanne lui ait dit quelque chose à propos du vol de la liste ou qu'il comprenne un jour.

L'air hanté, Henri écarquille les yeux.

— Oui, tu peux ! Pis tu vas me promettre qu'il lui arrivera rien ! C'est ton fils !

Joseph se pétrifie. À fleur de peau, Henri poursuit.

— Jeanne m'a tout raconté hier. Tout !

D'une traite, Henri donne à Joseph des détails, des dates, des endroits où Jeanne et lui se sont aimés, des moments dont Joseph se souvient avec précision et qu'il chérit, et qui prouvent la véracité de l'affirmation d'Henri. Dépassé, Joseph encaisse sans dire un mot.

— De toute façon, je l'ai toujours su. Pis toi aussi...

Henri a raison. Au fond de lui, Joseph a toujours su. Le pistolet tremble dans sa main. Il s'apprête à tirer lorsque Henri l'interpelle d'une voix étonnamment calme.

— Es-tu un homme de famille, Joseph ?

*Henri appuie sur la détente. La détonation du fusil de chasse fait sursauter Joseph.*

Victor ferma les paupières mais ne put retenir ses larmes plus longtemps. Tout tanguait à l'intérieur de lui, comme au milieu d'une mer glaciale où il se serait agrippé à une embarcation chavirée.

## 92

## Abattre ses dernières cartes

Hubert Baron se stationna non loin de la maison où Victor avait grandi et qui servait à présent de *safe house* à Joseph et Abel Parker. L'agent des services de renseignements avait abattu toutes ses cartes et se retrouvait acculé au pied du mur ; l'homme se savait démasqué ou sur le point de l'être. Il n'y avait plus une minute à perdre : il fallait disparaître. La taupe avait seulement besoin que Joseph allonge l'argent qu'il lui avait promis, son avance ayant fondu comme neige au soleil.

Baron avait obéi au doigt et à l'œil à l'ancien patron du SCRS, sur qui il avait tout misé et tout perdu. Lui restait cependant l'espoir de s'en tirer. Sachant comment s'y prendre pour qu'on ne le retrouve pas, il allait partir et recommencer sa vie en Amérique latine. Pour ce faire, il devrait laisser Minifée derrière lui, mais la jeune femme s'en remettrait. De son côté, il trouverait aisément du « talent local » dans son nouveau port d'attache.

Seule ombre au tableau : Joseph ne lui avait pas donné signe de vie à la suite de son message. Baron se fit une ligne de coke en vitesse pour se donner du courage, puis sortit de son véhicule. Il marchait tranquillement vers la maison lorsqu'une voix retentit dans son dos.

— Les mains sur la tête, Hubert. Pas de gestes brusques.

Le traître se retourna lentement et vit Sondos et Delaney, qui le tenaient tous les deux en joue, leurs bouches soufflant des nuages de condensation. Delaney alla vers lui et le palpa. Baron, qui n'était plus armé, affecta une grande consternation.

— Je suis allé voir Iba Khelifi, comme tu me l'avais demandé. C'est elle qui m'a donné l'adresse. J'étais sur le point de t'appeler. Je voulais être sûr que c'était ici, avant.

Glaciale, Sondos ne se laissa pas prendre à son manège, cette fois-ci.

— Iba Khelifi n'était plus à Ghetto X. Je l'avais déjà fait transférer au centre opérationnel. J'ai entendu le message que t'as laissé à Joseph Parker tantôt. C'est fini, Hubert. Je sais tout, absolument tout.

Delaney lui passa les menottes. Baron bouillait d'une rage contenue. Sans ménagement, le policier le poussa vers la voiture cependant que Sondos appuyait sur une touche de son cellulaire et le lui tendait.

— Les Forces spéciales, Paul. Dis-leur de s'en venir.

Delaney s'éloigna pour parler dans le téléphone.

— La *safe house*, c'est de là que Parker coordonne la cyberattaque ?

Baron toisa Sondos, mais ne répondit pas. Elle approcha son visage à quelques centimètres du sien.

— C'est à cause de toi qu'ils avaient toujours une longueur d'avance. Une vulgaire taupe…

L'air arrogant, il crâna.

— À cause de moi ? C'est ce que tu penses ? Regarde-toi dans le miroir, Sondos : t'as été manipulée par le grand Joseph Parker. C'est lui, la vraie taupe. Depuis trente ans.

Baron modula sa voix pour l'imiter.

— « Vous voulez qu'on les infiltre, monsieur ? »

Tandis que Delaney récupérait une paire de jumelles dans le coffre de la voiture afin d'observer la maison, Sondos saisit vigoureusement Baron par la manche.

— Dis-moi qu'il menaçait ta famille, Hubert. Que ce n'est pas juste pour de l'argent.

— L'argent, c'est le symptôme, Sondos. La maladie, c'est le pouvoir.

Elle le força à s'asseoir sur la banquette arrière du véhicule. Livide, troublé par ce qu'il venait de voir à l'intérieur de la maison, Delaney la rejoignit.

— Fuck, ça chauffe là-dedans.

Il lui fit un résumé de la situation. Claire Sondos se tourna vers Baron.

— Es-tu déjà entré dans la maison, Hubert ?

— Peut-être, ça dépend.

— De quoi ?

— Si vous me garantissez l'immunité ou non.

Delaney vit rouge et l'attrapa par les cheveux.

— Eille, le cave, tu vas parler ! J'ai deux amis qui risquent leur vie !

— Je vous l'ai dit, Paul, on ne sait jamais quand on va avoir besoin d'aide.

Le chef des crimes majeurs serra les dents et fracassa la tête de Baron sur le montant de la portière. L'arcade sourcilière de la taupe s'ouvrit et du sang dégoulina sur son visage ; il conserva néanmoins son calme.

— Votre choix…

D'un signe, Sondos et le policier s'entendirent pour accéder à la demande de Baron. Delaney l'empoigna et lui frappa de nouveau violemment la tête au même endroit.

— La première fois, c'était pour Victor. Celle-là, c'est pour moi, mon enfant de chienne.

## 93

## Laver son linge sale en famille

— Tu le sais au fond de ton cœur que je dis la vérité…

Ce que Victor retiendrait par la suite, c'est que la vérité se déployait parfois dans le plus profond silence jusqu'au jour où elle éclatait et renversait un monde en devenir, qu'on ne pourrait ni refaire ni réparer.

Quand il rouvrit les paupières, il réalisa que l'homme devant lui était à la fois celui qui lui avait fait don de la vie et qui avait poussé ses deux parents vers la mort. Le visage de Joseph Parker lui apparut dès lors comme un masque à deux faces où cohabiteraient la beauté et la laideur ultimes. Le sentiment qu'il éprouvait à son égard était au-delà de la répugnance, au-delà de la haine.

Les yeux mouillés et compatissants, Jacinthe tenta de l'aider à apprivoiser la terrible réalité.

— Un père biologique, c'est toujours ben juste un spermatozoïde dans le cosmos. C'est pas ça qui te définit, mon homme. T'as rien en commun avec ce trou de cul là !

Incapable de se contenir plus longtemps, Abel planta son couteau dans le bois de la table et bondit vers son père.

—J'en reviens pas ! Tu le protégeais pas parce qu'il savait quelque chose, tu le protégeais parce que c'est ton fils ?!

Joseph baissa la tête comme s'il la posait sur le socle d'une guillotine.

— Même pour moi, c'est difficile à comprendre.

Abel se mit à arpenter la pièce en rasant les murs, impétueux, chacun des mots prononcés par Joseph, chacune de ses respirations l'aliénant davantage.

Jacinthe pivota discrètement le haut de son corps vers la rue, où un mouvement venait d'attirer son attention. En état d'hypervigilance, Abel surprit son geste et courut vers la fenêtre.

— Fuck ! Baron s'est fait prendre.

Il frappait la vitre du poing lorsque son père le rejoignit.

— Imbécile ! Je lui avais dit de se tenir loin d'ici.

— Ils l'ont suivi. Sondos pis un autre gars.

À l'extérieur, brusquement exposés à leur vue, Sondos et Delaney avaient abaissé leurs jumelles en même temps.

Abel tira les rideaux. Quand il se retourna, il semblait métamorphosé. Le tireur d'élite reconnu pour son sang-froid en situation critique venait de ressurgir.

— S'ils sont pas déjà là, les Forces spéciales vont débarquer dans pas long.

Joseph pointa l'index vers la cuisine.

— Va-t'en par en arrière. Je m'occupe du reste.

La voix de Victor les surprit au cœur de leurs tergiversations.

— Réfléchis bien, Abel. Si tu pars maintenant, il va pouvoir tout te mettre sur le dos !

Joseph prononça les paroles justes pour rassurer son fils, mais celui-ci avait de toute évidence autre chose en tête.

— Personne sort d'ici.

Déterminé, il se hâta en direction de l'escalier menant aux chambres et le grimpa en vitesse. Joseph marcha jusqu'à son ordinateur en se demandant s'il devait rejoindre son fils à l'étage ou non. La barre de progression verte atteignait maintenant 89 %. Après une hésitation, il attrapa plutôt son cellulaire et composa un numéro.

Jacinthe tentait toujours de défaire ses liens, mais les attaches autobloquantes étaient si serrées qu'elle ne réussit qu'à abraser la peau de ses poignets jusqu'au sang.

— Il est parti où, l'autre crinqué ?

Puisque Victor ne répondait pas, elle revint à la charge.

— Paul est dehors avec Sondos. Il faut gagner du temps… Parle-moi, mon homme.

Comme un enfant qui a peur de ce qui se cache sous son lit, Victor avait eu besoin de se créer un monstre en la personne d'Henri pour continuer à vivre, occulter sa douleur et donner un sens à sa propre violence. Mais, maintenant que cette construction échafaudée sur des mensonges venait d'être réduite en poussière, il s'en voulait amèrement de l'avoir tant détesté. Il avait eu un père et l'avait perdu par sa propre faute en l'oblitérant de ses souvenirs.

Et tandis que Jacinthe tendait l'oreille pour essayer d'entendre Joseph, celui-ci parlait à voix basse en retrait de la salle à manger.

— Je m'en fous, des risques ! Il faut que tu prennes le contrôle du système au plus vite ! Le temps presse !

Lorsqu'il raccrocha et revint vers eux, Victor émergea enfin, résolu à affronter le véritable monstre, celui qui se dressait devant lui.

— Ma partner a rien à voir dans nos histoires. Laisse-la partir avant qu'Abel revienne. Après, on lavera notre linge sale en famille.

Joseph releva la tête et le jaugea. Loin de lui déplaire, l'idée semblait l'intriguer. Jacinthe s'insurgea aussitôt.

— C'est hors de question, Lessard !

— Fais-le en hommage à ma mère, Joseph. Fais-le pour toutes les années que tu lui as volées.

Joseph hésita et considéra encore un moment la requête de Victor. Puis il saisit le couteau qu'Abel avait planté dans la table et, prenant aussi le pistolet, il alla vers Jacinthe.

— Non ! Non ! Non ! Fais pas ça ! Non ! Abel ! Abel !

Joseph avait dégagé les chevilles de Jacinthe quand son cellulaire sonna.

Quelques minutes plus tôt, jumelles au bout de leurs courroies reposant sur leur poitrine, Delaney et Sondos se tenaient côte à côte, à l'abri d'une portière entrouverte. Le vent tourbillonnant soulevait en fine poudrerie cristalline la neige accumulée au sol.

— On a perdu l'avantage, Sondos. Maintenant, ils savent qu'on est là.

Aussi furieuse qu'inquiète, elle avait acquiescé.

— À ton avis, on bouge avant que les Forces spéciales arrivent ou pas?

Delaney avait grimacé et fait signe que non.

— Trop risqué.

Sondos avait attrapé son cellulaire et appuyé sur une touche. Puis, l'agente du SCRS avait anticipé sa question.

— Je connais Joseph Parker depuis que j'ai vingt ans.

— On devrait pas plutôt attendre le négociateur?

— Je prends une chance, Paul.

La voix de Parker se fit entendre dans son téléphone.

— Bonjour, Claire.

— Dites-moi que c'est pas vrai.

— Vous étiez une très bonne élève, Claire. La meilleure. Mais, vous le savez mieux que quiconque, les apparences sont parfois trompeuses.

— Rendez-vous. On va démêler tout ça ensemble.

— J'ai besoin d'un peu de temps.

Suivant la conversation d'une oreille, Delaney se remit à observer la maison avec ses jumelles.

— Du temps pour terminer la cyberattaque? Hors de question. C'est fini, Joseph. Les Forces spéciales arrivent.

— Je vais libérer un otage pour vous prouver ma bonne foi. Mais si vous voulez éviter une catastrophe, vous allez me gagner du temps…

— Vous avez trahi ma confiance, sacrifié des vies !

— Notez bien ce que je vais vous dire : vous allez bientôt comprendre pourquoi et me remercier.

Sondos entendit soudain un grand vacarme et une voix qui criait à s'en époumoner en arrière-plan.

— Qu'est-ce que t'as fait là ? Donne-moi mon gun !

Un bruit semblable à celui d'un objet qu'on laisse échapper sur le plancher retentit avec fracas.

— Joseph ? Joseph ?

Paniqué, Delaney abaissa ses jumelles et se tourna vers l'agente du SCRS.

— On fait évacuer la rue !

À la fenêtre, Abel venait d'apparaître furtivement entre les rideaux.

Revêtu d'une veste d'explosifs, Abel gardait une main sur le détonateur et tenait dans l'autre son pistolet braqué sur Jacinthe. Il hurla à l'intention de son père :

— Sacre-la dehors ! Plus vite !

Mains toujours attachées dans le dos, la policière se débattit avec l'énergie du désespoir tandis que Joseph l'entraînait vers la porte.

— Non ! Mes enfants de chienne ! Non !

Immobile sur sa chaise, Victor conserva son calme cependant que le regard paniqué de Jacinthe s'accrochait au sien. Il lui fit un signe de tête et lui donna rendez-vous sans ouvrir la bouche. « On se revoit dans l'autre monde, Willard. »

Dehors, on vit la porte d'entrée de la maison s'ouvrir brutalement et une silhouette corpulente apparaître dans l'encadrement. Il y eut un moment de flottement, puis Sondos dégaina son arme alors que Delaney, pistolet au poing, courait vers Jacinthe. Hors d'elle, cette dernière donnait de grands coups de pied dans la porte à nouveau close, que Parker avait rebarrée.

— Va chier pis mange de la marde, Parker! Lessard! Lessard!

Victor observa la veste d'explosifs, mais il avait des connaissances trop limitées en la matière pour savoir si la menace était réelle. Cependant, à voir l'expression du visage d'Abel, ses derniers doutes se dissipèrent; elle l'était.

— C'était aux djihadistes?

Abel opina en silence. Joseph s'avança vers lui.

— Laisse-moi te l'enlever. T'as pas besoin de ça.

Il suspendit son geste quand Abel brandit le détonateur, son pouce à quelques millimètres de tout pulvériser.

— Tu dis que tu m'aimes, mais tu caches toujours une carte dans ta manche.

Abel cogna le poing contre son cœur.

— Moi, je le sens pas, ici. Pis mon instinct est bon. Il m'a gardé en vie jusqu'à aujourd'hui.

Joseph se mit à parler comme s'il prononçait un vibrant plaidoyer.

— Si je t'ai caché des choses, c'est pour toi, parce que je ne voulais pas te faire de mal. Tu n'as pas de raison d'en douter, Abel.

— Pas de raison? Ça fait un méchant boutte que je me demande t'es qui!

Il désigna Victor sur sa chaise.

— Pourquoi tu penses que je l'ai amené ici? C'était lui, ma dernière chance d'essayer de te comprendre.

— T'aurais dû me parler. On peut encore se parler…

— Non! T'écoutes jamais! T'écoutes pas! C'est pas pour rien que m'man est partie.

Sur le fil du rasoir, l'air instable, Abel allait et venait dans la pièce, tournant autour de Victor.

— Tu l'as jamais aimée! Elle pouvait pas se battre contre un fantôme. Elle pouvait pas.

Joseph encaissa la vérité comme une gifle au visage.

— Le kendo, tes grands discours sur le sens de l'honneur, de l'engagement, pis toute ton hostie de bullshit… J'y ai tellement cru ! J'ai fait l'armée parce que je pensais que c'était ça que tu voulais. Je suis allé en Afghanistan pour que tu sois fier de moi ! Je suis revenu plein de médailles !

Joseph semblait profondément ébranlé.

— Tu te trompes ! Je suis fier de toi !

— Non. Si tu m'avais aimé comme moi je t'aime, tu m'aurais convaincu d'arrêter.

L'indignation d'Abel atteignit son paroxysme.

— Mais non, tu m'as utilisé, tu m'as sacrifié comme t'as sacrifié la femme que t'aimais, pis ton meilleur ami !

Continuant de fixer Joseph avec intensité, il pointa de nouveau Victor.

— Pis lui, ce que tu lui as fait… J'ai plus de respect pour ce gars-là que pour toi. Parce que, lui, au moins, il a eu le courage de se battre pour la vérité, même si ça pouvait le tuer.

À la fois ému et amer, Abel se dirigea vers son père.

— Pendant que tu manigançais, pendant que t'enterrais ton passé, moi, p'pa, j'ai été obligé de me bâtir une armure pour continuer à vivre.

Tremblant de colère, il planta son regard dans celui de Joseph.

— Fait que là, tu vas le vider, ton sac ! Au complet !

Le pouce d'Abel s'approcha du détonateur. Il serrait les dents, prêt à passer à l'acte. Pour apaiser la tension, et peut-être aussi le tourment de son âme, Joseph leva les mains, paumes tournées vers lui.

— Tu sauras rien si tu fais tout sauter, Abel.

## 94

## Y a des affaires qui sont juste pas pardonnables

Un plan des pièces de la maison dessiné par Baron en main, Sondos acheva de claironner ses instructions aux soldats des Forces spéciales et aux tireurs d'élite, lesquels partirent se mettre en position.

Jacinthe avait rejoint Delaney près d'un véhicule blindé.

— J'ai entendu Parker, il a dit qu'il fallait prendre le contrôle du système au plus vite.

— Le système de quoi? On n'a pas le choix, Jacinthe. Faut donner l'assaut.

— Non, non, non! Abel va se faire péter si on fait ça. Notre meilleure chance, c'est de laisser Lessárd continuer.

Delaney esquissa une moue torturée.

— Qu'est-ce qu'il peut faire les deux mains attachées dans le dos, Jacinthe? Victor est quand même pas magicien.

Quelque chose d'une rare violence se révéla dans le regard de l'enquêtrice. Delaney préféra détourner la tête : il ne désirait pas être l'objet de son courroux.

Joseph consulta l'écran de son ordinateur. La barre verte atteignait maintenant 94 %. Il revint s'asseoir sur la chaise placée devant Victor, tandis qu'Abel se mouvait autour d'eux.

— Quand j'ai coincé Henri, il m'a dit qu'il devait remettre la liste à Komarov.

— Fait que t'es allé le voir, pis tu lui as vendue.

Joseph acquiesça.

— Oui, mais pas pour l'argent. Je voulais qu'il pense qu'il venait de recruter un nouvel actif. Nikolaï a été ma porte d'entrée, Victor. Après, j'ai vendu des informations aux Russes pendant trente ans. Pas les plus sensibles, mais assez pour faire mes preuves et gagner leur confiance.

— Attends, attends. Je comprends ce que t'essaies de faire. T'essaies de me convaincre que t'as fait ça pour les infiltrer…

— Mais c'est la vérité ! C'est une des plus importantes opérations de contre-espionnage de l'histoire. Je touche enfin au but…

Loin d'être impressionné, Victor secoua la tête. Son cerveau tournait à toute allure.

— Les djihadistes, c'était pour attirer l'opinion publique sur les dérives de l'immigration. Ça, c'était le but d'Abel. Mais toi… Toi, t'as jamais voulu mettre les Freelanders au monde. Tu les as même trahis. Tu les as donnés au SCRS.

Ses doigts exsangues enserrant le détonateur, Abel jeta un regard rempli de haine à son père, qui, de nouveau, proposa une explication rationnelle.

— Vous étiez déjà sur leur radar, Abel. C'était une question de temps. En t'amenant Robert Thomson, je t'ai redonné l'avantage.

Abel ouvrit la bouche pour répliquer, mais Victor le précéda et reprit la parole.

— T'arrêtes pas de checker ton ordinateur. Qu'est-ce que vous vouliez mettre sur le dos des djihadistes ?

Contre toute attente, la réponse vint de la bouche d'Abel.

— On voulait prendre le contrôle de la centrale nucléaire de Bruce, en Ontario, et faire en sorte que tout le monde croie que c'était des djihadistes qui l'avaient fait.

Victor encaissa la révélation, puis riva ses yeux à ceux de Joseph.

— Ça, c'était l'objectif d'Abel. Encore les dérives de l'immigration. Maintenant, je veux que tu me dises c'est quoi *ta* véritable motivation !

Avec la même gravité que s'il accompagnait un cortège funèbre, l'espion répondit d'un ton empreint de solennité.

— C'est le coup d'éclat qui me manquait pour pouvoir enfin entrer dans le cercle du pouvoir, au Kremlin…

Victor n'en croyait pas un mot.

— Bullshit… Si c'était vrai, le SCRS serait dans le coup. Ils seraient pas dehors avec les Forces spéciales, prêts à donner l'assaut.

— Sois pas si naïf, Victor. Pour que les Russes me voient comme un interlocuteur valable, pour gagner leur confiance, je ne pouvais mettre personne au courant.

Joseph les détailla longuement, l'un après l'autre.

— Je n'avais pas le choix : il fallait que je sacrifie tout.

— À commencer par maman pis moi.

Joseph enveloppa Abel d'un regard contrit et aimant, mais celui-ci détourna la tête.

— Pis ma famille.

Victor le fixait sans ciller, impitoyable.

Il y a toujours plusieurs façons de raconter une histoire, et, à l'évidence, Joseph avait choisi la sienne depuis longtemps.

— J'ai beaucoup perdu là-dedans, moi aussi. Henri était comme un frère, et Jeanne était l'amour de ma vie.

Il marqua une pause pour réprimer son émotion.

— Je ne suis pas fier de l'homme que j'ai été, Victor. C'est pour ça que j'ai fait ce que j'ai fait après : pour donner un sens à leur mort.

— Si je pouvais, je te ferais ravaler ta bullshit mot par mot. Mais le SCRS va s'en charger.

Joseph se mit à ricaner.

— Penses-tu qu'ils vont se priver de la taupe qui a réussi à infiltrer les hautes sphères du Kremlin ? Imagine la mine de renseignements que je vais pouvoir leur fournir.

Victor s'apprêtait à répondre quand la voix fracassée d'Abel se fit entendre.

— J'ai jamais compté pour toi. J'ai toujours été ton plan B.

Joseph eut le sourire amer de ceux qui regrettent.

— J'aurais voulu te donner plus, Abel, seulement j'en étais incapable. Mais j'aurai pas tout raté. Vous êtes venus ici ensemble, comme des frères. C'est ça qui…

Une détonation assourdissante retentit. Les yeux écarquillés, Joseph se tourna vers Victor, ensuite vers Abel, le poing crispé sur la crosse de son pistolet fumant. La tête de Joseph retomba contre sa poitrine, où une fleur de sang se mit à grossir sur sa chemise, près de son cœur. Alors seulement la conversation que Victor avait eue avec l'homme qu'il avait sauvé au Casino lui revint en mémoire.

— *Votre fils… peu importe ce que vous avez fait, il va vous pardonner.*

— *Non ! Y a des affaires qui sont juste pas pardonnables.*

## 95

## Une histoire de gènes

Dehors, le chaos s'organisait. Les tireurs d'élite des Forces spéciales avaient pris position sur les toits des habitations voisines. Embusqué près de la maison d'enfance de Victor, un commando des Forces spéciales attendait l'ordre de donner l'assaut.

Les rues environnantes avaient été évacuées et, gyrophares allumés, des voitures de patrouille bloquaient les intersections. Des policiers avaient tendu des bandes jaunes pour créer un périmètre de sécurité. Un hélicoptère exécutait des cercles au-dessus de la scène.

À l'abri derrière le véhicule blindé des Forces spéciales, Delaney, Jacinthe et Sondos surveillaient la maison quand le walkie-talkie de l'agente du SCRS crépita.

— Eagle 1 en position. Aucun visuel. *Over.*

— Eagle 2 en position. Même chose ici. Les rideaux sont tirés. *Over.*

— Bien reçu, Eagle 1 et 2. Attendez mes instructions.

Sondos se tourna vers Delaney, qui serrait les mâchoires.

— Il y a eu un coup de feu, Paul. C'est le temps d'y aller.

Jacinthe abaissa tout à coup ses jumelles.

— Yo, tu vas te calmer le pompon, ma belle, si tu veux pas avoir mon pied au cul !

Elle reprit ses binoculaires et poursuivit sa vigie.

— Estie, Lessard…

Abel était assis, dos au mur. Couvert de sang, il contemplait le cadavre de Joseph, qu'il·avait traîné jusque-là et tenait serré contre sa poitrine. Toujours immobilisé sur sa chaise, Victor l'observait. Malgré l'horreur de ce qu'Abel avait fait, sa douleur sincère le touchait. Sans réfléchir, il se mit à lui parler.

— J'haïs mon père depuis que j'ai douze ans. Je me suis souvent dit que j'étais comme lui, que j'avais la même noirceur en dedans. Mais je me suis trompé : c'était un homme bon. Un homme ordinaire. Pis moi je l'ai…

Il s'arrêta pour contenir son émotion, puis reprit.

— Tout ce qu'il a enduré… Là, il va falloir que j'apprenne à faire la paix avec ça.

Sa voix se cassa, ses yeux s'embuèrent.

— Pis ma mère… que je lui pardonne.

— Ce qu'elle a fait, c'était par amour.

Victor haussa les épaules. Il ne savait pas, ne savait plus.

— En fin de compte, j'ai jamais été celui que je pensais être.

Abel tourna la tête vers lui. Leurs regards se soudèrent.

— Moi, j'ai pensé que je faisais quelque chose de juste, de nécessaire… Mais c'est toi et Iba qui aviez raison : je me suis trompé.

Il contempla le visage sans vie de son père qui, libéré de l'écheveau de ses mensonges, semblait enfin apaisé.

— La vérité, c'est que je suis juste un tueur.

— T'as tué, c'est vrai. Ça excuse absolument rien, mais la vérité, c'est aussi ce que t'as en toi. T'aimes une fille d'une culture différente. Il est pas trop tard pour lui montrer que tu choisis de vivre dans le même monde qu'elle. Il est pas trop tard pour te racheter…

Les traits d'Abel s'illuminèrent à l'évocation d'Iba, puis il se rembrunit. Il se sentait gluant des atrocités qu'il avait commises.

— Oui, justement. J'ai tué trop de monde.

Abel reposa délicatement le corps de Joseph sur le sol. Puis il s'approcha de Victor et coupa ses liens aux chevilles et aux poignets.

— Pars. Pis fais évacuer la rue si c'est pas déjà fait.

Victor se leva. Ils se jaugèrent.

— Une centrale nucléaire qui explose, ça peut dégénérer vite. Jacques Marcoux dit que t'as sauvé des dizaines de vies en Afghanistan. Si on arrête la cyberattaque, on peut peut-être en sauver des milliers d'autres.

— Va-t'en, Victor.

De nouveau, il leva la main dans laquelle se trouvait le détonateur.

— Go ! Décâlisse !

Si vite qu'Abel ne put réagir, Victor enserra à deux mains son poing, bloquant le pouce qu'il tenait au-dessus du détonateur.

— On part ensemble ou on saute ensemble. Ton choix.

Une alarme provenant de l'ordinateur brisa le silence. Victor désigna l'appareil.

— Il doit plus rester beaucoup de temps. Faut que tu m'aides, Abel.

Après un court moment, celui-ci approuva ; Victor relâcha sa main. Ils se hâtèrent vers le bout de la table où était posé l'ordinateur. Sous leurs yeux, la barre de progression verte atteignit 100 %. Le regard d'Abel passa de l'écran à Victor.

— Dans chaque opération, y a un mot de passe qui permet d'y mettre fin. C'est sûr que mon père en a donné un à ses hackers.

— Mais tu le connais pas.

— Si je le savais, je te le dirais.

Victor alla jusqu'au cadavre de Joseph et prit son cellulaire. Il posa le pouce du mort sur le lecteur d'empreintes pour le déverrouiller. Il fouilla ensuite dans le registre d'appels et appuya sur le dernier numéro composé.

Tandis que la sonnerie retentissait, Abel le mit en garde.

— T'auras pas deux chances.

Victor opina. Chaque sonnerie éclatait comme un coup de tonnerre dans ses oreilles.

— On est à 100 %, monsieur Parker. J'arrête le système de refroidissement du réacteur ?

Son cœur battant à tout rompre, Victor entendit le souffle rauque de son interlocuteur qui attendait avec circonspection ses directives. Abel lui chuchota à l'oreille.

— Essaie quelque chose de simple. Un mot. Le prénom de ta mère. Ou le tien…

Des voix d'une netteté inaccoutumée se mirent à danser dans sa tête. « *Celui-là, c'est pour toi, Victor. Un Mustang. Le meilleur chasseur à hélice de tous les temps.* » Il regarda le corps de Joseph, puis Abel. « *Pis quand son père a parlé de l'avion qu'il t'a donné, le Mustang là, je pensais qu'il allait le tuer drette là.* »

Soudain, Victor s'illumina et ses yeux s'agrandirent.

— Mustang.

Dans le téléphone, le jeune hacker insista.

— Monsieur Parker ?

— Je le répéterai pas une autre fois ! Mustang !

Au bout de ce qui lui sembla une éternité, l'ordre tomba.

— On arrête tout !

Victor coupa la ligne et poussa un soupir de soulagement. Il ne le vit pas mais, dans la pizzéria de l'avenue Duluth, le jeune homme à la chemise à col Mao paraissait lui aussi délivré d'un fardeau. Victor ne le saurait jamais, mais entre ses doigts tremblants, ce dernier tenait toujours le carton qu'il avait trouvé dans l'enveloppe que lui avait remise Joseph Parker ; un seul mot était écrit dessus : *Mustang.*

S'emparant de son propre téléphone, Victor composa un autre numéro.

— T'appelles qui ?

— Ma partner.

Il fit quelques pas dans la pièce. Il avait besoin d'air et de lumière ; il se sentait oppressé. À la fenêtre, il allait ouvrir les rideaux lorsque Abel le tira par la manche.

— Snipers. Au moins un sur le toit en face, pis un autre à gauche. Fie-toi sur moi.

Sa stupeur passée, Victor le remercia d'un signe. Jacinthe répondit à la première sonnerie.

— Yo, ça va-tu, mon homme ?

— Je pense qu'on a arrêté la cyberattaque. Mais demande au SCRS d'appeler la centrale nucléaire de Bruce. Qu'ils vérifient les intrusions dans leur système.

— Quoi ?! Tu me niai… Parfait, on s'en occupe.

Un temps passa, puis elle reprit.

— On sait tous les deux ce qu'il va faire. Dis-moi que tu vas sortir de là au plus crisse.

— Tu me connais.

— Justement.

— Ben moi aussi, je te connais.

— Fuck ! Lessard ! Ça veut dire quoi, ça ?

Victor mit fin à la communication. Il se tourna vers Abel, qui pencha lentement la tête.

— Tu me feras pas changer d'idée.

— Fais ce que t'as à faire.

Le poing d'Abel vacilla, mais il était incapable d'appuyer sur le détonateur et d'entraîner Victor dans son suicide. Les deux hommes se dévisagèrent, puis Abel ouvrit soudain les rideaux et ferma les yeux. Les bras en croix, il attendait la balle qui allait le transpercer, abréger sa souffrance.

— C'est bizarre qu'ils tirent pas, hein ?

Abel se retourna et brandit le détonateur.

— Fais-moi pas faire ça, Lessard.

Celui-ci avança d'un pas vers son demi-frère.

— Tu le feras pas.

— Victor !

Il hurlait.

— Arrête !

Mais l'ancien enquêteur continua de marcher.

— Tu le feras pas. Nos gènes sont pas aussi pourris que tu penses.

Effaré par ces derniers mots, Abel fixait Victor, qui lui tendit sa paume ouverte.

À l'extérieur, Abel s'encadrait dans la mire des deux tireurs d'élite qui, index sur la détente de leur fusil de précision, attendaient un ordre qui ne venait pas.

— Ici Eagle 1. Je répète : contact visuel. Demande permission de tirer.

Derrière le blindé, une conversation chaotique battait son plein.

— Faut y aller maintenant, Paul !

— Elle a raison. Il va peser sur le bouton ! Jacinthe !

L'enquêtrice dissimula son inquiétude.

— J'ai dit de pas tirer ! Lessard est en contrôle.

Sondos et Delaney échangèrent un regard. Puis ils virent Victor refermer les rideaux.

Dix minutes plus tard, la porte d'entrée s'ouvrit et Victor sortit, les bras levés à la hauteur de la poitrine. Dans une main, il tenait par le canon un pistolet qu'il posa sur le sol et, de l'autre, il remit le détonateur à un soldat des Forces spéciales à qui il donna des directives.

Sans attendre, leurs fusils d'assaut braqués, le commando d'intervention s'élança vers la maison. Jacinthe bondit dans la même direction. Sondos aboya des ordres dans son walkie-talkie tandis que Delaney faisait de grands gestes des bras pour s'assurer que les tireurs d'élite n'y contreviendraient pas. Ceux-ci abaissèrent finalement leurs armes. À l'intérieur, les soldats des Forces spéciales encerclaient Abel, qui s'était agenouillé, les mains sur la tête.

Victor s'alluma une cigarette et marcha vers Jacinthe qui accourait. Les yeux tournés vers le ciel qui déversait ses flocons, il ressemblait à un guerrier mythique qui vient de vaincre sa Némésis.

## 96

# Nom de code : Victor

*Quelques semaines plus tard*

Un vieux lecteur de microfilms traînait sur la table de la salle à manger, au milieu du bordel ambiant de l'appartement. Gagné alluma l'appareil et invita Victor à l'observer. Celui-ci découvrit un cryptogramme de cinq colonnes sur cinq rangées. Chacune des vingt-cinq cases était marquée d'un symbole.

— Pourquoi tu me montres ce cryptogramme-là en particulier ? Il y en a une dizaine sur le microfilm que je t'ai apporté.

Victor avait pris l'habitude d'enfiler son gant de baseball et de lancer la balle dans le panier en écoutant le journal télévisé. Quelques jours plus tôt, son attention avait été attirée par une des coutures, qui semblait avoir été réparée avec du fil d'une couleur différente.

Ces points grossiers l'avaient tellement intrigué qu'il avait coupé le fil avec la lame d'un couteau. C'est à l'intérieur des plis du gant qu'il avait trouvé une capsule de plomb d'une taille comparable à celle d'une gélule. Il l'avait ouverte avec précaution, mettant au jour le microfilm.

— Parce que ce cryptogramme-là, c'est la clé. C'est le seul qui contient tous les symboles présents dans les autres.

C'est comme un alphabet. Faut que tu déchiffres celui-là pour comprendre le reste. Au début, j'ai cru que ça pouvait être du grec ou du latin. Mais il y a vingt-cinq symboles dans le cryptogramme. Un de moins que le latin, un de plus que le grec. À cause de nos histoires de Russie, j'ai checké l'alphabet russe. Trente-trois lettres. Mais ça m'a donné une autre idée. J'ai trouvé des vieux cryptogrammes dont les Russes se servaient pendant la guerre froide, dont un utilisé par un espion passé à l'Ouest en 1957.

— Un ancien du KGB?

— Exact. La clé de son cryptogramme a été rendue publique après sa défection. C'est ça qui a été employé pour créer notre alphabet.

— Et encoder le contenu du microfilm... Pis ça donne quoi, un coup déchiffré?

— Des noms. C'est une liste de noms...

— La liste des sympathisants communistes que mon père a volée à Marée Rouge.

Gagné opina d'un signe de tête.

— Il en avait fait un double. Mais le plus intéressant, c'est le nom du cryptogramme qu'il a utilisé pour la coder.

— Celui de l'espion russe qui est passé à l'Ouest...

Sourire en coin, Gagné acquiesça et largua sa bombe en mesurant son effet.

— Tu devineras jamais: «Victor»...

Ainsi, Henri avait non seulement caché un double de la liste dans son gant de baseball, mais également utilisé un cryptogramme portant son nom pour l'encoder[12].

Dans l'appartement de Gagné, la voix de Ted aux portes de la mort rejoua dans la mémoire de Victor.

---

12. Un cryptogramme nommé VIC cipher, nom de code «Victor», a effectivement été utilisé par l'espion soviétique Reino Häyhänen, passé à l'Ouest en 1957.

« *T'as pas le droit de penser que les moments que vous avez vécus ensemble avant le drame comptent pas. T'as été un enfant aimé. Ça fait partie de toi. T'as le droit de bâtir là-dessus et d'être heureux.* »

Les yeux humides, la gorge serrée, il émergea. Gagné avait remarqué son émotion.

— C'est vraiment touchant. Il t'aimait, ton père.

Victor fit signe que oui. Et tandis que les deux hommes échangeaient une accolade fraternelle, il murmura à l'oreille de Gagné.

— Merci, Yves. Merci pour tout.

La chambre était vide et blanche. En jeans et en t-shirt, Victor sablait les retouches de plâtre qu'il avait effectuées sur le mur. Il s'était mis en tête d'achever la peinture de la pièce qui devait leur servir de bureau et à laquelle il n'avait pas encore eu le courage de s'attaquer depuis leur emménagement dans le haut de duplex que Nadja et lui avaient acheté à Notre-Dame-de-Grâce.

Tasse de café à la main, uniquement vêtue d'une chemise à carreaux appartenant à Victor et de longues chaussettes de laine, son amoureuse apparut sur le seuil et l'enveloppa d'un regard bienveillant.

Les blessures par balles qu'elle avait subies ne lui causaient plus de souci. Elle avait encore des migraines et des étourdissements résultant du traumatisme crânien, mais ils étaient de moins en moins fréquents. Au bout du compte, elle s'en sortirait sans séquelles.

Revenir au travail dans un proche avenir était même envisageable, si elle le souhaitait. Mais Nadja n'avait toujours pas décidé de ce qu'elle voulait faire.

— T'as des belles fesses, Victor Lessard.

Absorbé par sa tâche, il n'avait pas remarqué sa présence. Ses cheveux et son visage étaient couverts d'une fine pellicule de poussière blanche. Nadja s'esclaffa. Il avait l'air d'un fantôme. Il la trouva magnifique, nimbée dans la lumière du jour. Il s'avança vers elle et l'enlaça. Tous les deux conscients de la chance qu'ils avaient d'avoir échappé au tour funeste du destin, ils savouraient l'instant.

— Je pensais à ça, l'autre fois… Si jamais un jour on avait un enfant… un fils… On pourrait l'appeler Henri.

Nadja fut surprise et émue. Elle ne savait pas si elle désirait avoir un enfant, mais, dans l'affirmative, elle ne pouvait l'envisager avec personne d'autre que Victor. Et qu'il lui fasse ainsi savoir qu'il en allait de même pour lui la touchait droit au cœur. Mais ce qui la remplissait par-dessus tout de joie, c'est qu'en parlant de cette façon de son père il lui confirmait qu'il s'était décidé à faire la paix avec son passé.

— Tu pensais à ça l'autre fois, hein ? Ben pour ça, faudrait se pratiquer un peu…

Leurs lèvres s'effleurèrent, puis ils s'embrassèrent avec passion. Et, bientôt, la chemise à carreaux de Nadja glissa sur son dos nu et tomba délicatement à ses pieds.

La porte de leur espace de rangement n'étant accessible que de l'extérieur, Victor descendit dans la cour. Il fouillait dans les étagères pour trouver son matériel de peinture quand une voix retentit derrière lui.

— C'est le fun que je sois obligée de sexter ta blonde pour savoir t'es où, mon homme.

Victor se retourna, son visage baigné par la lumière crue de l'ampoule encagée au plafond. Loin d'être surpris, il considéra Jacinthe comme s'il s'attendait à la voir là.

Une tuque à pompon rose enfoncée sur la tête, elle brandit l'enveloppe qu'elle tenait à la main.

— C'est quoi, ça ?

— Ta demande de réintégration aux crimes majeurs. Piché est parti. Paul a déjà donné son OK. Il te reste juste à signer.

Il sortit la rejoindre et prit l'enveloppe, qu'il tourna entre ses doigts. Deux semaines plus tôt, le directeur du SPVM avait annoncé sa démission au cours d'une conférence de presse émotive, prétextant vouloir « consacrer davantage de temps à sa famille et à de nouveaux défis ». Invoquant qu'il fallait « savoir reconnaître le moment où il est temps de céder la place à un nouveau leadership, à une nouvelle vision », il avait affirmé partir l'esprit en paix, « avec un profond sentiment du devoir accompli ».

Victor l'interrogea du regard.

— Pis ce qu'on a fait en dessous de la couverte ?

— Version officielle : c'était une enquête conjointe du SPVM pis du SCRS. On a toujours agi dans les meilleurs intérêts de la sécurité nationale et blablabla…

Il approuva d'un signe de tête.

— J'ai vu Gagné hier. Il va envoyer son CV au prochain boss quand il va rentrer.

Jacinthe semblait au courant.

— Moi, j'ai parlé à Paul. Il va l'aider à se trouver de quoi.

Maladroits, ils restèrent un instant à s'épier du coin de l'œil sans trop savoir quoi faire.

— Bon ben, c'est le moment de vérité, mon homme.

Jacinthe fouilla dans ses poches l'une après l'autre. Elle fit bientôt une moue dépitée.

— Fuck, j'ai oublié mon stylo dans le char. Je reviens…

Victor sourit tandis qu'elle s'éloignait. Il l'interpella.

— Eille, Willard, ça te tente-tu d'aller manger un burger ?

Elle se retourna et essaya de dissimuler son large sourire.

— Jamais de la vie, Gwendoline.

— Même si c'est un goldburger au lieu d'un cheese ?

— Ah ben là, si tu me prends par les sentiments…

Ils éclatèrent de rire. Elle revint sur ses pas et lui tendit le poing.

— Partners ?

C'est au moment où Jacinthe subissait le supplice de la noyade sous ses yeux et par sa faute que Victor avait compris qu'il voulait continuer d'être enquêteur aux crimes majeurs. Non pas pour le boulot à proprement parler, même s'il ne savait rien faire d'autre, mais parce qu'il avait envie d'être là pour elle comme elle avait été là pour lui, parce qu'il avait une dette qu'une vie ne suffirait pas à effacer et qu'il se promettait d'honorer.

Victor plongea son regard dans le sien et cogna son poing contre son poing. Jacinthe était pour lui un phare dont il ne perdrait jamais plus la lumière.

— Partners.

Tout l'amour qui les liait passa dans leurs yeux émus. Et comme le moment s'étirait et qu'elle ne voulait pas pleurer, Jacinthe le brisa.

— Pis, ta p'tite Saab? Est-tu récupérable?

— On va prendre ton char, OK?

Victor texta Nadja pour la mettre au courant, puis ils marchèrent vers la rue.

— C'est moi qui conduis. Tu me donnes mal au cœur quand tu chauffes.

— Désolé si ma conduite vous déplaît, madame la marquise.

— En passant, nouvelle règle, mon homme: tu peux plus fumer dans le char.

— Ça tombe bien, je fume plus.

— Depuis quand?

— Depuis maintenant.

Et bientôt, leurs voix se noyèrent dans le vacarme d'un camion à ordures immobilisé près de la voiture de Jacinthe. Victor balança son paquet de cigarettes dedans et, peut-être aussi, une partie du passé qu'il avait décidé d'abandonner.

C'est qu'il s'était convaincu d'une chose depuis qu'il était ressorti de la maison de son enfance: on pouvait perdre une vie entière à observer des villes lointaines brûler ou choisir de balayer les braises et la cendre et reconstruire.

Son attention se porta sur la neige immaculée qui recouvrait les terrains. Une voix roulait dans sa tête, celle de Nadja dans son songe. « *Savais-tu qu'en plaçant deux prismes l'un à côté de l'autre les couleurs de l'arc-en-ciel reforment la lumière blanche ? C'est la couleur parfaite. La couleur de la pureté. Tu vas voir, c'est une nouvelle page qu'on va tourner.* »

Contemplatif, il sourit tandis qu'il ouvrait la portière passager du véhicule.

— Yo Lessard, arrête de te faire sécher les Chiclets pis embarque. On est partis.

# Remerciements et boniment final

Cinq ans, trois saisons de la série *Victor Lessard* sur Club Illico et plusieurs millions de visionnements nous séparent de la parution de *Violence à l'origine...*

Je l'avoue candidement, je suis le premier surpris qu'il se soit écoulé autant de temps avant qu'un « autre Victor Lessard » ne se pointe le nez en librairie.

La responsabilité en incombe d'abord à Charles Lafortune, celui qui m'a convaincu de tenter l'expérience de la télé ; et, depuis, au plaisir immense que j'éprouve à dompter ce monstre à deux têtes : une carrière de romancier et de scénariste. La vie rêvée.

L'écriture de ce roman a été entrecoupée de la scénarisation de la série, rendant le processus de création singulier et dynamique, l'un enrichissant l'autre.

Ayant le privilège d'être appuyé de façon magistrale dans ces deux sphères, j'aimerais exprimer ma reconnaissance et ma profonde gratitude à :

Johanne Guay et Christian Jetté pour la chaleur sincère de leur accueil et leur confiance ; merci de m'avoir si rapidement fait sentir à la maison chez Librex.

Marie-Eve Gélinas, mon éditrice, qui a la patience des purs, l'œil pour tirer le meilleur parti d'un texte, le souci d'aller jusqu'au bout et... l'endurance d'une marathonienne.

Pascale Jeanpierre et l'équipe de correcteurs pour la rigueur ; Marie-Josée, Janie, Marike, Clémence et toute l'équipe de Librex pour l'enthousiasme et le professionnalisme.

Benoît Bouthillette, le grand frère que j'ai choisi d'avoir, devenu encore une fois la voix de ma conscience le temps de réviser ce roman.

Nathalie Brunet, mon agente, toujours aussi attentionnée qu'à l'écoute et dont le soutien m'a été inestimable durant la dernière année.

Stéphane Berthomet, podcasteur émérite, avec qui j'ai discuté des prémices de ce roman à la pêche, il y a quelques étés déjà, bonne bouffe et belles bouteilles à l'appui.

François Julien, ancien biologiste judiciaire au Laboratoire de sciences judiciaires et de médecine légale (LSJML), qui a eu la gentillesse de discuter d'aspects techniques avec moi.

Tous les libraires, bloggeurs, journalistes et animateurs qui couvrent l'activité littéraire ainsi que tous ceux qui continuent de parler de livres, les miens comme ceux des autres.

Patrice Robitaille et Julie Le Breton, d'incarner Victor et Jacinthe avec autant de cœur, de finesse, de générosité et de swag ; même dans mes rêves les plus fous, jamais je n'aurais pu rêver de meilleurs interprètes ; aux autres comédiens d'avoir prêté leur talent à mes personnages.

Patrice Sauvé, François Gingras et leurs équipes respectives, pour avoir eu la sensibilité de comprendre l'univers qui m'habitait et l'avoir si brillamment porté à l'écran.

Frédéric Ouellet et Martin Forget, mes coscénaristes, en compagnie de qui c'est un privilège et un bonheur renouvelé de créer ; il y a aussi de vous dans ce roman !

Nicola Merola, Charles Lafortune, Caroline Raymond, Mario Clément et toute l'équipe de Pixcom, qui me permettent de repousser sans cesse les frontières de ma créativité.

Myrianne Pavlovic, amie chère et meilleure script-éditrice de l'univers.

Ginette Viens, Richard Haddad et Dominique Burns chez TVA, d'avoir eu l'audace de miser sur moi comme scénariste ; à toute l'équipe de Club Illico pour la visibilité de feu.

Ingrid Remazeilles, d'avoir été la première à croire en moi.

Mon amoureuse et mes enfants, que j'aime à l'infini et qui me rendent meilleur.

Tous ceux qui, trop nombreux pour être évoqués ici, ont contribué de près ou de loin à concrétiser la publication de ce roman.

Et enfin, ma reconnaissance éternelle à vous, chers amis lecteurs et téléspectateurs.

Merci du fond du cœur de me suivre, d'aimer Victor et Jacinthe, et, surtout, merci de votre enthousiasme et de votre amour.

Je suis choyé de pouvoir compter sur votre appui et j'en suis touché au-delà des mots.

Amitiés,

M

www.facebook/martinmichaudauteur
www.instagram.com/martinmichaudauteur
www.michaudmartin.com

P.S. S'il subsistait des erreurs dans ce roman, elles seraient entièrement de mon fait.